Skandal und Diktatur

Formen öffentlicher Empörung im NS-Staat und in der DDR

Herausgegeben von
Martin Sabrow

WALLSTEIN VERLAG

Gedruckt mit freundlicher Unterstützung
der Stiftung zur Aufarbeitung der SED-Diktatur

Inhalt

Martin Sabrow

Politischer Skandal und moderne Diktatur

Skandale sind eigentümliche Gebilde. Je mehr sie die öffentliche Aufmerksamkeit beherrschen, desto nachdrücklicher scheinen sie sich der wissenschaftlichen Analyse zu entziehen. Insbesondere der politische Skandal prägt das Leben in der Mediengesellschaft seit Jahrzehnten in einem solchen Maße, daß die Warnung vor dem Zerfall von Politik in Skandale und Affären zu einem gängigen Topos geworden ist. Und doch hat seine prominente Rolle im öffentlichen Leben dem Phänomen nicht dazu verholfen, zu einem präzise definierten Begriff der politischen Kulturforschung zu werden. Im Gegenteil hat die in der politisch-moralischen Alltagssprache allgegenwärtige Rede vom Skandal bis heute keine klaren wissenschaftlichen Konturen gewonnen. An Mutmaßungen über die Ursachen dieser merkwürdigen Diskrepanz fehlt es nicht. In der Forschung wurde lange Zeit auf die Banalität und Vagheit des Gegenstandes verwiesen und ein Zurückschrecken vor »etwas so Anrüchigem, Unseriösem und auch schwer Greifbarem wie politischen Skandalen« als Grund für das Fehlen zureichender Anstrengungen angeführt, dem Gegenstand analytisch angemessen beizukommen.[1] Folgerichtig konnte eine Studie über die Bedeutung von Skandalen für die politische Bildung noch 1968 bilanzieren, daß Skandale in der »Hauptsache [...] die Domäne der Dichter, Publizisten oder Sachbuch- und Sensationsautoren« sei.[2]

1 Hans-Joachim Winkler, Über die Bedeutung von Skandalen für die politische Bildung, in: Hamburger Jb. für Wirtschafts- und Gesellschaftspolitik 13 (1968), S. 225-244, hier S. 225. Zur Geschichte der Skandalforschung auch: Klaus Laermann, Die gräßliche Bescherung. Zur Anatomie des politischen Skandals, in: Kursbuch 77 (1984), S. 159-172, hier S. 172; Christian Schütze, Skandal. Eine Psychologie des Unerhörten. Wie ein Skandal entsteht, wie man ihn betreibt, welche positiven und negativen Auswirkungen er für den Einzelnen und den Staat hat, Bern/München 1985, S. 8 f.; Christian Schütze, Was ist ein Skandal?, in: Julius H. Schoeps (Hg.), Der politische Skandal, Stuttgart/Bonn 1992, S. 11-36, hier S. 11; Walther Gose, Der Müller-Arnold-Skandal und Preußens Justizkrise, in: Ebd., S. 52-78, hier S. 52.

2 Ebd.

Der Skandal als Forschungsgegenstand

Immerhin weist die Unschärfe des Terminus Skandal begriffsgeschichtlich weit zurück. In seiner ursprünglichen Wortbedeutung bezeichnet der griechische Terminus σκανδάληθρον das Stellhölzchen oder den Köder einer Falle, dessen unvorsichtige Berührung sie zuschnappen läßt, während σκάνδαλον zunächst die Falle selbst meint, sich im weiteren aber auch einerseits mit Lockung und Lust, zum anderen aber auch mit Anstoß und Ärgernis übersetzen läßt.[3] Der Terminus trägt also schon von alters her einen Doppelsinn in sich. Im wörtlichen wie im übertragenen Sinne bezieht er sich auf die Urheberschaft und die Aufdeckung des Skandals zugleich, er hebt sowohl auf die Verführung des Einzelnen wie auf deren Ahndung durch seine Mitwelt ab, und diese Uneinheitlichkeit durchzieht die Entwicklung des Skandalbegriffs bis in die Gegenwart. Vor die Doppelbedeutung von Mißstand und Entrüstung gestellt, entschied Luther sich für die Übersetzung des griechischen »skandalon« mit dem die Schwebe zwischen beiden Aspekten haltenden Ausdruck Ärgernis, und ihm folgte Kant, der Skandal als »ein öffentlich gegebenes Beispiel der Verachtung strenger Pflichtgesetze« definierte.[4]

So unbefriedigend die historisch tradierte Unschärfe des Skandalbegriffs auch sein mag, verdeutlicht sie doch immerhin, daß der Skandal nicht mit dem Mißstand selbst zu verwechseln ist, auf den er sich bezieht. Immer muß die Beteiligung eines Dritten, eines teilnehmenden Publikums dazutreten, um das gegebene Übel in empfundene Anstößigkeit zu überführen und die Spannung zwischen Unrecht und Empörung zu entfalten. Damit gewinnt der Terminus Skandal relationale Qualität; er definiert seinen Gegenstand als Ausdruck einer Beziehung zwischen drei Akteuren und ihrem Tun, das sich in knapper Form als Dreischritt von »Ärgernis, Aufsehen, Lärm« fassen läßt.[5] Das den Skandal ermöglichende »Ärgernis« umfaßt ein abweichendes, gegen geschriebene oder ungeschriebene Normen verstoßendes Verhalten von Personen oder das Auftreten von Umständen und Ereignissen, die im Widerspruch zu den Leitvorstellungen einer Zeit oder Sozialgruppe stehen. Mit dem »Aufsehen«, das eine anstößige Normverletzung erregt, kommt die Öffentlichkeit ins Spiel und ihre Macht, den Schleier der Diskretion zu lüften, das Fehlver-

3 Wilhelm Gemoll, Griechisch-Deutsches Schul- und Handwörterbuch, Wien/München[9] o.J., S. 676.

4 Immanuel Kant, Werke in sechs Bänden, Darmstadt 1983, Bd. 4, S. 443.

5 So bereits zu Zeiten der Weimarer Republik Meyers Lexikon, Bd. XI, Leipzig [7]1929, S. 346.

halten zu benennen und Konsequenzen einzufordern. Zu einem Skandal wird ein bekannt gewordener Mißstand allerdings erst, wenn mit dem »Lärm« ein weiteres Distinktionsmerkmal hinzutritt, das die organisierende Kraft eines Skandals von anderen öffentlichen Wahrnehmungen staatlichen Handelns oder gesellschaftlicher Konflikte abhebt. Erst mit der Mobilisierung öffentlicher Erregung wird die Panne zum Skandal, dessen Eigendynamik Ausflüchte, Beschwichtigungen und Vertuschungen unter sich begräbt oder gar als Brandbeschleuniger nutzt.

Insoweit ähneln sich die typischen Muster aller Skandale, unabhängig davon, ob sie sich im Bereich der Politik, der Wirtschaft oder der Kultur und der Medienwelt bis hin zu den Klatschspalten der Regenbogenpresse abspielen. In der Trias von »Verfehlung – Enthüllung – Empörung«[6] finden skandaltheoretische Ansätze gleich welcher Provenienz ihre gemeinsame Basisformel, die zugleich eine Erklärung liefert, weshalb Skandale phänomenologisch so schwer zu fassen sind. Offen aber bleibt schon die Antwort auf die Frage, was das bemerkenswerte Anwachsen von Affären in der Bundesrepublik in den letzten Jahrzehnten besagt, die mit der Verteilung und Ausübung ebenso wie mit der Kontrolle und Legitimation von politischer Herrschaft zu tun haben.[7] Tatsächlich stellten sich schon die achtziger Jahre auch in der Eigenwahrnehmung der Zeitgenossen als eine »Zeit der Skandale«[8] dar, die vom sogenannten Kießling-Wörner-Skandal um die Verabschiedung eines – und überdies zu Unrecht – als Homosexuellen denunzierten Bundeswehrgenerals über die Flick-Affäre bis zu der mit dem Tod des Protagonisten endenden Affäre um den schleswig-holsteinischen Ministerpräsidenten Uwe Barschel 1987 und zu dem Skandal reichte, die 1988 die Gedenkrede des deutschen Bundestagspräsidenten Philipp Jenninger zum 50. Jahrestag des Judenpogroms von 1938 auslöste. Zahl und Wirkung politischer Skandale haben sich seither allerdings eher noch erhöht, wie neben den einander ablösenden Spesen- und Parteispendenaffären der neunziger Jahre vielleicht am deutlichsten die Geschichte der deutschen Vereinigung nach 1989 lehrt, die sich ganz entscheidend über eine nachhaltige Skandalisierung des untergegangenen SED-Staates vollzog.

6 Karl Otto Hondrich, Skandale als gesellschaftliche Lernmechanismen, in: Schoeps (Hg.), Der politische Skandal, S. 175-189, hier S. 179,

7 Dirk Käsler, Der politische Skandal. Zur symbolischen und dramaturgischen Qualität von Politik, Opladen 1991, S. 12 f.

8 Rolf Ebbighausen/Sighard Neckel, Einleitung, in: Dies. (Hg.), Anatomie des politischen Skandals, S. 7-13.

Nun gibt es gute Argumente für die Vermutung, daß der Glaube an eine gegenüber früheren Zeiten besorgniserregend gewachsene Zahl von Skandalfällen in unseren Tagen nicht zuletzt auf einer verzerrten Selbstverortung der Gegenwart beruht – immerhin vermochten der Barmat- und der Sklarek-Skandal die Weimarer Republik ungleich tiefer zu erschüttern als etwa die »Spiegel«-Affäre und der Leuna-Skandal die Bundesrepublik. Doch unbestreitbar bestimmen Mandatsmißbrauch, Vorteilserschleichung und Charakterschwäche in der Welt der Politik heutzutage die öffentliche Beschäftigung mit politischen Fragen in weit höherem Maße als in der Frühzeit der Bundesrepublik.[9] Kontrovers wird freilich immer noch die Frage diskutiert, ob die Zunahme politischer Skandale auf einen entsprechenden Anstandsverlust in der politischen Klasse zurückzuführen oder in einer gesteigerten Sensibilität des immer schneller zur öffentlichen Entrüstung neigenden Publikums zu suchen ist.[10]

In jedem Fall aber hat die grassierende Skandalkonjunktur Niklas Luhmanns Verdikt von 1972, daß es »über Skandale kaum Forschung gibt,

9 Die Zahl der Skandale hat sich seit den fünfziger Jahren in der Bundesrepublik verzehnfacht. Hans Matthias Kepplinger, Skandal, in: Otfried Jarren/Ulrich Sarcinelli/Ulrich Saxer (Hg.), Politische Kommunikation in der demokratischen Gesellschaft. Ein Handbuch, Opladen 1998, S. 723. Eine genauere quantitative Analyse zum Auftreten von Skandalen hat Kepplinger für die Jahre 1950 bis 1989 am Beispiel der Berichterstattung im »Spiegel« unternommen: Hans Matthias Kepplinger, Skandale und Politikverdrossenheit, in: Otfried Jarren/Heribert Schatz/Hartmut Weßler (Hg.), Medien und politischer Prozeß. Politische Öffentlichkeit und massenmediale Politikvermittlung im Wandel, Opladen 1996, S. 41-58.

10 Letztere Auffassung dominiert in der Skandalforschung: »Es mag ja sein, daß es immer weniger Tugend gibt in der modernen Welt, und besonders in der Welt der Politik. Aber genauso gut ist es möglich, daß nicht die Moral gesunken, sondern unser Anspruch an sie gestiegen ist. Wir haben die Meßlatte höher gelegt. Was uns heute verwerflich erscheint, war es nach den Maßstäben von gestern und vorgestern noch nicht.« Hondrich, Enthüllung und Entrüstung. Eine Phänomenologie des politischen Skandals, Frankfurt a.M. 2002, S. 10. Andere Autoren argumentieren vermittelnd: »Gibt es […] Skandale, wie in der Bundesrepublik der achtziger Jahre, kann man dies als Zeichen werten für die gestiegenen Korruptheit der Politik; man kann aber auch den Schluß ziehen, daß allein die Chancen der Skandalisierung verbessert, mithin das Erwartungsniveau an die Sauberkeit in der Politik gestiegen ist.« Erhard Blankenburg, Korruption und Skandal – Zwei Seiten derselben Medaille, in: Hans Oswald (Hg.), Macht und Recht. Festschrift für Heinrich Popitz zum 65. Geburtstag, Opladen 1990, S. 141-154, hier S. 144.

die nicht selbst skandalös ist«,[11] bald überholt. Schon seit längerem sind »Anatomie« und »Phänomenologie des politischen Skandals«[12] in der modernen Mediengesellschaft zu einem ausführlich erhellten Gegenstand politik- und sozialwissenschaftlicher Untersuchungen geworden, die immer wieder den widerspruchsvollen Doppelcharakter des Skandals herausarbeiteten: Er steht für eine Verletzung, aber genauso auch für eine Bekräftigung politischer Legitimitätsregeln. Politische Repräsentanten, die sich in ihrem eigenen Verhalten nicht den von ihnen politisch selbst vertretenen Normen unterwerfen, machen sich unglaubwürdig und diskreditieren sich in ihrem politischen Handeln. Die mit der Skandalisierung einer Regelübertretung ausbrechende Auseinandersetzung ist nach allgemeiner Ansicht daher kein Normenkonflikt, weil nicht der Geltungsanspruch der politischen Ordnung selbst auf dem Spiel steht, sondern lediglich seine Verbindlichkeit gegenüber jedermann.[13] Der Skandal entzündet sich an der Differenz zwischen Geltungsanspruch und Geltungsrealität gesellschaftlicher Normen; indem er die individuelle Verletzung allgemeiner Regeln anprangert, bekräftigt er deren zukünftige Einhaltung.

Auf derselben paradoxalen Grundstruktur fußen denn auch die beiden konträren Lager der demokratietheoretischen Skandalforschung, die dem Skandal im einen Fall eine reinigende und systemstabilisierende Kraft zuschreiben, ihn im anderen hingegen als bedrohliches Krisensymptom und Ausdruck politischen Vertrauensverlustes interpretieren.[14] Vermutlich ist die bis heute andauernde Konkurrenz zwischen einem stärker funktionalistischen und einem eher essentialistischen Deutungsansatz kaum zu entscheiden, und beide Interpretationsmodelle haben gute Argumente für sich. So vermag die empirische Skandalforschung zu zeigen,

11 Niklas Luhmann, Rechtssoziologie, Bd. 1, Reinbek 1972, S. 62, Fn. 69.

12 So der Untertitel der zitierten Studie von Hondrich, Enthüllung und Entrüstung.

13 Der politische Skandal kann »als eine Form des Konflikts verstanden werden, weil sich in ihm gegensätzliche soziale Ansprüche auf Geltung von Normen in einer spezifischen […] Weise Ausdruck verschaffen«. Sighard Neckel, Das Stellhölzchen der Macht. Zur Soziologie des politischen Skandals, in: Ebbighausen/Neckel (Hg.), Anatomie des politischen Skandals, S. 55-80, hier S. 57.

14 »Als wiederkehrende, zeitweilig gehäuft auftretende und untereinander verschränkte Bestandteile der gesellschaftlichen Wirklichkeit sind politische Skandale – zumindest potentiell – bedrohlich für den Staat im allgemeinen und die Demokratie im besonderen.« Bernhard Claußen, Politische Skandale im Kontext Politischer Bildung, in: Helmut Moser (Hg.), L'Eclat c'est moi. Zur Faszination unserer Skandale, Weinheim 1989, S. 212-223, hier S. 213.

daß Skandale nur selten die ihnen zugeschriebene Präventivwirkung besitzen und der von ihnen verursachte Vertrauensverlust in der Regel höher liegt als ihr politisch-moralischer Normierungs- und Mobilisierungseffekt.[15] Skandale funktionieren nach den Regeln der Dramatisierung und der Personalisierung; sie repräsentieren ein »archaisches Mittel, komplizierte Vorgänge wieder für einfache Wahrnehmungsschemata zugänglich zu machen«,[16] und mögen daher als ein Kapitel »negativer Demokratie« anerkannt werden. Aber sie sind eben auch ein »Zerrspiegel der Demokratie«[17] im Zeitalter der medialen Ablenkung, der mit der Illusion von Wahrheit spielt, Gefühle statt Argumente mobilisiert und weder Recht noch Revision kennt.

Für die funktionalistische These hingegen sprechen nicht weniger gewichtige Argumente. Skandale bieten die »Möglichkeit, hinter die Kulissen der politischen Bühne zu blicken«,[18] mehr noch, sie dienen dank ihrer »sozialen Funktion im Dienste der Aufklärung« als Korrektiv der Macht, sie stören »das herrschaftsfreie Untersichsein der Herrschenden« und geben eine »kathartische Antwort auf die Verletzung gültiger Kulturnormen und Sinnzuweisungen«.[19] Den politisch-moralischen Gehalt der zum Skandal gewordenen Verfehlungen einmal beiseite gesetzt, läßt sich sagen, daß das politische System in Skandalen die Geltung seiner eigenen Normen testet: »Wo es Skandale gibt, ist *einiges* faul; wo sie fehlen, *alles.*«[20]

Und in der Tat, wer wollte bestreiten, daß die Parteispenden- und Bankenskandale der jüngeren Vergangenheit in Deutschland zur »moralischen Verkleinerung der Eliten« beigetragen haben, daß die als skandalös empfundene Nutzung öffentlicher Mittel für private Bedürfnisse neuen ethischen Standards zur Durchsetzung verholfen hat, daß antise-

15 Kepplinger, Die Kunst der Skandalierung und die Illusion der Wahrheit, München 2001, S. 149.

16 Laermann, Die gräßliche Bescherung, S. 171.

17 Stephan Malinowski, Politische Skandale als Zerrspiegel der Demokratie. Die Fälle Barmat und Sklarek im Kalkül der Weimarer Rechten, in: Jb. für Antisemitismusforschung 1996, S. 46-65.

18 Karin Zintz/Silke Roennefahrt, Der politische Skandal im Spannungsfeld zwischen Inszenierung und Kontrolle. Zur »Skandalogie« am Beispiel der Kieler Affäre, in: Zs. für Parlamentsfragen, Heft 4/90, S. 600-609, hier S. 608.

19 Rolf Ebbighausen, Inszenierte Öffentlichkeit und politischer Skandal. Arkanpolitik und ihre Grenzen unter den Bedingungen von bürgerlichem Verfassungsstaat und Parteiendemokratie, in: Gerhard Göhler (Hg.), Macht der Öffentlichkeit – Öffentlichkeit der Macht, Baden-Baden 1995, S. 231-239, hier S. 235 f.

20 Schütze, Was ist ein Skandal, S. 21.

mitische Äußerungen politischer und sozialer Eliten den kulturellen Konsens über die Grundwerte unseres Zusammenlebens gefestigt und die Sensibilität gegenüber deren öffentlicher Verletzung erhöht haben? Ob Skandale eher als Schwächung oder Stärkung des demokratischen Systems zu bewerten sind, läßt sich offenkundig nicht kategorisch, sondern nur fallweise entscheiden. Unzweifelhaft aber nehmen sie einen wichtigen Platz in der politischen Kultur der Moderne ein, und der Bogen Geschichte machender Skandale spannt sich von der Dreyfus-Affäre, die eine bis heute ungebrochene Tradition intellektueller Verantwortung und Parteinahme begründete, bis zum Watergate-Skandal, dessen Erschütterungskraft hinreichte, um mit dem US-Präsidenten Richard Nixon den mächtigsten Mann der westlichen Welt aus dem Amt zu fegen.

Skandal und Öffentlichkeit in der Diktatur

Doch wie unwiderstehlich Skandale zuweilen alles niederzuwalzen vermögen, was sich ihnen entgegenstellt, bleiben sie doch an eine Voraussetzung gebunden, deren Fehlen ihnen die Entfaltungsmöglichkeit von vornherein abzuschnüren scheint: die Existenz einer freien Öffentlichkeit.[21] Autoritäre Systeme, faßt Christian Schütze die *communis opinio* zusammen, »verhindern die Entstehung des Skandals, jenes Instruments, das in freien Gesellschaften den Mißstand gleichzeitig anzeigt und aus der Welt schafft«.[22] Diktaturen vermögen Skandale auf dem Wege der Öffentlichkeitskontrolle erfolgreich zu unterdrücken, weil »ein Mindestmaß an Meinungs- und Pressefreiheit notwendig (ist), damit der Skandal öffentlich diskutiert werden kann«.[23] In dieser Hinsicht deckt sich der nachzeitige Forschungsbefund mit dem Selbstverständnis diktatorischer Regime. Nicht zufällig spielt der Begriff des politischen Skandals in der Herrschaftssprache des SED-Staates eine ganz untergeordnete Rolle. DDR-Wörterbücher entkleiden den Begriff entweder ganz seiner politischen Bedeutung oder siedeln zumindest den Geltungsbereich von »Skandalaffären« außerhalb der eigenen Einflußgrenzen an.[24]

21 Vgl. beispielsweise: Rolf Ebbighausen/Sighard Neckel, Einleitung, in: Dies. (Hg.), Anatomie des politischen Skandals, S. 7-13

22 Schütze, Was ist ein Skandal?, S. 19.

23 Julius H. Schoeps, Vorwort, in: Ders. (Hg.), Der politische Skandal, S. 7-10, hier S. 8.

24 So definiert das »Handwörterbuch der deutschen Gegenwartssprache« 1984 Skandal als »Geschehnis, das Empörung, Aufsehen erregt, weil anerkannte Verhaltens-

Was den kommunistischen Machthabern aus naheliegenden Legitimationsgründen sehr recht gewesen war, muß der historischen Forschung deswegen freilich noch nicht billig sein. Tatsächlich erweist sich, wenn es um die Analyse öffentlicher Entrüstung in diktatorischen Herrschaften geht, die aus der sozialwissenschaftlichen Demokratieforschung abgeleitete Typenbildung als ein zu enges Korsett, als daß es sich mit der Unterscheidung von freien und gelenkten Skandalen[25] oder mit Hilfe einer stilbildenden Häufigkeitsskala im nachhinein diktaturtauglich machen ließe.[26]

Außer Frage steht gleichwohl, daß Skandale in faschistischen wie kommunistischen Diktaturen keineswegs eine höchstens marginale Rolle spielten. Die die italienische Öffentlichkeit spaltende Affäre um die Entführung und Ermordung von Mussolinis reformsozialistischem Gegenspieler Giacomo Matteotti 1924 leitete den Übergang zur totalen Herrschaft des italienischen Faschismus ein. Politische Skandale bahnten auch in Deutschland nicht nur Hitlers Weg an die Macht, die mit den Namen des SA-Führers Ernst Röhm und der Wehrmachtsgeneräle Werner von Blomberg und Werner von Fritsch verbundenen Affären markierten 1934 und 1938 zudem entscheidende Etappen des nationalsozialistischen Machtausbaus. Mit Hilfe von öffentlichen Schauprozessen skandalisierte und vernichtete Stalin seine vermeintlichen und tatsächlichen Gegner in der politischen Führung der Sowjetunion der dreißiger Jahre; inszenierte Skandale wie die sogenannte »Noël-Field-Affäre« und die »Slansky-Ver-

normen stark verletzt wurden«, und führt als Beispiel Trunkenheit an. Günter Kempcke u.a. (Hg.), Handwörterbuch der deutschen Gegenwartssprache. In zwei Bänden, Berlin (Ost) 1984, Bd. 2, S. 1058. Das ausführlichere »Wörterbuch der deutschen Gegenwartssprache« gliedert Skandale 1976 als »Bestechungs-, Ehe-, Finanz-, Korruptions-, Theaterskandal« und führt nur im Unterbegriff »Skandalaffäre« eine politische Konnotation an: »Der Prozeß … hat sich inzwischen als eine der größten politischen Skandalaffären der Nachkriegszeit in Westdeutschland herausgestellt«. Ruth Klappenbach/Wolfgang Steinitz (Hg.), Wörterbuch der deutschen Gegenwartssprache, 5. Bd., Berlin (Ost) 1976, S. 3436.

25 »In autoritären Systemen gibt es keine Skandale außer denen, die das Regime selbst inszeniert, um Gegner anzuprangern und in den Augen der Bürger zu diskreditieren.« Schütze, Was ist ein Skandal?, S. 20.

26 So differenziert Hondrich zwischen einzelnen Skandalen, die kein Regime auf längere Sicht gänzlich unterdrücken könne, und einer übergreifenden Skandalkultur, an der es dem NS-Regime gemangelt habe. Karl Otto Hondrich, Skandalmärkte und Skandalkultur, in: Max Haller u.a. (Hg.), Kultur und Gesellschaft. Verhandlungen des 24. Deutschen Soziologentags, des 11. Österreichischen Soziologentags und des 8. Kongresses der Schweizerischen Gesellschaft für Soziologie in Zürich 1988, Frankfurt a.M./New York 1989, S. 575-586, hier S. 581.

schwörung« begleiteten die Stalinisierung der ostmitteleuropäischen Satellitenstaaten in den frühen fünfziger Jahren. Fälle öffentlicher Empörung wie die Ausbürgerung Wolf Biermanns aus der DDR 1976[27] oder die Selbstverbrennung des Pfarrers Oskar Brüsewitz im selben Jahr markierten wichtige Einschnitte im Umgang des SED-Staates mit seinen »Kulturschaffenden« und den christlichen Kirchen. Die Ermordung des polnischen Priesters Jerzy Popieluszko 1984 stand am Anfang des endgültigen Untergangs der kommunistischen Herrschaft in Polen, und eine Kaskade von Skandalen ließ schließlich am Ende der achtziger Jahre von Rumänien bis zur DDR die so festgefügt scheinenden Diktaturen in sich zusammenstürzen.

Gerade die letztgenannten Fälle demonstrieren anschaulich, daß zumindest eine Annahme der politik- und sozialwissenschaftlichen Skandalforschung vor 1989 vom Gang der Geschichte selbst desavouiert wurde und zur Revision ansteht: daß nämlich Skandale keine revolutionäre, herrschaftsumstürzende Wirkung erzielen können, weil sie aufgrund ihrer paradoxalen Struktur politische Herrschaft nicht nur destabilisierten, sondern immer zugleich in ihren Wertbindungen auch restabilisierten.[28] Im Gegenteil erwies sich in der Erosionsphase des sowjetischen Staatensystems in Europa der Skandal als eines der wirkungsvollsten Treibmittel zur Delegitimierung und zur gewaltlosen Aufgabe des kommunistischen Herrschaftsanspruchs. Es spricht also viel dafür, die Bedeutung von Skandalen in autoritären Herrschaftssystemen neu zu durchdenken und dabei gerade ihre Rolle bei Etablierung und Verfall diktatorischer Regime ins Auge zu fassen. Tatsächlich zeigt sich, daß die politischen Kulturen nicht-demokratisch verfaßter Gesellschaften in der Moderne eine Reihe gemeinsamer Charakterzüge aufweisen, die, für sich genommen, die Entstehung und Verbreitung politischer Skandale sogar in besonderem Maße begünstigen.

Einen solchen Faktor stellt schon die gezielte Intransparenz des staatlich-politischen Handelns samt ihres hierarchisierten Informationszugangs dar, mit der plebiszitäre Diktaturen von links und rechts die Macht des Wissens zu monopolisieren trachten[29] und die ihnen eigene Differenz

27 Siehe hierzu den Beitrag von Stefan Wolle in diesem Band.

28 »Mag noch so großes revolutionäres Pathos den Geist des an einem politischen Skandal Beteiligten beflügeln, nie wird er eine Umwälzung der Herrschaftsverhältnisse zur Folge haben, sondern höchstens eine Auswechslung der Führungskräfte.« Laermann, S. 170.

29 In der Sowjetunion wurden seit den dreißiger Jahren selbst statistische Angaben über Geburten und Todesfälle, Reallöhne und Lebenshaltungskosten geheimge-

zwischen nach außen getragener Herrschaftsinszenierung und faktischer Machtausübung zu kaschieren versuchen. Das aufzudeckende Geheimnis ist aber auch das Wesenselement des Skandals, und die aus der Spannung von Verhüllung und Aufdeckung resultierende Dynamik pflegt den Entwicklungsgang des politischen Skandals zu bestimmen. Eine besondere Zuspitzung erfuhr das Verhältnis von Heimlichkeit und Offenheit im Habitus kommunistischer Herrschaftseliten. Während ein nationalsozialistischer Politiker wie Hermann Göring seiner teuren Prunksucht in aller Öffentlichkeit frönte und daraus sogar einen gewissen Sympathiebonus zog, konnten die Machthaber im SED-Staat ihren ›bourgeoisen‹ Repräsentations- und Konsumbedürfnissen nur in aller Diskretion nachgehen und sahen sich auf diese Weise beständig zum Spagat zwischen dem öffentlichen Bekenntnis zu einem egalitären Lebensstil und der privat gelebten Privilegierung genötigt.

Andere im Vergleich zu demokratisch verfaßten Gesellschaften besonders skandalträchtige Belastungsfaktoren diktatorischer Herrschaftssysteme ergeben sich aus der fehlenden Kontrolle der politischen Eliten durch unabhängige Außeninstanzen. In diesem Fehlen war strukturell eine Verletzung der eigenen proklamierten Herrschaftsideale durch Machtmißbrauch angelegt, wie sie sich etwa in der *chronique scandaleuse* von Bereicherung, Korruption und Vetternwirtschaft in der nationalsozialistischen Herrschaftspraxis niederschlug. Die sozialistischen Gesellschaften sowjetischen Typs speisten weitere Quellen potentieller Skandale aus der kardinalen Differenz zwischen der behaupteten Gesetzmäßigkeit des sozialistischen Projekts und seinen Bewährungsschwächen im Alltag,[30] aber auch aus der Beseitigung intermediärer Regelungsinstanzen zugunsten einer staatlichen Allzuständigkeit, die jeden Versorgungsengpaß und jede administrative Panne der staatlichen Führung als Versagen anzurechnen ermöglichte und auf diese Weise den temporären Ausfall einer Brotbackanlage ebenso zu einem potentiellen Skandal werden ließ

halten (Paul Roth. Sow-Inform. Nachrichtenwesen und Informationspolitik der Sowjetunion, Düsseldorf 1980, S. 118 u. 165), und das Strafgesetzbuch der DDR stellte auch die Weitergabe »der Geheimhaltung nicht unterliegende[r] Nachrichten zum Nachteil der Interessen der Deutschen Demokratischen Republik« unter Strafe. Zur Spannung zwischen Publizitäts- und Geheimhaltungsanspruch der Öffentlichkeitsarbeit in der DDR: Martin Zagatta, Informationspolitik und Öffentlichkeit. Zur Theorie der politischen Kommunikation in der DDR. Mit einer Fallstudie zur Einführung des Wehrunterrichts, Köln 1984, S. 61 ff.

30 Siehe hierzu den Beitrag von Thomas Lindenberger in diesem Band.

wie die bevorzugende Ausstattung des »Schaufensters« Berlin mit Konsumgütern und Bauinvestitionsmitteln.[31]

Doch so stark die strukturelle Skandalaffinität von Diktaturen in der Moderne auch sein mag, so gebricht es ihnen doch an dem entscheidenden Resonanzraum, in dem die Trias von Mißstand, Aufsehen und Empörung sich entfaltet und ihre machtbedrohende Kraft gewinnt: nämlich einer autonomen Öffentlichkeit, die ihre Entrüstung gegen die Macht in Stellung zu bringen in der Lage ist. Skandale ohne Öffentlichkeit stellen einen begrifflichen Widersinn dar, und doch wiesen auch die Gewaltherrschaften des 20. Jahrhunderts unbezweifelbar öffentliche Räume auf, in denen sich staatliche Herrschaft artikulierte und soziales Handeln vollzog. Mit der Eigendynamik öffentlicher Empörung kalkulierte Hitler, als er in seinem Vortrag vor dem Reichskabinett vom 3. Juli 1934 das standrechtliche Vorgehen gegen die SA-Führung auch mit deren unmoralischem Lebenswandel zu motivieren suchte; auf die herabsetzende Wirkung der öffentlichen Demütigung rechnete nicht anders Honecker, als er seinen gestürzten Vorgänger Ulbricht zu dessen 78. Geburtstag in Pantoffeln und Morgenmantel im Neuen Deutschland abbilden ließ, der die Glückwünsche des Politbüros, im Ohrensessel sitzend, als ohnmächtiger Greis entgegennehmen mußte.

Offenbar kommt es entscheidend darauf an, was unter Öffentlichkeit verstanden werden soll. Mit seiner 1962 erschienenen Studie über den »Strukturwandel der Öffentlichkeit« hat Jürgen Habermas einer bis heute gültigen Sichtweise Bahn gebrochen und die bürgerliche Öffentlichkeit als »Sphäre der zum Publikum versammelten Privatleute« gekennzeichnet, die der Macht das Prinzip der Kontrolle entgegensetzt.[32] Schon Habermas selbst hat den Geltungsanspruch seiner epochaltypisch gedachten Begriffsprägung auf »Struktur und Funktion des liberalen Modells bürgerlicher Öffentlichkeit« beschränkt und »streng unterschieden von der plebiszitär-akklamativen Form der reglementierten Öffentlichkeit industrie-

31 Wie virtuos und vielseitig die Drohung mit dem Skandal in öffentlichkeitsnahen Bereichen der DDR-Gesellschaft eingesetzt werden konnte, lehrt das Beispiel von DDR-Schriftstellern wie Stefan Heym, der in den siebziger Jahren nach Einschätzung der DDR-Staatssicherheit zu erreichen versuchte, »daß die entsprechenden Organe seinen provokatorischen Forderungen nachkommen, um ›Skandale‹ zu vermeiden«. Hauptabteilung XX des MfS, Information über negative und feindliche Aktivitäten von Personen aus dem kulturellen Bereich, 29. 4. 1975, zit. n. Erich Loest, Die Stasi war mein Eckermann oder: mein Leben mit der Wanze, Göttingen 1991, S. 20.

32 Jürgen Habermas, Strukturwandel der Öffentlichkeit. Untersuchungen zu einer Kategorie der bürgerlichen Gesellschaft, Neuwied/Ulm ^{7}1975, S. 42 f.

gesellschaftlich hochentwickelter Diktaturen«.[33] Vor allem aber hat die Diktaturforschung in den letzten Jahren immer klarer erkannt, daß analytische Kategorien, die in der Beschreibung offener Gesellschaften gewonnen wurden, nur mit begrenztem Erkenntnisgewinn auf plebiszitäre Diktaturen des 20. Jahrhunderts übertragen werden können, und hat zur Befreiung von der »Hypothek normativer Modelle bürgerlicher Öffentlichkeit aufgerufen«.[34]

Nun ist ein Verständnis, das Öffentlichkeit an die Voraussetzung staatlicher Freiheitsgarantien knüpft, auch keineswegs zwingend. »Öffentlich« meinte im Deutschen ursprünglich und noch bei Luther dasselbe wie »offenbar« und »bekannt«, um mit der Rezeption des Römischen Rechts in der Neuzeit als Übersetzung des lateinischen »publicus« die Bedeutung von »amtlich« und »staatlich« anzunehmen.[35] Entsprechend spät setzte sich der substantivische Begriff »Öffentlichkeit« durch, der bis ins 18. Jahrhundert so wenig eine Rolle spielte wie der Sachverhalt, den er später bezeichnen sollte. 1765 im deutschen Sprachgebrauch zum erstenmal belegt, bezieht er sich zunächst als Synonym zu dem älteren Terminus »Publikum« auf die Adressaten obrigkeitlicher Bekanntmachungen und gewinnt gegen Ende des 18. Jahrhunderts zusätzlich eine normative Bedeutung als politische und moralische Kritik des liberalen Bürgertums an der Arkanpraxis absolutistischer Herrschaft. In diesem Wandel von der passiven Rezeption zur aktiven Einmischung gibt sich der geschichtliche Aufstieg des Bürgertums vom politischen Objekt zum handelnden Subjekt zu erkennen, das mit dem Pathos des Öffentlichkeitsbegriffs zugleich den Anspruch auf Kontrolle staatlichen Handelns und die Hoff-

33 Ebd., S. 8.

34 Gábor T. Rittersporn/Jan C. Behrends/Malte Rolf, Öffentlichkeit und öffentliche Räume in Gesellschaften sowjetischen Typs. Ein erster Blick aus komparativer Perspektive (Einleitung), in: Gábor T. Rittersporn/Malte Rolf/Jan C. Behrends (Hg.), Sphären von Öffentlichkeit in Gesellschaften sowjetischen Typs. Zwischen partei-staatlicher Selbstinszenierung und kirchlichen Gegenwelten, Frankfurt a.M. u.a. 2003, S. 7-21, hier S. 10. Im gleichen Sinne argumentieren auch die folgenden Beiträge dieses Sammelbandes. Ebenso Monica Rüthers: »Die auf der Grundlage der westlichen Zivilgesellschaft gewonnenen Kategorien müssen grundsätzlich hinterfragt werden.« Monica Rüthers, Öffentlicher Raum und gesellschaftliche Utopie. Stadtplanung, Kommunikation und Inszenierung von Macht in der Sowjetunion am Beispiel Moskaus zwischen 1917 und 1964, in: Ebd., S. 65-96, hier S. 66.

35 Zur Bedeutungsgeschichte der Begriffe »Öffentlichkeit« und »Publikum«: Lucian Hölscher, Öffentlichkeit und Geheimnis. Eine begriffsgeschichtliche Untersuchung zur Entstehung der Öffentlichkeit in der frühen Neuzeit, Stuttgart 1979.

nung auf die politische und sittliche Selbsterziehung der Nation verband.[36]

Inwieweit diese normative Bestimmung einer bürgerlich-liberalen Öffentlichkeit in der europäischen Gesellschaft des 19. und 20. Jahrhunderts überhaupt historische Gestalt gewann, kann an dieser Stelle offenbleiben; jedenfalls ist sie mit dem sozialen Durchdringungsanspruch plebiszitärer Diktaturen in der Moderne grundsätzlich unvereinbar. Im Selbstverständnis sozialistischer Regime hatte eine eigenständige Öffentlichkeit keinen kategorialen Platz. Sie ging etwa für die DDR in dem »System staatlicher und gesellschaftlicher Organisationen des entwickelten gesellschaftlichen Sozialismus« auf, mit dem die »sozialistische Demokratie alle Gebiete des gesellschaftlichen Lebens (durchdrang), [...] immer mehr Menschen in seine Planung und Gestaltung ein(bezog)«[37] und so einen Wesenszug kommunistischer Herrschaft verwirklichte: »In der Deutschen Demokratischen Republik ist das Mitplanen, Mitarbeiten und Mitregieren oberster Grundsatz der Staatspolitik und grundlegendes verfassungsmäßig fixiertes Recht aller Bürger.«[38]

Es nimmt nicht wunder, daß in der DDR nur ein geringes Bemühen erkennbar war, das Phänomen Öffentlichkeit in die sozialistische Herrschaftsideologie zu integrieren.[39] Die vereinzelten Annäherungen an eine Theorie der sozialistischen Öffentlichkeitsarbeit zum Verhältnis von Kunst und Öffentlichkeit lösten den Begriff aus seiner liberalen und herrschaftskritischen Tradition, hielten an seinem normativen Gehalt aber mit anderem Vorzeichen fest, indem sie Öffentlichkeitsarbeit »als Bestandteil der praktischen Ausübung der Macht«[40] beschrieben und Öf-

36 Lucian Hölscher, Öffentlichkeit, in: Historisches Wörterbuch der Philosophie, Bd. 6, Darmstadt 1984, Sp. 1134-1140.

37 Sachwörterbuch der Geschichte Deutschlands und der deutschen Arbeiterbewegung, Berlin (Ost) 1970, Bd. 2, S. 528.

38 Ebd., S. 527.

39 So verzeichnet das »Wörterbuch der marxistisch-leninistischen Soziologie, hg. von Georg Aßmann u.a., Berlin (Ost) 1977, zwar das Stichwort »öffentliche Meinung«, nicht aber ein Lemma »Öffentlichkeit«. Noch 1984 konstatiert eine einschlägige Fallstudie: »Der Öffentlichkeitsanspruch der Partei findet sich bisher nur in wenigen Ausnahmen thematisiert.« Martin Zagatta, Informationspolitik und Öffentlichkeit. S. 27. Eine Ausnahme bildet charakteristischerweise das Feld der staatlichen Meinungslenkung, die unter dem Rubrum »Öffentlichkeitsarbeit« 1967 zum Gegenstand eines Ministerratsbeschlusses wurde. Ebd., S. 18.

40 Wolfgang Schmidt/Ewald Wächter, Öffentlichkeit, öffentliche Meinung und staatliche Öffentlichkeitsarbeit, Berlin (Ost) 1979, S. 56. Die instrumentelle Rolle der Öffentlichkeitsarbeit war in diesem Verständnis gleich zweifach zu sehen: »Die Funktion der Unterrichtung und Information der Öffentlichkeit ist für die

fentlichkeit als »eine Agentur der Sozialisation« definierten, als »ein Moment der Organisation sozialistischer Lebens- und Denkprozesse«[41] und Ort, an dem sich durch Meinungsstreit, Kritik und Selbstkritik »eine richtige Meinung«[42] herausbildet. In solchen Ableitungen spiegelt sich das Avantgardekonzept einer Erziehungsdiktatur, die ihre Bürger lediglich als politische Adressaten, nicht aber als eigenständige Akteure begreift[43] und dementsprechend die »öffentliche Meinung« als »eine spezifische Seite der Formung und Verbreitung des gesellschaftlichen Bewußtseins« definiert.[44] Es verbindet sich mit dem Ideal einer geschlossenen Gesellschaft, in der die öffentliche Meinung »in zunehmendem Maße eine Übereinstimmung der individuellen und kollektiven Interessen mit den gesellschaftlichen Interessen widerspiegelt«[45] und ihre eigentliche Bestimmung erst in einer angestrebten »Einmütigkeit des Urteils« findet.[46] In der »Herausbildung einer einheitlichen öffentlichen Mei-

Öffentlichkeitsarbeit sicher wesentlich. Man muß ihr zugleich eine bewußtseinsbildende, die politisch-ideologische Erziehungsfunktion zuerkennen.« Ebd., S. 50.

41 Robert Weimann, Kunst und Öffentlichkeit in der sozialistischen Gesellschaft. Zum Stand der Vergesellschaftung künstlerischer Verkehrsformen, in: Sinn und Form 31 (1979), H. 2, S. 214-243, hier S. 221. Vgl. Jörg Judersleben, »Ich muß es vielen Leuten sagen«. Casus belli: Öffentlichkeit, in: Roland Berbig u.a. (Hg.), In Sachen Biermann. Protokolle, Berichte und Briefe zu den Folgen einer Ausbürgerung, Berlin 1994, S. 29-43.

42 Zagatta, Informationspolitik und Öffentlichkeit, S. 26. Zum normativen Charakter der »gesellschaftlich verbindlichen Kollektivmeinung« in sozialistischen Gesellschaften: Hansjürgen Koschwitz, Begriff und Funktion der »öffentlichen Meinung« im bürgerlichen und sozialistischen Gesellschaftssystem, in: Aus Politik und Zeitgeschichte B 13/1971, S. 3-25, hier S. 17.

43 »Die marxistisch-leninistische Partei kann und darf sich nicht darauf beschränken, einfach zu registrieren, was die Masse denkt und empfindet: ihre Aufgabe besteht nicht darin, den durchschnittlichen Zustand der Masse widerzuspiegeln, sondern darin, die Massen zu führen.« Otto Schröder, Die Einheit von Staat, Volk und Partei festigen. Zur staatlichen Öffentlichkeitsarbeit nach dem X. Parteitag der SED, in: Staat und Recht 11/1981, S. 962-972, hier S. 964.

44 Kleines Politisches Wörterbuch, Berlin [7]1988, S. 696.

45 Wörterbuch der marxistisch-leninistischen Soziologie, S. 425.

46 Schmidt/Wächter, Öffentlichkeit, S. 28. Die von sowjetischen Autoren der sechziger Jahre übernommene Auffassung, die öffentliche Meinung sei ein »einmütiges Urteil des Volkes zu Fragen des gesellschaftlichen Lebens, die die allgemeinen Interessen berühren und eine praktische Lösung fordern« (ebd.), ist allerdings auch in der DDR nicht unbestritten geblieben und hat den Einwand hervorgerufen, daß »auf dem Fundament der Einheit in den Grundfragen durchaus unterschiedliche Auffassungen auftreten (können), wenn es um Teilfragen des wirtschaftlichen, sozialen und kulturellen Aufbaus geht oder um die Bedeutung

nung«[47] wurden soziale Öffentlichkeit und staatliche Öffentlichkeitsarbeit eins, und der herrschaftskritische Gehalt der öffentlichen Diskussion politischer Fragen verkehrte sich rückstandslos in den herrschaftsaffirmativen Gehalt der öffentlichen Zustimmung zum staatlichen Handeln. Nicht zufällig umschrieb die DDR-Justiz in den frühen fünfziger Jahren Schauprozesse als »Prozesse vor erweiterter Öffentlichkeit« und hob in der internen Selbstverständigung zur Vermeidung von Mißverständnissen darauf ab, »daß bei dem Prinzip der Öffentlichkeit weniger der Gedanke einer Kontrollmöglichkeit als vielmehr der Erziehungsgedanke und die Mithilfe der Werktätigen in den Vordergrund trete«.[48]

Doch in der Wirklichkeit des SED-Regimes wie anderer Diktaturen reduzierte sich Öffentlichkeit keineswegs auf die »Einbahnstraße«[49] von oben nach unten und auf die Funktion als »Instrument normativer Sinnstiftung«[50] in der Hand der Staatspartei, als die die Herrschaftsideologie sie ausgab. Schon der staatssicherheitliche Beobachtungsapparat verstand sich nicht zuletzt als eine ersatzöffentliche Instanz zur Sammlung und Sichtung der im Betrieb oder auf der Straße geäußerten Meinungen, ebenso wie im »Dritten Reich« die Lageberichte des Sicherheitsdienstes der SS stellvertretend die Aufgabe übernahmen, Stimmung und Denken der Bevölkerung für den Machtapparat zugänglich zu halten. Beide Regime hatten weiterhin mit öffentlichen Kommunikationskanälen zu rechnen, die sich staatlicher Verfügungsgewalt entzogen und von außen in die Diktatur hineinstrahlten, um so das herrschaftsstabilisierende Konzept einer ›einheitlichen öffentlichen Meinung‹ ad absurdum zu führen. Zudem stieß unterhalb der Ebene der inszenierten Öffentlichkeit selbst der härteste Wille zur Unterdrückung unweigerlich auf die Grenzen der Diktatur. Auch von der unnachsichtigsten Zensur ließ sich der Flüsterwitz

dieser oder jener konkreten Fragen der Innen- und Außenpolitik« (ebd., S. 28 f.). Doch selbst diese vorsichtige Öffnung eines monistischen Begriffsverständnisses schwächen beide Autoren durch das Bekenntnis zum Telos einer einheitsverbürgenden Öffentlichkeit sofort wieder ab: »Allerdings gehen auch wir davon aus, daß unter unseren Bedingungen die gesellschaftliche Interessiertheit des Volkes ständig zunimmt, daß die wachsende politisch-moralische Einheit einen immer höheren Grad der Einmütigkeit des Urteils und seines Handelns bestimmt.« Ebd., S. 29.

47 Kleines Politisches Wörterbuch, S. 697.

48 170. Arbeitstagung der Richter des Obersten Gerichts, 8.8.1953, zit. n. Falco Werkentin, Politische Strafjustiz in der Ära Ulbricht, Berlin 1995, S. 51.

49 Winfried Thaa, Die Wiedergeburt des Politischen. Zivilgesellschaft und Legitimitätskonflikt in den Revolutionen von 1989, Opladen 1996, S. 96.

50 Judersleben, »Ich muß es vielen Leuten sagen«, S. 29.

nicht an der Verbreitung hindern und nie die Empörung über eine mangelhafte Lebensmittelversorgung aus dem Gespräch in der Warteschlange vor den Geschäften verbannen. Immer blieb die Öffentlichkeit im Nationalsozialismus ebenso wie im SED-Staat ein verästeltes und unberechenbares Gebilde, von außen in seiner Monopolstellung bedroht und von innen durch zahllose Kanäle der Kommunikation und Artikulation untergraben, die in Herrschaftskrisen urplötzlich zusammenlaufen und die offiziöse Herrschaftsöffentlichkeit als bloßen Firnis offenbaren konnten.

Weder der kritisch-liberale Emanzipationsbegriff einer autonomen Öffentlichkeit noch sein heteronomes Gegenstück einer einheitsverbürgenden Öffentlichkeit der kommunistischen Gesellschaft können daher einen gangbaren Weg bahnen, um dem Phänomen von politischen Skandalen in den Diktaturen des 20. Jahrhunderts auf die Spur zu kommen. Parallel zum normativen Verständnis von Öffentlichkeit aber entwickelte sich schon im 19. Jahrhundert eine zweite, deskriptive Bedeutung, die Öffentlichkeit neutral als Raum und Medium begriff, in dem kommunikativer Austausch stattfindet. Auf diese Bestimmung des Öffentlichen als Summe der Wege und Formen sozialer Kommunikation greifen jüngere diktaturtheoretische Forschungsansätze zurück, die sich nicht auf die verstreuten und in Nischen abgedrängten Residualformen einer autonomen Öffentlichkeit im liberalen Sinne konzentrieren, sondern jeden »Ort, an dem das Regime es seinen Bürgern erlaubte, sich zu versammeln, als eine öffentliche Sphäre« auffassen, deren Kommunikationsmuster den divergenten Einflüssen von Tradition und Herrschaft unterlagen.[51]

Öffentliche Räume in diesem Sinne lassen sich nach ihrem Durchherrschungsgrad beschreiben, idealtypisch als inszenierte öffentliche Herrschaft auf der einen und als randständige Gegenöffentlichkeit auf der anderen Seite. Ebenso lassen sie sich funktional und akteurszentriert definieren als Orte, in denen Produzenten, Präsentatoren und Publikum sich begegnen.[52] Schließlich können sie situativ als kommunikative Ereignisse untersucht werden, die in Diktaturen nicht anders auftreten als in Demokratien, wenngleich sie unter der Voraussetzung einer politisch kontrollierten und inszenierten Öffentlichkeit eine besondere Rolle ausfüllen und dies besonders in den Überlappungszonen zwischen Öffentlichkeit und Privatheit, die als »Halböffentlichkeit« und »Zwischenreich zwischen Nichtmehr-Privat und Nochnicht-Öffentlich« beschrieben

51 Rittersporn/Behrends/Rolf, Öffentliche Räume, S. 9 f.

52 Karl Christian Führer/ Knut Hickethier/ Axel Schildt, Öffentlichkeit – Medien – Geschichte. Konzepte der modernen Öffentlichkeit und Zugänge zu ihrer Erforschung, in: Archiv für Sozialgeschichte 41 (2001), S. 1-38.

worden sind.[53] Entsprechende Gelegenheitsöffentlichkeiten bilden sich in Straßenbahnen und Warteschlangen, in Clubräumen und auf Fachtagungen, auf Straßenfesten und Kampfdemonstrationen, in Kneipengesprächen und auf Fußballplätzen. Sowenig es in den beiden deutschen Diktaturen – wie auch anderswo – eine herrschaftsfreie Öffentlichkeit gab, so sehr prägten sie doch beide unter der überwölbenden Sphäre der formellen Herrschaftsöffentlicheit eine Vielzahl informeller Teilöffentlichkeiten aus, die sich durch einen abgestuften Grad an staatlich-parteilicher Überformung und Vermachtung auszeichneten.[54] Sie reichen von den nur zeitweilig und partiell in das System eingebundenen Kommunikationssphären, wie sie beispielsweise im »Dritten Reich« und in der DDR die beiden christlichen Kirchen aufrechtzuerhalten vermochten, bis hin zu der eigenen Form staatlich geduldeter oder vergeblich unterdrückter Gegenöffentlichkeiten, die in beiden Diktaturen mit dem massenmedialen Hineinwirken auswärtiger Publikationsinstanzen und temporär durch die organisierte Artikulation politischer Gegnerschaft entstanden.[55] Einen weiteren Raum kommunikativer Verständigung, der angesichts der herrschaftssichernden Arkanpraxis in beiden deutschen Diktaturen eine besondere Bedeutung gewann, stellt die Binnenöffentlichkeit von Partei- und Betriebsversammlungen, von internen Aussprachen und Expertenberatungen dar, die gerade infolge ihres internen Charakters oft sehr eigenen Regeln folgen und ein eigentümliches Wechselverhältnis von Geschlossenheit und Offenheit aufweisen konnten.[56]

53 Karl Schlögel, Der Zentrale Gorki-Kultur- und Erholungspark (CPKiO) in Moskau. Zur Frage des öffentlichen Raums im Stalinismus, in: Manfred Hildermeier (Hg.), Stalinismus vor dem Zweiten Weltkrieg: neue Wege der Forschung, München 1998, S. 255-274, hier S. 258.

54 Die Unterscheidung von formeller und informeller Öffentlichkeit folgt Adelheid von Saldern, Einleitung, in: Dies. (Hg.), Inszenierte Einigkeit. Herrschaftsrepräsentationen in DDR-Städten, Stuttgart 2003, S. 9-58, hier S. 21 f.

55 Zum Verhältnis zwischen einer »vorgespiegelten« bzw. »simulierten« Staatsöffentlichkeit und einer »zweiten Öffentlichkeit« als »organisierte, von der simulierten Öffentlichkeit abgekoppelte Kommunikation« in der DDR erhellend: Ray Rühle, Entstehung von politischer Öffentlichkeit in der DDR in den 1980er Jahren am Beispiel von Leipzig, Münster 2003, S. 44 u. 59.

56 Eine klassische Charakterbeschreibung geschlossener Binnenöffentlichkeiten in der DDR lieferte Walter Ulbricht, als er die Mitglieder eines von ihm präsidierten Autorenkollektivs zur »Geschichte der deutschen Arbeiterbewegung« mit den Worten instruierte: »Hier in diesem Kollektiv muß alles offen ausgesprochen werden, auch unangenehme Fragen, und dann werden wir entscheiden, was hereingenommen wird und was nicht, [...] und der Autor bekommt dann exakte Hinweise, in welcher Weise der Band fertiggemacht wird.« Zit. n. Ilko-Sascha,

Zum Charakter diktaturspezifischer Skandale

Die Frage kann also nicht mehr lauten, *ob* auch durchherrschte Gesellschaften Skandale produzierten, sondern *wie* sich die Trias von Mißstand, Aufsehen und Empörung in diktatorisch beeinflußten und überformten Sphären öffentlicher Kommunikation entfaltete – und wie sie sich politisch unter Kontrolle bringen ließ. Auf der Grundlage einer deskriptiven Beschreibung von Öffentlichkeit als Kommunikationsraum läßt sich ein Skandalbegriff skizzieren, der auf diktatorische Herrschaftsformen und ihre Öffentlichkeiten anwendbar ist. Sein Ausgangspunkt ist zum einen die Annahme, daß auch »durchherrschte« Gesellschaften nicht »stillgelegte« Gesellschaften sind und Sphären öffentlicher Verständigung aufwiesen, deren Strukturen sich weder mit einem liberalen Modell einer eigengesetzlichen Akteursöffentlichkeit noch mit seinem kommunistischen Gegenstück einer geschlossenen Adressatenöffentlichkeit analytisch befriedigend erfassen lassen.[57] Zum anderen gilt, daß paradoxerweise Diktaturen auf öffentliche Resonanz in einem weit höheren Maße angewiesen sind als demokratische Systeme, die ihre primäre Legitimation aus kodifizierten Verfahren zur Feststellung des Mehrheitswillens ableiten. Moderne Diktaturen des 20. Jahrhunderts unterscheiden sich von älteren Formen der Autokratie darin, daß sie die Herrschaft nur im Auftrag und Namen der Nation oder der unterdrückten Volksklassen auszuüben vorgeben, und sie kamen in der säkularen Systemauseinandersetzung des 20. Jahrhunderts nicht ohne den durch Symbolakte und Kundgebungen, Akklamationen und Plebiszite geführten oder zumindest simulierten Nachweis aus, im Einklang mit dem Volkswillen zu handeln. Der Raum der Öffentlichkeit ist daher immer zugleich der Raum der Repräsentation, in dem diktatorische Herrschaft sich darstellt und in dem sie sich über Appell und Propaganda der Loyalität ihrer Bürger zu

Kowalczuk, »Wo gehobelt wird, da fallen Späne«. Zur Entwicklung der DDR-Geschichtswissenschaft bis in die späten fünfziger Jahre, in: ZfG 42 (1994), S. 302-318, hier S. 318. Ausführlich zum Typus geschlossener Öffentlichkeiten: Adelheid von Saldern, Öffentlichkeiten in Diktaturen. Zu den Herrschaftspraktiken im Deutschland des 20. Jahrhunderts, in: Günther Heydemann/Heinrich Oberreuter (Hg.), Diktaturen in Deutschland – Vergleichsaspekte. Strukturen, Institutionen und Verhaltensweisen, Bonn 2003, S. 442-475, hier S. 456 ff.

57 Zur Kritik an der These einer »stillgelegten« DDR-Gesellschaft: Ralph Jessen, Die Gesellschaft im Staatssozialismus. Probleme einer Sozialgeschichte der DDR, in: Geschichte und Gesellschaft 21 (1995), H. 1, S. 96-110; Richard Bessel/Ralph Jessen (Hg.), Die Grenzen der Diktatur. Staat und Gesellschaft in der DDR, Göttingen 1996.

versichern trachtet – nicht umsonst zählte die ›ideologische Aufladung des Stadtraumes‹[58] durch Herrschaftsarchitektur und Zentrumsplanung in der Sowjetunion wie im faschistischen Italien, im »Dritten Reich« wie in der DDR zu den wichtigsten und mit großem Ehrgeiz verfolgten Anliegen der jeweiligen Machthaber.

Dieser Herrschaftsöffentlichkeit entspricht der inszenierte Skandal, also die kontrollierte und intendierte Erzeugung und Nutzung öffentlicher Empörung, um die eigene Macht zu sichern, Rivalen auszuschalten und politische Absichten durchzusetzen. Für den Nationalsozialismus sind hier etwa die oben erwähnten Wehrmachtsskandale um Fritsch und Blomberg zu nennen,[59] aber auch die öffentlichen Diskriminierungskampagnen, die auf die Ausschaltung der Juden aus der deutschen Gesellschaft zielten. Für die SBZ/DDR spielten staatlich inszenierte Skandale besonders in der Phase der kommunistischen Machtetablierung und der grundlegenden Umgestaltung der ostdeutschen Gesellschaft eine tragende Rolle, wie die justitiell inszenierte Skandalisierung privaten Unternehmertums mit Hilfe von öffentlichen Schauprozessen und Kampagnen etwa im Rahmen der »Aktion Rose«[60] oder die Vorantreibung der Kollektivierung in der Landwirtschaft über die öffentliche Kriminalisierung von ostdeutschen Großbauern wegen Nichterfüllung des ihnen gestellten Abgabesolls illustrieren. In das Feld staatlich inszenierter Skandale gehören aber auch die zahllosen Fälle gezielter Schürung von Empörung in den Diskreditierungsstrategien des Ministeriums für Staatssicherheit, soweit sie öffentliche Aufmerksamkeit fanden. Es entwickelte das anstoßerregende Ärgernis des antiken Skandalons als »Kompromat«[61]

58 Rüthers, Öffentlicher Raum, S. 67.

59 Klaus J. Müller, Die Blomberg-Fritsch-Krise 1938. Elemente eines politisch-militärischen Skandals, in: Schoeps (Hg.), Der politische Skandal, S. 109-132.

60 Die im Spätwinter 1953 mit der Presseschlagzeile »Gegen Spekulanten und Schieber in den Ostseebädern« eröffnete »Aktion Rose« gegen private Eigentümer von Ferienquartieren an der Ostsee bereitete justitielle Enteignungen mit der gezielten Veröffentlichung diskreditierender Fotos in der Presse vor, die etwa folgende Bildunterschrift trugen: »Wir stellen vor: Schieber unter sich. Fröhliche Feste mit reich gedeckten Tafeln, voller Sekt und Champagner bis zum Überfluß, waren bei ihnen nicht selten. So gefiel ihnen das Leben. Und dafür konnten die Hausangestellten zehn bis zwölf und noch mehr Stunden am Tage arbeiten.« Zit n. Werkentin, Politische Strafjustiz, S. 59 ff.

61 Das analog zu »Komprimat« in der Zusammenziehung von »kompromittierendem Material« geschaffene Kunstwort »Kompromat« bezeichnete im Sprachgebrauch des MfS einen »Sachverhalt aus dem Leben einer Person, der im Widerspruch zu gesellschaftlichen [...] Normen und Anschauungen steht, bei seinem

zu einem eigenen Machtinstrument und verstand gemäß einer Richtlinie von 1976 unter »Formen, Mittel und Methoden der Zersetzung« unter anderem »die systematische Diskreditierung des öffentlichen Rufes, des Ansehens und des Prestiges auf der Grundlage miteinander verbundener wahrer, überprüfbarer, diskreditierender sowie unwahrer, glaubhafter, nicht widerlegbarer und damit ebenfalls diskreditierender Angaben«.[62] Kurz gesagt: Der inszenierte Skandal bildet die für diktatorische Herrschaft typische Ausdrucksform gelenkter Empörung in einer verstaatlichten Gesellschaft.

Eine eigene Gruppe staatlich inszenierter Skandale stellten die von der SED unter Federführung Albert Nordens lancierten Kampagnen gegen die ›unbewältigte Vergangenheit‹ in Westdeutschland dar, die die Mechanismen der Skandalisierung als Geschütz in der deutsch-deutschen Auseinandersetzung in Stellung zu bringen suchten. Die Besonderheit der instrumentellen Skandale dieses Typs lag darin, daß sie sich zugleich in beiden deutschen Öffentlichkeiten abspielten. Dies konnte der skandalisierenden Entlarvung von NS-Verbrechern in der Bundesrepublik zu außerordentlicher Resonanz verhelfen, wie die Kampagnen gegen »Nazi-Blutrichter als Stützen des Adenauer-Regimes«[63] oder gegen den Bundesvertriebenenminister Theodor Oberländer und den Chef des Bundeskanzleramtes Hans Globke belegen, die das Oberste Gericht der DDR 1960 bzw. 1963 nach jeweils mehrtägigen Schauprozessen in Abwesenheit zu lebenslangen Zuchthausstrafen verurteilte.[64] Die Korrespondenz zweier unterschiedlich gelagerter Öffentlichkeiten konnte die anklagende

Bekanntwerden zu rechtlichen oder disziplinarischen Sanktionen, zu Prestigeverlusten, zur öffentlichen Bloßstellung, zur Gefährdung des Rufes im Bekannten- und Umgangskreis [...] führen würde«. Siegfried Suckut (Hg.): Wörterbuch der Staatssicherheit. Definitionen zur »politisch-operativen Arbeit«, Berlin 1996, S. 217 f.

62 Richtlinie 1/76 zur Entwicklung und Bearbeitung Operativer Vorgänge, zit. n. David Gill/Ulrich Schröter, Das Ministerium für Staatssicherheit. Anatomie des Mielke-Imperiums, Berlin 1991, S. 391.

63 Klaus Bästlein, »Nazi-Blutrichter als Stützen des Adenauer-Regimes«. Die DDR-Kampagnen gegen NS-Richter und -Staatsanwälte, die Reaktionen der bundesdeutschen Justiz und ihre gescheiterte »Selbstreinigung« 1957-1968, in: Ders./Annette Rosskopf/Falco Werkentin, Beiträge zur juristischen Zeitgeschichte der DDR, Berlin 2000, S. 52-92.

64 Minuziös zu Planung und Verlauf der »Oberländer-Schlacht« als ›sinnstiftendem Gemeinschaftswerk des Warschauer Paktes‹: Philipp Christian Wachs, Der Fall Theodor Oberländer (1905-1998). Ein Lehrstück deutscher Geschichte, Frankfurt/Main 2000, S. 191 ff.

DDR-Seite, die das ihr zugängliche Belastungsmaterial dezidiert instrumentell nutzte[65] und die Verfolgung von NS-Tätern auf ihrem eigenen Gebiet der gegen Bonn gerichteten Kampagnenpolitik unterordnete, nicht selten aber auch in gefährliche Untiefen führen. So hatte die gegen eine Welle von antisemitischen Synagogenschmierereien in der Bundesrepublik 1959/60 gerichtete Empörungsstrategie der DDR sich des in der westlichen Öffentlichkeit erörterten Verdachts zu erwehren, daß die dem westdeutschen Nazigeist zugeschriebenen Auftaktschmierereien an den Synagogen von Düsseldorf und Köln in Wirklichkeit ein Ostberliner Auftragswerk gewesen seien. In anderen Fällen sah sich die SED-Führung gezwungen, skandalträchtige Belastungen auf der eigenen Seite zu überspielen[66] oder ihre Diskreditierungskampagne taktisch zu drosseln, um sich nicht selbst in die Schußlinie zu bringen.[67]

In der geschlossenen DDR-Gesellschaft selbst trug die inszenierte Herrschaftsöffentlichkeit ein Moment von unkontrollierter Offenheit in sich, die vorgesehene Grenzen sprengen und die kurzzeitige Manifestation von Gegenöffentlichkeit ermöglichen konnte, wie exemplarisch im Januar 1988 die Nutzung einer staatlichen Gedenkdemonstration für Karl Liebknecht und Rosa Luxemburg in Berlin zum Bekenntnis für die »Freiheit der Andersdenkenden« zeigte. Öffentlichkeit in der Diktatur

65 Henry Leide, Die verschlossene Vergangenheit. Sammlung und selektive Nutzung von NS-Materialien durch die Staatssicherheit zu justitiellen, operativen und propagandistischen Zwecken, in: Roger Engelmann/Clemens Vollnhals (Hg.), Justiz im Dienste der Parteiherrschaft, Berlin 1999, S. 495-530.

66 So drängte Norden bei der Vorbereitung des Schauprozesses gegen Oberländer bei Ulbricht erfolgreich darauf, den Vorsitzenden des Obersten Gerichts abzulösen, nachdem in der westlichen Presse mehrere Berichte über dessen frühere NSDAP-Mitgliedschaft erschienen waren. Ebd., S. 254. Zur Belastung der DDR-Justiz durch ehemalige Nationalsozialisten insgesamt: Jeffrey Herf, Zweierlei Erinnerung. Die NS-Vergangenheit im geteilten Deutschland, Berlin 1998, S. 222 ff.

67 So etwa in bezug auf den Komplex der »Euthanasie«-Verbrechen, dessen Mitwirkende vielfach auch in der DDR Unterschlupf gefunden hatten: »Dieser Sachverhalt stürzte die DDR in ein Dilemma besonderer Art. So war die skandalöse westdeutsche Rechtsprechung zum ›Euthanasie‹-Komplex ein Thema, das die kritische linke Öffentlichkeit des Westens in hohem Maße mobilisierte. Auf der anderen Seite erschien es aber angesichts der weitreichenden Verstrickungen in der eigenen Ärzteschaft auch geboten, die propagandistische Ausschlachtung dieses Themas nicht zu überspannen.« Annette Weinke, Die Verfolgung von NS-Tätern im geteilten Deutschland. Vergangenheitsbewältigungen 1949-1969 oder: Eine deutsch-deutsche Beziehungsgeschichte im Kalten Krieg, Paderborn u. a. 2002, S. 326.

stellt bereits auf der Schauseite des Systems eine changierende Größe dar, die sich in der strukturellen Spannung von staatlicher Steuerung und gesellschaftlicher Eigendynamik entwickelte und damit nie ganz gegen die eigengesetzliche Entwicklung öffentlicher Entrüstung gefeit war.[68]

Doch wäre es falsch, diktatorisch geprägte Herrschaftsöffentlichkeit nur von ihren Rändern her und in ihrer systembezogenen Dysfunktionalität zu interpretieren. Auch eine vom Regime inszenierte Empörung konnte in ihrer sich aufbauenden Wucht politische Rückwirkung auf die Machthaber entfalten und damit das Vorgehen gegen Angeprangerte und Ausgegrenzte radikalisieren, wie sich an der Praxis der nationalsozialistischen Judenverfolgung ebenso ablesen läßt[69] wie an der von Stalin selbst durch ein öffentliches Schreiben wieder abgebremsten Kollektivierungsbewegung im Winter 1929/30 in der Sowjetunion[70] oder an den SED-Kampagnen gegen »Titoismus«, »Zionismus« und »Kosmopolitismus« während der fünfziger Jahre. Je nach dem Grad des Konsenses zwischen Regime und Gesellschaft konnten politische Skandale analog zu ihrer Funktion in demokratischen Verhältnissen auch in Diktaturen systemstabilisierende Funktion übernehmen und in der Entrüstung über einen offenbaren Mißstand an die gemeinsamen Normen der herrschenden Ordnung appellieren. In solchen Fällen wird der aus der Außenperspektive paradox erscheinende Typ eines affirmativen Skandals greifbar, in dem die öffentliche Empörung über einen politischen Mißstand nicht dem System selbst angelastet wird, sondern der Mißwirtschaft seiner untergeordneten Funktionäre oder auch der Regimespitze selbst. Affirmative Skandale zeugen von einem hohen Maß an fingiertem oder tatsächlichem Herrschaftskonsens in der Bevölkerung. Ihr Empörungsmuster spiegelt sich am prägnantesten in der NS-Parole »wenn das der Führer wüßte«, bestimmt aber auch die taktischen Regeln der individuellen Beschwerde auf dem Weg der Eingabe im Realsozialismus, wenn Beschwerdeführer zunächst ihr Einverständnis mit der geltenden Ordnung bekräftigen mußten, um anschließend das behördliche Aufsehen auf einen empfundenen Mißstand zu lenken. Züge einer affirmativen Skandalisierung tragen die aktenkundigen Versorgungsskandale im »Dritten Reich«[71] oder der Unmut in der Bevölkerung über die unzureichende Winter-

68 Auf dieses Phänomen zielt etwa der Begriff der »imperfekten Öffentlichkeit«. Rittersporn/Behrends/Rolf, Öffentlichkeit und öffentliche Räume, S. 12.

69 Siehe hierzu den Beitrag von Christiane Kuller und Axel Drecoll in diesem Band.

70 Sheila Fitzpatrick, Everyday Stalinism. Ordinary Life in Extraordinary Times: Soviet Russia in the 1930s, New York/Oxford 1999, S. 26.

71 Siehe hierzu den Beitrag von Frank Bajohr in diesem Band.

bekleidung im ›Rußlandfeldzug‹, aber auch die durch Hitler selbst geschickt lancierte Diskreditierung der SA-Führung 1934 unter gezielter Anspielung auf die Homosexualität ihrer Führer[72] und selbst der für das öffentliche Bild der NS-Führung zunächst verheerende England-Flug des Hitler-Stellvertreters Rudolf Heß während des Krieges 1941.[73] Zu erörtern bleibt die Frage, ob affirmative Skandale nur im Bereich charismatischer Herrschaft anzusiedeln sind oder ob sie auch in sozialistischen Systemen ihr Pendant finden. Spielte womöglich der sowjetische Parteichef Nikita Chruschtschow auf der Klaviatur des affirmativen Skandals, als er 1956 in seiner Geheimrede auf dem XX. Parteitag Stalin preisgab, um den Sozialismus zu retten? Oder läßt sich die Außenstehenden nur schwer verständliche Erregung über das Verbot der sowjetischen Zeitschrift »Sputnik« im November 1988 als Spielart eines affirmativen Skandals deuten, der mit dem Abscheu vor dem Elend der gegenwärtigen Führung zugleich den verblichenen Glanz des sozialistischen Projekts namens DDR wachrief und aus diesem Kontrast seine empörungsfördernde Dynamik bezog?[74]

Die Vielfalt diktaturspezifischer Skandalformen zeigt sich auch in jenen gleichsam oben und unten vertauschenden Empörungsfällen, in denen eine geschlossene Partei- oder Institutionsöffentlichkeit am Zurückbleiben des Staatsvolkes oder Versagen der eigenen Gefolgschaft Anstoß nahm, wie sich für den NS-Staat an herrschaftsinternen Reaktionen etwa auf Heß' Englandflug oder die Göring zugeschriebene Schwäche der deutschen Luftwaffe ablesen läßt,[75] aber auch in Hitlers Bemühen, die Verantwortung für die deutsche Kriegsniederlage der den Belastungen nicht gewachsenen Bevölkerung anzulasten. Aus derselben Perspektive war in der Herrschaftskrise des SED-Staates 1953 nicht die Politik der Staats- und Parteiführung, sondern der gegen sie gerichtete Aufstand des 17. Juni der eigentliche Skandal, der sich in der anschließenden Krisenbewältigung als politischer »Opportunismus« oder »starkes Versöhnlertum

72 Siehe hierzu den Beitrag von Susanne zur Nieden und Sven Reichardt in diesem Band.

73 Siehe hierzu den Beitrag von Armin Nolzen in diesem Band.

74 Siehe hierzu den Beitrag von Martin Sabrow in diesem Band.

75 Vgl. hier etwa Goebbels' Tagebuchaufzeichnungen nach der Zerstörung des Propagandaministeriums durch einen Luftangriff: »Bei allen Anwesenden bei dem Brand ist nur eine Stimme der Verachtung und des Hasses gegen Göring zu vernehmen. Alle fragen immer wieder, warum der Führer denn nicht endlich gegen ihn und die Luftwaffe handelnd einschreite.« Joseph Goebbels, Tagebücher 1924-1945, Bd. 5: 1943-1945, hg. von Ralf Georg Reuth, München/Zürich [2]1992, S. 2153.

und offenes Zurückweichen vor den prinzipiellen Auseinandersetzungen über das Versagen der Partei am 17.6.« fortsetzte.[76]

Eine andere Struktur öffentlicher Entrüstung weisen Skandale auf, die eine eigene Gegenöffentlichkeit zu mobilisieren versuchen und gleichsam den Gegenpol zu den inszenierten Skandalen des Regimes bilden. Sie, die sich am besten als Fundamentalskandale bezeichnen lassen, greifen die innere Verfassung diktatorischer Herrschaft an, sie ziehen das geltende Normengefüge der Wirklichkeitsdiktatur in Zweifel und stellen ihr eine andere politisch-moralische Werteordnung entgegen. Skandale diesen Typs sind geeignet, die Machtfrage zu stellen, und ihre erfolgreiche Unterdrückung oder zumindest Bewältigung bildet auch dort, wo das Regime zunächst zurückweicht, letztlich die Voraussetzung für sein erfolgreiches politisches Überleben. Der mit dem Namen Bischof Graf Galens verbundene Protest gegen die Euthanasie-Politik der NS-Führung stellt einen solchen Skandal dar, der mit einer vorläufigen Niederlage der Machthaber endete und die endgültige Entscheidung auf die Zeit nach dem Krieg vertagte.[77] Ein idealtypischer Fundamentalskandal erwuchs auch aus der allgemeinen Verbitterung über die Anhebung der Arbeitsnormen im Frühsommer 1953 und den stalinistischen Kurs der von Ulbricht repräsentierten SED-Führung, die eine so gewaltige Sogkraft entwickelte, daß der Skandal rasch den Rahmen der Herrschaftsordnung sprengte und mit der Schaffung einer eigenen Öffentlichkeit in den offenen Aufstand überging. Nicht weniger spektakulär entwickelte sich die Kaskade einander ablösender und aufeinander aufbauender Manifestationen öffentlichen Unmuts, die schließlich das SED-Regime in den Untergang zu stoßen half.

Zur Gruppe der Fundamentalskandale sind des weiteren auch diejenigen Fälle versuchter oder angedrohter Skandalisierung zu zählen, die mit der Existenz einer unabhängigen Gegenöffentlichkeit außerhalb des diktatorischen Machtapparates kalkulieren. Der Versuch, während des Leipziger Reichstagsbrand-Prozesses 1933 die terroristische Politik und

76 Zit. n. Stefan Wolle, »Agenten, Saboteure, Verräter ...«. Die Kampagne der SED-Führung gegen den »Sozialdemokratismus«, in Ilko-Sascha Kowalczuk/Armin Mitter/Stefan Wolle (Hg.), Der Tag X – 17. Juni 1953. Die »Innere Staatsgründung« der DDR als Ergebnis der Krise 1952/54, Berlin 1995, S. 243-277, hier S. 264. Zur innerparteilichen Säuberung nach dem Aufstand: Ilko-Sascha Kowalczuk, »Wir werden siegen, weil uns der große Stalin führt!« Die SED zwischen Zwangsvereinigung und IV. Parteitag, in: Kowalczuk/Mitter/Wolle (Hg.), Der Tag X, S. 171-242, hier S. 219 ff.

77 Siehe hierzu den Beitrag von Winfried Süß in diesem Band.

später aus dem Prager und Pariser Exil die Kriegsvorbereitungen der nationalsozialistischen Machthaber zu skandalisieren, zählt hierzu und ebenso das verzweifelte Bemühen, die Weltöffentlichkeit während des Zweiten Weltkriegs auf den deutschen Massenmord an den europäischen Juden aufmerksam zu machen. Für den sozialistischen Fall wiederum schuf bereits die weder durch anfängliche Repression noch spätere Duldung zu bremsende Partizipation der Bevölkerung am bundesdeutschen Radio- und Fernsehprogramm eine permanente Gegenöffentlichkeit, deren herrschaftsbedrohendes Empörungspotential seit der Existenz der DDR im Mittelpunkt aller Anstrengungen der Machthaber stand, die Ausbreitung politischer Skandale zu verhindern oder zu ersticken, und das beispielsweise im Ost-Büro der SPD oder in der »Zentralen Erfassungsstelle der Landesjustizverwaltungen« in Salzgitter seinen institutionalisierten Ausdruck fand.

Eine quantitativ ungleich größere Rolle aber spielen in beiden Diktaturen die vielen kleinen Affären und Unmutsbekundungen, die nie das Licht einer breiteren Öffentlichkeit erblickten und damit zugleich auf die Paradoxie von Ubiquität und Unterdrückung politischer Skandale verweist, die für das »Dritte Reich« nicht anders als für die DDR galt. Nichts durfte in der Diktatur zum Skandal werden, um nicht das Machtmonopol der Staatsführung anzugreifen, aber alles konnte zum Skandal werden, weil die Macht in durchherrschten Gesellschaften auch das Verantwortungsmonopol hatte. Fast unausweichlich besaßen skandalöse Vorfälle in beiden deutschen Diktaturen immer auch einen politischen Bezug, aber fast nie vermochten sie ihrer Unterdrückung ganz zu entgehen und eine größere Öffentlichkeit herzustellen. Dennoch bildeten sie im Kleinen die dynamische Trias von Mißstand, Aufsehen und Empörung oft mustergültig ab; sie entglitten der Herrschaftskontrolle, indem sie sich fortpflanzten, sie riefen die Macht auf den Plan, die den Skandal einzudämmen suchte, und sie zogen in der Regel anschließend drakonische Konsequenzen nach sich.

Dic nach westlichen Maßstäben geringe Resonanz, vor allem das fehlende Presseecho einer freien »vierten Gewalt« sollten also nicht darüber hinwegtäuschen, daß Skandale auch in der Diktatur herrschaftsrelevante Funktion beanspruchen können. Auch in durchherrschten Gesellschaften stellen sie den Ausdruck einer gestörten Beziehung zwischen sozialen Normen und politischem Verhalten dar, die »den Verfall alter Legitimationsmuster und das Heraufziehen neuer politischer Kräfteverhältnisse«[78]

78 Sighard Neckel, Die Wirkung politischer Skandale, in: Aus Politik und Zeitgeschichte, B 7/90, S. 3-10, hier S. 10.

anzukündigen oder ihr entgegenzuwirken vermag. Skandale können diktatorische Systeme bis zum Zusammenbruch destabilisieren, wie der von Skandalisierungen begleitete Untergang der SED-Herrschaft 1989 lehrt, aber sie können auch plebiszitären Legitimationsgewinn durch gemeinsame Ausgrenzung bedeuten, wie das NS-Regime nach 1933 vorführte. Indem Skandale Normabweichler brandmarken, rufen sie die aus der Übereinstimmung von Volk und Führung resultierende Geltungskraft von Regelkanons in Erinnerung. Systemübergreifend ist der Skandal also ein ambivalentes Phänomen, und es läßt sich immer erst im nachhinein entscheiden, ob und warum er in diesem Fall systemstabilisierend und in jenem herrschaftsbedrohend gewirkt hat.

Susanne zur Nieden / Sven Reichardt

Skandale als Instrument des Machtkampfes in der NS-Führung

Zur Funktionalisierung der Homosexualität von Ernst Röhm

In den Tagen nach dem 30. Juni 1934 fielen Ernst Röhm und mit ihm etliche SA-Führer, innerparteiliche Konkurrenten wie Gregor Strasser und konservative Gegner wie General von Schleicher einem staatlich angeordneten Gewaltakt zum Opfer, der mit der Abwehr eines angeblich von Ernst Röhm geplanten Putschversuches legitimiert wurde. Die Ereignisse hatten sich in diesen Tagen überschlagen. Am 28. Juni telefonierte Hitler mit Röhms SS-Adjutanten Robert Bergmann und gab ihm die Weisung durch, am 30. Juni 1934, elf Uhr vormittags, hätten sich alle Obergruppenführer, Gruppenführer und Inspekteure der SA im Ferienquartier des Stabschefs Röhm einzufinden. SA-Männer im Rheinland hätten einen ausländischen Diplomaten attackiert. So gehe es nicht weiter. Man müsse sich endlich einmal aussprechen.[1] Am Morgen des 29. Juni setzte das Trio Himmler, Heydrich und Göring die Fernsprecher in Gang. Alle SD-Dienststellen und alle SS-Einheiten wurden in höchsten Alarmzustand versetzt. Heydrich hatte die Instruktionen für die Liquidierung der SA-Spitze ausgearbeitet. Auf das Stichwort »Kolibri« sollte losgeschlagen werden.

Als Hitler mit drei Wagen am 30. Juni um 6.30 Uhr früh in der Pension Hanselbauer in Bad Wiessee eintraf, in der sich Röhm und seine Vertrauten einquartiert hatten, waren nur Viktor Lutze, Rudolf Heß, Joseph Goebbels, der Gaustabsführer Hausböck und einige Polizeibeamte und SS-Männer bei ihm. Der erwartete SS-Gruppenführer Sepp Dietrich irrte an der Spitze von 35 Lastkraftwagen und 1.300 SS-Männern in der Nähe des Tegernsees herum und suchte bei regennasser Fahrbahn die richtige Straße nach Bad Wiessee.[2]

Viktor Lutze schilderte die Vorgänge noch zwölf Jahre nach dem Untergang des »Dritten Reiches« in Form einer dramatischen Szene, in deren Mittelpunkt Adolf Hitler als energischer Mann der Tat steht. In der Pen-

1 Heinz Höhne, Mordsache Röhm. Hitlers Durchbruch zur Alleinherrschaft 1933-1934, Hamburg 1984, S. 257. Vgl. ebd., S. 7 ff.

2 Höhne, Mordsache, S. 265 ff.

sion eingetroffen, stürzte Hitler an Röhms Tür. »Mit der Pistole in der Hand nennt er Röhm einen Verräter, was lebhaft Röhm abstreitet. Er befiehlt, daß er sich anzuziehen habe und eröffnet ihm seine Verhaftung.« Hitler hastete weiter. In Edmund Heines Zimmer war die Figur eines Mannes sichtbar, »der in demselben Zimmer geschlafen hat«.[3]

Gleich nach der Rückkehr aus Bad Wiessee hatte Goebbels zum Telefon gegriffen, um Göring das verabredete Stichwort durchzugeben. Im ganzen Reich, nicht nur in Berlin und Preußen, machten sich Mordkommandos von SS, SD und Politischer Polizei auf, um die sogenannten Staatsfeinde zu »erledigen«. Zeitgleich setzte die NS-Führung alles daran, die Ereignisse in Bad Wiessee als einen auf Affirmation zielenden Skandal zu inszenieren.[4] In der von Hitler formulierten amtlichen Presseerklärung, die am 1. Juli im *Völkischen Beobachter* veröffentlicht wurde, hieß es: Seit Monaten hätten »einzelne Elemente« versucht, zwischen SA und Partei sowie SA und Staat Keile zu treiben. Diese Versuche seien einer »bestimmt eingestellten Clique« zuzuschreiben und Röhm habe derartige Tendenzen gefördert. »Seine bekannte unglückliche Veranlagung führte zu so unerträglichen Belastungen, daß der Führer der Bewegung und Oberste Führer der SA selbst in schwere Gewissenskonflikte getrieben wurde.« Da Röhm, ohne Wissen Hitlers, mit General von Schleicher und mit »einer auswärtigen Macht« Verhandlungen geführt habe, sei »sowohl vom Standpunkt der Partei wie auch vom Standpunkt des Staates« ein Einschreiten nicht mehr zu umgehen gewesen.[5] »Einige SA-Führer«, hieß es in einem Artikel des *Völkischen Beobachters* vom 1. Juli über die Verhaftung, »hatten sich Lustknaben mitgenommen. Einer wurde in einer ekelhaften Situation aufgeschreckt und verhaftet. Der Führer gab den Befehl zur rücksichtslosen Ausräumung der Pestbeule. Er will in Zukunft nicht mehr dulden, daß Millionen anständiger Menschen durch einzelne krankhaft veranlagte Personen belastet und kompromittiert werden.«[6] Drastische Worte fand auch Goebbels im *Völkischen Beobachter* und sprach von »widerlichen und fast Brechreiz verursachenden« Bildern, »die sich unseren Augen boten«.[7]

3 Viktor Lutze, Reichswehr zieht auf. Tagebuch des zweiten SA-Stabschefs, in: Hannoversche Presse vom 18.5.1957.

4 Zu den spezifischen Funktionen eines affirmativen Skandals vgl. Martin Sabrows Einleitung zu diesem Band.

5 Zitiert nach Max Domarus, Hitler, Reden und Proklamationen 1932-1945, kommentiert von einem deutschen Zeitgenossen, Bd. 1: Triumph (1932-1938), Würzburg 1962, S. 398.

6 Zitiert nach ebd., S. 399.

7 Völkischer Beobachter vom 3. 7. 1934.

Glaubt man den *Deutschland-Berichten* der Sozialdemokratischen Partei (Sopade), dann reagierten Teile der Bevölkerung durchaus skeptisch. So liest man in dem Bericht des Kuriers aus Westsachsen: »Oft ist zu hören, daß es eine große Schuftigkeit ist, den Gemordeten ihre anormale Veranlagung vorzuwerfen, obwohl diese gemeine Sauerei schon jahrelang bekannt war und selbst mitgemacht wurde.«[8] Sosehr die Stilisierung der Parteileitung zum Saubermann als heuchlerisch entlarvt werden mochte – die Grundtendenz der Sopade-Berichte verdeutlicht, daß die Geißelung der Homosexualität von weiten Teilen der Bevölkerung gutgeheißen und Hitler hoch angerechnet wurde. Der Ruf Hitlers habe, berichteten Sopade-Kuriere aus den verschiedensten Regionen Deutschlands, durch die Morde an Renommee gewonnen – sein Ruf sei »ins Ungeheuerliche gestiegen«. Der »Führer«, zitiert man Volkes Stimme, sei ein »ehrlicher Mensch« und habe endlich »durchgegriffen«, gelobt werde die »rücksichtslose Entschlossenheit« des »übernatürlichen Menschen«. Seine Tat habe »Sauberkeit und Ordnung« wiederhergestellt.[9] In manchen Äußerungen mischte sich eine homophobe Grundstimmung mit dieser Begeisterung für Hitlers »Durchgreifen«: »›Da hatte die ›Volksstimme‹ doch recht, als sie bereits vor Jahren die Röhmbriefe veröffentlichte‹«.[10] Es seien auch sofort Witze gerissen worden – »Röhm sei verbrannt worden, weil er schon warm war«. Hitlers energisches Vorgehen gegen die »Schweinereien« sei verständlich.[11] Verächtlich und bestürzt schrieb der Berichterstatter aus Pommern: »Aber die große Masse des Volkes ist tatsächlich so idiotisch, daß sie sagt: ›Hitler ist doch ein Kerl, der durchgreift‹, und sie ist zugleich so demoralisiert, dass sie kein Gefühl für den moralischen Sumpf hat, den die Aktion bloßgelegt hat.«[12]

Die NS-Führung setzte zweifellos auf diese Wirkung – sie inszenierte einen Sexskandal, der auf Zustimmung in einer weitgehend homophoben deutschen Bevölkerung setzte. So ließen sich mit populistischen Tönen die komplizierten Machtkämpfe zwischen Reichswehr, SA, konservativem Bürgertum und SS überdecken. Die Krisenstimmung der ersten Monate des Jahrcs 1934 und der Eindruck einer bloß noch destruktiven

8 Deutschland-Berichte der Sozialdemokratischen Partei Deutschlands (Sopade), 1. Jg. 1934, 7. Aufl., Frankfurt a. M. 1989, S. 198. Vgl. auch ebd., S. 202.

9 Ebd., S. 201, 197-199. Ähnlich auch ebd., S. 200, 201. Vgl. Mathilde Jamin, Das Ende der »Machtergreifung«. Der 30. Juni 1934 und seine Wahrnehmung in der Bevölkerung, in: Wolfgang Michalka (Hg.), Die nationalsozialistische Machtergreifung, Paderborn u.a. 1984, S. 207-218.

10 Deutschland-Berichte der Sopade, 1. Jg. 1934, S. 198.

11 Ebd., S. 210.

12 Ebd., S. 200.

NS-»Revolution« sollte ausgerechnet mit der inszenierten Geste des entschiedenen Durchgreifens gegen eine Organisation der NS-Bewegung überwunden werden. Auch den Stimmungsberichten der NS-Geheimdienste kann man entnehmen, daß die Strategie der NS-Propaganda aufging. Offenbar erfüllte der Skandal die ihm zugedachte Funktion, einen breiten Konsens über die Beurteilung des Gewaltexzesses herzustellen, und festigte Hitlers Ruf als charismatischer Führer, dessen Einschreiten man als eine Kampfansage gegen Machtmißbrauch, Korruption und Ausschweifungen der SA-Führer wertete. Auch hier wird berichtet, daß die Billigung der Aktion mit einer verstärkten Bewunderung Hitlers einherging.[13] Die NS-Führung legitimierte die Morde mit dem Hinweis auf moralische Verfehlungen und Vetternwirtschaft. Der Hinweis, Ausschreitungen und Verfehlungen seien von krankhaft veranlagten Personen ausgegangen, half, Mißstände in einer Form zu thematisieren, die den mächtigsten Repräsentanten des Regimes nicht gefährlich werden konnte. Hitler selbst figurierte in dieser Inszenierung als entschlossener, moralisch integrer Retter der Nation.

Die Vorgeschichte

Wie inszeniert diese Geste Hitlers war, wie sehr sie in Wirklichkeit mit dem Konkurrenzkampf der NS-Eliten verwoben war, zeigt ein Blick in die Endphase der Weimarer Republik. Wenige Jahre zuvor hatte Röhm nämlich schon einmal im Zentrum eines Skandals gestanden, der sich um seine Homosexualität drehte. Der SA-Stabschef war 1931 und 1932 nur knapp einer Anklage nach Paragraph 175 des Strafgesetzbuches wegen gleichgeschlechtlicher sexueller Kontakte zwischen Männern entgangen. Im Mittelpunkt des Skandals standen drei Briefe, die Röhm Ende 1928 in München und zu Beginn des Jahres 1929 in Bolivien geschrieben hatte und in denen er unverhohlen seine erotischen Neigungen zu jungen Männern bekannt hatte. Sie waren 1931 zum Auslöser einer Kampagne geworden, bei der die Presse, allen voran sozialdemokratische Zeitungen, alle Register der Sexualdenunziation gezogen und Röhms Vorliebe für homosexuelle Affären gebrandmarkt hatte. Im Winter 1930 war Röhm, der zuvor einige Zeit als Militärberater in Bolivien gearbeitet hatte, nach

13 Vgl. Heinz Boberach (Hg.), Meldungen aus dem Reich. Auswahl aus den geheimen Lageberichten des Sicherheitsdienstes der SS. Neuwied/Berlin 1965, S. 428. Vgl. auch Ders. (Hg.), Meldungen aus dem Reich 1938-1945. Die geheimen Lageberichte des Sicherheitsdienstes der SS, Bd. 1-17. Herrsching 1984.

Deutschland zurückgekehrt, weil Hitler ihn zum Stabschef der SA berufen hatte. Seit seiner offiziellen Ernennung zum Stabschef im Januar 1931 kursierten in der Öffentlichkeit Gerüchte über seine Homosexualität. Einschlägige Informationen wurden der Presse von politischen Gegnern der NSDAP, aber offenbar ebenso von innerparteilichen Konkurrenten Röhms wiederholt zugespielt, um entweder die NSDAP oder die Hitlerfraktion und Röhm selbst politisch zu kompromittieren.[14] Im Februar 1931 stellte sich Adolf Hitler mit einem ungewöhnlichen Erlaß vor seinen Stabschef. Es lägen, hieß es darin, eine Reihe von Meldungen und Anzeigen gegen den Führer der SA vor, die »Angriffe gegen das Privatleben dieser Persönlichkeiten« enthielten. Die »Zumutung«, so Hitler, über Dinge, die »rein auf privatem Gebiet« lägen, Entscheidungen treffen zu müssen, weise er »grundsätzlich und in aller Schärfe zurück«. So werde nur »wertvolle Zeit, die im Freiheitskampf notwendiger ist, nutzlos vertan«. Die SA sei, bemerkte er weiter, »eine Zusammenfassung von Männern zu einem bestimmten politischen Zweck [...] Sie ist keine moralische Anstalt zur Erziehung von höheren Töchtern, sondern ein Verband rauher Kämpfer. [...] Das Privatleben kann nur dann Gegenstand der Betrachtung sein, wenn es wesentlichen Grundsätzen der nationalsozialistischen Anschauung zuwiderläuft.« In unmißverständlicher Drohung empfahl Hitler der SA-Führung abschließend, bei derartigen Angriffen, die »Mißstimmung und Unfrieden« in die SA trügen, zu prüfen, ob die Beschwerdeführer nicht »aus der SA bzw. der Bewegung« auszuschließen seien.[15]

Im April 1931 geriet Röhm durch Ermittlungen der Münchener Polizei zusätzlich ins Gerede. Seine Popularität als Stabschef machte seine Kontaktsuche im Strichermilieu zunehmend riskanter, und er wurde Opfer eines Erpressungsversuchs.[16] Sozialdemokratische Zeitungen griffen die Gerüchte nur zu gerne auf, um den »Sittenverfall«, vor allem aber die braune Doppelmoral zu geißeln. Die sozialdemokratische *Münchener Post* startete eine breit angelegte Kampagne. Zwar hatte sich die Sozialdemokratie im Reichstag für die Entschärfung des Paragraphen 175 stark gemacht. Im politischen Kampf aber ließ sie selbst keines der gängigen

14 Vgl. hierzu Burkhard Jellonnek, Homosexuelle unter dem Hakenkreuz. Die Verfolgung von Homosexuellen im Dritten Reich, Paderborn 1990, S. 61 ff.

15 Zitiert nach Heinrich Bennecke, Hitler und die SA, München/Wien 1962, S. 253.

16 In München ermittelte z. B. Polizeidirektion Ref. II/21 seit Anfang April 1931 gegen den arbeitslosen Kellner Reif, der Röhm zu erpressen versuchte. Abschriften der Vernehmungen und der Schriftsätze der Münchener Staatsanwaltschaft finden sich in den Akten der Berliner Generalstaatsanwaltschaft, Landesarchiv Berlin, A Rep 358, Nr. 517.

Stereotype über Homosexuelle aus. Bald stimmten auch die kommunistische und die bürgerliche Presse in die Kampagne ein. Auch sie nutzten homophobe Ressentiments, um die Nationalsozialisten politisch-moralisch zu diskreditieren.[17]

Da die erste Enthüllungswelle der *Münchener Post* auf nachweislich falschen Angaben beruhte und die polizeilichen Ermittlungen Röhm keine Straftat nachweisen konnten, wäre der »Fall Röhm« in den sich überstürzenden Ereignissen des Jahres 1931 vielleicht untergegangen, hätte sich nicht hinter den Kulissen Erstaunliches abgespielt. Vertreter unterschiedlicher staatlicher Instanzen entwickelten in den folgenden Monaten ganz offenbar ein nachhaltiges Interesse, der sozialdemokratischen Presse seriöseres Beweismaterial zuzuspielen und so dem Skandal neue Nahrung zu geben. Aus der Pressekampagne entstand im Verlauf des Jahres 1932 ein staatspolitisches Ränkespiel, das von Vertretern der preußischen und später auch der Reichsregierung forciert wurde, weil sie offenbar hofften, die Machtübertragung an Hitler verhindern oder verzögern zu können, indem sie seinen politischen Mitkämpfer Ernst Röhm der Homosexualität überführten.[18]

Als sich Adolf Hitler im Februar 1932 nach langem Zögern entschloß, für das Amt des Reichspräsidenten zu kandidieren, wurde die Skandalisierungsstrategie forciert. Die Drahtzieher waren hochrangige Beamte des preußischen Staates. Sie spielten der Presse Privatbriefe Röhms zu, die im Zusammenhang mit den vorangegangenen Ermittlungsverfahren beschlagnahmt worden waren. Darin hatte Röhm dem jungen homosexuellen Arzt Karl Günther Heimsoth, mit dem er sich angefreundet hatte, seinen Weg in die Homosexualität geschildert. Anfang März 1932,

17 Zum Verlauf und Inhalt der Presseschlacht vgl. Wilfried U. Eissler, Arbeiterparteien und Homosexuellenfrage. Zur Sexualpolitik von SPD und KPD in der Weimarer Republik, Berlin (W) 1980; Alexander Zinn, Die soziale Konstruktion des homosexuellen Nationalsozialisten. Zu Genese und Etablierung eines Stereotyps, Frankfurt a. M./ Berlin u.a. 1997; Jellonnek, Homosexuelle, S. 62 ff.

18 Ausführlich werden die Hintergründe dieser Entwicklung dargestellt in: Susanne zur Nieden, »Röhm-Affäre« und »Röhm-Putsch« – Aufstieg und Fall des virilen Männerhelden, in: Dies. (Hg.), Homophobie und Staatsräson in Deutschland 1900 bis 1945, erscheint im Herbst 2004. Vgl. auch Lothar Machtan, Hitlers Geheimnis. Das Doppelleben des Diktators, Berlin 2001, der etliche neue Quellen zu diesem Skandal gefunden hat. Geht man seinen Hinweisen nach, so fällt jedoch auf, daß er bei seiner Interpretation nicht selten den historischen Kontext ausblendet, z. B. polemische Unterstellungen der Presse und selbst erpresserische Denunziationen als Belegstellen seiner Thesen nutzt, ohne ihren Aussagegehalt ausreichend quellenkritisch zu hinterfragen.

»Amor im braunen Haus«, aus dem *Vorwärts* vom 2.6.1931

»Der Blaue Montag«.
Landesarchiv Berlin, A Rep 359-1.

kurz nachdem Goebbels die Kandidatur Hitlers offiziell bekanntgegeben hatte, wurden Abschriften der Briefe in einer höchst professionell organisierten Kampagne unter Federführung des Sozialdemokraten Helmuth Klotz der Öffentlichkeit übergeben. Klotz, ehemaliger Marineoffizier und promovierter Staatswissenschaftler, Mitbegründer des Deutschlandbundes (1930) und Herausgeber der *Antifaschistischen Pressekorrespondenz,* war ein ausgewiesener NS-Gegner und zugleich – da er selbst 1922/23 kurzfristig als NSDAP-Mitglied politisch aktiv gewesen war und am mißglückten Hitlerputsch 1923 teilgenommen hatte – ein intimer Kenner der nunmehr von ihm bekämpften Partei. Er hatte enge Kontakte zum preußischen Innenministerium und zu den preußischen Justizbehörden.[19] Wenige Tage vor der Reichspräsidentenwahl am 13. März 1932 schrieb Helmuth Klotz in einem Rundschreiben, er sei »durch einen Zufall« in den Besitz von Fotografien von Briefen Ernst Röhms gelangt, die »in einem geradezu ungeheuerlichen Zynismus« über dessen »widernatürliches ›Liebesleben‹« Auskunft gäben.[20] Röhm selbst habe in seinen Briefen eingestanden, schrieb Klotz weiter, daß man sich in NS-Kreisen eben »an diese verbrecherische Eigenheit« bei ihm habe gewöhnen müssen. In Anbetracht dieses Eingeständnisses handle »jeder Vater und jede Mutter gewissenlos, wenn sie ihre Söhne auch nur einen Tag länger der Gefahr der moralischen und sittlichen Verlotterung aussetzen« würde. »Eine Bewegung, die auf so anfechtbaren moralischen Grundlagen« beruhe, fuhr Klotz fort, sei »dem deutschen Wesen [...] fremd«.[21]

Kurz darauf gab Klotz die Briefe nebst Faksimiles der Originale als Broschüre heraus, die in hoher Auflage von 300.000 Exemplaren erschien und im Wahlkampf der SPD eingesetzt wurde. Nochmals betonte er darin, daß die »aggressive Homosexualität des Stabschefs Röhm« eine »deutsche Schande« sei und zur »homosexuellen Verseuchung der deutschen Jugend« beitrage.[22] Wie nicht anders zu erwarten, griff die Presse die Informationen begierig auf. Ob liberal, konservativ oder kommu-

19 Vgl. hierzu Herbert Linder, Von der NSDAP zur SPD. Der politische Lebensweg des Dr. Helmuth Klotz (1894-1943), Konstanz 1998.

20 Zit. nach Ernst Röhm, Die Memoiren des Stabschef Röhm, Saarbrücken 1934, S. 194 f., zum Quellenwert dieses Textes vgl. Heinrich Bennecke, Die Memoiren des Ernst Röhm. Ein Vergleich der verschiedenen Ausgaben und Auflagen, in: Politische Studien 14 (1963), S. 186-188.

21 Zitiert nach Röhm, Memoiren, S. 195.

22 Helmuth Klotz, Der Fall Röhm, Berlin 1932, S. 4. Linder klärt, daß die Broschüre durch den Verteiler des Reichsbanners – offenbar dank des Engagements ihres Bundesführers Karl Höltermann – an 300.000 Personen per Post versandt wurde (Linder, Von der NSDAP zur SPD, S. 171).

nistisch ausgerichtet, kaum eine Zeitung ließ es sich nehmen, mit dem sensationsheischenden Thema Schlagzeilen zu machen.[23] Geradezu einmütig waren alle, die die Kampagne gegen Röhm vorantrieben, darauf bedacht, Hitler und besser noch die gesamte NS-Bewegung mit homosexuellen Umtrieben in Zusammenhang zu bringen und eine allgemeine sittliche Gefährdung der Gesellschaft und vor allem der deutschen Jugend zu beschwören.[24]

Folgt man den zeitgenössischen Einschätzungen, so war Röhm nach den Vorgängen im April 1932 politisch schwer angeschlagen.[25] Adolf Hitler stellte sich jedoch ein weiteres Mal vor seinen Stabschef und erklärte am 6. April 1932, kurz vor dem zweiten Wahlgang für das Amt des Reichspräsidenten, unmißverständlich: »Oberstleutnant Röhm bleibt mein Stabschef, jetzt und nach den Wahlen. An dieser Tatsache wird auch die schmutzigste und widerlichste Hetze, die vor Verfälschungen, Gesetzesverletzungen und Amtsmißbrauch nicht zurückschreckt und ihre gesetzesmäßige Sühne finden wird, nichts ändern.«[26] Mit diesem Machtwort kam der Röhm-Skandal zu seinem vorläufigen Abschluß. Die Erklärung Hitlers stieß jedoch bei vielen NSDAP-Mitgliedern auf größtes Befremden. Sie schätzten den Skandal als große politische Bedrohung ein. Noch im Rückblick schrieb Paul Schulz in einem Memorandum aus dem Jahr 1934, jede andere Partei wäre, nach allem, was sich im Umfeld des Röhm-Skandals ereignet habe, »von der Bildfläche verschwunden, ein Mann wie Röhm wäre nicht eine Stunde mehr in einer derart verantwortlichen Stellung verblieben. Hitler jedoch übergab der

23 Zinn, Die soziale Konstruktion, S. 43 ff.; Jellonnek, Homosexuelle, S. 68; Eissler, Arbeiterparteien und Homosexuellenfrage, S. 109.

24 Bereits im Sommer 1931 hatte die Bayerische Politische Polizei in ihrem Bericht bemerkt, es sei »überhaupt zu beachten, daß der persönliche Kampf gegen Röhm nicht diesem, sondern der NSDAP insgesamt« gelte. Bundesarchiv Koblenz, Nachlaß Rheindorf 263/427, Bericht aus den Akten der B.P.P. Betr.: Aufspaltungen in der NSDAP, zitiert nach Jellonnek, Homosexuelle, S. 65.

25 Der bezüglich Partei-Interna gut informierte Arno Schickedanz schrieb am 19.4.1932 an Alfred Rosenberg: »Röhms Lage ist verzweifelt. Wohin er greift, greift er in ein Spinnennetz. Ausserdem hat er sozusagen eine ›politische Belastung‹ auf sich sitzen. Seine Beseitigung wird stürmisch gefordert.« Der Zeitpunkt seiner Beseitigung sei günstig. Andererseits sei Röhm aber das einzige Gegengewicht zu Gregor Strasser, der die eigentlichen Fäden der Macht in der Hand habe. Andreas Dornheim, Röhms Mann fürs Ausland. Politik und Ermordung des SA-Agenten Georg Bell, Münster 1998, S. 137.

26 Von der Pressestelle herausgegebene Erklärung Hitlers vom 6.4.1932, in: Völkischer Beobachter vom 8.4.1932; u.a. abgedruckt in: Bayerischer Kurier, Nr. 98. vom 7.4.1932 mit dem Titel: »Hitler hält zu Röhm«.

Öffentlichkeit die Erklärung: ›Röhm ist mein Stabschef, er war mein Stabschef und er wird mein Stabschef bleiben.‹«[27]

Mit der Ernennung Hitlers zum Reichskanzler endeten diese Angriffe auf Röhm, da dieser neben Göring und Goebbels zweifellos zum inneren Kreis der Macht im neuen Staat gehörte. Kaum verwunderlich, daß Zeitungen und Zeitschriften, die 1933 nicht verboten wurden und weiterhin in Deutschland erscheinen durften, das Skandalthema tunlichst mieden. Vom Exil aus aber wurde die Pressekampagne gegen Röhm mit um so größerer Energie fortgesetzt.[28] Der Skandal, der die Öffentlichkeit in den vergangenen Jahren beschäftigt hatte, heizte die Gerüchte und Verdächtigungen an, ob nicht auch andere Nationalsozialisten ähnliche Neigungen besäßen, etwa der »Reichsjugendführer« Baldur von Schirach, Rudolf Heß – oder am Ende Adolf Hitler selbst. In seiner Untersuchung *Die soziale Konstruktion des homosexuellen Nationalsozialisten* hat Alexander Zinn herausgearbeitet, wie die Fama, die NS-Bewegung sei von Homosexuellen durchsetzt, wenn nicht gar dominiert, im Laufe der Kampagnen von NS-Gegnern nach und nach Gestalt annahm und sich zum Stereotyp vom »homosexuellen Nazi« verdichtete. Zu Beginn des Feldzugs gegen Ernst Röhm hatte die Presse über das Stigma der Homosexualität an homophobe Ressentiments appelliert, um so die Nationalsozialisten diskreditieren zu können. Die Inszenierung des Röhm-Skandals trug dann aber zum Entstehen erster Ansätze einer Faschismustheorie bei, in deren Mittelpunkt die Konstruktion einer ursächlichen Verknüpfung von homosexueller Veranlagung und Nationalsozialismus, von sexueller und politischer Orientierung, eines Zusammenhangs der Dispositionen zu Homosexualität, »autoritärem Charakter«, Sadismus und Gewalttätigkeit stand.[29]

Im Frühjahr 1933 erkannte der KPD-Funktionär und Medienzar Willi Münzenberg die Gunst der Stunde. Er wußte in seiner Kampagne zum Reichstagsbrand gekonnt das Gemälde des nationalsozialistischen Sittenverfalls und der homosexuellen Verschwörung weiter auszumalen. Die Verfasser des *Braunbuchs* setzten in ihrer Reichstagsbrand-Kampagne die Behauptung in die Welt, der Brandstifter Marinus van der Lubbe sei ein »Lustknabe« Röhms gewesen, und suggerierten damit sehr geschickt, hinter dem Reichstagsbrand stehe eine homosexuelle Intrige, die einen

27 Zitiert nach Dornheim, Röhms Mann fürs Ausland, S. 92.

28 Zinn, Die soziale Konstruktion, S. 55 ff.

29 Vgl. ebd., S. 44 ff. In der jüngeren Forschung tragen diese alte These weiter: Scott Lively und Kevin Abrams, The Pink Swastika. Homosexuality in the Nazi Party, Oregon 1996.

essentiellen Wesenszug des Naziregimes offenlege. Obwohl es keine Belege für van der Lubbes angebliche Homosexualität gab, zeigte diese Unterstellung eine solche Wirkung, daß die Anschuldigungen sogar im Reichstagsbrand-Prozeß, der im Herbst 1933 in Leipzig vor dem Reichsgericht stattfand, thematisiert wurden.[30]

Röhm seinerseits war bemüht, sein öffentlich angeschlagenes Image im Verlauf des Jahres 1933 aufzubessern. In *Der SA-Mann,* einer Beilage des *Völkischen Beobachters,* erschienen regelmäßig Beiträge, die Röhm als männlichen Kriegshelden und Träger der »Nationalen Revolution« feierten.[31] Röhm leitete darüber hinaus in der NS-Bewegung eine Diskussion über Moralvorstellungen in die Wege. Wenn auch verschlüsselt, ging es darin um das Dilemma eines NS-Führers, der trotz seiner Machtstellung von politischen Gegnern und Parteifreunden wegen seiner Homosexualität zum Paria gemacht worden war. Röhm wandte sich am 8. September 1933 mit einer öffentlichen Stellungnahme gegen die »Ausbreitung des Muckertums« an alle SA- und SS-Führer und drängte auf deren Veröffentlichung in der NS-Presse. Er unternahm damit in dieser Debatte einen ungeschützten und forschen Vorstoß und schrieb durchaus kämpferisch: »Offenbar in Ermangelung anderweitiger zweckmäßiger Betätigung widmen sich Einzelpersonen und ›Bünde‹ der selbstgestellten Aufgabe, das deutsche Volk ›sittlich zu erneuern‹.« Unbestreitbar sei, »daß das Muckertum in letzter Zeit geradezu Orgien« feiere. Der »deutschen Frau wird verboten, sich zu pudern und in Lokalen zu rauchen; in Grosstädten sollen alle irgendwie aus dem Spiesserrahmen fallenden Vergnügungsstätten ausgerottet werden, gegen die so genannte ›Prostitution‹ wird ein Kampf geführt, der ebenso heuchlerisch in seinem Wesen, wie brutal in der Durchführung ist und vom Standpunkt der Volksgesundheit unheilvoll in seinen Auswirkungen sein wird.« Dies alles geschehe vorgeblich »im Gefühl heiliger Verantwortung für das Wohl des Volkes«. In Wahrheit seien es »seit Jahrhunderten immer wieder geübte Befriedigungsversuche von Heuchlern, Muckern und Trägern verdrängter Komplexe«. Er wolle »das Überhandnehmen derartiger, oft geradezu lächerlicher Auswüchse von Prüderie zum Anlaß nehmen, um einmal

30 Vgl. hierzu Anson Rabinbach, van der Lubbe – ein Lustknabe Röhms? Die politische Dramaturgie der Exilkampagne zum Reichstagsbrand, in: Susanne zur Nieden (Hg.), Homophobie und Staatsräson in Deutschland 1900 bis 1945, erscheint im Herbst 2004. Vgl. auch Zinn, Die soziale Konstruktion.

31 Eleanor Hancock, Only the Real, the True, the Masculine Held its Value. Ernst Röhm, Masculinity and Male Homosexuality, in: Journal of the History of Sexuality 8 (1998), S. 616-641, S. 619 ff.

eindeutig festzustellen, daß die deutsche Revolution nicht von Spiessern, Muckern und Sittlichkeitsaposteln gewonnen worden« sei, »sondern von revolutionären Kämpfern«. Die Aufgabe der SA bestehe nicht darin, »über Aufzug, Gesichtspflege und Keuschheit anderer zu wachen, sondern Deutschland durch ihre revolutionäre Kampfgesinnung hochzureissen«. Er verbiete daher sämtlichen Führern und Männern der SA und SS, »ihre Aktivitäten auf diesem Boden einzusetzen und sich zum Handlanger verschrobener Moralästheten herzugeben«.[32]

Vordergründig schien Röhm hier vor allem Frauen vor dem Moraleifer der NS-Bewegung zu schützen. Für zeitgenössische Leser und Leserinnen aber dürfte durch den Verweis auf den »Harte Kämpfer-Erlaß« Adolf Hitlers sowie auf die Ausrottung der »aus dem Spiesserrahmen fallenden Vergnügungsstätten« überaus deutlich gewesen sein, daß Röhm die homophobe Politik der NSDAP attackierte. Da die von Röhm geforderte Veröffentlichung offenbar nicht zu verhindern war, gab das NS-Nachrichtenbüro eine weitgehend entschärfte, gekürzte Fassung an die Presse mit der Weisung weiter, Röhms Verlautbarung dürfe nur in dieser Form publiziert werden.[33] In der Exilpresse wurde die Kurzmeldung dennoch zum Anlaß höhnischer Kommentare. So mutmaßte etwa der *Gegenangriff* am 1. Oktober 1933, der Erlaß sei wohl ein erstes Zeichen für die möglicherweise bevorstehende Einführung der »Zwangshomosexualität« unter dem Motto »Die Revolution ist beendet, nun laßt uns genießen«.[34]

Röhms Stellung als rechte Hand Adolf Hitlers blieb jedoch bis Ende des Jahres 1933 unangefochten. So veröffentlichte der *Völkische Beobachter* zum Jahreswechsel 1933/34 einen Brief Adolf Hitlers, in dem dieser seinem »lieben Stabschef« in tiefsten Worten dankte:

> »Am Abschluss des Jahres der nationalsozialistischen Revolution drängt es mich daher, Dir, mein lieber Ernst Röhm, für die unvergänglichen Dienste zu danken [...] und Dir zu versichern, wie sehr ich dem Schicksal dankbar bin, solche Männer wie Dich als meinen Freund und Kampfgenossen bezeichnen zu dürfen. In herzlicher und dankbarer Würdigung Dein Adolf Hitler«.[35]

32 Eine Abschrift ist überliefert in: Bundesarchiv Berlin, Sammlung Schumacher, Bd. 414.

33 Zinn, Die soziale Konstruktion, S. 81 ff.; Jellonnek, Homosexuelle, S. 83 f. Diese Fassung des Aufrufs von Röhm fand sich dann nicht nur in den NS-Zeitungen wieder. Siehe etwa »12 Uhr Blatt« Nr. 223 vom 26.9.1933: »Stabschef Röhm gegen Muckertum. Ein begrüßenswerter Erlaß«.

34 Zitiert nach: Jellonnek, Homosexuelle, S. 83.

35 Völkischer Beobachter (Berliner Ausgabe) Nr. 1-2 vom 1./2.1.1934. Ebenfalls leicht verändert abgedruckt in: Röhm, Memoiren, S. 191 f.

Auch Joseph Goebbels und der Staranwalt der Rechtsradikalen, Walter Luetgebrune, stärkten Röhm in verschiedenen Publikationen den Rükken.[36]

Die Krise des NS-Regimes 1934

Die Intensität, mit der Hitler, Goebbels und die NS-Führung im Juli 1934 die Skandalisierung von Röhms Homosexualität betrieben, speiste sich somit zweifellos aus anderen Quellen als einer bloß ideologisch bedingten Abwehr der Homosexualität. Es waren vielmehr machtpolitische Gründe, die sie dazu veranlaßten, die Karte der vermeintlichen Wohlanständigkeit zu spielen. Es war in Wirklichkeit vor allem die Konkurrenz zwischen dem immer mächtiger werdenden Millionenheer der SA und der Reichswehr, die zur Ausschaltung der SA-Spitze geführt hatte.

Die SA hatte es im Laufe der sogenannten Gleichschaltung verstanden, mit brutaler Energie ihren Kompetenzbereich immer weiter auszudehnen. Nach der Eingliederung der nationalen Wehrverbände war die SA nicht nur von 450.000 (Januar 1933) auf eine Mitte 1934 4,5 Millionen Mitglieder umfassende Organisation auf das Zehnfache angewachsen.[37]

36 In der »Berliner Illustrierten Nachtausgabe« vom 27.1.1934 war unter der Überschrift »Dr. Goebbels gegen das Muckertum« zu lesen: »Reichsminister Dr. Goebbels hat sich in einem Aufsatz ›Mehr Moral, aber weniger Moralin‹, mit erfreulicher Deutlichkeit gegen Muckertum und Sittenriecherei gewandt und jene Kreise angeprangert, die unter der Flagge des besonders eifrigen Nationalsozialsten glauben, muffige Sittengesetze aufstellen zu können. Der Minister hat dem die lebensbejahende und naturnahe Auffassung des wahren Nationalsozialismus entgegengestellt und damit der Bewegung und dem neuen Deutschland einen großen Dienst erwiesen [...] Doktor Goebbels geißelt den Unfug der Sittenriecherei von Leuten, die ›im einzelnen dem privaten Menschen den Codex ihrer rein persönlichen Auffassungen vorschreiben‹ wollen. Er brandmarkt die Kumpanei von Gesellen, die ›am liebsten in Stadt und Land Keuschheitskommissionen einsetzen‹ und ›das nationalsozialistische Deutschland in eine Einöde von Muff und Muckertum verwandeln möchten, in der Denunziation, Bettschnüffelei und Erpressung an der Tagesordnung wären‹«. In Luetgebrunes offensiver Verteidigung Röhms liest man: »Dabei müßte eigentlich von jedem einigermaßen Gebildeten vorausgesetzt werden, daß er weiß, wie viele der Größten in der Geschichte nachweisbar in ihrem Geschlechtsleben sonderartig waren.« Walter Luetgebrune, Ein Kampf um Röhm, Diessen bei München 1933, S. 15.

37 Peter Longerich, Die braunen Bataillone. Geschichte der SA, München 1989, S. 184.

Die SA beschränkte ihre Aktivitäten nicht mehr, wie noch vor 1933, auf Demonstrationen und Übergriffe auf Kommunisten – der Machtgewinn der von Göring am 22. Februar 1933 zur Hilfspolizei ernannten SA wurde von nun an mit systematischem Terror gegen alle Systemgegner begleitet. Ein Großteil der schätzungsweise 100.000 Personen, die im ersten Jahr der NS-Herrschaft in Haft kamen, wurde anfangs in den überall entstehenden SA-Gefängnissen und -Lagern festgehalten. Viele wurden bestialisch mißhandelt und gefoltert. Die meisten der mindestens 500 bis 600 Todesopfer dieser Gewalttätigkeiten waren von SA-Männern umgebracht worden.[38] Zu den schrecklichsten Auswüchsen zählten die sogenannten »wilden« Konzentrationslager. Die SA-Hilfspolizisten lieferten ihre Häftlinge oftmals erst gar nicht bei der Polizei ab, oder sie wurden ihnen sogar von der Polizei aufgrund der überfüllten Gefängnisse übergeben. Der in den ersten Märztagen 1933 in den Spandauer Gefängniszellen Berlin inhaftierte Starreporter Egon Erwin Kisch wurde beraubt, man drohte, ihn zu verprügeln, und sperrte ihn schließlich in eine Zelle: »Dreiundzwanzigeinhalb Stunden täglich sitzt man untätig im Käfig, eine halbe Stunde lang sieht man die Schicksalsgenossen« beim Freigang, schrieb er. Aus den unterirdischen Zellen im Dunkelarrest hörte er Schreie: »›Hilfe! Hilfe! Hier werden Menschen blutig geprügelt‹. Es geht durch Mark und Bein. Wir haben keine Nerven mehr.« Mitte März wurde Kisch entlassen.[39] Insbesondere die mittleren und unteren Funktionäre der KPD, SPD und der Gewerkschaften waren die Opfer der SA. Nicht wenige von ihnen prügelten die SA-Männer in der Haft zu Tode. Allein in Berlin gab es 1933 etwa 150 sogenannter »wilder« Konzentrationslager, in denen der Folter Tür und Tor geöffnet wurden.[40]

Zudem wurden jüdische Geschäftsinhaber schikaniert, zum Teil regelrechte Razzien veranstaltet und einzelne Juden verschleppt. Die SA-Männer protzten mit einer »Jetzt-kann-uns-keiner-mehr«-Haltung – sie pöbelten und schikanierten alle die, die ihnen nicht gefielen. Neben den Übergriffen auf die Gewerkschaftshäuser gerieten auch staatliche Ein-

38 Ian Kershaw, Hitler 1889-1936, Stuttgart 1998, S. 631; Longerich, Bataillone, S. 166, 172.

39 Oliver C. Gliech, Die Spandauer SA 1926 bis 1933. Eine Studie zur nationalsozialistischen Gewalt in einem Berliner Bezirk, in: Wolfgang Ribbe (Hg.), Berlin Forschungen III, Berlin 1988, S. 107-205, hier S. 149 ff.

40 Vgl. Helmut Bräutigam, Oliver C. Gliech, Nationalsozialistische Zwangslager in Berlin I. Die »wilden« Konzentrationslager und Folterkeller 1933/34, in: Wolfgang Ribbe (Hg.): Berlin Forschungen II. Berlin 1987, S. 141-178; Longerich, Bataillone, S. 174 ff.

richtungen in das Visier der SA. Während der Phase der »Machtergreifung« waren die symbolischen Herabwürdigungen und Brutalitäten gegen lokale Staatsrepräsentanten in den Gemeinderathäusern funktional im Sinne der Durchsetzung des neuen Regimes – dienten sie doch zur Paralysierung und Desorientierung des traditionellen Staatsapparates. Aber zunehmend verselbständigte sich diese SA-Gewalt, die dann von der Polizei kaum noch einzudämmen war. Die SA-Leute plusterten sich auf, indem sie wahllos Passanten auf Waffen durchsuchten oder bei Bahnfahrten die Bezahlung verweigerten. Zur schlichten Bereicherung wurden Geschäftsleute erpreßt und nicht selten waren ganz persönliche Racheakte der Grund für Folter. Die Maßlosigkeit erregte auch den Unwillen ausländischer Diplomaten, und führende Vertreter der Wirtschaft wehrten sich gegen Eingriffe in das Geschäftsleben.[41]

Gleichwohl war auch Röhm klar: Selbst dieser Terrorfeldzug mußte einmal abgeschlossen sein. Eine solide Machtbasis konnte man mit rein auf Destruktivität abgestellten Aktivitäten nicht errichten. Daher forderte Ernst Röhm schon früh eine »zweite Revolution«, in der seine SA-Männer bei der Postenjägerei nach 1933 auskömmlichere Positionen erhalten sollten. Röhm drückte Willen und Unzufriedenheit der SA, die sich gegen die Machtfülle der konservativen Eliten aus der »Systemzeit« richtete, zwar entschieden, dafür aber um so unpräziser aus: »SA und SS sind die Grundpfeiler des kommenden Staates. IHRES Staates, für den sie gekämpft haben und den sie behaupten werden [...] Wenn die Spießerseelen meinen [...], daß die ›nationale‹ Revolution schon zu lange dauert, so pflichten wir ihnen hierin ausnahmsweise gern bei: Es ist in der Tat hohe Zeit, daß die nationale Revolution aufhört und daß daraus die nationalsozialistische wird!«[42] Selbst noch im April 1934 warnte Röhm: »Als unerschütterliches Bollwerk gegen Reaktion, Spießer- und Muckertum steht die SA, – denn in ihr verkörpert sich alles, was den Begriff der Revolution ausmacht. Der Kämpfer im Braunhemd ist vom ersten Tage an den Weg der Revolution marschiert. Und er wird von diesem Weg nicht einen Fußbreit abweichen.«[43]

41 Longerich, Bataillone, S. 167 ff., 177 ff.

42 Ernst Röhm, SA und deutsche Revolution, in: Nationalsozialistische Monatshefte 4 (1933), H. 39, S. 251-254, hier S. 251, 254.

43 Ernst Röhm, Nationalsozialistische Revolution und SA, in: Hochschule und Ausland. Monatsschrift für Kulturpolitik und zwischenstaatliche geistige Zusammenarbeit 12 (1934), H. 6, S. 1-22, hier S. 19. Die Rede Röhms wurde am 18. April 1934 vor dem Diplomatischen Korps und der Auslandspresse gehalten.

Das richtete sich gegen die Interessenverbände der alten Eliten, die sich bei der Regierung über die maßlosen Forderungen der SA beschwerten. Täglich gingen in der Reichskanzlei Protestschreiben ein. Der Sekretär des Reichswirtschaftsministeriums meldete, eine SA-Abteilung verlange den Rücktritt des gesamten Börsenvorstandes. Der Zentralverband Deutscher Konsumvereine telegrafierte, durch einen SA-Boykott sei die Versorgung von drei Millionen Haushalten gefährdet. Auch der Vizepräsident der Reichsbank beschwerte sich über einen Bankangestellten, der drohend verlangte, mit Hilfe der SA in den Vorstand der Dresdner Bank aufgenommen zu werden.[44] Zwar warnte Reichsinnenminister Wilhelm Frick am 11. Juli, daß die Stabilisierung der Wirtschaft »auf das schwerste gefährdet [werde], wenn weiterhin noch von einer zweiten Revolution geredet« werde, aber nicht wenige SA-Einheiten befolgten schon seit längerer Zeit nur noch die Anweisungen, die ihnen paßten, und jene nicht, die ihnen mißfielen.[45] Frick stand mit seiner Meinung jedoch nicht allein – auch Göring, Goebbels und Heß hatten sich ähnlich geäußert.[46] Am 7. Juli 1933 verkündete dann auch Hitler vor den Reichsstatthaltern, daß nun mit den maßlosen Forderungen Schluß sein müsse: »Die Revolution ist kein permanenter Zustand […] Man muss den freigewordenen Strom der Revolution in das sichere Bett der Evolution lenken.«[47] Am 2. Februar 1934 bekräftigte er diese Haltung in einer Ansprache vor den Gauleitern. Es seien »Narren, die da behaupten, die Revolution sei nicht beendet, dies lediglich in der Absicht, sich selbst an bestimmte Stellen zu setzen«. Es gäbe in der Bewegung Menschen, die unter Revolution nichts anderes verständen »als einen dauernden Zustand des Chaos«.[48]

44 Charles Bloch, Die SA und die Krise des NS-Regimes 1934, Frankfurt a. M. 1970, S. 53 ff.; Longerich, Bataillone, S. 178.

45 Erlaß des Reichsinnenministers Frick vom 11. Juli 1933, in: Dokumente der deutschen Politik I, 1933, Nr. 3; Hans-Adolf Jacobsen u. Werner Jochmann, Ausgewählte Dokumente zur Geschichte des Nationalsozialismus 1933-1945, Bielefeld 1961, Dokument 11.7.1933. Siehe auch Bloch, Die SA und die Krise des NS-Regimes, S. 52 f.; Höhne, Mordsache, S. 60; Werner, SA, S. 597 f.

46 Longerich, Bataillone, S. 182.

47 Erklärung vor den Reichsstatthaltern vom 6. Juli 1933, in: Dokumente der deutschen Politik I, 1933, Nr. 35; Hans-Adolf Jacobsen u. Werner Jochmann, Ausgewählte Dokumente zur Geschichte des Nationalsozialismus 1933-1945, Bielefeld 1961, Dokument 6.7.1933.

48 Ursachen und Folgen. Vom deutschen Zusammenbruch 1918 und 1945 bis zur staatlichen Neuordnung, Band 10, Berlin 1961, Dokument 2366.

Nach dem Gewaltrausch der »Machtergreifung« holte also die SA-Männer ihr altes Trauma des Überflüssig-Seins wieder ein. Für das Millionenheer der SA sah Röhm nur noch eine Chance, um zu einem »tragenden Pfeiler in nationalsozialistischen Staat« zu werden: die SA sollte als Volksmiliz die Reichswehr verdrängen. Der »graue Fels«, wie ein geflügeltes Wort in der SA hieß, sollte in der »braunen Flut« untergehen.[49] Dabei waren Röhms Pläne, der Politik nur in militärischen Begriffen entfalten konnte, nicht sehr ausgefeilt.[50] In einem Gespräch im Januar 1934 mit dem Hasardeur der Schwarzen Reichswehr, Oberstleutnant a. D. Roßbach, antwortete Röhm auf die Frage von Roßbach: »Stabschef, sind Sie denn tatsächlich davon überzeugt, daß ihre SA-Führer eine Division zu führen imstande sind?« – »Das werden sie können, wenn ich Kriegsminister bin [...] Ich werde jedem der von mir eingesetzten SA-Führer einen besonders tüchtigen Generalstabschef zur Seite stellen.«[51] Das waren mehr Wunschträume denn Realität. Tatsächlich war die militärische Ausbildung in der SA sehr schlecht. Nur durch den Einsatz im östlichen Grenzschutz seit 1931 und durch die Wehrsportübungen hatten sich die SA-Männer vor 1933 militärische Ausbildung aneignen können. Dabei hatten sie zwar zum Teil auf Material aus versteckten Waffenlagern zurückgreifen können, aber keinerlei Erfahrungen an schwerem Gerät einüben können. Im Februar 1934 war der SA lediglich die »vormilitärische Ausbildung im Anschluß an die Jugendertüchtigung« zugebilligt worden.[52]

Röhm verstand sich seit jeher als »politischer Soldat« und meinte, daß »die aus dem Weltkrieg geborene nationalsozialistische Idee soldatisch durch und durch« sei.[53] Daß sein Duzfreund Hitler ihn aber abwies und sich mit den Generälen einließ, kränkte Röhm. Hermann Rauschning vertraute er angeblich an:

49 Helmut Krausnick, Der 30. Juni 1934, in: Aus Politik und Zeitgeschichte B XXV/54 vom 30. Juni 1954, S. 317-324, hier S. 318; Bloch, Die SA und die Krise des NS-Regimes, S. 70.

50 Siehe dazu nur Röhms Rede vor ausländischen Diplomaten im Außenpolitischen Amt der NSDAP am 8.12.1933, abgedruckt unter dem Titel »Warum SA?« in: Nationalsozialistische Monatshefte 5 (1934), H. 46, S. 11-20 und im Völkischen Beobachter vom 9.12.1933. Vgl. weiterhin: Immo von Fallois, Kalkül und Illusion. Der Machtkampf zwischen Reichswehr und SA während der Röhm-Krise, Berlin 1994, S. 55 ff.

51 Gerhard Roßbach, Mein Weg durch die Zeit, Bad Godesberg 1950, S. 148 f.

52 Fallois, Kalkül, S. 36 ff.

53 Ernst Röhm, Die Geschichte eines Hochverräters, 7. Aufl., München 1934, S. 285.

»›Adolf ist gemein [...] Er verrät uns alle. Er geht nur noch mit Reaktionären um. Seine alten Genossen sind ihm zu schlecht. Da holt er sich diese ostpreußischen Generäle heran. Das sind jetzt seine Vertrauten. [...] Adolf wird ein feiner Gent. Er hat sich einen Frack zugelegt.‹«[54]

Hitler verständigte sich schon früh mit dem Reichswehrminister und General der Infanterie Werner von Blomberg sowie weiteren Reichswehrspitzen: Erst aufrüsten und dann die internationale Anerkennung einholen, also einfach die Welt vor vollendete Tatsachen stellen. Schon am 21. Dezember 1933 rief Blomberg alle Wehrkreisbefehlshaber nach Berlin, um sie über den neuen Kurs der »raschen Beseitigung des Zustandes völliger Wehrlosigkeit« aufzuklären. Hierbei teilte er seine größte Sorge mit: die Bestrebungen der SA, eine Wehrmacht zu gründen. Nur gegen die SA lasse sich das Ziel der Aufrüstung erreichen und »unabhängig vorgehen«, um »aus dem Friedensheer in kürzester Frist ein ausreichendes Kriegsheer zur Verteidigung vor unseren Gegnern« zu entwickeln.[55]

Röhm versuchte Hitler dadurch zu gewinnen, daß er die Nazifizierung des Militärs versprach. Blomberg und Reichenau biederten sich im Gegenzug durch die Übernahme des Arierparagraphen in die Wehrmacht an.[56] Gegenseitige Intrigen und Bespitzelung waren an der Tagesordnung. Am 27. Februar 1934 verfügte dann die Reichswehr ihre Richtlinien für eine Aufgabenverteilung zwischen SA und Reichswehr, bei der der SA die »vormilitärische Ausbildung« und der Reichswehr die »militärische Vorbereitung der Reichsverteidigung, Mobilmachung und Führung im Kriege« zugesprochen wurde. Hitler ging am nachfolgenden Tag auf diese Ideen ein und bestätigte, daß Röhms Milizsystem »nicht einmal zur kleinsten Landesverteidigung« reiche. Die Reichswehroffiziere waren durch die Rede befriedigt, die SA-Führer hingegen bestürzt. Gleichwohl konnte sich Hitler auch in den folgenden Monaten nicht entscheiden, welche Aufgaben die SA übernehmen solle, und schwankte hin und her.[57]

54 Hermann Rauschning, Gespräche mit Hitler, 2. Aufl., New York 1940, S. 143. Zu der mehr als nur zweifelhaften Authentizität der »Gespräche mit Hitler« siehe: Eckhard Jesse, Hermann Rauschning, in: Ronald Smelser, Enrico Syring u. Rainer Zitelmann (Hg.), Die braune Elite II. 21 weitere biographische Skizzen, Darmstadt 1993, S. 193-205; Jürgen Hensel u. Pia Nordblom (Hg.), Hermann Rauschning. Materialien und Beiträge zu einer politischen Biographie. Warschau 2002 (dort die Verweise auf die ältere Literatur).

55 Michael Geyer, Aufrüstung oder Sicherheit. Die Reichswehr in der Krise der Machtpolitik 1924-1936, Wiesbaden 1980, S. 352 f.

56 Fallois, Kalkül, S. 106 ff.

57 Fallois, Kalkül, S. 117 ff., Zitat S. 118; Höhne, Mordsache, S. 204 ff.

Im Frühjahr 1934 traten zu dieser offenen Konkurrenz weitere Probleme, die das NS-Regime in eine ernsthafte Krise stürzten. Der wirtschaftliche Aufschwung der ersten Monate verpuffte. Die Konsumgüterindustrie hatte Absatzschwierigkeiten, die Reduktion der Rohstoffimporte führte zu Produktionseinschränkungen der außenhandelsorientierten Branchen. Durch den horrenden Preisanstieg der Grundnahrungsmittel sank das Realeinkommen der Arbeiter und Angestellten. Hamsterkäufe, Wohnungsknappheit und steigende Mieten, Entlassungen und Kurzarbeit – die Stimmung in Deutschland verschlechterte sich zunehmend.[58]

Erst im Zuge der Entwicklung in den Jahren 1933 und 1934 etablierte sich nach und nach eine labile »Vermittlungsdiktatur« (Wolfgang Schieder), die zwischen radikalen Vertretern der NS-Bewegung und konservativen Gruppen aus Armee, Industrie, Großlandwirtschaft, Bürokratie vermittelte. Dieser Prozeß einer Allianzbildung war von machtpolitischen Rivalitäten, Krisen und Gewalthandlungen durchsetzt.[59]

Machtkämpfe

Die Röhm-Gegner sammelten sich, da Hitler nach wie vor zögerlich blieb und seine Entscheidung vertagte. Eine buntgemischte Koalition trat da zusammen: Parteiführer wie Rudolf Heß, der Reichsinnenminister Wilhelm Frick, Nebenfiguren wie Viktor Lutze von der SA-Führung sowie der Reichswehrgeneral von Reichenau, der Chef der Heeresleitung Werner von Fritsch und der Reichswehrminister von Blomberg. Aber nicht nur in der Reichswehr, sondern auch im rasant wachsenden Sicherheitsapparat des NS-Staates erhielt Röhm mit Hermann Göring, der als preußischer Innenminister die Landespolizei und das neugegründete Geheime Staatspolizeiamt unter sich hatte, sowie mit dem »Reichsführer SS« Heinrich Himmler und dessen SD-Chef Reinhard Heydrich zunehmend gewichtigere Konkurrenten und Gegner. Ende April übernahm Heydrich die Federführung der Aktion. Er sammelte Belastungsmaterial gegen Röhm und fand kongeniale Helfer in der Reichswehr.[60]

58 Bloch, Die SA und die Krise des NS-Regimes, S. 89 f.

59 Wolfgang Schieder, Faschismus, in: Richard van Dülmen (Hg.), Fischer-Lexikon Geschichte, aktualisierte, vollständig überarbeitete und ergänzte Neuaufl. Frankfurt am Main 2003, S. 199-221, hier S. 216 f; Robert O. Paxton, The Anatomy of Fascism, New York 2004, S. 106 ff.

60 Vgl. Höhne, Mordsache, S. 247 ff.; Ulrich Herbert, Best. Biographische Studien über Radikalismus, Weltanschauung und Vernunft, 1903-1989, 3. Aufl., Bonn 1996, S. 133 ff.; Fallois, Kalkül, S. 121 ff.

Zahlreiche Fäden liefen bei Heydrich zusammen, der die Überwachungsergebnisse sammelte und Listen von »Verrätern« und potentiellen »Staatsfeinden« in der SA wie auch in »reaktionären« Kreisen erstellte.[61]

Auch der Leiter des Geheimen Staatspolizeiamts Rudolf Diels[62] spielte eine nicht unwichtige Rolle, um jene Ereignisse in Gang zu halten, die schließlich Ende Juni 1934 zu den blutigen Gewalttaten führten. Die Prager Exilpresse bezeichnete Anfang des Jahres 1934 Rudolf Diels als den eigentlichen Drahtzieher des Röhm-Skandals von 1932. Er sei es gewesen, der die Röhmbriefe im Frühjahr 1932 in seiner damaligen Funktion als Mitarbeiter der Politischen Polizei im preußischen Innenministerium Helmuth Klotz zugespielt habe.[63] Es gibt tatsächlich kaum Zweifel, daß diese Informationen der Wahrheit entsprechen. Diese Anschuldigungen waren für den neuernannten Leiter des Geheimpolizeiamtes durchaus bedrohlich. Es war schließlich allgemein bekannt, daß sich die politische Zielrichtung der Kampagne im Frühjahr 1932 weniger gegen Röhm als gegen Hitlers Anwärterschaft auf das Amt des Reichspräsidenten gerichtet hatte. Diels, der nicht zum ersten Mal bewies, daß er ein Meister taktischer Manöver war, gelang jedoch ein erstaunlicher Coup. In einem gut vorbereiteten Schachzug erreichte er zu Beginn des Jahres 1934 in einer Unterredung mit Göring und Hitler, von letzterem persönlich beauftragt zu werden, die SA und »Herrn Röhm und seine Freundschaften« polizeilich zu überwachen. Diels erbat sich, rückhaltlos offen sein zu dürfen und hierbei auf Hitlers persönlichen Schutz zählen zu können, »da die Clique um Röhm in diesem Punkt« – gemeint waren »sittliche Verfehlungen« – empfindlich sei und vor Mord nicht zurückschrecke.[64] Glaubt man Diels' 1950 publizierten Erinnerungen, so führte er im Anschluß mit Hitler ein Gespräch unter vier Augen, in dem er Hitler über »den aus der Literatur bekannten besonderen Charakter« solcher »Männerbünde« wie der SA hinwies und auf die »staatspolitische Gefährlichkeit homosexueller Umtriebe« aufmerksam machte.[65] Einige Zeit später, fährt Diels in seinem Erinnerungsbericht fort, habe er in »einer großen Bilanz des Jahres

61 Herbert, Best, S. 143.

62 Rudolf Diels, ein junger, aufstrebender Beamter, war ab 1930 als Dezernent für die Bekämpfung des Linksradikalismus und der Spionageabwehr in der Abteilung der politischen Polizei eingesetzt worden. Er begann seine Karriere somit, als der Sozialdemokrat Carl Severing preußischer Innenminister und Reichsinnenminister war.

63 Vgl. Dr. Diels schlechtes Gewissen, in: Neuer Vorwärts vom 7.2.1934.

64 Rudolf Diels, Lucifer ante portas. Es spricht der erste Chef der Gestapo, Stuttgart 1950, S. 377 ff.

65 Ebd., S. 380 ff.

1933« Hitler einen dickleibigen Katalog der von SA-Mitgliedern verübten Untaten – »aller nur in wüsten Träumen ausdenkbaren Menschenquälereien« – überreicht. Als gesondertes dünnes Aktenstück habe er außerdem Hitler Materialien »homosexueller Ausschreitungen der obersten Clique um Röhm« übergeben. Seine Mitarbeiter im preußischen Innenministerium hätten die Röhm betreffenden Dossiers stets »wie Dynamit« gehütet. Daher sei es nicht schwer gewesen, aus den fragmentarischen Vorgängen, »die schon unter Severing in den polizeilichen Vernehmungen von Hoteldienern, Portiers und käuflichen Jungen steckengeblieben waren, eine eindrucksvolle Übersicht anzufertigen«.[66] Diels behielt demnach Abschriften und Kopien aus den polizeilichen und gerichtlichen Ermittlungen in der Rückhand und hoffte offenbar, trotz der veränderten politischen Situation, Röhms Privatleben erneut strategisch einsetzen zu können.

Aufgrund der vielbeachteten Marburger Rede des Vizekanzlers von Papen am 17. Juni 1934, bei der er gegen »Eigennutz, Charakterlosigkeit, Unwahrhaftigkeit, Unritterlichkeit und Anmaßung unter dem Deckmantel der deutschen Revolution« wetterte und beklagte, daß kein Volk sich den »ewigen Aufstand von unten« und »Terrormethoden in der Domäne des Rechts« leisten könne, wurde auch noch die Skepsis des konservativen Bürgertums hörbar.[67] Die Situation spitzte sich zu, denn Hitler mußte einen Kampf um die Hindenburg-Nachfolge fürchten, zu dem die konservativen Kreise gute Beziehungen unterhielten.

Am 27. Juni 1934 teilte Reinhard Heydrich auf einer Besprechung im preußischen Geheimen Staatspolizeiamt im Kreis der regionalen Führer von SD und SS mit, daß nach sicheren Erkenntnissen eine Revolte der SA unter Röhm geplant sei. Röhm habe bereits Beziehungen zu konservativen Oppositionellen und zu französischen Politikern geknüpft. Sein Vorhaben werde von weiteren staatsfeindlichen Kräften, vor allem von in großer Menge in die SA eingeströmten Kommunisten und von reaktio-

66 Ebd., S. 383 f.

67 Die Marburger Rede in: Hans-Adolf Jacobsen u. Werner Jochmann, Ausgewählte Dokumente zur Geschichte des Nationalsozialismus 1933-1945, Bielefeld 1961, Dokument 17.6.1934. Zudem in: H. Michaelis und E. Schraepler (Hg.), Ursachen und Folgen. Vom deutschen Zusammenbruch 1918 und 1945 bis zur staatlichen Neuordnung, Band 10, Berlin 1961, Dokument 2375; Keesings Archiv der Gegenwart vom 19.6.1934, S. 1486. Vgl. Franz von Papen, Der Wahrheit eine Gasse, München 1952, S. 349; Karl Martin Graß, Edgar Jung. Papenkreis und Röhmkrise 1933/34, Phil. Diss. Heidelberg 1966 (zur Rede S. 226-236); Edmund Forschbach, Edgar Jung – ein konservativer Revolutionär. 30. Juni 1934, Pfullingen 1984.

nären Kreisen unterstützt. Einzig SS und Reichswehr könnten in dieser Situation den Staat und die Regierung schützen.[68]

Der 30. Juni 1934 und die Inszenierung eines Skandals

Die Nacht zum 30. Juni 1934 war dann der Auftakt zur Niederschlagung eines angeblich von Ernst Röhm geplanten Putschversuches. Nachdem die SA-Führung am Morgen des 30. Juni 1934 verhaftet worden war, gab Hitler am Nachmittag desselben Tages in einer Pressemitteilung bekannt, daß er Röhm abgesetzt, aus der NSDAP ausgestoßen und verhaftet habe. »Schwerste Verfehlungen«, hieß es im Brief an den neuernannten Stabschef Viktor Lutze, hätten ihn zu diesem Schritt gezwungen.[69] In den folgenden Tagen wurden wahrscheinlich zwischen 150 und 200 Menschen ermordet.[70] Führende SA-Funktionäre, parteiinterne Gegner Hitlers wie Gregor Strasser, aber auch konservative Politiker wie Edgar Jung und Reichswehrangehörige wie die Generäle von Schleicher und von Bredow, wurden Opfer dieser staatlich angeordneten Lynchjustiz. Einige, so Schleicher und seine Frau, wurden in ihrer Wohnung erschossen. Etliche SA-Männer wurden kurz nach ihrer Verhaftung am Nachmittag des 30. Juni im Gefängnis auf Hitlers Befehl exekutiert. Andere, wie der Hitlergegner und Journalist Fritz Gerlich, wurden im KZ Dachau mißhandelt und kurz darauf ermordet.

Ernst Röhm wurde auf Anordnung Hitlers von Theodor Eicke, KZ-Kommandant in Dachau, und SS-Sturmbannführer Michael Lippert eine Ausgabe des »Völkischen Beobachters« vom 1. Juli 1934 und eine Pistole in die Gefängniszelle in München-Stadelheim gebracht. Als längere Zeit kein Schuß zu hören war, drangen die SS-Männer in die Zelle ein und ermordeten ihn. Noch am selben Tag war in der Presse zu lesen: »Dem ehemaligen Stabschef Röhm ist Gelegenheit gegeben worden, die Konsequenzen aus seinem verräterischen Handeln zu ziehen. Er tat das nicht und wurde daraufhin erschossen.«[71]

Die als Abwehr des »Röhm-Putschs« verschleierte Mordaktion wurde am 2. Juli nachträglich als »Staatsnotwehr« gesetzlich legitimiert. In der

68 Herbert, Best, S. 144. Vgl. dazu auch, wenngleich die Rolle Georg Bells überschätzend: Hans-Günter Richardi u. Klaus Schumann, Geheimakte Gerlich/Bell. Röhms Pläne für ein Reich ohne Hitler, München 1992.

69 Zitiert nach Domarus, Hitler Reden, S. 397.

70 Vgl. Otto Gritschneder, »Der Führer hat Sie zum Tode verurteilt ...«. Hitlers »Röhm-Putsch«-Morde vor Gericht, München 1993.

71 Zitiert nach Domarus, Hitler Reden, S. 404.

Ministerbesprechung vom 3. Juli erklärte Hitler, unter Führung von Röhm habe sich ein eng begrenzter Klüngel von SA-Führern gebildet, der nicht durch Treue zur Bewegung, sondern durch Ehrgeiz und vor allem »durch besondere Veranlagung zusammengehalten« worden sei. Röhm, den er »immer wieder gedeckt habe, habe schwersten Verrat an seiner Person begangen. Aus der unglücklichen Veranlagung des ehemaligen Stabschefs sei die minderwertige Besetzung der SA-Führerstellen zu erklären, ebenso aber auch sein bewußt geführter Kampf gegen die Wehrmacht.«[72] In äußerst vagen Formulierungen schlug Hitler dann den Bogen vom Kern der Verschwörer hin zu Kurt von Schleicher und Gregor Strasser als angeblichen Bündnispartnern. »Im Laufe der Zeit hätten sich die verschiedenartigsten Elemente zusammengefunden, darunter auch Kreise, die keinen Staatsstreich geplant hätten, aber an einer Lockerung des bestehenden Zustandes interessiert gewesen seien.«[73] Über die Beziehungen zwischen Röhm und Schleicher seien Kontakte zu Frankreich gesponnen worden, um sicherzustellen, »daß Frankreich einer anderen Regierung in Deutschland keine Schwierigkeiten bereiten würde. An dieser Aktion sei auch Gregor Strasser erheblich beteiligt gewesen. Schleicher selbst habe die Bildung einer neuen Regierung abgelehnt. [...] Röhm und die mit ihm im Komplott befindlichen SA-Führer hatten sich mit Stabswachen umgeben, in die fast ausschließlich schwer vorbestrafte Subjekte aufgenommen worden seien.«[74]

Damit hatte Hitler die Legende vom Röhm-Putsch in ihren Grundzügen skizziert. In seiner eineinhalbstündigen Reichstagsrede am 13. Juli des Jahres schmückte er die Legende lediglich wortreich aus. In der SA, betonte er auch hier, habe sich »eine Sekte« gebildet, »die den Kern einer Verschwörung nicht nur gegen die normalen Auffassungen eines gesunden Volkes, sondern auch gegen die staatliche Sicherheit abgab«.[75] »Ich habe den Befehl gegeben«, fuhr Hitler fort, »die Geschwüre unserer inneren Brunnenvergiftung und der Vergiftung des Auslandes auszubrennen bis aufs rohe Fleisch.«[76]

72 Ministerbesprechung vom 3. Juli 1934, Akten der Reichskanzlei Regierung Hitler 1933-1938. Die Regierung Hitler, Teil I: 1933/34, Bd. 2: 12. September 1933 bis 27. August 1934. Dokumente Nr. 207 bis 384, bearb. v. Karl-Heinz Minuth, hg. für die Historische Kommission bei der Bayerischen Akademie der Wissenschaften von Konrad Repgen für das Bundesarchiv von Hans Booms, Boppard am Rhein 1983, S. 1354 f.

73 Ebd.

74 Ebd., S. 1356 f.

75 Zitiert nach: Domarus, Hitler Reden, S. 415.

76 Ebd., S. 421.

Auch wenn Hitler keine Beweise für seine Verschwörungstheorie vorlegte und sie auch in den Folgemonaten schuldig blieb, wurde die Fama vom »Röhmputsch« in weiten Teilen der Bevölkerung akzeptiert. Das hing keineswegs damit zusammen, daß Hitlers Version der Ereignisse besonders glaubwürdig war. Es gab vielmehr in der Bevölkerung wie in der Spitze des NS-Staates genug Gegner der SA, die deren Zerschlagung nachhaltig begrüßten. Sie waren nur zu gerne bereit, die Legende vom Röhm-Putsch nicht in Frage zu stellen, weil sie die Morde nicht nur duldeten, sondern im Ergebnis sogar außerordentlich begrüßten. Die Angst vor neuen Unruhen und Wirren trug wohl mit dazu bei, Hitlers ›Eingreifen‹ gutzuheißen. In der Bevölkerung war das allgemeine Rechtsempfinden bereits derart untergraben, daß die Morde teilweise sogar ausdrücklich begrüßt wurden.[77] Die gesteigerte Aufmerksamkeit, die die Skandalisierung von Röhms Homosexualität erzielen konnte, stand in einem Kontrast zur Wahrnehmung der politischen Gewalttaten der SA-Leute, von denen die bekannte Journalistin Gabriele Tergit schon 1932 berichtete: »Ein Überfall auf ein Lokal – ein Gast schwer verwundet – niemand wird verhaftet – niemand wird bestraft – niemand wird verfolgt. Man weiß es [...] es ist der Terror. Aber keine Zeitung meldet mehr so was, keine Polizei gibt es als Nachricht weiter – es ist der Bürgerkrieg als Gewohnheit.«[78] Was sich somit im NS-Regime als Normalität darbot, war eine Mischung aus physischer Gewalt und kulturellem Konsens, der auf einer weit über die engeren nationalsozialistischen Kreise hinausgreifenden Idealisierung einer Volksgemeinschaft von Saubermännern fußte.

Tatsächlich erwiesen sich die von Hitler angeordneten Gewalttaten für die Festigung des NS-Staates und der Macht Hitlers als überaus nützlich. Die Ermordung ihrer wichtigsten Führer entmachtete die SA und beendete deren Konflikte mit der Regimeführung. Die NS-Regierung kam mit der Ausschaltung der SA den Forderungen der Reichswehrführung nach. Die Parteiorganisation der NSDAP wie die Reichswehr konnten ihre vermeintlich oder tatsächlich bedrohte Position festigen. Durch Mord war man außerdem unbequeme konservative Gegner losgeworden und hatte eine mögliche Opposition im Keim erstickt. Heinrich Himmler, der bereits im April 1934 die Führung der Geheimen Staatspolizei in Preußen übernommen hatte, konnte sich mit Röhm eines lästigen Konkurrenten entledigen. Für Himmlers Imperium aus SS, SD, Politischer Polizei und Konzentrationslagern brachte der 30. Juni 1934 den Durch-

77 Kershaw, Hitler, S. 624.

78 Gabriele Tergit, Freigesprochen, in: Die Weltbühne 28 (1932), Zweites Halbjahr, H. 41, S. 543.

bruch zum Status einer »selbständigen und an Einfluß beständig zunehmenden Machtgruppe innerhalb des NS-Regimes«.[79] Himmler baute in den folgenden Jahren zielstrebig einen reichsweit zentralisierten Polizeiapparat mit weitreichenden Sondervollmachten der politischen Polizei auf.

Als Hindenburg am 2. August starb, übertrug von Blomberg noch am Todestag den Oberbefehl der Reichswehr auf Adolf Hitler und ordnete deren Vereidigung auf die Person des »Führers und Reichskanzlers« an. Der Führerstaat war damit etabliert und die Macht gesichert.[80]

Die Exilpresse und die wissenschaftliche Forschung haben die NS-Behauptung, Kern und Motor der Verschwörung sei ein homosexueller Geheimbund gewesen, als ein auf die deutsche Öffentlichkeit zielendes Täuschungsmanöver gedeutet. Zu Recht wies man darauf hin, daß Hitler über Röhms homosexuelle Neigungen schon lange informiert gewesen sei. Der *Neue Vorwärts* kommentierte am 8. Juli 1934 ganz in diesem Sinne:

> »Alles, was Hitler jetzt an Beschuldigungen gegen Röhm und Genossen schleudert, das haben wir viele Jahre lang wohlbegründet und wohlbewiesen immer wieder vorgehalten – und nicht nur den jetzt Erschossenen, sondern Hitler, Göring und Goebbels selbst! Damals haben sie über Lügen geschrieen, damals haben sie mit und ohne Eide den Schutz von feilen Gerichten gegen unsere Anklagen gefunden. Heute ist alles wahr – aber natürlich nur, soweit es ihre Opfer betrifft.«[81]

Die Morde des 30. Juni 1934 dienten der NS-Führung zweifellos primär zur Sicherung der Macht und Etablierung des »Führerstaates«. Beachtenswert bleibt dennoch, wie dicht bei dieser Form der Machtsicherung Männlichkeit und Politik miteinander verzahnt wurden. Die NS-Führung verknüpfte die Grenzüberschreitung, die in dieser Eskalation staatlicher Gewalt lag, mit einer Auseinandersetzung über Sexualität und Moral. Während Röhm zuvor seine Kritik am moralischen »Muckertum« mit der Unterstellung nationalrevolutionärer Lauheit gekoppelt hatte, präsentierte sich nun Adolf Hitler als Mann der Gewalttat, der bereit war, gegen den »moralischen Sumpf«, vor allem aber gegen Homosexuelle in den eigenen Reihen, gnadenlos vorzugehen.

Homosexuelle wurden seit der Ermordung Röhms als Feinde des NS-Staates ausgemacht. Gestapo und Polizei, aber auch die Justiz, reagierten

79 Herbert, Best, S. 146.
80 Kershaw, Hitler, S. 662.
81 Zitiert nach: ebd.

auf die Ereignisse mit einer Intensivierung der Verfolgung. Stolz kommentierte z. B. Himmler im Rückblick auf die Verfolgungen, die nach der Ermordung Röhms einsetzten: »Wir haben in den ersten sechs Wochen unserer Tätigkeit auf diesem Gebiet im Jahre 1934 mehr Fälle dem Gericht zugeführt, als das gesamte Polizeipräsidium in Berlin in 25 Jahren. Niemand soll kommen und sagen, das ist nur durch Röhm groß geworden.«[82] Da sich bei der Bekämpfung der Homosexualität politische und strafrechtliche Verfolgung verbinden ließen, trieb Himmler in den Folgejahren die Ausarbeitung dieses Feindbildes mit großer Energie voran. Ein »Männerstaat« wie der nationalsozialistische, so Himmler 1937 in einer Rede, laufe Gefahr, durch Homosexualität zerstört zu werden. »Das sind Staatsfeinde«, titelte daraufhin programmatisch *Das schwarze Korps:* »Nicht ›arme kranke Menschen‹ sind zu ›behandeln‹, sondern Staatsfeinde sind auszumerzen!«[83]

Die Idee des homosexuellen Staatsfeindes wurde für die Strategen der Verfolgung homosexueller Männer in Himmlers Machtapparat zunehmend handlungsleitend.[84] Die Sorge, daß an der in den Kampagnen der Gegner geschaffenen Figur des homosexuellen Nazis ein wahrer Kern sein könnte – so wahr wie Röhm eben tatsächlich seine homosexuellen Neigungen und seine nationalsozialistische Überzeugung hatte verbinden können –, sollte die Verfolger homosexueller Männer im NS-Staat während der gesamten Zeit ihrer Herrschaft nicht mehr loslassen. Insofern hatte die inszenierte Skandalisierung vom Juni/Juli 1934 ganz reale Folgen – die in diesen Tagen aufgestellte Imagination ließ das NS-Regime bis zu seinem Untergang nicht mehr los.

82 Himmlers Rede vor SS-Gruppenführern zum Thema Homosexualität vom 18.2.1937 ist bei Bradley Smith nachzulesen: Heinrich Himmler. Geheimreden 1933 bis 1945 und andere Ansprachen, Frankfurt a. M., 1974, S. 93 ff., hier S. 98.

83 Das Schwarze Korps, 4.3.1937, S. 1.

84 Vgl. Peter von Rönn, Politische und psychiatrische Homosexualitätskonstruktion im NS-Staat (Teil 2), in: Zeitschrift für Sexualforschung, 3 (1998), S. 220-260.

Frank Bajohr

Der folgenlose Skandal

Korruptionsaffären im Nationalsozialismus

»Die herrschende Korruption ist ununterbrochener Gesprächsstoff in der Bevölkerung«[1] – meldeten 1936 die Deutschland-Berichte der Sopade, des SPD-Exilvorstandes, der sich in seinen Lageberichten nicht nur einer Vielzahl von Korruptionsfällen unter der NS-Herrschaft widmete, sondern auch deren Rezeption in der Bevölkerung untersuchte. In ähnlichem Tenor verwiesen auch die regimeinternen Lageberichte auf die enorme Aufmerksamkeit, die der Korruption in den informellen Öffentlichkeiten des »Dritten Reiches« entgegengebracht wurde: »Kann es Wunder nehmen«, hatte schon der Berichterstatter der Staatspolizeistelle Harburg-Wilhelmsburg im April 1934 gefragt, »daß große Teile der Bevölkerung sich enttäuscht fühlen und an der Bewegung irre werden, wenn SS-Führer, Amtswalter und Vertrauensmänner der Arbeiterschaft Unterschlagungen verüben, mit dem Gelde um sich werfen und diese Taten nach Entdeckung teilweise von vorgesetzten Stellen vertuscht werden, bis die Polizei von sich aus dahinter kommt?«[2] Mit ähnlicher Tendenz berichtete die Staatspolizeistelle Berlin im September 1935: »Mit Erbitterung wird überall davon gesprochen, daß selbst höhere Parteileiter ein höchst anstößiges Leben führen, sich Schlemmereien hingeben, Unterschlagungen und Veruntreuungen begehen und um sich einen Byzantinismus großziehen, der an Vorkriegszeiten erinnert.«[3]

Die vorstehenden Zitate, denen sich weitere anfügen ließen, machen deutlich, daß Korruptionstatbestände trotz propagandistischer Lenkung der öffentlichen Meinung im Dritten Reich nicht totgeschwiegen werden konnten und sich auch unter den Bedingungen der NS-Diktatur zu Skandalen entwickelten, die öffentliche Aufmerksamkeit erregten.[4]

1 Deutschland-Berichte der Sozialdemokratischen Partei Deutschlands (Sopade), 3. Jg. 1936, S. 221 f.

2 Geheimes Staatsarchiv (GstA) Berlin-Dahlem, Rep. 90P, Lageberichte, 3.3, Bericht der Staatspolizeistelle Harburg-Wilhelmsburg vom 8.4.1934, Bl. 10.

3 Ebd., 2.1, Bericht der Staatspolizeistelle Berlin für August 1935, Bl. 110.

4 Zum Gesamtzusammenhang siehe Frank Bajohr, Parvenüs und Profiteure. Korruption in der NS-Zeit, Frankfurt a. M. 2001.

Politische Korruption, die im allgemeinen als »Mißbrauch eines öffentlichen Amtes zu privaten Zwecken«[5] definiert wird, ist sicherlich ein ubiquitäres Phänomen, das nicht allein in diktatorischen Systemen anzutreffen ist und deshalb auch kein exklusives Kennzeichen der NS-Herrschaft darstellte. Vielmehr zeigt gerade die bundesdeutsche Gegenwart, daß politische Korruption und ihre unterschiedlichen Erscheinungsformen wie Bereicherung im Amt, Bestechung und Bestechlichkeit, Patronage und Vetternwirtschaft, Unterschlagung und die Vermengung von Amts- mit Privatgeschäften auch in demokratisch verfaßten Staaten weit verbreitet sind. Während Korruptionsskandale in der veröffentlichten Meinung der Bundesrepublik jedoch einen breiten Raum einnehmen, reagierten die Medien des »Dritten Reiches« auf entsprechende Vorfälle mit »diszipliniertem Schweigen«, wie es ein Berichterstatter sarkastisch formulierte.[6] Die offizielle Tabuisierung von Korruption begrenzte auch die Möglichkeiten ihrer Bekämpfung. Zwar war die Korruption selbst unter den Bedingungen der NS-Diktatur skandalfähig, doch gewannen diese Skandale aus verschiedenen Gründen keine reinigende Kraft und führten nicht zur verstärkten Beachtung der durch die Korruption verletzten sozialen Normen. Die wesentlichen Charakteristika der Korruption im »Dritten Reich« seien im folgenden in vier Punkten kurz zusammengefaßt:[7]

1. Nach der Machtübernahme 1933 inszenierten die Nationalsozialisten die größte organisierte Patronage der neueren deutschen Geschichte, gelangten mehrere hunderttausend Parteimitglieder durch Sonderaktionen des Arbeitsamtes in den öffentlichen Dienst und sogenannte »gemischtwirtschaftliche« Betriebe. Teilweise wurden diese Arbeitsstellen auch von den Gliederungen der NSDAP vergeben, die einen bestimmten Stellenpool zur freien Verfügung erhielten. So durfte in Hamburg die NSDAP-Gauleitung 43 Prozent aller freien Angestelltenstellen im öffentlichen Dienst besetzen, die SA ebenfalls 43 Prozent und die SS 14 Prozent. Nationalsozialisten genossen im öffentlichen Dienst erhebliche Privilegien: Dienstzeiten in der Partei wurden auf das Besoldungsdienstalter im öffentlichen Dienst angerechnet, für Nationalsozialisten galten vielfach

5 Göttrik Wewer, Korruption, in: Dieter Nohlen (Hg.), Wörterbuch Staat und Politik, 2. Aufl., München 1995, S. 360 f., Karl-Heinz Hillmann, Wörterbuch der Soziologie, 4., überarb. Aufl., Stuttgart 1994, S. 449 f.

6 GstA Berlin-Dahlem, Rep. 90P, Lageberichte, 10.3, Bericht des Oberpräsidenten der Provinz Sachsen an den Preußischen Ministerpräsidenten vom 10.5.1935, Bl. 91.

7 Zum folgenden siehe Bajohr, Parvenüs und Profiteure.

Mindestlöhne, sie genossen häufig einen besonderen Kündigungsschutz und konnten mit sogenannten Privatdienstverträgen das Problem umgehen, daß sie in der Regel nicht den Laufbahnvoraussetzungen des öffentlichen Dienstes genügten. Auf diese Weise konnten auch gelernte Klempner in kürzester Zeit zu Regierungsdirektoren aufsteigen. Nationalsozialisten bezogen darüber hinaus vielfältige Leistungen aus öffentlichen Haushaltsmitteln, zum Beispiel »Entschuldungsbeihilfen« oder im Einzelfall auch einen städtischen Zuschuß – wie es im Protokollbuch einer Stadtverordnetenversammlung hieß – zum Ersatz eines »im Kampf mit Kommunisten verlorenen Zahns«.[8]

2. Nach 1933 unterschlugen oder veruntreuten zahlreiche Funktionäre der NSDAP oder ihrer Nebenorganisationen Mitgliedsbeiträge, Spenden und Sammlungseinnahmen in einem Umfang, daß derartige Tatbestände mit Fug und Recht als nationalsozialistisches Massendelikt bezeichnet werden können. So strengte der Reichsschatzmeister der NSDAP von 1934 bis 1941 vor öffentlichen Gerichten 10.887 Strafverfahren gegen NSDAP-Mitglieder an, die sich eines Vergehens »zum Schaden des Parteivermögens« schuldig gemacht hatten.[9] An jedem Werktag setzte der Reichsschatzmeister durchschnittlich vier bis fünf entsprechende Strafverfahren in Gang. Geht man davon aus, daß jedem Verfahren gewöhnlich umfangreiche Prüfungen und Untersuchungen vorausgingen, dann läßt sich insgesamt schlußfolgern, daß der Reichsschatzmeister sowie seine Revisoren und Kassenprüfer einen erheblichen Teil ihrer Arbeitskraft darauf verwenden mußten, gegen korrupte Parteifunktionäre vorzugehen und unterschlagenem Vermögen nachzujagen. Dabei stellten die zur Anzeige gebrachten Fälle nur die Spitze eines Eisberges dar, weil viele Unterschlagungen »intern« bereinigt wurden, zum Beispiel im Rahmen der Parteigerichtsbarkeit.

3. Führende Repräsentanten des Regimes, vor allem die NSDAP-Gauleiter, legten sich nach 1933 außerhalb der Staats- und Parteihaushalte persönliche Verfügungsfonds an, die sich aus öffentlichen Haushaltsmitteln, »Arisierungs«- Spenden, aus sogenanntem »staatsfeindlichen Vermögen« und Zuwendungen der Privatwirtschaft speisten.[10] Diese Sonderfonds unterlagen weder einer öffentlichen Finanzkontrolle noch der Verfügungsgewalt des NSDAP-Reichsschatzmeisters. Viele NS-Funktions-

8 Zit. nach Wendel vorm Walde, Die Gladbecker Gemeindeorgane 1933-1939, in: Vestische Zeitschrift 84/85 (1985/86), S. 187-239, hier S. 233.

9 Schreiben NSDAP-Reichsschatzmeister Schwarz an den Leiter der Partei-Kanzlei, Martin Bormann, vom 20.4.1942, BA Berlin, NS 19/2744, Bl. 6-9.

10 Bajohr, Parvenüs und Profiteure, S. 34 ff.

träger konnten über sie nach eigenem Gutdünken verfügen, vor allem, um Parteigenossen, Familienmitglieder und persönliche Günstlinge mit Schenkungen, Zuwendungen und Dotationen auszustatten. So bedachte Hitler zahlreiche Angehörige der militärischen, politischen, wissenschaftlichen und künstlerischen Elite mit erheblichen Geldvermögen, Ländereien und Gutshöfen, um sie zu korrumpieren und an seine Person zu binden.[11] Dafür standen dem Diktator erhebliche Geldmittel zur Verfügung. Allein von der Deutschen Reichspost bezog Hitler insgesamt 52 Millionen Reichsmark für die Verbreitung seines Konterfeis auf Briefmarken. Dem ostpreußischen Gauleiter Erich Koch standen jährlich rund 30 Millionen Reichsmark an Erträgen aus der nach ihm benannten »Erich-Koch-Stiftung« zur persönlichen Verfügung, die er zu erheblichen Teilen zur Finanzierung von Günstlingen und seiner aufwendigen persönlichen Hofhaltung verwendete, verfügte Koch ja allein in Ostpreußen über drei Residenzen.[12]

Auch andere Regimepotentaten hatten sich vergleichbare Geldquellen erschlossen, die sie u. a. zur »Entschuldung verdienter, alter Parteigenossen« verwendeten. Darüber hinaus verschafften sich führende Nationalsozialisten umfangreiche Steuerprivilegien. So waren sämtliche Reichsminister und Reichsleiter der NSDAP exklusiv bei zwei Finanzämtern veranlagt, nämlich Berlin-Mitte und München-Nord, wo ihre Steuerakten wie ein Staatsgeheimnis gehütet wurden.[13] Viele Persönlichkeiten der engeren Regimeführung zahlten überhaupt keine oder stark verminderte Steuersätze, u. a. auf Anweisung des Staatssekretärs im Reichsfinanzministerium, Fritz Reinhardt, der die skandalösen Steuerhinterziehungen politisch zu decken pflegte.

Unter Mißbrauch ihrer Amtsstellung hatten sich viele führende Repräsentanten des Regimes Gutshöfe und Herrensitze, Jagdreviere und Kunstsammlungen[14] verschafft, mit denen sie als Teil einer narzißtischen Selbstinszenierung adeliges Gebaren imitierten und ihre Machtstellung nach außen und innerhalb der NS-Bewegung demonstrierten. Da verschaffte sich der Berliner Gauleiter und Reichspropagandaminister Goebbels durch tätiges Entgegenkommen der Stadt Berlin und der Reichsfilmwirtschaft luxuriöse Anwesen auf Schwanenwerder und am Bogensee, da

11 Vgl. Gerd R. Ueberschär/ Winfried Vogel, Dienen und Verdienen. Hitlers Geschenke an seine Eliten, Frankfurt a. M. 1999.

12 Bajohr, Parvenüs und Profiteure, S. 40-42.

13 Vgl. Erich Bandekow, Über steuerliche Korruptionsfälle von Reichsministern, Reichsleitern usw., BA Koblenz, Kleine Erwerbungen, 544, Bl. 9 f.

14 Jonathan Petropoulos, Kunstraub und Sammelwahn. Kunst und Politik im Dritten Reich, Berlin 1999.

legte sich der Reichsaußenminister Ribbentrop im Salzkammergut als »Sommerresidenz« das Schloß Fuschl zu, dessen Besitzer zuvor ins Konzentrationslager abtransportiert worden war, da erwarb der mecklenburgische Gauleiter Hildebrandt – ein ehemaliger Landarbeiter – zu einem sehr geringen Preis einen Gutshof von einer Stiftung, deren Kuratoriumsvorsitzender er war.[15]

4. Korruption grassierte im »Dritten Reich« besonders in jenen Herrschaftsbereichen, in denen sich nationalsozialistischer Rassismus mit absoluter Macht verband: bei den mit der Verfolgung von Juden befaßten Institutionen, in den Konzentrationslagern, in den besetzten Gebieten. Da wurden Juden im Rahmen der »Arisierung« zu Zwangsspenden an Parteigliederungen und NS-Funktionäre genötigt, bei fingierten Hausdurchsuchungen von Gestapobeamten regelrecht ausgeplündert, da wurde das Eigentum deportierter und ermordeter Juden beileibe nicht nur der Reichskasse zugeleitet, sondern in hohem Maße unterschlagen, verschleudert und verteilt.[16]

In den Konzentrationslagern und in den besetzten Gebieten zeigte sich in besonderem Maße, wie sehr sich die Cliquenstrukturen und Kameraderien im Herrschaftsapparat gegenüber Kontrollen von außen abzuschotten vermochten. Da konnten Häftlinge ausgeplündert und die ihnen zustehenden Lebensmittelbestände systematisch unterschlagen werden, da wurden weite Teile der besetzten Gebiete von Familien- und Kameradenkreisen regiert, in großem Umfang Schwarzmarktgeschäfte getätigt und Waren verschoben.

Politische Korruption unter nationalsozialistischer Herrschaft – so ließe sich zusammenfassend feststellen – zeichnete sich durch eine außerordentliche Vielgestaltigkeit aus, die über ihre klassische Definition – »Mißbrauch eines öffentlichen Amtes zu privaten Zwecken« – weit hinausging. Nimmt man den Umgang der NS-Machthaber mit der Korruption zum Maßstab, dann lassen sich allein drei grundsätzliche Varianten identifizieren:

Die erste Variante umfaßte die durch Staat und NS-Bewegung offiziell geförderte und institutionalisierte Korruption, die ja nicht auf dem Amtsmißbrauch lediglich einzelner beruhte, sondern ein organisiertes System des Machtmißbrauchs darstellte. Dieses diente zudem nicht ausschließlich privaten Zwecken, sondern der funktionalen Stabilisierung des Herrschaftssystems. Die organisierte Patronage zugunsten von Parteimitgliedern oder die Dotationen Hitlers wären als Beispiel für die im Dritten Reich institutionalisierte Korruption zu nennen.

15 Bajohr, Parvenüs und Profiteure, S. 62 ff.
16 Ebd., S. 105 ff.

Davon zu unterscheiden war die tolerierte Korruption bzw. jene Korruption, die sich durch die strukturellen Schwächen der Korruptionsbekämpfung im »Dritten Reich« in besonderer Weise ausbreitete und notgedrungen oder bewußt hingenommen wurde. Zur tolerierten Korruption gehörten etwa die Schwarzmarktgeschäfte, besonders in den besetzten Gebieten, die ebenso hingenommen wurden wie die schleichende Auflösung der öffentlichen Finanzhaushalte durch die erwähnten Sonderfonds, schwarzen Kassen und Stiftungen, die keiner wirksamen Finanzkontrolle unterlagen.

Drittens gab es auch unter nationalsozialistischer Herrschaft eine bekämpfte Korruption, d.h. Handlungsweisen, die nach den bestehenden normativen Grundlagen strafrechtlich verfolgt wurden. Dazu gehörte vor allem das weite Feld der Korruption zu Lasten der NSDAP und ihrer Gliederungen, z. B. die ebenfalls schon erwähnte Unterschlagung von Mitgliedsbeiträgen und Spenden.

Die Grenzen zwischen institutionalisierter, tolerierter und bekämpfter Korruption gingen jedoch fließend ineinander über bzw. verwischten sich tendenziell. Manche Korruptionsdelikte, wie die Schwarzmarktgeschäfte, wurden im Wandel der Zeiten sowohl offiziell gefördert als auch toleriert und bekämpft.

Diese fließenden Übergänge waren die typischen Kennzeichen eines Herrschaftssystems, das bestehende normative Regelungen in seiner Herrschaftspraxis beständig ignorierte, ohne diese formal aufzugeben oder durch neue Rechtsnormen zu ersetzen. Statt dessen löste sich tendenziell das Herrschaftssystem von normativen Bindungen überhaupt ab. Es war mehr als bezeichnend, daß höhere NS-Funktionäre häufig nur dann wegen Korruption belangt wurden, wenn sie in die Schußlinie regimeinterner Machtkämpfe geraten waren. Wo Macht ständig über Recht obsiegte, hatte die Spitze des Regimes in puncto Korruption nichts zu befürchten. So wurden Hitler 1934/35 durch Verhandlungen zwischen dem Präsidenten des Münchner Finanzamtes und des Staatssekretärs im Reichsfinanzministerium nicht nur seine erheblichen Steuerschulden erlassen, vielmehr wurde er sogar von jeglichen Steuerzahlungen befreit.[17] Eine Rechtsgrundlage freilich gab es dafür nicht, und die Beteiligten hüteten sich wohlweislich, eine solche zu schaffen, weil sie Hitlers Image in der Bevölkerung abträglich gewesen wäre, gehörte doch die vermeintliche Uneigennützigkeit des »Führers« zu den stetigen Behauptungen der nationalsozialistischen Propaganda. So hatte Hitler im Februar 1933 öffentlichkeitswirksam auf das ihm zustehende Gehalt als Reichskanzler

17 Wulf Schwarzwäller, Hitlers Geld, Wiesbaden 2001, S. 159 f.

verzichtet.[18] Daß er sich dieses Gehalt wieder auszahlen ließ, nachdem 1935 seine Steuerbefreiung vereinbart worden war, erfuhr die Öffentlichkeit selbstverständlich nicht.

Doch nicht das Ausmaß der Korruption, die ein inhärentes Strukturproblem des »Dritten Reiches« darstellte, soll im folgenden interessieren, sondern die Bedingungen ihrer Skandalisierung. Wie wurde Korruption angesichts der propagandistisch gelenkten öffentlichen Meinung in der NS-Diktatur überhaupt wahrgenommen, und auf welchen Wegen wurde sie kommuniziert? Welche Rückschlüsse läßt die Skandalisierung von Korruption auf die verschiedensten Öffentlichkeiten und Kommunikationsräume des Dritten Reiches zu? Vor allem aber: Wie wirkten sich die Korruptionsaffären auf die Akzeptanz des NS-Regimes aus, auf das Verhältnis von Herrschaft und Gesellschaft und deren Interaktion? Denn diese war vielschichtiger, als es die weitverbreitete Dichotomie von Herrschern und Beherrschten zum Ausdruck bringt. Inwiefern war beispielsweise auch die Gesellschaft ungeachtet der öffentlichen Empörung in korrupte Herrschaftspraktiken involviert oder profitierte von ihnen?

Beginnen wir mit der Skandalisierung von Korruption, die zunächst interessanterweise von den Nationalsozialisten selbst massiv betrieben wurde. Vor allem in der ersten Hälfte des Jahres 1933 überschwemmten sie die zunehmend von ihnen kontrollierten Medien mit Enthüllungsgeschichten über die vermeintliche oder tatsächliche Korruption von Politikern der Weimarer Republik. So wurden zahlreichen Vertretern demokratischer Parteien wie dem Düsseldorfer Oberbürgermeister Robert Lehr oder seinem Altonaer Kollegen Max Brauer Dienstvergehen und Bereicherung im Amt öffentlich vorgeworfen, ohne daß den Beschuldigten entsprechende Möglichkeiten der Gegenwehr zur Verfügung standen.[19] Der preußische Justizminister Kerrl richtete bei den Staatsanwaltschaften Sonderdezernate zur Korruptionsbekämpfung ein, die in rund 1.500 Fällen aktiv wurden.[20] Über deren Aktivitäten wurde nicht nur in der Presse, sondern auch im Rundfunk öffentlich berichtet, flankiert von öffentlichkeitswirksamen Aktionen, mit denen die Nationalsozialisten

18 Völkischer Beobachter vom 7.2.1933.

19 Christa Fladhammer/ Michael Wildt (Hg.), Max Brauer im Exil. Briefe und Reden aus den Jahren 1933-1946, Hamburg 1994, bes. S. 24-27; Hans-Peter Görgen, Düsseldorf und der Nationalsozialismus, Düsseldorf 1969, S. 49 ff.

20 Karl Krug, Die Korruption und ihre Bekämpfung, in: Deutsche Justiz, Jg. 1933, S. 446 f.

die angebliche »Bonzenherrschaft« in der Weimarer Republik zu illustrieren suchten. So luden beispielsweise die Hamburger Nationalsozialisten nach Zerschlagung der freien Gewerkschaften zu einem Tag der offenen Tür ins Hamburger Gewerkschaftshaus ein, um der Öffentlichkeit das vermeintlich luxuriöse Interieur des Gewerkschaftshauses und die Dienstzimmer gewerkschaftsnaher Organisationen wie der »Volksfürsorge« zu präsentieren – eine Aktion, die von der Lokalpresse mit Artikeln wie »So hausten die roten Bonzen« propagandistisch begleitet wurde.[21]

Diese Aktionen knüpften an die Agitation der politischen Rechten in der Weimarer Republik an, die einschlägige Korruptionsskandale wie Barmat, Sklarek und Kutisker – nicht ohne Erfolg – im Kampf gegen die Republik instrumentalisiert hatte.[22] Dabei hatte sich insbesondere die NS-Presse hervorgetan, die mit Schlagzeilen wie »Sklarekprozeß, eine einzige Anklage gegen die SPD-Luderwirtschaft« und »Immer neue Korruption« gegen die Weimarer Republik propagandistisch Front machte.[23] Auch die nationalsozialistische Agitation in der Phase der Machtübernahme 1933, die der Weimarer Republik nachträglich das Stigma einer durch und durch korrupten »Systemzeit« aufzuprägen suchte, appellierte geschickt an zeitgenössische Vorurteile und entfaltete zweifellos eine gewisse Wirksamkeit. Diese inszenierten und instrumentalisierten Skandale verfolgten vor allem das Ziel, der sich etablierenden NS-Diktatur eine Legitimationsbasis zu verschaffen. Je schlimmer der angebliche »Saustall« war, der ausgemistet werden sollte – so suggerierte die NS-Propaganda der Öffentlichkeit –, desto umfassender mußte der Umbau des politischen Systems in Angriff genommen werden.

Schon in der zweiten Jahreshälfte 1933 erlahmte jedoch der nationalsozialistische Aufklärungseifer rasch. Bereits im September 1933 löste der preußische Justizminister die Korruptionsdezernate wieder auf. Unter dem Signum der Korruptionsbekämpfung war es zu einer Vielzahl dysfunktionaler Eingriffe in Wirtschaft und Verwaltung gekommen, die vor allem die konservativen Bündnispartner der Nationalsozialisten alarmierten. So forderten Wirtschaftsvertreter eine »Befriedungsamnestie« für Korruptionsdelikte der Vergangenheit, während Reichswirtschaftsminister Schmitt zur »maßvollen Zurückhaltung« bei der Korruptions-

21 Vgl. Hamburger Tageblatt vom 5.5., 7.5. und 10.5.1933.

22 Stephan Malinowski, Politische Skandale als Zerrspiegel der Demokratie. Die Fälle Barmat und Sklarek im Kalkül der Weimarer Rechten, in: Jahrbuch für Antisemitismusforschung 5 (1996), S. 46-65.

23 Vgl. Der Angriff vom 22.10. und 24.11.1931.

bekämpfung ermahnte.[24] Darüber hinaus drohte die fortgesetzte Korruptionsschnüffelei zu einer Steilvorlage für Forderungen nach einer »zweiten Revolution« zu werden, wie sie von Teilen der SA erhoben wurden. Vor allem jedoch häuften sich bereits 1933 die Nachrichten über Verfehlungen, Unterschlagungen und Bereicherungen von Nationalsozialisten, so daß die Anti-Korruptionskampagne zu einem politischen Bumerang für das neue Regime zu werden drohte. Schon im Frühjahr 1933 war das Kürzel NSDAP im Volksmund vielfach mit »Na, suchst Du auch ein Pöstchen?« übersetzt worden. Als potentiell gefährlich für die Glaubwürdigkeit der neuen Machthaber konnte sich auch der Umstand auswirken, daß einige der obersten Korruptionsbekämpfer wie der neuernannte »Staatskommissar z. b. V.« Julius Lippert, der spätere Berliner Oberbürgermeister, sich bei ihren Aktionen gegen die vermeintliche Korruption selbst bereichert hatten.[25] Der preußische Ministerpräsident Hermann Göring hatte persönlich einzelne Beschuldigte – wie etwa den Zigarettenfabrikanten Philipp F. Reemtsma – von den Korruptionslisten der Justiz gestrichen und im Gegenzug umfangreiche Spenden einkassiert. Das Paradoxon des korrupten Korruptionsbekämpfers enthüllte das Dilemma der neuen Machthaber, die im Herbst 1933 ihre Informationspolitik radikal änderten und von der öffentlichen Anprangerung von Korruption zu deren Tabuisierung übergingen.

Diese Strategie des öffentlichen Schweigens erwies sich insgesamt als wenig erfolgreich. Zum einen hatten die Nationalsozialisten selbst durch die instrumentalisierten Korruptionsskandale die Öffentlichkeit sensibilisiert. Zum anderen deuten die eingangs zitierten Lageberichte an, daß Meinungslenkung und Tabuisierung die Diskussion um regimespezifische Mißstände nicht erstickten und die informellen Öffentlichkeiten des »Dritten Reiches« nicht vollständig im Sinne der NS-Propaganda kontrolliert werden konnten. Vielmehr verbreitete sich die Kenntnis entsprechender Korruptionstatbestände mit einer Geschwindigkeit, die insofern erstaunlich anmutet, als ja in erster Linie lokale und regionale Phänomene wahrgenommen wurden und die Massenmedien als Informationsinstanzen vollständig ausfielen. Hier zeigte sich, daß informelle Öffentlichkeiten in Diktaturen eine erheblich größere Bedeutung besitzen – nicht nur für die Informationsgewinnung – als in demokratisch verfaßten Staaten und durch das Glaubwürdigkeitsdefizit der veröffentlichten Meinung besonders gestärkt werden.

24 Vgl. Cordula Ludwig, Korruption und Nationalsozialismus in Berlin 1924-1934, Frankfurt a. M. 1998, S. 339 ff.

25 Ebd., S. 200 ff.

Die informellen Öffentlichkeiten im »Dritten Reich« waren insgesamt nicht auf herrschaftsferne Nischen oder Residuen gesellschaftlicher Kommunikation beschränkt, die sich dem Gleichschaltungsdruck erfolgreich widersetzt hatten. Denn es kann kein Zweifel daran bestehen, daß ein Großteil der Informationen über Mißstände aus den Organisationen und Institutionen des NS-Regimes selbst stammte: vor allem aus der NSDAP und den nationalsozialistischen Massenorganisationen. Schließlich stellten diese keine hermetisch abgeschotteten, klandestinen Geheimbünde dar, die mit dem Gros der Bevölkerung in keinerlei Verbindung standen. Eine schematische Trennung von Regime und Bevölkerung wäre schon angesichts der rund acht Millionen NSDAP-Mitglieder, 17 Millionen NSV- und rund 25 Millionen DAF-Mitglieder sowie eines Millionenheeres von Amtswaltern und Funktionären geradezu absurd. Vor allem die NSDAP entwickelte sich zu einer Gerüchtebörse par excellence, ja zu einer Klatsch- und Tratschvereinigung, aus der eine Vielzahl von Informationen in die Bevölkerung gelangte. Einerseits sorgten Korruption und Nepotismus parteiintern für die Einbindung des einzelnen Funktionärs in die nationalsozialistische Kameraderie. Andererseits konzentrierte sich diese Kameraderie vor allem auf die lokalen, regionalen, reichsweiten und institutionellen Herrschaftscliquen, bezog jedoch eine Vielzahl von Funktionären nicht ein, die ihrer Enttäuschung über das parteiinterne Protektionswesen mit drastischen Formulierungen Luft machten und mit ihrer Meinung nicht hinter dem Berg hielten. So präsentierte ein Berliner NSDAP-Kreisleiter in einem Brief an einen SS-Gruppenführer ein ganzes Sündendossier über die Verfehlungen und Bereicherungen von SS-Führern, die er unter das Motto »Selbstbereicherung der Bonzen statt Sozialismus« stellte.[26] Ein Reichshauptamtsleiter in der NSDAP-Partei-Kanzlei stufte eine Vielzahl von protegierten »Alten Kämpfern« als »Kreaturen« ein, die »alles andere als Vorbild«, ja »am Leben gescheitert« seien und deren Protektion sich für das Ansehen der NSDAP in der Bevölkerung als »Unheil« erwiesen habe.[27]

Nun waren die nationalsozialistischen Organisationen alles andere als Foren ungeschminkter Kritik und eines offenen Meinungsaustausches. Es bestand nicht einmal ein institutionalisierter Beschwerdeweg. Hätte sich ein Funktionär schriftlich über seinen Vorgesetzten beschweren wollen, so hätte dieser die Beschwerde abzeichnen müssen! Statt dessen orientierte sich das Parteileben an dem fiktiven Ideal der Einigkeit und

26 Schreiben des NSDAP-Kreisleiters Wachholz an SS-Gruppenführer von Herff vom 11.5.1943, Archiv des Instituts für Zeitgeschichte München, ED-89.

27 Bundesarchiv Berlin, NS 30/51, »Vorlage an Pg. Friedrichs« vom 12.4.1944.

Geschlossenheit von NS-»Bewegung« und nationalsozialistischer »Weltanschauung«. Beides hatte sich in den äußeren Aktivitäten der Partei abzubilden. Kontroverse Diskussionen, Abstimmungen über den politischen Kurs oder ein geregelter Konfliktaustrag durch innerparteiliche Wahlen fanden dementsprechend nicht statt. Richtungsdebatten wurden bereits im Keim erstickt, so daß sachpolitische Differenzen ausschließlich im Medium eines verdeckten, persönlichen Konflikts ausgetragen werden konnten. Damit fehlten der NSDAP wichtige Instrumente, um sachpolitische Differenzen und persönliche Konflikte zu moderieren, auszugleichen oder auch zu entscheiden. Die Untersuchungs- und Schlichtungsausschüsse der NSDAP bzw. die Parteigerichtsbarkeit konnten nur reaktiv und zu einem Zeitpunkt tätig werden, als die Konflikte bereits eskaliert waren. Fast komplementär zur öffentlichen Schauseite breiteten sich in den NS-Organisationen informelle Öffentlichkeiten aus, in denen hinter vorgehaltener Hand über Mißstände und Unzulänglichkeiten geraunt, aber auch diskreditierende Fakten gezielt lanciert wurden, um Konkurrenten auszuschalten und herabzusetzen. Diese kommunikative Substruktur der NS-Organisationen war kaum zu kontrollieren und bildete ein wichtiges, wenngleich ungewolltes Informationsscharnier zwischen den Institutionen und Organisationen des »Dritten Reiches« und seinen vielfältigen Öffentlichkeiten. Auch die Kameraderie der Nationalsozialisten, ihre Cliquen- und Klientelstrukturen schirmten die NS-Bewegung nicht wirksam nach außen ab. Im Gegenteil: Gerade die sogenannten kameradschaftlichen Zusammenkünfte, die einem ritualisierten, zumeist öffentlichen Trinkgelage ähnelten, waren vielmehr Teil der erwähnten kommunikativen Substruktur.

Die weitgehende Tabuisierung nationalsozialistischer Korruptionsfälle in den Medien erwies sich im Sinne des Regimes prinzipiell als kontraproduktiv, weil sie die halb-öffentliche Diskussion nicht eindämmte und die Gerüchtebildung sogar massiv verstärkte. »Je weniger man die Öffentlichkeit in den Korruptionssumpf hineinblicken läßt, desto mehr beschäftigt sich die Bevölkerung mit den Vorgängen und sucht zu erforschen, was sich eigentlich abgespielt hat«,[28] beschrieben die Deutschland-Berichte der Sopade 1936 den Zusammenhang zwischen Tabuisierung und Gerüchtebildung. Damit versperrte sich das Regime auch jede Möglichkeit, falsche Gerüchte und weit aufgebauschte Unterschlagungssummen dementieren zu können. Neben allgemeinen Kampagnen gegen »Miesmacher und Kritikaster« und ständigen Appellen an NSDAP-Funktionäre zu »angemessenem« Verhalten blieben fast nur noch repres-

28 Deutschland-Berichte der Sopade, 3. Jg. 1936, S. 221 f.

sive Gegenmaßnahmen als Handlungsoption übrig, die jedoch immer nur einzelne Verbreiter von Gerüchten treffen konnten. Ein öffentliches Dementi war in vielerlei Hinsicht problematisch. So verdankte beispielsweise der Berliner SA-Gruppenführer und spätere Polizeipräsident Graf Helldorff seinen Ruf als korrupter Lebemann nicht zuletzt seinen allzu detailreichen, öffentlichen Dementis. Noch in der sogenannten »Kampfzeit«, Ende 1932, hatte Helldorff in der NS-Presse verkündet:

> »Ein für allemal aber erkläre ich: Ich pflege nicht ›allabendlich Sekt aus Eimern zu saufen‹ und ›Kaviar nur mit dem Suppenlöffel zu fressen‹. Ich bin weder jemals ›sinnlos betrunken gewesen‹, noch aus irgendeinem Lokal ›herausgetragen oder herausgeschmissen worden‹. Ich bin weder ›Stammgast in Spielklubs‹ noch ›fröhne ich überhaupt dem verbotenen Glücksspiel‹. Meine Nächte verbringe ich nicht ›mit übelbeleumundeten Dämchen vom Kurfürstendamm‹ und bezahle auch nicht ›mein luxuriöses Leben mit den Geldern der hungernden SA-Männer‹. Auch tätige ich nicht meine Einkäufe ›vorzugsweise in jüdischen Geschäften‹ und glaube mich insgesamt keineswegs als ein ›vertrottelter und degenerierter Adliger zu benehmen‹«.[29]

Nach Gleichschaltung der Presse wirkten solche Dementis erst recht hilflos, weil sie sich auf keinen zuvor veröffentlichten Vorgang beziehen konnten und den Eindruck eher verstärkten, daß sich die Mißstände unter dem NS-Regime in dessen Medien nur bedingt abbildeten. Hier zeigte sich, daß das offizielle Totschweigen von Mißständen nicht etwa die Stärke, sondern die fundamentale Schwäche von Diktaturen ausmacht.

Welche Konsequenzen ergaben sich aus den unterdrückten Korruptionsskandalen für die Akzeptanz des Nationalsozialismus in der Bevölkerung? Es wäre wohl verkürzt, aus den eingangs zitierten Lageberichten auf eine tiefgreifende innenpolitische Diskreditierung des NS-Regimes zu schließen, denn die Skandalisierung der Korruption stellte zu keinem Zeitpunkt die NS-Herrschaft insgesamt in Frage und verblieb stets im Bereich der partiellen Regimekritik. Schon in zeitlicher Hinsicht zeigte sich eine entsprechende Wahrnehmungskonjunktur. Vor allem in den ersten und letzten drei Jahren der NS-Herrschaft rückten Bereicherung und Korruption in das kritische Blickfeld der informellen Öffentlichkeit. In den Jahren 1936 bis 1942 hingegen nahm die Bevölkerung die Korrup-

29 Bundesarchiv Berlin, R 8034 III/1, 187, Bl. 147, dort Zeitungsausschnitt »Graf Helldorf (sic) an die Parteigenossen«, Der Angriff, Datum unleserlich, wahrscheinlich 4.11.1932.

tion als Schattenseite eines ansonsten als erfolgreich empfundenen Regimes hin. Die wirtschaftliche Aufwärtsentwicklung in der zweiten Hälfte der dreißiger Jahre, der Abbau der Massenarbeitslosigkeit sowie die Revision des Versailler Vertrages überstrahlten in der Wahrnehmung der Bevölkerung alle anderen Seiten des Regimes. Selbst die aufwendige öffentliche Repräsentation führender Nationalsozialisten schien die deutsche Bevölkerung in jenen Jahren als angemessenen Ausdruck neuer deutscher Machtentfaltung begrüßt zu haben. Ansonsten wäre die unbezweifelbare Popularität von Regimepotentaten wie Hermann Göring nicht zu erklären, bei dem sich barocke Selbstdarstellung und demonstrative Jovialität mischten. Noch 1944 begründete ein deutscher Soldat bei seiner Gefangennahme in der Normandie die Popularität Görings wie folgt: »Göring ist einer von uns. Er liebt sein Essen, seine Weiber und seine Durchstechereien, und die ganz besonders.«[30]

Schon seit 1936 hatten die Deutschland-Berichte der Sopade registriert, daß die Diskussionen in der Bevölkerung über die Korruption allmählich abebbten. Es sei »erstaunlich, mit welcher Gleichgültigkeit alles hingenommen wird«, hieß es in einem Bericht vom November 1937: »Mit der Protektionswirtschaft und Korruption haben sich große Kreise der Bevölkerung abgefunden.«[31] Besonders interessant war, daß der sozialdemokratische Berichterstatter die wachsende öffentliche Gleichgültigkeit gegenüber der Korruption nicht bloß als Abstumpfungseffekt deutete, sondern als Indiz für eine allgemeine Zerrüttung der gesellschaftlichen Moral unter der NS-Herrschaft.

Der Journalist Raimund Pretzel alias Sebastian Haffner kam in seinem 1940 veröffentlichten Buch »Germany: Jekyll & Hyde« zu der Auffassung, daß die Bevölkerung die offizielle Tabuisierung von Korruption bereits verinnerlicht hatte:

> »Die verwirrte deutsche Öffentlichkeit nennt die von den Naziführern begangenen Unterschlagungen wegen ihres enormen Umfangs tatsächlich nicht mehr beim richtigen Namen. Diese Räuber sind so große Banditen, daß sie große Herren geworden sind. Ihre Macht und ihre Dreistigkeit sind so kolossal, daß die Leute eher dafür dankbar sind, daß für sie noch etwas übrig gelassen wurde, als daß sie darüber empört sind, beraubt worden zu sein.«[32]

30 Zit. nach Richard Grunberger, A Social History of the Third Reich, London 1971, S. 106.

31 Deutschland-Berichte der Sopade, 4. Jg. 1937, S. 1599.

32 Sebastian Haffner, Germany: Jekyll & Hyde, Berlin 1996, S. 45 (dt. Übersetzung der 1940 bei Secker and Warburg, London, erschienenen Originalausgabe).

Erst in den letzten drei Kriegsjahren gewann die kritische öffentliche Wahrnehmung und Diskussion von Korruptionsfällen erneut Oberhand. Die Niederlagen an allen Fronten, die konzentrierten Luftangriffe auf deutsche Städte und vor allem die Kürzungen der Lebensmittelrationen riefen »Unmutsäußerungen in schärfster Form« hervor, in die sich verstärkt Klagen über sogenannte »Diplomatenzuteilungen« an führende Persönlichkeiten mischten. Der Sicherheitsdienst der SS berichtete 1944 über eine wachsende »Beschäftigung der Bevölkerung mit Korruptionserscheinungen in führenden Schichten«.[33] Die Regimeführung, die im Banne des »Novembersyndroms« negative Konsequenzen für die sogenannte Heimatfront befürchtete, nahm diese Klagen immerhin so ernst, daß sie gegen einzelne korrupte NS-Funktionäre der zweiten Garnitur nun mit demonstrativer Schärfe vorging: So wurde beispielsweise der schleswig-holsteinische NSV-Gauamtsleiter Wilhelm Janowsky, der Hilfslieferungen an Bombengeschädigte in großem Umfang veruntreut hatte, zum Tode verurteilt und im Dezember 1942 hingerichtet.[34] Entgegen der gängigen Tabuisierungspraxis wurden über Urteil und Hinrichtung auch Mitteilungen in die Presse lanciert.

Insgesamt bildete sich in der wechselvollen Wahrnehmungskonjunktur der Korruption im »Dritten Reich« auch die Akzeptanz der nationalsozialistischen Herrschaft in der deutschen Bevölkerung ab, deren anfängliche Reserve gegenüber dem neuen Regime bald einer weitgehenden, ja begeisterten Zustimmung wich, ehe in den letzten drei Kriegsjahren ein schleichender, allmählicher Zerfall der nationalsozialistischen »Volksgemeinschaft« einsetzte.

Kann schon in zeitlicher Perspektive nicht von einer pauschalen Delegitimierung der NS-Herrschaft in der Bevölkerung durch Korruptionsaffären gesprochen werden, so noch weniger, wenn wir die Haltung der deutschen Bevölkerung gegenüber der Person Hitlers in den Blick nehmen. Dessen Ansehen nämlich wurde durch die Korruptionsaffären keineswegs beschädigt. Im Gegenteil trug die als skandalös empfundene Korruption vieler NS-Funktionäre, die mit dem bezeichnenden Satz: »Wenn das der Führer wüßte!« kommentiert wurde, sogar dazu bei, den »Führer-Mythos« und die charismatische Bindung der Bevölkerung an Hitler zu stärken. Je mehr über die Verfehlungen nationalsozialistischer »Goldfasane« in der Bevölkerung diskutiert wurde, desto höher stieg das Ansehen Hitlers, dem den Berichten zufolge »Einfachheit« und »Beschei-

33 Bericht des SD über »Stimmungsmäßige Auswirkungen der Strafrechtspflege. Zweierlei Maß« (1944), BA Berlin, R 55/620, Bl. 93.

34 Bajohr, Parvenüs und Profiteure, S. 166-171.

denheit« attestiert wurde. »Die Bevölkerung weist demgegenüber stets auf das zurückhaltende und bescheidene Auftreten des Führers hin, der nach wie vor das restlose Vertrauen besitzt und infolgedessen auch an seinem Geburtstag allenthalben in herzlichster Weise gefeiert wurde«, stellte der Berliner Polizeipräsident im Mai 1935 fest.[35] Die Staatspolizeistelle Breslau vermerkte in einem Lagebericht vom 5. Mai 1935: »Die schlichte Lebenshaltung des Führers, seine klaren, sachlichen und kraftvollen Worte, welche von dem Wortschwall anderer wohltuend abstechen, lassen bei Mißständen die Meinung dahingehend zusammenfassen ›wenn das der Führer wüßte‹.«[36] Während die Korruptionsskandale das Ansehen der NSDAP und ihrer Funktionäre massiv beeinträchtigten und dazu beitrugen, daß diese nie wirklich populär wurden, traf für die Stellung und Person Hitlers das genaue Gegenteil zu.

Dies ist insofern bemerkenswert, als sich gerade Hitler – gemessen an der klassischen Definition politischer Korruption – bei zahllosen Handlungen als hochgradig korrupt zeigte – so bei seiner Selbstbefreiung von jeglichen Steuerzahlungen, bei seinen skrupellosen Aktionen, sich persönliche Einnahmen zu verschaffen, oder bei der Praxis von großzügigen Schenkungen und Dotationen an zahlreiche Personen des öffentlichen Lebens – um hier nur einige Tatbestände zu erwähnen.[37] Dieser eklatante Widerspruch zwischen den Handlungen einer Person und ihrer öffentlichen Wahrnehmung deutet zum einen darauf hin, daß das tatsächliche Ausmaß an Korruption nicht mit ihrer Skandalisierung deckungsgleich war und von der Bevölkerung nur selektiv wahrgenommen wurde. Der propagandistisch vernebelte Arkanbereich der Macht um Hitler gehörte zweifellos zu jenen Sphären, die von der Bevölkerung kaum einsehbar waren. Zum einen war also die Kluft zwischen Wahrnehmung und Realität in einem diktaturbedingten Informationsdefizit der Bevölkerung begründet.

Zum anderen wird deutlich, daß charismatische Herrschaft nicht in erster Linie auf realen Handlungen und Eigenschaften desjenigen beruht, der in ihrem Mittelpunkt steht. Schon Max Weber hatte ja in seiner Definition charismatischer Herrschaft deren Grundlagen nicht in den realen Eigenschaften des Charismatikers gesehen, sondern in den Eigenschaften, die ihm von den Beherrschten attestiert und zugeschrieben werden[38] –

35 GStA Berlin-Dahlem, Rep. 90 P, Lageberichte, 2.2, Bl. 104.

36 Ebd., 11.1, Bl. 176.

37 Ueberschär/Vogel, Dienen und Verdienen; Bajohr, Parvenüs und Profiteure, S. 35 ff.

38 Max Weber, Die drei reinen Typen der legitimen Herrschaft, in: Preußische Jahrbücher 187 (1922), S. 1-12.

eine Definition, die auf den »Führer-Mythos« in besonderer Weise zutrifft, dessen Grundlagen mit den Handlungen und Eigenschaften des real existierenden Hitler nur wenig zu tun hatten.[39]

Auch in anderer Hinsicht zeichnete sich die Kritik der Bevölkerung an der Korruption durch eine prinzipiell regimekonforme Tendenz aus. Wenn beispielsweise Amtswaltern der Partei vorgeworfen wurde, daß ihr Verhalten »nicht auf Volksverbundenheit und Gemeinschaft« beruhe, dann wurde keineswegs die nationalsozialistische Ideologie als solche, sondern allenfalls ihre Handhabung in der Praxis kritisiert.[40] Frontkämpfer und Kriegsteilnehmer, die sich über die Bevorzugung der »alten Kämpfer« beschwerten und geltend machten, »daß sie die ältesten Kämpfer sind und mindestens gleichberechtigt unterzubringen wären«,[41] hielten am Leitbild des autoritären staatlichen Sozialpaternalismus ausdrücklich fest und kritisierten nicht das System der Patronage an sich, sondern lediglich die Tatsache, daß sie nicht selbst zu den Bevorzugten gehörten. Deshalb belastete die Korruption zwar das Verhältnis zwischen Bevölkerung und Regime, doch nahm die Kritik selbst in den ersten Jahren der NS-Diktatur kein Ausmaß an, das dem Herrschaftssystem insgesamt hätte gefährlich werden können.

Abschließend ist darauf zu verweisen, daß sich bei der Praxis der Korruption im »Dritten Reich« Herrschaft und Gesellschaft nicht als unverbundene, parallele Sphären gegenüberstanden. Auch die Bevölkerung war massiv in korrupte Herrschaftspraxen involviert. Dies zeigte sich beispielsweise bei der breiten gesellschaftlichen Beteiligung an der »Arisierung« jüdischen Vermögens, die ein Hort der Vetternwirtschaft war, bei der öffentlichen Versteigerung jüdischen Besitzes in bombenzerstörten Großstädten, bei den Schwarzmarktgeschäften in den besetzten Gebieten, in die keineswegs nur die höheren Ränge der deutschen Besatzungsverwaltung involviert waren. Und bei allen öffentlichen Klagen über die Lebenshaltung von NS-Größen konnte nicht übersehen werden, daß die deutsche Bevölkerung insgesamt in den Kriegsjahren auf einem Niveau materieller und sozialer Versorgung gelebt hatte, das von keiner anderen kriegführenden Nation erreicht wurde[42] – und dies nicht zuletzt auf

39 Vgl. auch Ian Kershaw, Der Hitler-Mythos. Volksmeinung und Propaganda im Dritten Reich, Stuttgart 1980.

40 Zit. nach einem Bericht der Staatspolizeistelle Hannover vom 4. September 1935, ebd., 3.2, Bl. 103.

41 Zit. nach BA Berlin, R 58/3725, Bl. 173.

42 Für die Versorgung der Kriegerfrauen zeichnet dies eindringlich Birthe Kundrus nach: Kriegerfrauen. Familienpolitik und Geschlechterverhältnisse im Ersten und Zweiten Weltkrieg, Hamburg 1995.

Kosten der besetzten und eroberten Gebiete und ihrer Bevölkerung, darunter auch auf Kosten der ausgeplünderten und ermordeten Juden Europas.[43]

Die NS-Führung knüpfte daran die Hoffnung auf eine nachhaltige Bindungswirkung zwischen Bevölkerung und Regime, und namentlich Propagandaminister Goebbels kleidete diese Hoffnung in das Bild der moralischen Brücke, die die Deutschen hinter sich abgebrochen hätten. Anfang März 1943 notierte er in seinem Tagebuch:

> »Vor allem in der Judenfrage sind wir ja so festgelegt, daß es für uns gar kein Entrinnen mehr gibt. Und das ist auch gut so. Eine Bewegung und ein Volk, die die Brücken hinter sich abgebrochen haben, kämpfen erfahrungsgemäß viel vorbehaltloser als die, die noch eine Rückzugsmöglichkeit besitzen.«[44]

Als sich in der Endkriegsphase die Bindungen zwischen Regime und Bevölkerung merklich lockerten und der vielbeschworene »Endsieg« sich als Chimäre entpuppte, erinnerte nun die NS-Propaganda die Deutschen an ihre Verstrickung in die Raubpolitik des Regimes. So stellte das SS-Organ »Das Schwarze Korps« im Januar 1945 höhnisch fest: »Es gibt in Deutschland wirklich keine ›Unschuldigen‹«, und warnte indirekt die deutsche Bevölkerung, aus dem Nationalsozialismus auszusteigen und sich den Alliierten als »Unschuldslämmer« darzubieten, so der wörtliche Titel des Artikels. Denn schließlich hätte sich – so »Das Schwarze Korps« – die Mehrheit der Deutschen unter dem Nationalsozialismus »sauwohl gefühlt«, nicht zuletzt jene, die »keine Bedenken trugen, Judengeschäfte zu arisieren«.[45]

Wie bekannt, entpuppte sich die Hoffnung der NS-Führung auf den bedingungslosen Schulterschluß zwischen Volk und Regime als Fehlspekulation. Der heroisch-fanatische Endkampf bis zur letzten Patrone fand insgesamt nicht statt, insbesondere nicht in den Westgebieten des Deutschen Reiches, wo die weiße Flagge zur heimliche Nationalfahne der

43 Götz Aly, Hitlers Volksstaat. Notiz zum Klassencharakter des Nationalsozialismus, in: ders., Rasse und Klasse. Nachforschungen zum deutschen Wesen, Frankfurt a. M. 2003, S. 230-244.

44 Zit. nach: Die Tagebücher von Joseph Goebbels, hg. von Elke Fröhlich, Teil II, Bd. 7, München u.a. 1993, S. 454, Eintragung vom 2. März 1943. Bereits im Juni 1941 hatte Goebbels diese Haltung mit den Worten zum Ausdruck gebracht: »Wir haben sowieso soviel auf dem Kerbholz, daß wir siegen müssen.« Zit. nach ebd., Teil I, Bd. 9 (1998), S. 379, Eintragung vom 16.6.1941.

45 Das Schwarze Korps vom 25.1.1945.

Deutschen avancierte, wie es Klaus Dietmar Henke formuliert hat.[46] Dennoch war manchen Deutschen durchaus bewußt – und darauf spielte das »Schwarze Korps« indirekt an –, daß mit den Alliierten ein traditionelles Normen- und Wertesystem wieder eingesetzt werden würde, das im »Dritten Reich« systematisch übertreten worden war. Und deshalb verwundert es nicht, daß ein jüdischer Kaufmann aus Hamburg, der die NS-Herrschaft in einer ›privilegierten Mischehe‹ überlebte, in seinen privaten Aufzeichnungen registrierte, daß ein Teil der Bevölkerung dem kommenden Sieg der Alliierten mit großen Befürchtungen entgegensah. Er notierte Anfang 1945, »daß viele, die jüdische Wohnungen und jüdische Sachen übernommen hatten, heute allergrößte Angst haben, die Juden könnten wiederkommen, ihr Eigentum zurückfordern und die Leute noch wegen Raub und Diebstahl zur Rechenschaft ziehen«.[47]

46 Klaus-Dietmar Henke, Die amerikanische Besetzung Deutschlands, München 1995.

47 Zit. nach Aufzeichnungen von Edgar Eichholz (1944/45), Privatbesitz, Bl. 43. In ähnlicher Weise äußerte sich Ende 1944 ein junger Geschäftsmann gegenüber dem amerikanischen Offizier Saul K. Padover: »Mindestens achtzig Prozent der Deutschen haben gegen die Juden gesündigt, nicht aus Überzeugung, sondern aus Eigennutz, der schlimmsten Sünde. Jetzt plagt sie das Gewissen, und sie haben Angst.« Zit. nach Saul K. Padover, Lügendetektor. Vernehmungen im besiegten Deutschland 1944/45, Frankfurt a. M. 1999, S. 55.

Christiane Kuller / Axel Drecoll

Inszenierter Volkszorn, ausgebliebene Empörung und der Sturz Julius Streichers

Reaktionen auf die wirtschaftliche Ausplünderung der deutschen Juden

Im Jahre 1933 verfügten die Juden in Deutschland über ein geschätztes Vermögen von insgesamt rund 16 Milliarden Reichsmark. Neuere Schätzungen gehen davon aus, daß sie rund ein Viertel ihrer Habe ins Ausland retten konnten.[1] Um den Rest begann ein Bereicherungswettlauf zwischen Privatpersonen, Unternehmern, Verbänden, Partei- und Reichsstellen. Die »Arisierung« des jüdischen Eigentums im »Dritten Reich« war ein beispielloser Ausplünderungszug.[2] Das Spektrum der antijüdischen Maßnahmen reichte von der Diskriminierung und Verdrängung aus dem Berufsleben über die erpreßte Veräußerung von Eigentum bis hin zur staatlichen Einziehung jüdischen Vermögens.

In der nichtjüdischen Bevölkerung fanden diese Maßnahmen nicht nur Zustimmung. Vor allem dort, wo die »Arisierung« gegen traditionelle Rechts- und Ordnungsvorstellungen verstieß, rief sie Widerspruch

1 Helen Bachner Junz, Where did all the money go? Pre-Nazi Era Wealth of European Jewry, o. O. 2001, S. 86 f. Die Berechnungen beruhen auf einer geschätzten Gesamtzahl von 550.000 Juden nach den späteren Bestimmungen der Nürnberger Gesetze.

2 Mit dem Begriff »Arisierung« wird im engen Sinn die Übertragung gewerblichen Eigentums von jüdischen auf nichtjüdische Eigentümer bezeichnet. In einem weiteren Sinn meint er die Verdrängung der Juden aus dem Wirtschafts- und Berufsleben. In einer noch offeneren Definition umfaßt »Arisierung« darüber hinaus die Entziehung von Privateigentum von Juden. In diesem Beitrag kommen im Fall der »Arisierungsaffäre« in Nürnberg 1938 auch Übereignungen von Privateigentum – Möbel und Kraftfahrzeuge – zur Sprache. Vgl. zur Entwicklungsgeschichte des Begriffs, der schon von NS-Behörden gebraucht wurde, Frank Bajohr, »Arisierung« als gesellschaftlicher Prozeß. Verhalten, Strategien und Handlungsspielräume jüdischer Eigentümer und »arischer« Erwerber, in: Fritz Bauer Institut (Hg.), »Arisierung« im Nationalsozialismus. Volksgemeinschaft, Raub und Gedächtnis, Frankfurt a. M. 2000, S. 15-30, hier S. 15.

hervor.[3] So protestierte beispielsweise ein Münchner Geschäftsmann im April 1938 bei der Industrie- und Handelskammer:

> »In den letzten Zeiten war ich öfters bei der Arisierung von jüdischen Geschäften als Sachverständiger, Experte und Gutachter etc. zugezogen und bin von den hierbei zu Tage getretenen brutalen Massnahmen der zuständigen Stellen der Handelskammern, nationalsozialistischen Wirtschaftsstellen etc. und überhaupt von all diesen [sic!] Art von Erpressungen an den Juden derart angeekelt, dass ich von nun ab jede Tätigkeit bei Arisierungen ablehne, obwohl mir dabei ein guter Verdienst entgeht. Ich bin Nationalsozialist, S.A. Mann und ein Bewunderer Adolf Hitlers! Aber ich kann als alter, rechtschaffener, ehrlicher Kaufmann nicht mehr zusehen, in welcher schamloser [sic!] Weise von vielen ›arischen‹ Geschäftsleuten, Unternehmern etc. versucht wird unter der Flagge der Arisierung und im Interesse der nationalsoz. Wirtschaft die jüdischen Geschäfte, Fabriken etz. möglichst wohlfeil und um einen Schundpreis zu erraffen. Die Leute kommen mir vor, wie die Aasgeier, die sich mit triefenden Augen und heraushängenden Zungen auf den jüd. Kadaver stürzen, um ein möglichst großes Stück Fleisch herauszureissen.«[4]

Die Erpressungsmethoden, mit denen die jüdischen Eigentümer gezwungen wurden, ihren Besitz zu möglichst niedrigen Preisen zu verkaufen, die Brutalität der Maßnahmen, an denen sich auch Ämter und Behörden beteiligten, und das schamlose Verhalten der Geschäftsleute, die um die günstigsten Schnäppchen wetteiferten, konnte der Verfasser des Briefes nicht mit seinem Selbstbild als »ehrlicher Kaufmann« vereinbaren.

Der Brief ist allerdings ein außergewöhnliches Zeugnis des Protestes gegen die wirtschaftliche Verdrängung und Ausplünderung der deutschen Juden. Nur in sehr seltenen Fällen finden sich so deutliche Belege

3 Untersuchungen zur Haltung der Bevölkerung gegenüber der Judenverfolgung stellen häufig die Einstellung zum Holocaust in den Mittelpunkt und untersuchen die Reaktionen auf die »Arisierung« nur als Vorgeschichte dafür. Vgl. beispielsweise die Pionierstudie von Marlies G. Steinert, Hitlers Krieg und die Deutschen. Stimmung und Haltung der deutschen Bevölkerung im Zweiten Weltkrieg, Düsseldorf/Wien 1970. Anders dagegen die Untersuchung von David Bankier, Die öffentliche Meinung im Hitler-Staat. Die »Endlösung« und die Deutschen. Eine Berichtigung, Berlin 1995, die der Zeit vor Kriegsbeginn relativ breiten Raum gibt.

4 Schreiben eines bayerischen Kaufmanns vom 16.4.1938 an die Industrie- und Handelskammer München (IHK), zitiert nach Peter Hanke, Zur Geschichte der Juden in München zwischen 1933 und 1945, München 1967, S. 154 f.

für kritische Stimmen. Das verwundert zunächst, denn die »Arisierung« war ein für alle offensichtlicher Mißstand. Es handelte sich hier um einen Bereich der Judenverfolgung, der – anders als die Vernichtung – in den Grenzen des Deutschen Reiches und mitten in der deutschen Gesellschaft stattfand. Es gab bis auf wenige Ausnahmen auch keine Geheimhaltung, im Gegenteil: von Anfang an wurde die wirtschaftliche Verfolgung durch die NS-Propaganda bekanntgemacht und gefördert.[5] Die Deutschen konnten von der wirtschaftlichen Ausplünderung der Juden wissen, das Thema war bei weitem nicht in gleichem Maße tabuisiert wie beispielsweise der Judenmord.

Zudem handelte es sich bis 1938 um einen Prozeß mit sehr geringer staatlicher Regulierung.[6] Hier entstand erst mit der Zeit jenes Korsett aus scheinlegalen Gesetzen und Verordnungen, das für andere Terror- und Verfolgungsmaßnahmen des NS-Regimes von Anfang an typisch war. Diskriminierende Übergriffe gegen die jüdische Bevölkerungsgruppe im Wirtschaftssektor konnten nur zu einem geringen Teil mit NS-Unrechtsgesetzen gerechtfertigt werden. Die Maßstäbe für eine Normverletzung bei der »Arisierung« orientierten sich daher noch vergleichsweise lange an traditionellen Werten.

Schließlich konnten persönliche Bereicherung, Brutalität und Verstöße gegen traditionelle Werthaltungen als schuldhaftes Verhalten in der Regel einer Person – dem »Ariseur« – zugerechnet werden. Im Gegensatz zur Todesmaschinerie der Vernichtungspolitik prägten nicht Arbeitsteilung und bürokratisches Effizienzdenken, sondern vor allem individuelles Handeln und direkter Kontakt zwischen Tätern und Opfern den Prozeß der wirtschaftlichen Verfolgung. Die »Arisierung« war also ein Teil der Judenverfolgung, in dem der verantwortliche Akteur identifizierbar und skandalisierbar war.[7]

Allerdings hatte der Prozeß der »Arisierung« auch Züge, die einer Skandalisierung im Wege standen. Die Bevölkerung war hier nicht nur Zuschauer bei Verfolgungsmaßnahmen, sondern teilweise selbst in die

5 Avraham Barkai, Vom Boykott zur »Entjudung«. Der wirtschaftliche Existenzkampf der Juden im Dritten Reich 1933-1943, Frankfurt a. M. 1987, S. 205.

6 Frank Bajohr, »Arisierung« und Restitution. Eine Einschätzung, in: Constantin Goschler/Jürgen Lillteicher (Hg.), »Arisierung« und Restitution. Die Rückerstattung jüdischen Eigentums in Deutschland und Österreich nach 1945 und 1989, Göttingen 2002, S. 49-59, hier S. 40 f.

7 Zur Skandalisierbarkeit von Mißständen vgl. die theoretischen Überlegungen bei Hans Mathias Kepplinger/Simone Christine Ehmig/Uwe Hartung, Alltägliche Skandale. Eine repräsentative Analyse regionaler Fälle, Konstanz 2002, S. 81 f.

Vorgänge verwickelt und Akteur und Profiteur.[8] Täter- und Opfergruppen waren sehr heterogen und die Verdrängungs- und Enteignungsprozesse vielgestaltig und unkoordiniert. Die Konstellationen zwischen jüdischen Eigentümern, »Ariseuren« und Profiteuren wechselten von Fall zu Fall, und der Ablauf gestaltete sich entsprechend unterschiedlich. Die deutschen Juden gerieten auch zunehmend in eine gesellschaftliche Isolation. Durch die Verdrängung aus dem öffentlichen Raum verschwand die wirtschaftliche Verfolgung mit der Zeit immer mehr aus dem alltäglichen Augenkreis der Gesellschaft. Diese Unübersichtlichkeit bildete ein strukturelles Hindernis für eine pauschale Skandalisierung der wirtschaftlichen Judenverfolgung.

Hinzu kommt, daß die Judenverfolgung einen Kernbereich nationalsozialistischer Ideologie bildete. Die staatliche Meinungslenkung sanktionierte abweichende Äußerungen und zwang zur Konformität.[9] Selbst wenn eine innere Distanz zur »Arisierung« vorhanden war, konnte sie schwer geäußert werden, und selbst wenn sie geäußert wurde, mußte sich dies nicht notwendig in den wenigen, meist offiziösen Berichten, die uns heute als Quellen zur Verfügung stehen, niederschlagen.[10] Hätte die Reaktion der Bevölkerung die für einen Skandal charakteristische Eigendynamik entwickeln sollen, dann wären dafür öffentliche Räume zur

8 Vgl. dazu Frank Bajohr, Verfolgung aus gesellschaftlicher Perspektive. Die wirtschaftliche Existenzvernichtung der Juden und die deutsche Gesellschaft, in: Geschichte und Gesellschaft 26 (2000), H. 4, S. 629-652.

9 Vgl. Manfred Wirl, Die öffentliche Meinung unter dem NS-Regime. Eine Untersuchung zum sozialpsychologischen Konzept öffentlicher Meinung auf der Grundlage der geheimen Lageberichte des SD über die Stimmung und Haltung der Bevölkerung im Zweiten Weltkrieg, phil. Diss. Mainz 1990, S. 35; Ian Kershaw, Alltägliches und Außeralltägliches: ihre Bedeutung für die Volksmeinung 1933-1939, in: Detlev Peukert/Jürgen Reulecke (Hg), Die Reihen fast geschlossen. Beiträge zur Geschichte des Alltags unterm Nationalsozialismus, Wuppertal 1981, S. 273-292, hier S. 274.

10 Sucht man nach Anzeichen öffentlicher Unruhe im Zusammenhang mit der »Arisierung«, dann ist man vor allem auf die Hinweise in offiziellen Berichten von Staats- und Parteistellen angewiesen, die jedoch stark durch den regimenahen Entstehungskontext geprägt sind. Eine wichtige weitere Quelle, die die Ereignisse aus der Gegenperspektive schildert, sind die Berichte der Auslandsorganisation der SPD, die sogenannten Sopade-Berichte. Vgl. Bankier, Meinung; Ian Kershaw, Antisemitismus und Volksmeinung. Reaktionen auf die Judenverfolgung, in: Martin Broszat u. a. (Hg.), Bayern in der NS-Zeit, Bd. 2, München 1979, S. 281-348; Bernd Stöver, Volksgemeinschaft im Dritten Reich. Die Konsensbereitschaft der Deutschen aus der Sicht sozialistischer Exilberichte, Düsseldorf 1993.

gesellschaftlichen Kommunikation notwendig gewesen. Zwar gab es auch in der NS-Diktatur zumindest Teilöffentlichkeiten, die nicht völlig staatlich kontrolliert waren, aber in ihnen kam das Thema der Judenverfolgung kaum zur Sprache, waren Juden kaum präsent. In Fragen der Judenpolitik war die öffentliche Kommunikation stark eingeschränkt.[11] Einen wichtigen Faktor bildeten hierfür die gezielt inszenierten Skandale des Regimes, die sich gegen die »jüdische« Wirtschaftsaktivität richteten und mit denen die Nationalsozialisten die öffentlichen Kommunikationsräume besetzten. Dieser Beitrag untersucht daher zunächst, welche strukturellen Faktoren die Möglichkeiten für eine öffentliche Kritik einschränkten.

Ausgehend von diesen Rahmenbedingungen soll dann das Spektrum der Reaktionen der Bevölkerung auf die wirtschaftliche Ausplünderung der deutschen Juden näher betrachtet werden. Wann und in welcher Form finden sich Äußerungen der Kritik? Welche Aspekte der »Arisierung« wurden dabei thematisiert, welche Normverstöße im komplexen Prozeß der »Arisierung« riefen Empörung hervor? Wieweit erklären sich die dabei sichtbar werdenden »blinden Stellen« durch die restriktiven kommunikativen Rahmenbedingungen, und inwiefern lassen sie sich als Indiz für die Haltung der Bevölkerung gegenüber der wirtschaftlichen Judenverfolgung interpretieren? Einen gewissen Gradmesser für die Bedeutung der öffentlichen Empörung stellt die Reaktion der NS-Machthaber dar. Nahmen sie die Kernpunkte der Kritik auf, und wenn ja, beseitigten sie das »Skandalon« oder überspielten sie die angeprangerten Mißstände durch Gegenskandale oder Ablenkungsmanöver?

Die Formierung einer breiten Empörungswelle in der Bevölkerung gegen die wirtschaftliche Ausplünderung der Juden und damit die Grundlage für einen Skandal scheint nur vereinzelt und unter ganz besonderen machtpolitischen Konstellationen möglich gewesen zu sein. Ein Beispiel hierfür ist der Nürnberger »Arisierungsskandal« vom November 1938, der im Mittelpunkt des dritten Abschnitts dieses Beitrags steht. Die »Holz-Aktion« war ein großangelegter Raubzug der regionalen NSDAP gegen die Juden im Gau Franken. Zahlreiche regionale Parteifunktionäre bis

11 Heide Gerstenberger, Acquiescence?, in: David Bankier (Hg.), Probing the Depths of German Antisemitism. German Society and the Persecution of the Jews, 1933-1941, Jerusalem u. a. 2000, S. 19-35. In totalitären Systemen gewannen daher einfache Interaktionsmöglichkeiten, beispielsweise in Kneipen, als »Halböffentlichkeiten« (»Encounters«) an Bedeutung. Für die Frage der »Arisierung« sind jedoch kaum Quellen über Kommunikationsformen in »Halböffentlichkeiten« bekannt.

zur Spitze der Gauleitung stolperten über ihre Beteiligung bei der »Arisierung«, und der bis dahin scheinbar unangreifbare Gauleiter Julius Streicher wurde seines Amtes enthoben. Die Untersuchung des Skandals um die »Holz-Aktion« mit seinen weitreichenden Folgen wirft daher ein exemplarisches Licht auf die Möglichkeiten und Grenzen der öffentlichen Skandalisierung der wirtschaftlichen Judenverfolgung.

I. Inszenierter Volkszorn – Boykott und Pogrom

Die wirtschaftliche Judenverfolgung war von Anfang an von inszenierten Skandalisierungsversuchen des NS-Regimes begleitet. Die Nationalsozialisten organisierten zwei reichsweite Kampagnen, um die »Volksmeinung« auch im Wirtschaftssektor auf ihre rassistische Ideologie einzuschwören: den Boykott vom April 1933 und den Pogrom vom November 1938.[12]

Schon kurz nach der Machtergreifung versuchte das NS-Regime vermeintliche internationale Wirtschaftsaktivitäten von Juden skandalträchtig in Szene zu setzen. Es bediente sich dazu der Presse, die bereits zu diesem frühen Zeitpunkt ein Sprachrohr nationalsozialistischer Propaganda war. Eine Propagandakampagne in den letzten Märztagen und Anfang April 1933 sollte eine Proteststimmung in der deutschen Bevölkerung für den ersten reichsweiten Boykott jüdischer Geschäfte, Ärzte und Rechtsanwälte am 1. April erzeugen.[13] Durch die Pressekampagne versuchte das eigens für die Organisation des Boykotts gebildete Komitee aus NSDAP-Funktionären unter der Leitung des fränkischen Gauleiters und Herausgebers des antisemitischen Hetzblattes »Der Stürmer«, Julius Streicher, in der deutschen Bevölkerung Empörung über die Juden und ihre vermeintlichen Initiativen im Ausland zu schüren. Als Vorwand beriefen sich die nationalsozialistischen Machthaber auf angebliche »Greuelhetze« gegen das NS-Regime und auf einen bevorstehenden internationalen

12 Zur Inszenierung von »Volkszorn« durch die NSDAP Armin Nolzen, The Nazi Party and its Violence against the Jews, 1933-1939: Violence as a Historiographical Concept, in: Yad Vashem Studies XXXIII (2003), S. 245-285.

13 Vgl. zur Boykott-Kampagne des NS-Regimes grundlegend Helmut Genschel, Die Verdrängung der Juden aus der Wirtschaft im Dritten Reich, Göttingen 1966, S. 43-59; Günter Plum, Wirtschaft und Erwerbsleben, in: Wolfgang Benz (Hg.), Die Juden in Deutschland 1933-1945. Leben unter nationalsozialistischer Herrschaft, München 1988, S. 268-313; Peter Longerich, Politik der Vernichtung. Eine Gesamtdarstellung der nationalsozialistischen Judenverfolgung, München/ Zürich 1998, S. 30-41.

Boykott des »Dritten Reiches«. Tatsächlich hatte es nach der »Machtergreifung« der Nationalsozialisten in der ausländischen Presse kritische Kommentare über Terroraktionen gegen Juden in Deutschland und einzelne Boykottaufrufe gegeben.[14] In den Propagandaartikeln wurde dieser Sachverhalt aber stark übertrieben.

In der Anhängerschaft der NSDAP entfaltete die Kampagne als erste reichsweit koordinierte antisemitische Aktion seit der »Machtergreifung« eine unerwartet hohe Mobilisierungskraft. Sie kanalisierte nicht nur – wie beabsichtigt – diffuse Aggressionen der Parteibasis und von Teilen der Bevölkerung, sondern drohte bereits im Vorfeld außer Kontrolle zu geraten.[15] Schon an den Tagen vor dem 1. April kam es an einigen Orten zu Übergriffen gegen Juden, und das Organisationskomitee reagierte darauf, indem es versuchte, die Empörung, die man zuvor propagandistisch geschürt hatte, wieder einzudämmen. Dies zeigte sich in den Aufrufen, die kurz vor dem offiziellen Boykottbeginn herausgegeben wurden: Goebbels forderte darin zwar die Durchführung des Boykotts mit »voller Wucht«, aber auch mit »Disziplin«.[16] »Keinem Juden wird auch nur ein Haar gekrümmt«, hieß es beispielsweise in dem Aufruf der Gauleitung Baden.[17]

Die Mehrheit der Bevölkerung verhielt sich offenbar erwartungsgemäß und kaufte nicht in jüdischen Geschäften ein.[18] Dieser Erfolg schien den Nationalsozialisten auf den ersten Blick recht zu geben. Getragen war der Boykott aber nicht durch eine breite Zustimmung in der Bevölkerung, schon gar nicht durch eine Welle der Empörung im Sinne des inszenierten Skandals. In erheblichem Maß war das linientreue Verhalten wohl auf die Einschüchterung durch die Parteiformationen, die die Durchführung des Boykotts kontrollierten, zurückzuführen. Genau ge-

14 Für die amerikanische Presse vgl. beispielsweise die Untersuchung von Deborah E. Lipstadt, Beyond Belief. The American Press and the Coming of the Holocaust 1933-1945, New York 1986.

15 Longerich, Politik, S. 36; Hans Mommsen/Dieter Obst, Die Reaktion der deutschen Bevölkerung auf die Verfolgung der Juden 1933-1943, in: Hans Mommsen/Susanne Willems (Hg.), Herrschaftsalltag im Dritten Reich. Studien und Texte, Düsseldorf 1988, S. 374-427, hier S. 377.

16 Erklärung von Goebbels vom 31.3.1933, die in mehreren Zeitungen abgedruckt wurde, zitiert nach Genschel, Verdrängung, S. 51.

17 Plum, Wirtschaft, S. 277, dort zitiert nach Kurt Pätzold (Hg.), Verfolgung, Vertreibung, Vernichtung. Dokumente des faschistischen Antisemitismus 1933-1942, Frankfurt a. M. 1984, S. 50.

18 Longerich, Politik, S. 37; Vgl. dazu auch Saul Friedländer, Das Dritte Reich und die Juden. Die Jahre der Verfolgung 1933-1939, München 1998, S. 34 f.

nommen handelte es sich bei der Aktion am 1. April also gar nicht um einen Boykott – um eine Kaufverweigerung der Konsumenten –, sondern um eine Machtdemonstration der NSDAP, die von Hitler beschlossen und staatlicherseits unterstützt wurde.[19] Der Aufruf an die Kunden »Kauft nicht bei Juden« wurde vielerorts durch handfeste Drohgebärden von SA-Leuten am Eingang jüdischer Geschäfte untermauert.

In Hinblick auf die beabsichtigte Aktivierung des »Volkszorns« in der breiten Bevölkerung scheint der Boykottag ein Mißerfolg gewesen zu sein. Zu einem spontanen pogromartigen Vorgehen gegen jüdische Mitbürger war die Mehrheit der Deutschen nicht zu bewegen.[20] So entstand auch keine »geschlossene Abwehrfront« gegenüber den Juden. Viele Gegner des NS-Regimes, aber auch Sympathisanten der Nazis unterstützten die Aktion nicht. Eine kleine Minderheit widersetzte sich dem Aufruf sogar und kaufte demonstrativ in jüdischen Geschäften. Darüber hinausgehende ablehnende Reaktionen, etwa in Form von prinzipiellem Widerspruch gegen die antijüdische Ausrichtung des Boykotts, sind allerdings kaum feststellbar.[21]

Einen ähnlich breit angelegten inszenierten Skandal gegen die Juden wie beim Aprilboykott gab es nur noch ein einziges Mal, nämlich im Zusammenhang mit dem Pogrom vom November 1938.[22] In den Tagen vor dem Pogrom ließ das Propagandaministerium aufhetzende Artikel in allen deutschen Zeitungen drucken, die als Rache für das Attentat des Juden Herschel Grynszpan auf den deutschen Legationsrat Ernst vom Rath in Paris eine Verschärfung der Verfolgung der Juden in Deutschland ankündigten. »Es ist klar, daß das deutsche Volk aus dieser neuen Tat seine Folgerungen ziehen wird«, konnte man beispielsweise im Leitartikel des »Völkischen Beobachters« lesen, der die Aufmerksamkeit gleich auf den Wirtschaftssektor lenkte: »Es ist ein unmöglicher Zustand, daß in unseren Grenzen Hunderttausende von Juden noch ganze Ladenstraßen beherrschen, Vergnügungsstätten bevölkern und als ›ausländische‹ Haus-

19 Longerich, Politik, S. 35; zur Rolle Hitlers: Ian Kershaw, Hitler 1889-1936, Stuttgart 1998, S. 598.

20 Mommsen/Obst, Reaktion, S. 375; kritisch dazu Longerich, Politik, S. 37, Fn. 53.

21 Longerich, Politik, S. 37. Vor der Machtergreifung der Nationalsozialisten hatten jüdische Verbände erfolgreich gegen Boykotte protestiert und die gerichtliche Verurteilung von Boykotthetzern erwirkt. Dies war nach 1933 nicht mehr möglich, vgl. Plum, Wirtschaft, S. 272 f.

22 Wolfgang Benz, Der Rückfall in die Barbarei, in: Walter H. Pehle (Hg.), Der Judenpogrom 1938. Von der »Reichskristallnacht« zum Völkermord, Frankfurt a. M. 1988, S. 13-52, hier S. 14-20.

besitzer das Geld deutscher Mieter einstecken, während ihre Rassegenossen draußen zum Krieg gegen Deutschland auffordern und deutsche Beamte niederschießen.«[23] Presseanweisungen sorgten dafür, daß das Pariser Attentat von allen Redaktionen in ähnlichem Kontext dargestellt wurde. Die Kampagne war dabei so demonstrativ auf Skandalisierung angelegt, daß nicht wenige Beobachter sogar das Attentat selbst für eine Inszenierung der Nationalsozialisten als Vorwand für die Radikalisierung der Judenverfolgung hielten.[24]

Diese zweite große antisemitische Mobilisierungskampagne schlug ebenfalls fehl. Die deutsche Bevölkerung stand dem Pogrom fast durchgehend kritisch gegenüber.[25] Die Ablehnung zog sich durch alle Gesellschaftsschichten und reichte weit über die traditionell regimeferneren konfessionellen und Arbeiterkreise hinaus. Die meisten Deutschen waren niedergeschlagen, bestürzt und empört über die Ausschreitungen der SA- und SS-Männer. Alle NS-Überwachungsbehörden beschreiben einhellig die Ablehnung der Ereignisse in der deutschen Bevölkerung.[26] Auch Zeugnisse von ausländischen Beobachtern – beispielsweise von Botschaftern und Journalisten – bestätigen dies. Eine so einmütige und offene Ablehnung der nationalsozialistischen Methoden habe es seit Bestehen des »Dritten Reiches« noch nicht gegeben, faßte die Exilorganisation der SPD die Empörung der deutschen Bevölkerung über die Pogromnacht in einem Bericht vom Dezember 1938 zusammen.[27] Auch die NS-Nachrichtenorgane – und das war entscheidend für die Reaktion des Regimes – meldeten einen alarmierenden öffentlichen Unmut: In der Bevölkerung drohe der Eindruck zu entstehen, als ob eine Kluft zwischen der antisemitischen Ausrichtung von Partei und Staatsorganen und der Bevölkerung bestehe. Im Propagandaministerium versuchte man, dem durch eine nachgeschaltete Pressekampagne entgegenzusteuern, in der

23 Völkischer Beobachter vom 8.11.1938, zitiert nach Benz, Rückfall, S. 14 f.

24 Benz, Rückfall, S. 16.

25 Ursula Büttner, Die deutsche Bevölkerung und die Judenverfolgung 1933-1945, in: dies. (Hg.), Die Deutschen und die Judenverfolgung im Dritten Reich, Hamburg 1992, S. 67-88, hier S. 76 f. Neuere Forschungen stellen dem allerdings gegenüber, daß es auch eine sehr breite Beteiligung der deutschen Bevölkerung an den Pogromausschreitungen gab. Michael Wildt, Violence against the Jews 1933-1939, in: Bankier, Depths, S. 181-209, hier S. 198.

26 William Sheridan Allen, Die deutsche Öffentlichkeit und die »Reichskristallnacht« – Konflikte zwischen Werthierarchie und Propaganda im Dritten Reich, in: Peukert/Reulecke, Reihen, S. 397-411.

27 Deutschland-Berichte der Sozialdemokratischen Partei Deutschlands (Sopade) 1934-1940, 5. Jg. 1938, Salzhausen/Frankfurt a. M. 1980 (Nachdruck), S. 1353.

Antisemitismus anhand von historischen Beispielen als traditioneller, integrierender Wert der deutschen Volksgemeinschaft dargestellt wurde.[28]

Das NS-Regime zog aus der ablehnenden Haltung gegenüber dem Pogrom die Konsequenz, in Zukunft dem »sauberen« Antisemitismus den Vorrang zu geben. Damit ging die Verfolgung der Juden in den Verantwortungsbereich der Sicherheitspolizei und des Sicherheitsdienstes der SS über, die sich schon länger für eine solche Ausrichtung ausgesprochen hatten.[29] Das Ziel blieb bestehen, aber die Methoden änderten sich. Am Ende des Pogroms stand lediglich ein formales Zugeständnis an die Werthierarchie der deutschen Bevölkerung, in der Recht und Ordnung, Sicherheit und Eigentum allem Anschein nach vor dem Antisemitismus rangierten.[30]

Als Auslöser für eine Empörungswelle in der Bevölkerung waren beide Anläufe des NS-Regimes weitgehend gescheitert. Während der Durchführung von Boykott und Pogrom waren die Grenzen der Mobilisierungskraft durch eine Skandalisierung »von oben« deutlich geworden. In der Parteiöffentlichkeit erzielten die inszenierten Skandale zwar durchaus erhebliche Wirkung und initiierten zumindest zum Teil eine Empörung, die Eigendynamik entfaltete. In der übrigen Bevölkerung hingegen überwog distanziertes Schweigen. Hier waren es vor allem Repression und Terror, die zu konformem Verhalten führten.

Durch die Skandalisierungskampagnen wurden wichtige kommunikationspolitische Weichen für die weitere Entwicklung gestellt: Bereits in den ersten Wochen der Herrschaft instrumentalisierte das NS-Regime die Presse für seine antijüdische Propaganda. Die Medien waren seitdem kein Ort der freien Meinungsbildung mehr, sondern ein vom Regime beherrschter Kommunikationsraum, in dem ausschließlich die NS-Ideologie reproduziert wurde.[31] Eine Stellungnahme gegen die »Arisierung« wäre daher auch immer eine Stellungnahme gegen die vom Regime propagierte »Volksmeinung« gewesen. Durch die Propagandakampagnen war auch das Ziel der Judenpolitik im »Dritten Reich« deutlich hervor-

28 Vgl. zu dieser Kampagne Herbert Obenaus, The Germans: »An Antisemitic People«. The Press Campaign after 9 November 1938, in: Bankier, Depths, S. 147-180.

29 Ulrich Herbert, Von der »Reichskristallnacht« zum »Holocaust«. Der 9. November und das Ende des Radauantisemitismus, in: Thomas Hofmann/Hanno Loewy/Harry Stein (Hg.), Pogromnacht und Holocaust, Weimar/Köln 1994, S. 58-80, Nachdruck in: Ulrich Herbert, Arbeit, Volkstum, Weltanschauung. Über Fremde und Deutsche im 20. Jahrhundert, Frankfurt a. M. 1995, S. 59-78, hier S. 72 f. und 75 f.

30 Allen, Öffentlichkeit, S. 402-407.

31 Longerich, Politik, S. 34.

getreten. Mit dem Boykott setzten die Nationalsozialisten einen essentiellen Programmpunkt um: die Diskriminierung und Entrechtung der jüdischen Minderheit im Wirtschaftssektor. Protest gegen die Judenverfolgung wurde zum Widerstand gegen einen integralen Bestandteil der rassistischen NS-Ideologie und damit zu einem Themenbereich, in dem keine Kritik vorgebracht werden durfte.[32]

II. Ausgebliebene Empörung – das Schweigen zur »Arisierung«

Die Skandalinszenierungen des NS-Regimes, die die wirtschaftliche Betätigung der Juden anprangerten und zum Protest gegen die Juden aufriefen, hatten die öffentlichen Kommunikationsräume vorstrukturiert, und es waren Tabuzonen entstanden, die eine offene Thematisierung der »Arisierung« erschwerten, so daß eine Antwort auf die umgekehrte Frage schwerfällt: Gab es in der deutschen Bevölkerung auch Empörung über die wirtschaftliche Verfolgung der Juden? Wurde die »Arisierung« selbst skandalisiert?

Untersucht man die Reaktionen der deutschen Bevölkerung auf die wirtschaftliche Verfolgung der Juden, dann muß man zwischen zeitlich begrenzten Boykott- und Pogromaktionen, gesetzlichen Regelungen zur Verdrängung aus bestimmten Berufszweigen und dem sich über Jahre hinziehenden, zunehmend erzwungenen und ab 1938 weitgehend staatlich organisierten Ausverkauf von jüdischem Eigentum unterscheiden.

Am deutlichsten zeigte sich Protest gegen die wirtschaftliche Verfolgung beim Aprilboykott und beim Novemberpogrom.[33] Hier waren es in der Regel die Gewalt gegen Personen und Eigentum sowie der Verstoß gegen Recht und Ordnung, gegen die sich Widerspruch erhob. Vor allem bürgerliche Kreise distanzierten sich von den »mittelalterlichen Methoden«. Bei den Boykott- und Verwüstungsaktionen fürchtete man auch negative Reaktionen aus dem Ausland und eine damit verbundene Verschlechterung der wirtschaftlichen Lage in Deutschland. Protest regte

32 Vgl. Wirl, Meinung, S. 35.

33 Grundlegend dazu Bankier, Meinung, insb. S. 118-122. Vgl. u. a. auch die Überblicksdarstellungen: Wolfgang Benz, Die Deutschen und die Judenverfolgung. Mentalitätsgeschichtliche Aspekte, in: Büttner, Die Deutschen und die Judenverfolgung, S. 51-65; Büttner, Bevölkerung; Plum, Wirtschaft; zum Pogrom: Allen, Öffentlichkeit; Benz, Rückfall; Wolfgang Benz, Der Novemberpogrom 1938, in: ders. (Hg.), Leben unter nationalsozialistischer Herrschaft, München 1993, S. 499-544.

sich ebenfalls, wenn direkte Nachteile für nichtjüdische Deutsche entstanden, beispielsweise, wenn bei einer Firmenauflösung Arbeitnehmer ihren Arbeitsplatz verloren. In diesem Zusammenhang gerieten auch manche vermeintlichen Motive der »Arisierung« in die Kritik. Die wirtschaftliche Verfolgung wurde nicht selten als Ausschaltung von Geschäftskonkurrenz und damit als Durchsetzung von partikularen und persönlichen Interessen, nicht als »Rassenpolitik« wahrgenommen. Die Bevölkerung protestierte also dann, wenn Interessen von Nichtjuden beeinträchtigt waren. Nicht immer standen die Motive für einen Protest auch in unmittelbarem Zusammenhang mit der »Arisierung«. Es gab auch Fälle, in denen der Boykott zum Anlaß für allgemeine anti-nationalsozialistische Kritik genommen wurde. Hier hat die Kritik an der Judenpolitik vorwiegend eine instrumentelle Funktion.[34]

Man kann indes von der kritischen Haltung in der Bevölkerung nicht ohne weiteres auf eine prinzipielle Ablehnung der wirtschaftlichen Judenverfolgung schließen. Im Gegenteil: Weite Teile der Bevölkerung unterstützten die nationalsozialistische Politik, wonach das »Judenproblem« auch im wirtschaftlichen Bereich »gelöst« werden sollte, und wandten sich nur gegen die Methoden.[35] Der diskriminierende antijüdische Ansatz, also die Tatsache, daß die Juden aufgrund ihrer »rassischen« Eigenschaft verdrängt wurden, scheint nur in seltenen Ausnahmen Anlaß zu Protest gegeben zu haben.[36]

Dieser Befund bestätigt sich, wenn man auf andere Bereiche der wirtschaftlichen Verdrängung blickt. Gesetze und Verordnungen, die Juden aus bestimmten Berufsgruppen ausschlossen, zogen ebensowenig Kritik auf sich wie die entsprechenden Ausgrenzungsmaßnahmen seitens der wirtschaftlichen Selbstverwaltungsorganisationen, wie beispielsweise Industrie- und Handelskammer (IHK), Ärzte- und Rechtsanwaltskammern. Gegen die per Gesetz verfügten zwangsweisen Entlassungen jüdischer Beamter aus der Verwaltung etwa, die schon wenige Tage nach dem

34 Bankier, Meinung, S. 95, 103.

35 Mommsen/Obst, Reaktion, S. 391 f. Benz, Die Deutschen, S. 59; Dieses Reaktionsmuster stand in direkter Kontinuität zur Weimarer Republik, als zwar der Pogromantisemitismus gesellschaftlich mißbilligt wurde, nicht allerdings der wirtschaftliche Antisemitismus; siehe Cornelia Hecht, Deutsche Juden und der Antisemitismus in der Weimarer Republik, Bonn 2003, S. 402. Kritisch dazu Büttner, die betont, daß Kritik mit ordnungspolitischen und ökonomischen Argumenten oft zu finden sei, weil sie leichter zu äußern gewesen sei, als »für die Unversehrtheit der Juden einzutreten«. Büttner, Bevölkerung, S. 76.

36 So beispielsweise auch die Bilanz bei Bankier, Meinung, S. 133, im Hinblick auf bäuerliche Kreise.

Aprilboykott begannen, scheint es kaum Einwendungen gegeben zu haben. Selten sind Solidarisierungsakte mit entlassenen Kollegen.[37] Hier war – anders als in der freien Wirtschaft – das Funktionieren der Bürokratie durch die Entlassungen nicht gefährdet. Vielmehr eröffneten sich neue Aufstiegschancen für Konkurrenten. Die Entfernung der Juden aus der öffentlichen Verwaltung entsprach wohl den Wünschen zumindest eines Teils der Bevölkerung.[38]

Zieht man in Betracht, daß sich die Empörung in der deutschen Bevölkerung vor allem gegen die Gewaltexzesse und Gesetzesverstöße richtete, dann zeigte sie durchaus Wirkungen auf die Entwicklung der »Arisierungspolitik«. Die Erfahrung mit dem Aprilboykott hatte erheblichen Einfluß auf das weitere Vorgehen des NS-Regimes in Fragen der wirtschaftlichen Verdrängung und ließ die NS-Machthaber lange Zeit vor weiteren zentral gelenkten Aktionen zurückschrecken. Nach dem Ende der ersten Boykottphase begann das Regime statt dessen, die Juden durch gesetzliche Regelungen aus dem Wirtschafts- und Berufsleben zu verdrängen.[39] Die diskriminierenden Gesetze wurden als Maßnahme zur Eindämmung von willkürlicher Gewalt gegen Personen und Eigentum sowohl von jüdischer als auch von nichtjüdischer Seite begrüßt.[40] Diese legalistisch verbrämte Form der Diskriminierung ermöglichte ein scheinbar gesetzmäßiges Vorgehen nach geregelten Verfahren und schien daher der Willkür entgegenzuwirken.

Vorläufiger Höhepunkt waren die »Nürnberger Gesetze« vom September 1935, die erstmals eine verbindliche Definition formulierten, wer als Jude zu gelten hatte. Die »Verordnungen zum Reichsbürgergesetz«, die sich daran anschlossen, steuerten wesentliche Teile der Judenverfolgung im »Dritten Reich«. Die ersten Verordnungen betrafen die Verdrängung der Juden aus verschiedenen Berufsgruppen. Mit der Einführung des »Reichsbürgergesetzes« und seinen Verordnungen verschoben sich schleichend die Grenzen der Normalität im Umgang mit der jüdischen Bevölkerungsgruppe[41] und damit auch die Schwelle dessen, was als »Norm-

37 Büttner, Bevölkerung, S. 74; ein Beispiel für eine Ausnahme findet sich bei Plum, Wirtschaft, S. 284 f., der den Proteststreik der Breslauer Richter gegen die Entlassung ihrer jüdischen Kollegen im März 1933 darstellt.

38 Bankier, Meinung, S. 96.

39 Ebd., S. 105.

40 Friedländer, Das Dritte Reich, S. 181 f.; Bankier, Meinung, S. 111; Otto Dov Kulka, Die Nürnberger Rassengesetze und die deutsche Bevölkerung im Lichte geheimer NS-Lage- und Stimmungsberichte, in: Vierteljahrshefte für Zeitgeschichte 32 (1984), S. 582-624.

41 Gerstenberger, Acquiescence, S. 33 f.

bruch« angesehen wurde und einen Skandal hätte auslösen können. In der Zeit nach den »Nürnberger Gesetzen« verfestigte sich in der deutschen Bevölkerung eine »moralische Empfindungslosigkeit« gegenüber dem Schicksal der Juden zum »normativen Verhaltensmuster«.[42]

Auch öffentliche Empörung über den dritten Sektor der »Arisierung«, die Übereignung jüdischen Eigentums an einen nichtjüdischen Erwerber, scheint es kaum gegeben zu haben. Das hängt vermutlich damit zusammen, daß bei der privatwirtschaftlichen »Arisierung« Täter- und Opfergruppen zu heterogen waren und der Prozeß der Übereignung keine klare Typologisierung zuließ. Zudem war die Übereignung ein Rechtsakt zwischen zwei Vertragspartnern, der in der Öffentlichkeit kaum sichtbar wurde und an dem im Prinzip bis 1938 kein öffentliches Interesse bestand. Identifikation und Solidarisierung mit einzelnen betroffenen Juden gab es kaum.

Fragt man danach, warum die Empörung über die wirtschaftliche Verfolgung der Juden in der Regel ausblieb, so genügt es nicht, die individuellen Motivationen der Beteiligten und Zuschauer zu untersuchen, man muß auch die Möglichkeiten und Grenzen von Kommunikation und Öffentlichkeit berücksichtigen. Schon individuelle Solidarität war durch Repressionen erschwert, eine öffentliche Thematisierung der antijüdischen Diskriminierung war kaum möglich. »Weiß Gott, das ist die größte Schweinerei, die ich je erlebt habe«, kommentierte ein Berliner Taxifahrer seine Erlebnisse in der Pogromnacht im November 1938: »Aber man muß die Fresse halten.«[43] Die Möglichkeit, Barrieren zu durchbrechen, war nur gegeben, wenn die Skandalisierung der »Arisierung« mit anderen Faktoren verbunden werden konnte. In Nürnberg war dies der Fall, als einige regionale Parteibonzen in einem großen Coup das Vermögen der ortsansässigen Juden an sich reißen wollten. Dieser Vorgang bot den entscheidenden Anlaß für machtpolitische Konkurrenten, die schon länger schwelenden Konflikte mit der fränkischen Gauleitung offen auszutragen.

III. Der Nürnberger »Arisierungs«-Skandal vom November 1938

In kaum einer anderen Stadt des Reiches war die öffentliche Kommunikation durch scharfe Zensur, brutale Gewalt und allgegenwärtige Ideologisierung so eingeschränkt und beherrscht wie in Nürnberg. Vor allem die Hetzkampagnen in Streichers Blatt »Der Stürmer« und die ständigen

42 Bankier, Meinung, Zitate S. 112 und 118.

43 Sopade-Berichte, 5. Jg. 1938, S. 1353.

Aufmärsche und Propagandaveranstaltungen in der »Stadt der Reichsparteitage« sorgten für die permanente antisemitische Indoktrinierung der Nürnberger Bevölkerung.[44]

Gewalt und öffentliche Diskriminierungen äußerten sich auch in Nürnberg vor allem durch breit angelegte Boykottaktionen, die bis ins Jahr 1938 immer wieder das Bild der Nürnberger Einkaufsstraßen prägten. Bereits vor 1933 hatte der fränkische Gauleiter Julius Streicher zahlreiche Aktionen gegen Juden inszeniert und Kunden dazu aufgefordert, jüdische Geschäfte zu meiden. Nach der »Machtergreifung« besaß er als Leiter des Boykottkomitees vom 1. April 1933 die Möglichkeit, flächendeckend und gut organisiert gegen die jüdische Wirtschaftstätigkeit vorzugehen.[45] Wie im gesamten Reichsgebiet war der Boykott zwar offiziell nur von kurzer Dauer, bildete aber in Nürnberg den Auftakt für zahlreiche weitere Aktionen, die neben der Gauleitung vor allem durch die NS-Handwerks-, Handels- und Gewerbeorganisation (NS-Hago) durchgeführt wurden.[46]

Ein Höhepunkt der öffentlich inszenierten Kampagnen war der »Weihnachtsboykott« Ende 1937, der mehrere Wochen andauerte und im »Silbernen Sonntag« gipfelte. Vor jüdischen Geschäften prangten mannshohe Plakate, Boykottposten verwehrten Kunden den Zutritt zu den betroffenen Läden, die während der Aktionen geöffnet bleiben und dadurch erhebliche Umsatzeinbußen verkraften mußten. Belegschafts-

44 Zu den Übergriffen des Gauleiters und seiner Entourage siehe etwa die Schilderung des bis 1943 amtierenden Geschäftsführers der Israelitischen Kultusgemeinde Bernhard Kolb von 1946, Stadtarchiv Nürnberg (StadtAN), F5/404a; vgl. auch Kershaw, Antisemitismus, S. 295 f.; Arnd Müller, Geschichte der Juden in Nürnberg 1146-1945, Nürnberg 1968, S. 219 ff.; zur Person Streichers und zur Agitation des »Stürmer« siehe Randall L. Bytwerk, Julius Streicher. The man who persuaded a nation to hate jews, New York 1983; siehe auch die Studien über den fränkischen Gauleiter von Jay W. Baird, Julius Streicher – Der Berufsantisemit, in: Roland Smelser/Enrico Syring/Rainer Zitelmann (Hg.), Die Braune Elite, Bd. 2, Darmstadt 1999, S. 231-242; Kurt Pätzold, Julius Streicher »... he was a good Person«, in: ders./Manfred Weißbecker (Hg.), Stufen zum Galgen: Lebenswege vor den Nürnberger Urteilen, Leipzig 1999, S. 264-296.

45 Zu den Tätigkeiten des Komitees vgl. die verschiedenen Schriftstücke im Staatsarchiv Nürnberg (StAN), NS-Mischbestand, Sammlung Streicher/140.

46 1934 war die NS-Hago etwa an der Organisation eines Boykotts beteiligt, vgl. NS-Hago an die Gauamtsleitungen, 11.6.1934, StAN, NS-Mischbestand, Sammlung Streicher/140; zu Konflikten mit staatlichen Stellen kam es im Zuge einer von der NS-Hago organisierten Boykottaktion ebenfalls 1934, Reichsminister des Innern an die bayerische Staatskanzlei, 5.8.1934, Hauptstaatsarchiv München (HStAM), StK/6410; vgl. auch Müller, Geschichte, S. 212-224.

mitglieder der jüdischen Kaufhäuser – etwa Angestellte der Nürnberger Filiale des Kaufhauses Schocken – wurden bedroht und mitunter körperlich mißhandelt.[47]

Während die Boykottaktionen der Partei auf eine Verdrängung zielten und die jüdischen Geschäfte an den Rande des Ruins trieben oder ganz zur Aufgabe zwangen, verlief die Eigentumsübertragung jüdischen Vermögens in »arischen« Besitz unauffälliger und unter anderen Vorzeichen. In Nürnberg wie an anderen Orten profitierte von der Aufgabe jüdischen Gewerbes ein breites Spektrum privater Erwerber. Daneben zogen auch zahlreiche Makler, Notare, Rechtsanwälte, Treuhänder, Spediteure und Hausverwalter hieraus ihren Nutzen.[48] Im Herbst 1938, als der systematische und umfassende Zugriff der Gauleitung auf jüdisches Vermögen einsetzte, waren die gewerblichen »Arisierungen« schon weit fortgeschritten.[49]

Das Jahr 1938 war in mehrfacher Hinsicht eine bedeutende Zäsur für den Verlauf der wirtschaftlichen Verdrängung. Die Nürnberger NSDAP schaltete sich nun massiv ein. Sie hatte im Frühjahr und Sommer 1938 mehrere Kommissionen gebildet, die die Veräußerung jüdischer Betriebe

47 Die »Gefolgschaftsmitglieder« dieses Kaufhauses wurden mit den Worten begrüßt: »Kommt nur heraus, wir schlagen euch Tod.« Zitiert nach einem Brief des Kaufhauses Schocken an das Reichswirtschaftsministerium vom 6.1.1938, HStAM, MWi/35; vgl. auch Sopade-Berichte, 5. Jg. 1938, S. 203-205; vgl. auch die Aussagen des Kaufmannes Theodor Hartner vor einer Prüfungskommission vom 20.2.1939, StAN, Staatspolizeistelle Nürnberg-Fürth, Arisierungsakten/53; Erinnerungen des Rechtsanwaltes Bing, S. 37 f., StadtAN, F5/494; siehe auch Müller, Geschichte, S. 221.

48 Grundlegend zur »Arisierung« und deren Profiteuren im allgemeinen Frank Bajohr, »Arisierung« in Hamburg. Die Verdrängung der jüdischen Unternehmer 1933-1945, Hamburg 1998. Im Rahmen eines Forschungsprojektes »Die Finanzverwaltung und die Verfolgung der Juden in Bayern«, welches im Auftrag des Bayerischen Finanzministeriums unter der Leitung von Prof. H. G. Hockerts an der LMU München die besondere Rolle des Fiskus bei der »Arisierung« untersucht, wird Aktenmaterial der staatlichen »Vermögensverwertungsstellen« analysiert, aus denen das breite Spektrum von Profiteuren aus der Gesellschaft in Nürnberg besonders deutlich hervorgeht.

49 So der Bericht einer in Nürnberg von Hermann Göring eingesetzten Prüfungskommission, in: Der Prozeß gegen die Hauptkriegsverbrecher vor dem Internationalen Militärgerichtshof (IMT), Nürnberg 1948, Bd. XXVIII, Dok. 1757 PS, S. 133; vgl. auch Jörg Wollenberg, Enteignung des »raffenden« Kapitals durch das »schaffende« Kapital. Zur Arisierung am Beispiel von Nürnberg, in: ders. (Hg.), »Niemand war dabei und keiner hat's gewußt.« Die deutsche Öffentlichkeit und die Judenverfolgung 1933-1945, München/Zürich 1989, S. 158-186, hier S. 166.

aus Handwerk und Handel im Sinne der Partei steuern sollte.[50] Zur gleichen Zeit initiierte Streicher – jetzt auch als eine konkrete Maßnahme für eine breitere Öffentlichkeit erkennbar – die Ausschaltung der prominenten jüdischen Geschäftshäuser in guten Einkaufslagen, die entweder in Nebenstraßen umziehen oder ihren Betrieb einstellen mußten.[51] Gleichzeitig griff der Staat systematisch auf das Vermögen der Juden zu, und die Reichsfinanzverwaltung legitimierte ihre Ansprüche auf einen eigenen Profit des Reiches durch zahlreiche Gesetze und Verordnungen. Der Konflikt zwischen gesetzlich geregelten Verfahren auf der einen und regional initiierten »Arisierungsmaßnahmen« auf der anderen Seite führte in Nürnberg zu einem Eklat zwischen Reichsregierung und regionalen Instanzen, der für Unruhe in der Bevölkerung sorgte und schließlich in einem handfesten Skandal endete.[52] Der Pogrom vom November 1938, der in Nürnberg erhebliche Zerstörungen verursachte, öffnete die Schleusen für eine lokal initiierte, exzessive »Arisierungsaktion« und verschärfte dadurch den Konflikt.[53]

Streicher war überzeugt, sich im Zuge des Pogroms von allen rechtlichen Fesseln bei der »Arisierung« befreien zu können. Gleichzeitig fürchtete er eine bevorstehende staatliche Regulierung. Um dem zuvorzukommen und andere potentielle Konkurrenten um den Gewinn vor vollendete Tatsachen stellen zu können, begann er gemeinsam mit seinem

50 Im Mai 1938 wurden diese Kommissionen aus Mitarbeitern der IHK, des Gauwirtschaftsapparates und der DAF gebildet, die dann den gesamten Veräußerungsvorgang überprüften und ggf. genehmigten; vgl. den Bericht der Prüfungskommission, IMT, S. 94-105; Brief der DAF-Nürnberg an die Gestapo, 23.3.1939, StAN, Staatspolizeistelle Nürnberg-Fürth, Arisierungsakten/48.

51 Vgl. Sopade-Berichte, 5. Jg. 1938, S. 196 f.

52 Die »Arisierung« in Nürnberg Ende 1938 wurde in der Literatur bisher schon mehrfach aufgegriffen, vgl. beispielsweise Frank Bajohr, Parvenüs und Profiteure. Korruption in der NS-Zeit, Frankfurt a. M. 2001, S. 108 f. und 115; Jochen Klenner, Verhältnis von Partei und Staat 1933-1945. Dargestellt am Beispiel Bayerns, München 1974, S. 327-332; Müller, Geschichte, S. 245-251; Utho Grieser, Himmlers Mann in Nürnberg. Der Fall Benno Martin: Eine Studie zur Struktur des Dritten Reiches in der »Stadt der Reichsparteitage«, Nürnberg 1974, S. 144-161; Wollenberg, Enteignung, S. 164-181; Genschel, Verdrängung, S. 240-248.

53 Nach einem Bericht des Regierungspräsidenten von Ober- und Mittelfranken wurden im Bezirk 772 Juden festgenommen, 115 jüdische Geschäfte zerstört und die Inneneinrichtung von 594 jüdischen Wohnungen demoliert; Bericht an den Ministerpräsidenten vom 8.12.1938, HStAM, MA/106678; vgl. auch Kershaw, Antisemitismus, S. 327; Zum Pogrom in Nürnberg vgl. auch Arno Hamburger, Die Pogromnacht vom 9. auf den 10. November in Nürnberg, in: Wollenberg, Niemand war dabei, S. 21-25.

Stellvertreter Karl Holz und der Deutschen Arbeitsfront (DAF) einen außerordentlichen Raubzug gegen jüdisches Vermögen. Die Nürnberger Juden wurden quasi über Nacht gezwungen, ihren Besitz für einen Bruchteil – durchschnittlich zehn Prozent des Einheitswertes – zu verkaufen.[54] Die Opfer der nach dem stellvertretenden Gauleiter Holz benannten Aktion (»Holz-Aktion«) verloren neben Grundstücken und Geschäften auch Kraftfahrzeuge und Möbelstücke.[55] In nur wenigen Wochen entzog die Gauleitung den Nürnberger Juden auf diese Art und Weise etwa 570 Grundstücke, 60 PKW und »arisierte« oder liquidierte weit über 70 jüdische Betriebe.[56] Die Betroffenen waren dabei lediglich Zuschauer beim Prozeß ihrer Enteignung. Von den Vertrags- und Veräußerungsverhandlungen ausgeschlossen, wurden sie im Zweifelsfall mit Gewalt zur Unterschrift und damit zum Verkauf gezwungen.[57] Jüdische Gewerbebetriebe etwa wurden durch Treuhänder endgültig zwangsveräußert oder aufgelöst, wobei die Erwerber generell nur den Warenbestand und die Immobilie zu bezahlen hatten, Einrichtungsgegenstände, Kundenkartei oder Außenstände der Firma wurden nicht übernommen. Die perfide Begründung für die Aktion waren neben den angeblichen Schleuderpreisen, die die Juden selber für die Grundstücke in der Inflationszeit bezahlt hätten, vor allem die großen Verdienste des Gaues Franken und seiner NSDAP-Mitglieder in der »Judenfrage«.[58]

54 Durch diese Vorgehensweise überging man beispielsweise den Reichsschatzmeister Schwarz, dessen Genehmigung bei Transaktionen dieser Größenordnung vorgeschrieben war. Übergangen wurde aber auch der Stellvertreter des Führers Heß, dessen Amt III C den Erwerb jüdischen Eigentums durch Parteigliederungen genehmigen mußte; zu den zahlreichen Gesetzesübertretungen im Rahmen der »Holz-Aktion« gibt der Bericht der Gestapo-Prüfungskommission detailliert Auskunft, Bericht der Prüfungskommission, IMT, S. 60-67 und 106 f.

55 Vgl. etwa die Vernehmung eines Grundstücksmaklers am 1.4.1939 im Rahmen der Überprüfung der »Arisierungsaktion«, StAN, Staatspolizeistelle Nürnberg-Fürth, Arisierungsakten/40.

56 Die Zahl der »arisierten« Betriebe ist im Bericht der Prüfungskommission nicht genau erfaßt. Es wurden allerdings alleine 72 Betriebe auf dem Gebiet der Industrie und des Großhandels entzogen. Rechnet man die Einzelhandelsgeschäfte hinzu, so dürfte die Anzahl sogar weit über 100 betragen haben, IMT, S. 94,133, 214; vgl. auch den Bericht des Gewerbepolizeiamtes vom 7.3.1939, StAN, Staatspolizeistelle Nürnberg-Fürth, Arisierungsakten/48; vgl. auch die Liste der eingezogenen PKW, StAN, Staatspolizeistelle Nürnberg-Fürth, Arisierungsakten/31.

57 Vgl. die Aussage eines Betroffenen vor der Prüfungskommission, StAN, Staatspolizeistelle Nürnberg-Fürth, Arisierungsakten/39.

58 Vgl. Bericht der Prüfungskommission, IMT, S. 67-71.

Die Beraubungskampagne war begleitet von drastischer Korruption und Vetternwirtschaft. Der Verkaufserlös aus den Enteignungen ging nicht an die ehemaligen Inhaber, sondern wurde in den meisten Fällen auf Sperrkonten überwiesen.[59] Erhoben wurde darüber hinaus eine »Spende« von ein bis drei Prozent des Kaufpreises, die bei der Weiterveräußerung vom Erwerber ebenfalls an die Gauleitung bzw. auf ein Sonderkonto des ›Stürmers‹ überwiesen werden mußte.[60] Auf diese Art und Weise wurden Millionengewinne erzielt, die nicht nur in die Kassen der Nürnberger Partei, sondern auch auf die privaten Konten einzelner NSDAP-Mitglieder flossen. Der Gauleiter selber sanierte im Rahmen der »Holz-Aktion« seine Finanzen, die durch seinen ausschweifenden Lebensstil und den millionenschweren Ausbau seiner Landgüter stark gelitten hatten.[61] Zahlreiche seiner Mitarbeiter erwarben darüber hinaus Grundstücke, Kraftwagen und Unternehmen aus jüdischem Besitz zu Spottpreisen.[62] Kurzum: Jüdisches Eigentum wurde regelrecht ausgeschlachtet.

Die Auswüchse der »Holz-Aktion« blieben auch der Bevölkerung nicht verborgen und stießen dort auf Kritik. Ein Erwerber eines jüdischen Textilgeschäftes schrieb etwa über die Aktion an die Gestapo: »Ich möchte noch bemerken, daß ich das Warenlager mit 100% der Bewertung übernommen habe. Es wurde zwar verschiedentlich bei der Gauwirtschaftsberatungsstelle auf mich einzuwirken versucht, an dem Warenwert Abstriche zu machen, doch lehnte ich als Kaufmann und deutscher Mensch solche Abstriche ab mit den Worten, daß ich nicht als Hyäne, sondern als Kaufmann Geschäfte zu machen pflege.«[63] Etliche Protestbriefe gingen während der Aktion auch bei der Staatsanwaltschaft Nürnberg ein. Hier formulierte ein anonymer Verfasser: »Ich empfehle Ihnen, sich für die Vorgänge auf der Arbeitsfront zu interessieren, es werden dort unter Anwendung von körperlichen Zwangsmitteln Juden gezwungen, ihren Grundbesitz zu lächerlichen Preisen zu verkaufen. Leider

59 Genschel, Verdrängung, S. 242-247.

60 Vgl. Bericht der Prüfungskommission, IMT, S. 129 ff.

61 Bericht der Prüfungskommission, IMT, S. 140 ff.; vgl. auch die Aussage eines Verlegers vor der Prüfungskommission vom 19.3.1939, Bundesarchiv Berlin (BAB), R 3001/3381.

62 Vgl. etwa die Aussagen des Maklers Nagel am 10.2.1939 vor der Gestapo, StAN, Staatspolizeistelle Nürnberg-Fürth, Arisierungsakten/41; vgl. auch die minuziöse Aufzählung von Gesetzesbrüchen und Korruptionsfällen der Prüfungskommission, Bericht der Prüfungskommission, IMT, S. 139-231.

63 Brief vom 4.1.1939 an die Gestapo, StAN, Staatspolizeistelle Nürnberg-Fürth, Arisierungsakten/73.

muß ich diese Anzeige anonym erstatten, da mir die selbe Behandlung angedroht wurde.«[64] Derartige Briefe waren ein erster nachweislicher Ausdruck der Unruhe, die sich in der Bevölkerung auszubreiten begann.

Die Mißstimmung über die Praxis der Nürnberger Gauleitung bei der »Arisierung« lieferte einer Gruppe hochrangiger Parteifunktionäre um den Nürnberger Polizeipräsidenten Benno Martin den Anlaß, das Verhalten von Streicher regimeintern zu skandalisieren. Am 17. Dezember 1938 verfaßte Martin einen Bericht, in dem er vor allem auf die Unruhe in der Bevölkerung über Streichers Vorgehen verwies: »Die ganzen Zustände, die hier geschildert worden sind, werden in der Bevölkerung als schlimmste Korruption besprochen. Eine völlige Klärung der Einzelheiten ist nur möglich, wenn eine auswärtige Kommission – möglichst von einer Berliner Zentralstelle – nach Nürnberg zur Erhebung und Klärung gesandt wird. Auch die Nürnberger Polizeibeamten fühlen sich unter einem derartigen Druck, daß sie um ihre Existenz fürchten, wenn sie in dieser Angelegenheit Erhebungen machen sollen.«[65]

Dieser Skandalisierungsversuch hatte schließlich Erfolg. Benno Martin konnte offenbar vor allem bei Hermann Göring Gehör finden und ihm soviel belastendes Material liefern, so daß auf Anweisung des Chefs der Vierjahresplanbehörde eine Kommission eingesetzt wurde, die unrechtmäßige »Arisierungsgewinne« rückgängig machen sollte. Diese begann am 10. Februar 1939 unter der Leitung eines Mitarbeiters des Reichssicherheitshauptamtes mit ihrer Aufgabe in Franken und war befugt, mit den »schärfsten Mitteln« durchzugreifen.[66] Zahlreiche Nürnberger Parteigenossen wurden verhaftet und das durch die »Arisierungen« eingenommene Geld eingezogen, die Verantwortung für die Abwicklung der weiteren Entziehung in die Hände der Gestapo gelegt.[67] Der Gauleiter selbst wurde am Ende durch ein Ehrengerichtsverfahren seiner Ämter enthoben.[68] Sein Stellvertreter Holz wurde schließlich an

64 Zitiert nach Grieser, Himmlers Mann, S. 155.

65 Bericht Martins an das Reichssicherheitshauptamt (RSHA), IfZ, MA, 612/60.

66 Tagesmeldung eines SS-Hauptsturmführers im RSHA, BAB, R 58/985.

67 Bericht des Oberlandesgerichtspräsidenten vom 11.1.1940, BAB, R 3001/3381; vgl. auch die zahlreichen Vernehmungen der Akteure der »Holz-Aktion« vor der Prüfungskommission; StAN, Staatspolizeistelle Nürnberg-Fürth, Arisierungsakten/40.

68 Im Februar 1940 gab es ein Parteigerichtsverfahren gegen Streicher, durch das er beurlaubt wurde. Vgl. Tagebucheintragung von Joseph Goebbels vom 14.3.1940, in: Die Tagebücher von Joseph Goebbels, herausgegeben von Elke Fröhlich, Teil I: Aufzeichnungen 1923-1941, Bd. 6: August 1938 - Juni 1939, München 1998, S. 348; vgl. auch BAB (ehemals BDC), OPG, Holz, Karl, *27.12.1895; Lebenslauf von Karl Holz, 9.8.1943, IfZ, Fa 223/39; siehe auch Müller, Geschichte, S. 257.

die Front geschickt und Kreisleiter Zimmermann übernahm vorübergehend die Amtsgeschäfte des Gauleiters.[69]

Auf den ersten Blick weisen die Vorgänge um die »Arisierung« in Nürnberg die typischen Merkmale eines Skandals auf. Die Vorgehensweise der Verantwortlichen wurde als Normbruch geschildert, durch den Nürnberger Polizeipräsidenten skandalisiert und führte offenbar auch in Teilen der Bevölkerung zu Empörung. Die anschließenden Maßnahmen gegen die Angehörigen der Gauleitung waren drastisch und beseitigten den sichtbaren Teil des Ärgernisses.

Ohne Zweifel wurde das Verhalten des Gauleiters und seiner Entourage bei Teilen der Bevölkerung als skandalös empfunden. Der Gauleiter hatte durch seine immense persönliche Bereicherung und seine permanenten Exzesse gegen Juden eine ganze Reihe von Gesetzen und gesellschaftlichen Normen gebrochen. Mit dem Novemberpogrom erreichte die Brutalität im Vorgehen gegen die jüdische Bevölkerungsgruppe bei der »Arisierung« eine neue Qualität. Während der »Holz-Aktion« trat auch eine klar identifizierbare Gruppe von Akteuren auf den Plan. Vor 1938 waren breitere Bevölkerungskreise als Akteure und Profiteure an der »Arisierung« beteiligt. Im Gegensatz zur bisherigen Praxis der wirtschaftlichen Verdrängung, die sich als ein mehr oder weniger kontinuierlicher Prozeß über Jahre hingezogen hatte, war die »Holz-Aktion« eine zeitlich befristete und inhaltlich klar definierte Kampagne zur endgültigen wirtschaftlichen Ausschaltung der Juden.

Allerdings ist Ursache und Ausmaß der öffentlichen Empörung, die zum Auslöser eines Skandals werden konnte, heute nur noch schwer zu fassen. So nahm Polizeipräsident Martin die Empörung bereits während der »Holz-Aktion« wahr. Die Verfasser der oben zitierten Briefe beriefen sich ebenfalls auf die exzessive Vorgehensweise während der »Arisierung«, die ihren Unmut erregte. Aus den Schilderungen der Exilspitze der Sozialdemokratischen Partei Deutschlands, die in anderen Zusammenhängen relativ detailliert die Vorkommnisse in Nürnberg beschreiben, geht hingegen nichts Konkretes über die »Holz-Aktion« und die Reaktion der Bevölkerung hervor.[70] Die von Göring eingesetzte Prüfungskommission führte die »lebhafte Erbitterung« in der Bevölkerung unter anderem auf

Grieser, Himmlers Mann, S. 162-168; Peter Hüttenberger, Die Gauleiter. Studien zum Wandel des Machtgefüges in der NSDAP, Stuttgart 1969, S. 219.

69 Bericht des Oberlandesgerichtspräsidenten vom 8.5.1940, BAB, R 3001/3381.

70 Ohne genauere Ortsangabe wird lediglich darauf verwiesen, daß jüdische Hausbesitzer zur DAF bestellt worden seien und ihren Besitz für zehn Prozent des Einheitswertes hätten abgeben müssen; Sopade-Berichte, 6. Jg. 1939, S. 221.

die »maßlose Verschwendung« des Gauleiters beim Ausbau seiner Gutshöfe zurück.[71]

Mit dem Sturz des Gauleiters veränderte sich die Situation und damit setzte eine zweite Phase der öffentlichen Empörung ein, die in den Quellen besser belegt ist. Das Machtvakuum, das dadurch entstand, öffnete einer Flut von Kritik die Schleusen. Die Vorfälle sorgten offenbar in weit größerem Maße erst dann für Empörung, als der eigentliche Anlaß vom Regime beseitigt war. Relativ ausführlich berichteten nun vor allem die Mitarbeiter des Regierungs- und Oberlandesgerichtspräsidenten über die »Holz-Aktion« und deren Folgen.[72] Immer wieder werden hier die kursierenden Gerüchte und Vermutungen beschrieben, die sich in Nürnberg um die Vorgänge bezüglich der »Arisierung« rankten. Derartige Stimmungen lokalisierten der Oberlandesgerichts- und der Regierungspräsident seit Anfang 1940 und brachten sie vor allem mit dem Verschwinden des Gauleiters in Verbindung, dessen Ursachen zumindest einem Teil der Bevölkerung offensichtlich bis dahin unbekannt waren.[73] So berichtete beispielsweise der Regierungspräsident am 7. April 1940: »Bei der Bevölkerung gehen über Gauleiter Streicher alle möglichen Gerüchte. Es heißt, er sei vom Führer seines Amtes enthoben, er lebe überhaupt nicht mehr, habe sich erschossen oder befinde sich im Konzentrationslager. Andere behaupten, er sei mit 30 Millionen über die Grenze geflüchtet, wieder andere, er sei wegen Abtreibung zu fünf Jahren Zuchthaus verurteilt worden.«[74] Erst im Laufe des Jahres 1940 konnten die Mitarbeiter der Präsidenten beruhigt feststellen, daß die Gerüchte um den suspendierten Gauleiter langsam verstummen würden.[75]

71 Bericht der Prüfungskommission, IMT, S. 148.

72 Über mehrere Seiten hinweg schilderte etwa der Oberlandesgerichtspräsident dem Reichsminister der Justiz die Bereinigung der »Arisierungsaktion« und den aktuellen Stand der Dinge; vgl. beispielsweise Bericht vom 5.9.1940, BAB, R 3001/3381.

73 Vgl. den Bericht vom 8.3.1940, in dem der Berichterstatter vermehrte Gerüchte über den Gauleiter, vor allem aber das »Durchsickern« von »Einzelheiten« konstatiert, BAB, R 3001/3381; vgl. auch den Bericht des Regierungspräsidenten vom 7.4.1940, HStAM, MA/106678. Dafür, daß Einzelheiten der »Holz-Aktion« erst allmählich bei der Bevölkerung durchdrangen, spricht auch, daß Pressemitteilungen über die Rücknahme der Rechtsgeschäfte durch die Prüfungskommission verhindert wurden, um dem Ansehen der Partei nicht zu schaden, Bericht der Prüfungskommission, IMT, S. 85-86.

74 Bericht des Regierungspräsidenten für Ober- und Mittelfranken für März 1940, HStAM, MA/106678.

75 Bericht des Oberlandesgerichtspräsidenten vom 4.11.1940, BAB, R 3001/3381; Bericht des Regierungspräsidenten vom 6.6.1940, HStAM, MA/106678.

Das deutlich spürbare Anschwellen der Empörung in der zweiten Phase des Skandals war im wesentlichen wohl darauf zurückzuführen, daß sich die Kommunikationsmöglichkeiten nach dem Sturz Streichers erweitert hatten. Erst nachdem sich die Reichsspitze von Streicher distanziert hatte, war es in größerem Umfang möglich, Kritik am ehemaligen Gauleiter und seinem Umfeld zu üben und darüber in der Öffentlichkeit zu sprechen. Dazu kam es nur, weil es Martin gelang, auch eine parteiinterne Empörung gegen Streicher zu mobilisieren. Erst in Verbindung mit einer Skandalisierung innerhalb der Reichsleitung der NSDAP konnten die repressiven Öffentlichkeitsstrukturen durchbrochen und Empörung sichtbar werden. So gibt es im Fall der Nürnberger »Holz-Aktion« zwar deutliche Hinweise auf einen klassischen Korruptionsskandal im Zusammenhang mit der »Arisierung«. Der gegenüber der Bevölkerung abgeschottete Skandal in der Parteiöffentlichkeit öffnete jedoch das Ventil, damit die bis dahin latent schwelende Empörung in der Bevölkerung zum Durchbruch kommen konnte. Dadurch wird die Schlüsselposition der Skandalisierer deutlich, die die Vorgänge im Zusammenhang mit der »Holz-Aktion« nicht nur den Bürgern Nürnbergs, sondern vor allem den Entscheidungsträgern des NS-Regime enthüllten.

Die zentralen Figuren für den Sturz des »Frankenführers« waren der Nürnberger Polizeipräsident Benno Martin und der Oberbürgermeister Willy Liebel.[76] Die entscheidenden Widersacher Streichers in Nürnberg, Benno Martin, seit 1923 Polizeibeamter, promovierter Jurist und Verwaltungsfachmann, darüber hinaus hoher SS-Funktionär und Chef der Staatspolizeistelle Nürnberg-Fürth, und der Oberbürgermeister von Nürnberg, Willy Liebel, hatten bereits vor der »Holz-Aktion« belastendes Material über die ständigen Eskapaden des Gauleiters gesammelt und dies auch schon früher öffentlichkeitswirksam in Szene zu setzen versucht. Anfang 1937 etwa wollte die Gruppe um Martin eine Abtreibungsaffäre, in die der Adjutant des Gauleiters, König, verwickelt war, zunächst durch Postkarten, dann durch Flugblätter im Rahmen des Reichsparteitages von 1938 publik machen.[77] Streicher vermochte seinen ehemaligen Weggefährten König allerdings rechtzeitig zum Suizid zu zwingen, bevor dieser unliebsame Details über die Machenschaften sei-

76 Zur Bedeutung Benno Martins beim Sturz des Gauleiters siehe allgemein Grieser, Himmlers Mann.

77 Auf die Beteiligung Martins bei der Affäre weist der Bericht der Prüfungskommission lediglich hin, Bericht der Prüfungskommission, IMT, S. 150-154; vgl. aber Grieser, Himmlers Mann, S. 170 f., der die Urheberschaft Martins und seiner Mitarbeiter nachzeichnen kann.

nes Vorgesetzten preisgeben konnte.[78] Oberbürgermeister Liebel nutzte vor allem seine guten Kontakte zu Goebbels, um dem Propagandaminister Dinge »durchaus unerfreulicher Natur« über Streicher zu berichten und dadurch auf den »wahren Saustall«, wie der Propagandaminister in seinem Tagebuch die Zustände in Franken beschrieb, hinzuweisen.[79] Während frühere Skandalisierungsversuche an der fast uneingeschränkten Machtstellung des Gauleiters, der ein alter Duzfreund Hitlers und zudem als Gauleiter nur dem »Führer« persönlich verantwortlich war, scheiterten, brachte die Korruption im Zusammenhang mit der »Arisierung« nach dem Pogrom 1938 offensichtlich das Faß zum Überlaufen.[80] Martin und Liebel war es schließlich gelungen, durch Berichte, geschickt gestreute Gerüchte und gezielt lancierte Indiskretionen die Parteispitze – und hier wohl vor allem Hermann Göring – gegen Streicher zu mobilisieren.[81]

Der Sturz des Gauleiters war also letztlich ein von langer Hand vorbereiteter Coup, bei dem die »Holz-Aktion« nur ein Glied in der Argumentationskette darstellte.[82] Entscheidend für die Gegner Streichers war der Zugang zu den Schaltstellen der Macht, wo sie die Klaviatur aus persönlichen Beziehungen, Animositäten und öffentlichkeitswirksamen Aktionen geschickt zu spielen verstanden. Den Verweis auf die Empörung in der Bevölkerung nutzte Martin also letztlich als Instrument in der polykratischen Machtkonkurrenz. Der Verweis auf die öffentliche Empörung half dabei, Streicher bei der Führungsriege der Partei in Mißkredit zu

78 Bericht der Prüfungskommission, IMT, S. 150-154.

79 Fröhlich, Goebbels-Tagebücher, Eintrag vom 8.9.1938, Bd. 1/6, S. 73, und Eintrag vom 10.1.1940, Bd. I/7, S. 265.

80 Zur Machtstellung Streichers siehe etwa Walter Ziegler, Die nationalsozialistischen Gauleiter in Bayern. Ein Beitrag zur Geschichte Bayerns im Dritten Reich, in: Zeitschrift für bayerische Landesgeschichte 58 (1995), S. 427-460, hier S. 443; Hüttenberger, Gauleiter, S. 200 f.

81 Fröhlich, Goebbels-Tagebücher, Eintrag vom 1.5.1939, Bd. 1/6, S. 334. Der Nürnberger Kreisleiter Zimmermann war der Meinung, vor allem Göring habe Martin unterstützt. Das Verhältnis Martins zu Streicher sei bis 1937 noch relativ gut gewesen, 1939 sei der Kampf dann akut geworden, Aussage Zimmermanns im Spruchkammerverfahren gegen Martin, Protokoll vom 18.4.1950, StAM, Spruchkammer, 1122.

82 Auch die Spruchkammer, die mit der Entnazifizierung Martins befaßt war, mutmaßte, daß es sich um eine Rivalität zwischen SS und der Nürnberger Gauleitung gehandelt haben könnte, vgl. die zahlreichen Zeugenaussagen und den Spruch vom 30.6.1950, StAM, Spruchkammer, 1122. Wer letztlich für die Absetzung des Gauleiters hauptverantwortlich war, bleibt allerdings unklar.

bringen. Die Haltung der Bevölkerung zu Streichers Vorgehen im Rahmen der »Arisierung« spielte für die auf einer plebiszitären Machtbasis aufbauende NSDAP eine wichtige Rolle.

Am Ende bleibt festzuhalten: Weder Martin und Liebel noch die von der Reichsleitung der NSDAP eingesetzte Prüfungskommission stellte den antisemitischen Ansatz der »Arisierung« in Frage. In den Quellen finden sich keine Hinweise auf eine wie auch immer geartete Solidarität mit den Verfolgten. Der in permanenter Bedrohung lebenden, zunehmend isolierten jüdischen Bevölkerung fehlte die Möglichkeiten, sich gegen die Repressalien zur Wehr zu setzen und Solidarpartner zu finden. Die gleichgeschaltete Presse schied als Fürsprecher aus, und auch andere Institutionen zeigten sich offensichtlich nicht bereit, gegen die Verfolgung zu protestieren.[83]

Auch die Empörung der Bevölkerung richtete sich nur gegen die immense Korruptionsaffäre um den Gauleiter und seine Entourage. Nahezu allen Berichten, die es über die Proteste gegen die »Holz-Aktion« gibt, ist gemeinsam, daß nicht die Verfolgung der Juden an sich, sondern die Art und Weise der Durchsetzung auf Kritik in der Bevölkerung stieß. Dieser Befund erhärtet sich durch den Vergleich mit den Reaktionen auf die Judenverfolgung in Nürnberg und ganz Mittelfranken vor 1938. Auch hier geht aus den Quellen wenig über eine Reaktion der Bevölkerung auf den antisemitisch-diskriminierenden Ansatz der »Arisierung« hervor. Dies gilt sowohl hinsichtlich der umfassenden, öffentlich inszenierten Nürnberger Boykottaktionen als auch in Bezug auf Entziehungsmaßnahmen. Dies ist ein Hinweis auf die Wirkungskraft des Antisemitismus, der gerade im ökonomischen Bereich tief verankert war. Kritik an der antijüdischen Ausrichtung der »Arisierung« war jedoch auch aufgrund der durchherrschten Öffentlichkeit und des Terrors, gerade in einem Ort wie Nürnberg, nur schwer zu artikulieren. Der Nürnberger »Arisierungsskandal« öffnete die Möglichkeit für öffentliche Empörung über die haltlose Bereicherung einzelner Parteimitglieder, nicht aber für eine kritische Diskussion über die nationalsozialistische Judenpolitik.

83 Kershaw verweist in diesem Zusammenhang besonders auf den ausbleibenden Protest der noch relativ unabhängigen und einflußreichen Kirchen; Kershaw, Antisemitismus, S. 309.

Winfried Süß

»Dann ist keiner von uns seines Lebens mehr sicher«

Bischof von Galen, der katholische Protest gegen die »Euthanasie« und der Stopp der »Aktion T4«[*]

Joseph Goebbels war sichtlich empört, als er in der Augustmitte 1941 in sein Tagebuch diktierte: Der Bischof von Münster habe »eine unverschämte und provozierende Rede gehalten«. Mehr noch: »Er brachte dabei sogar die Frechheit auf, zu behaupten, daß unsere Euthanasie-Bestrebungen so weit gingen, daß Verwundete, wenn sie für die praktische Arbeit nicht mehr zu gebrauchen seien, von uns ermordet würden.«[1] Dies sei ein »Dolchstoß in den Rücken der kämpfenden Front«. Der Wutausbruch des nationalsozialistischen Propagandaministers bezog sich auf ein Ereignis, das so bekannt ist, daß es hier nur kurz ins Gedächtnis gerufen zu werden braucht: Knapp zwei Wochen zuvor, am 3. August 1941, hatte Clemens August Graf von Galen während der Sonntagspredigt in der überfüllten Lambertikirche zu Münster in Westfalen die nationalsozialistische »Euthanasie« mit drastischen Worten als Mord gebrandmarkt und damit tumultartige Proteste bei seinen Zuhörern ausgelöst.[2] Auch über die Stadtgrenzen Münsters hinaus sorgte die Predigt für erhebliches Aufsehen. Als sie in den folgenden Wochen in den Kirchen des Bistums verlesen wurde, verursachte sie eine Welle der Empörung, »Mißstimmung und Niedergeschlagenheit«[3] in der westfälischen Bevölkerung.

Goebbels' Hauptsorge galt zuvorderst der Weiterverbreitung der Predigt im Ausland. Man habe zwar »vom Katholizismus nicht viel für diesen Krieg erwartet; aber daß sich ein hoher Kirchenfürst dazu herbeilassen würde, Zutreiberdienste für den Feind zu leisten«[4], sei »ein Verbre-

* Hans Günter Hockerts zum 60. Geburtstag.

1 Elke Fröhlich (Hg.), Die Tagebücher von Joseph Goebbels. Teil II: Diktate 1941-1945, 15 Bde., München 1993-1996, 14.8.1941, Bd. II/1, S. 232.

2 Hildegard B. an die Bischöfliche Pressestelle Münster, 24.7.1991, DAM (Diözesanarchiv Münster), Sammlung von Galen/77.

3 Bericht des Landrates von Lüdinghausen an die Stapoleitstelle Münster, 18.8.1941, Jochen-Christoph Kaiser/Kurt Nowak/Michael Schwartz (Hg.), Eugenik, Sterilisation, Euthanasie. Politische Biologie in Deutschland 1895-1945, Berlin 1992, S. 284 f.

4 Fröhlich, Goebbels-Tagebücher, 14.8.1941, Bd. II/1, S. 232.

chen, das für den Staatsanwalt reif wäre«. Wenn es nach ihm ginge, sei an dem aufrührerischen Bischof ein Exempel zu statuieren. Leider wäre dies »wohl im Augenblick psychologisch kaum tragbar«, resümierte Hitlers Chefpropagandist. Man müsse sich daher bis zum Kriegsende gedulden, dann aber würde mit der politisierenden katholischen Kirche abgerechnet. Zunächst jedoch wich das NS-Regime zurück. Kaum drei Wochen nach der Brandpredigt des Bischofs befahl Hitler den Stop der »Aktion T4« und beendete so die Massenvergasung erwachsener Psychiatriepatienten.

Die Reaktionen auf den Kanzelprotest des Bischofs führen zu unterschiedlichen Fragen: Wie konnte in der diktatorisch durchherrschten deutschen Gesellschaft aus einem anfangs lokal begrenzten Protestereignis ein weit über die Grenzen des Münsterlands hinaus wirkender Skandal werden, dessen Folgen die NS-Herrschaft in ihrer Gesamtheit betrafen? Vor allem zwei Aspekte des Vorfalls verdienen besondere Beachtung: Zunächst ist die große Resonanz der Predigt erklärungsbedürftig, zweitens der verblüffend defensive Umgang des Regimes mit der kommunikativen Herausforderung durch den Bischof von Münster. Beide Reaktionen waren keineswegs selbstverständlich, im Gegenteil. Der große Widerhall der Predigt ist überraschend, denn als der Bischof protestierte, war der Krankenmord längst kein Geheimnis mehr. Die Berichtserien von Justiz und Verwaltung zeigen, daß Informationen über das Euthanasieprogramm trotz des Geheimnisschleiers, den das Regime darüber gelegt hatte, bis zum Sommer 1940 in die Bevölkerung gesickert und dort spätestens seit Anfang 1941 breit gestreut waren.[5] Dabei entstand früh das Gerücht, die Mordaktion an den Psychiatriepatienten solle später auf »alles Leben, das der Allgemeinheit keinen Nutzen mehr bringt«,[6] ausgedehnt werden. Die Bevölkerung verfügte vielerorts über detaillierte Kenntnisse des Mordverfahrens. Tötungsanstalten wie Grafeneck und Pirna-Sonnenstein waren für ihren Zweck bekannt, ebenso die Praxis der Gasmorde, wenn auch zum Teil verfremdet als Fama, die Kranken wür-

5 Vgl. Marlis G. Steinert, Hitlers Krieg und die Deutschen. Stimmung und Haltung der deutschen Bevölkerung im Zweiten Weltkrieg, Düsseldorf u. a. 1970, S. 154-158; Kurt Nowak, Widerstand, Zustimmung, Hinnahme. Das Verhalten der Bevölkerung zur »Euthanasie«, in: Norbert Frei (Hg.), Medizin und Gesundheitspolitik in der NS-Zeit, München 1991, S. 235-252, S. 241 f.

6 Schiele an Jüttner, 22.11.1940, BAB (Bundesarchiv Berlin), O/410 (ehem. Berlin Document Center), Bl. 58; Gröber an Pius XII., 17.9.1940, Ludwig Volk (Bearb.), Akten Deutscher Bischöfe über die Lage der Kirche 1933-1945, Bd. V: 1940-1942, Mainz 1983, S. 195.

den als Objekt für Giftgasversuche mißbraucht.[7] Freilich blieben solche Kenntnisse oft punktuell und ohne erkennbare Zusammenhänge. Zudem waren diese Informationen in der Bevölkerung sehr ungleich verteilt. Als Knotenpunkte der Informationsverdichtung und -weitergabe lassen sich Mitarbeiter und Anwohner der Heil- und Pflegeanstalten identifizieren, ferner Angehörige, denen Fehler bei der Verschleierung der Morde die Augen über den wahren Charakter der »Patientenverlegungen« geöffnet hatten. Eine wichtige Rolle bei der Sammlung und Weitergabe solcher Nachrichten spielten die milieugestützten Teilöffentlichkeiten kirchennaher Christen.[8] Deren Informationen entstammten zumeist Berichten aus zweiter und dritter Hand, waren also Gerüchte. Diese mündlich verbreitete, ungesicherte und damit wenig handlungsbedeutsame Nachrichtenkategorie trat im diktatorisch verformten Kommunikationsfeld des »Dritten Reiches« dort, wo das Regime unerwünschte Nachrichten unterdrückte, vielfach neben massenmedial verbreitete Informationen.

Die Mehrheit der deutschen Bevölkerung lehnte das Euthanasieprogramm ab. Selbst treuen Parteigenossen der NSDAP, so eine hohe Funktionärin der NS-Frauenschaft, würde »einfach der Boden unter den Füßen weggezogen«,[9] gar zu entsetzlich schien das Mordgeschehen. Eine beachtliche Minderheit – Angehörige ebenso wie Unbeteiligte – billigte indes die Tötungen[10] oder beschränkte ihre Kritik lediglich auf den Modus der Durchführung.[11] Proteste aus der Bevölkerung gegen die »Eutha-

7 SD-Leitabschnitt Köln an das Reichssicherheitshauptamt, Amt III, 19.6.1941, NRWHStA (Nordrhein-Westfälisches Hauptstaatsarchiv), RW 34/30, Bl. 17-19; Kreisleitung Tecklenburg an die Gauleitung Westfalen-Nord, 23.7.1941, StAMü (Staatsarchiv Münster), NSDAP-Kreis- und Ortsgruppen/125.

8 Der Inspekteur der Sipo und des SD Düsseldorf an die SD-(Leit)Abschnitte Düsseldorf, Münster, Aachen, Bielefeld und Köln, 7.4.1941, NRWHStA, RW 35/6, Bl. 56.

9 Elsa von Löwis an Frau Buch, 25.11.1940, IfZ (Institut für Zeitgeschichte München), Nürnberger Dokumente, NO-001. Von Löwis griff in ihrem Schreiben an die Frau des obersten Parteirichters der NSDAP die Aussage einer »junge[n] 100%ige[n] Parteigenossin« auf, ebd.

10 SD-Leitabschnitt Köln an das Reichssicherheitshauptamt, Amt III, 19.6.1941, NRWHStA, RW 34/30; Affidavit Heinz Ehlich, 7.2.1947, IfZ, MB 15/28, Bl. 1056-1058.

11 Diese Kritik, findet sich – als regimekonform äußerbare Form der Mißbilligung – zahlreich im Schriftverkehr staatlicher und parteiamtlicher Stellen, vgl. z. B. Magerkurt (stellv. Kreisleiter Göttingen) an Bruns (Gauamt für Volksgesundheit Südhannover-Braunschweig), 17.7.1941, NdsHStA (Niedersächsisches Hauptstaatsarchiv), Hann. 310-I/O/120.

nasie« blieben seltene Ausnahmen. Sieht man von den wenigen kritischen Stellungnahmen mutiger Ärzte und Juristen und den Eingaben verzweifelter Angehöriger einmal ab,[12] waren es vor allem die beiden Kirchen, die gegen den zehntausendfachen Krankenmord intervenierten. Sie hatten seit dem Sommer 1940 Kenntnis von den Umrissen des Mordprogramms und seit Herbst 1940 auch detaillierte Informationen über die Verfahrensabläufe der »Euthanasie«.[13] Einzelne Bischöfe und auch die Fuldaer Bischofskonferenz waren seitdem mehrfach bei der Reichsregierung vorstellig geworden, um den Massentötungen Einhalt zu gebieten.[14] Die nationalsozialistischen Machthaber hatten solche Eingaben zumeist ausweichend beantwortet und die Geheimhaltung der Krankenmorde im stillen weiter perfektioniert. Öffentliche Proteste gegen die »Euthanasie« blieben selten, isoliert und auf die jeweilige Milieuöffentlichkeit begrenzt. Zwar hatten mehrere Pfarrer und wenigstens ein katholischer Bischof, Wilhelm Berning aus Osnabrück, im Gottesdienst dagegen protestiert, daß »der Schutz des menschlichen Lebens«[15] in Deutschland nicht mehr beachtet werde. Aber all dies hatte kaum mehr als kurzfristige lokale Resonanz unter den Kirchgängern hervorgerufen. Erst Ende Juni 1941, also mehr als ein Jahr nachdem die katholischen Bischöfe von der Tötung geistig Behinderter erfahren hatten, reagierten sie darauf mit einem gemeinsamen Hirtenwort. Dieser öffentliche Protest gegen die Tötung Unschuldiger war jedoch so abstrakt formuliert, daß er kaum als offener Widerspruch erkennbar und damit handlungsbedeutsam werden

12 Vgl. Nowak, Widerstand, S. 245; Franz-Werner Kersting, Ärzteschaft und NS-«Euthanasie« im Kontext des Galen-Protestes, in: Joachim Kuropka (Hg.), Clemens August Graf von Galen. Menschenrechte – Widerstand – Euthanasie – Neubeginn, Münster 1998, S. 205-220.

13 Galen an Bertram, 28.7.1940, Volk, Akten, Bd. V, S. 78; Bericht Neuhäuslers, Ende Oktober 1940, ebd., S. 235-237.

14 Hans-Walter Schmuhl, Rassenhygiene, Nationalsozialismus, Euthanasie. Von der Verhütung zur Vernichtung »lebensunwerten Lebens« 1890-1945, Göttingen 1987, S. 312-354.

15 Predigt Bernings in Rulle, 8.6.1941, Klemens-August Recker, »Wem wollt ihr glauben?« Bischof Berning (1877-1955) im Dritten Reich, Paderborn u. a. 1997, S. 287; Monatsbericht der Regierung von Niederbayern, Juli 1940, Walter Ziegler (Bearb.), Die kirchliche Lage in Bayern nach den Regierungspräsidentenberichten 1933-1943, Bd. IV: Regierungsbezirk Niederbayern und Oberpfalz, Mainz 1973, S. 271; Monatsbericht der Regierung von Ober- und Mittelfranken, Dezember 1940, Helmut Witetschek (Bearb.), Die kirchliche Lage in Bayern nach den Regierungspräsidentenberichten 1933-1943, Bd. II: Regierungsbezirk Ober- und Mittelfranken, Mainz 1967, S. 368 f.; Monatsbericht der Regierung von Ober- und Mittelfranken, Februar 1941, ebd., S. 372.

konnte. Er blieb daher ohne Widerhall in der Bevölkerung.[16] Bischof von Galen hatte dem Hirtenschreiben bei der Verlesung in Münster einen eigenen konkretisierenden Zusatz hinzugefügt, in dem er den Verdacht äußerte, die zahlreichen Todesfälle unter den Psychiatriepatienten würden absichtlich herbeigeführt.[17] Indes hatte auch diese Intervention keine Reaktion bei seinen Zuhörern bewirkt. Von Galens Predigt am 3. August war also nicht der erste öffentliche Protest gegen die »Euthanasie«, allerdings der erste und einzige mit spürbarer Resonanz in der Bevölkerung und beim NS-Regime.

Eingangs ist daher die Frage zu klären, welche Sonderbedingungen dafür verantwortlich waren, daß der Protest des Bischofs von Münster so großen Widerhall fand. In welchem Umfang und auf welche Weise wurde der bischöfliche Protest von der Bevölkerung wahrgenommen, und wie reagierte sie darauf? Warum konnte er auch außerhalb der Teilöffentlichkeit kirchlich gebundener Katholiken eine beträchtliche Wirkung entfalten?

1. Rahmenbedingungen des Euthanasieprotests

Den Resonanzboden des bischöflichen Kanzelprotests bildeten drei Prozesse, die anfangs kausal nicht miteinander verbunden waren. Sie wurden jedoch durch von Galen aufeinander bezogen und dadurch in ein sich gegenseitig verstärkendes Wirkungsverhältnis gebracht: Im Sommer 1941 erlebte das NS-Regime eine Legitimationskrise, ohne die seine Reaktion auf den Protest des Bischofs von Münster kaum verständlich ist. Seit der zweiten Julihälfte bestimmten Gerüchte über ausbleibende militärische Erfolge an der Ostfront, schwere Verluste der Heeres und die wachsende Sorge vor einem lang andauernden Krieg die Stimmung der Bevölkerung.[18] Die nationalsozialistische Führung registrierte das schwindende

16 Bernd Walter, Psychiatrie und Gesellschaft in der Moderne. Geisteskrankenfürsorge in der Provinz Westfalen zwischen Kaiserreich und NS-Regime, Paderborn 1996, S. 679.

17 Zur Ergänzung des Hirtenworts durch von Galen vgl. Konrad Repgen, Die deutschen Bischöfe und der Zweite Weltkrieg, in: Historisches Jahrbuch 115 (1995), S. 411-452, 431 f.

18 Heinz Boberach (Hg.), Meldungen aus dem Reich 1938-1945. Die geheimen Lageberichte des Sicherheitsdienstes der SS, 17 Bde., Herrsching 1984, 14.7.1941, Bd. 7, S. 2514; 31.7.1941, Bd. 7, 2591 f.; 7.8.1941, Bd. 7, S. 2618 f.; 18.8.1941, Bd. 8, S. 2660; Götz Aly, Endlösung. Völkerverschiebung und der Mord an den europäischen Juden, Frankfurt a. M. 1995, S. 312-316.

Vertrauen in einen raschen »Endsieg« mit einiger Sorge. Goebbels, der ebenso wie Hitler empfänglich für Veränderungen in der Stimmungslage der deutschen Bevölkerung war, glaubte in diesen Wochen mehrfach Indizien für eine nachlassende Legitimationskraft des Regimes zu erkennen.[19] Obgleich sich die öffentliche Meinung nach dem Eintreffen von Sondermeldungen über neue militärische Erfolge im Osten konsolidiert habe, rechnete der nationalsozialistische Propagandaminister mit einem »nicht nur materiell, sondern auch psychologisch kritischen Winter«.[20] Solche Veränderungen mußten einer Machtelite, deren Herrschaft immer wieder neu auf plebiszitäre Konsensstiftung zwischen Regime und Bevölkerung angewiesen war, bedrohlich erscheinen.[21]

Hinzu kam, daß die Royal Air Force ab dem Frühsommer Wohngebiete mit einer bis dahin unbekannten Intensität bombardierte. Sie bewirkten durch ihren »überfallartigen Charakter«[22] eine starke Verunsicherung in der Bevölkerung und ließen auch Bewohner bislang nicht von Feindeinflügen betroffener Regionen mit einer ähnlichen »Schreckensnacht« rechnen. Einstweilen blieben die Schäden solcher Angriffe weitaus geringer, als dies stark übertriebene Gerüchte über das Ausmaß der Zerstörungen suggerierten. Doch waren die »psychologisch unangenehmen Nachwirkungen«[23] solcher Bombardements beträchtlich, schädigten sie doch vornehmlich Einwohner der mehrheitlich katholischen Gebiete Westdeutschlands und damit Regionen, in denen die Bindung zwischen Regime und Bevölkerung ohnehin als nicht sehr belastbar galt.[24] In Münster hatten britische Nachtangriffe Anfang Juli 1941 knapp 50 Menschenleben gekostet und einige Schäden an der historischen Bausubstanz der Innenstadt verursacht.[25] Vor allem aber bewirkten sie eine tiefgreifende Verunsicherung der Bevölkerung, nachdem sich die Gauleitung mit

19 Fröhlich, Goebbels-Tagebücher, 24.7.1941, Bd. II/1, S. 115; 29.7.1941, Bd. II/1, S. 139.

20 Fröhlich, Goebbels-Tagebücher, 8.8.1941, Bd. II/1, S.195.

21 Zum Charakter des NS-Regimes als charismatische Herrschaft vgl. Rainer M. Lepsius, Das Modell der charismatischen Herrschaft und seine Anwendbarkeit auf den »Führerstaat« Adolf Hitlers, in: ders., Demokratie in Deutschland. Soziologisch-historische Konstellationsanalysen, Göttingen 1993, S. 95-118; zur Bedeutung der stetig erneuerungsbedürftigen plebiszitären Legitimation: Ian Kershaw, Hitlers Macht. Das Profil der NS-Herrschaft, München 1992, S. 136-143.

22 Boberach, Meldungen, Bd. 7, 17.7.1941, S. 2530.

23 Fröhlich, Goebbels-Tagebücher, 9.7.1941, Bd. II/1, S. 32.

24 Fröhlich, Goebbels-Tagebücher, 10.7.1941, Bd. II/1, S. 41.

25 Hermes, Fliegerschäden in Münster im Juli 1941, 1.9.1941, BAB, R 2/502.

der Organisation des Luftschutzes und bei der Bewältigung der Luftkriegsfolgen sichtbar überfordert gezeigt hatte.[26]

Für erhebliche Empörung in der katholischen Bevölkerung sorgte auch, daß die Gestapo unter dem Vorwand, Raum für Obdachlose sicherzustellen, seit dem 12. Juli damit begonnen hatte, Ordenseinrichtungen zu beschlagnahmen und die dort beheimateten Nonnen und Mönche zu vertreiben.[27] Die Entrüstung darüber knüpfte an Konflikte zwischen dem NS-Regime und der katholischen Bevölkerung an, die trotz gelegentlicher Phasen der Annäherung und Versuchen regionaler Instanzen, die Auseinandersetzung nicht eskalieren zu lassen, seit der zweiten Hälfte der dreißiger Jahre zunehmend härter geführt wurden. Nach einem knappen Jahr kriegsbedingten Burgfriedens hatten Gottesdienstbeschränkungen, die verschärfte Verfolgung der katholischen Jugendarbeit und die erzwungene Einstellung kirchlicher Mitteilungsblätter seit der zweiten Jahreshälfte 1940 das Verhältnis zwischen katholischer Kirche und NS-Regime erneut deutlich verschlechtert.[28]

Beide Seiten reaktivierten in ihrer Wahrnehmung des Gegners und in den Austragungsformen Konflikte zwischen staatlicher Obrigkeit und katholischer Bevölkerung während des späten 19. Jahrhunderts. Das Regime griff auf erprobte Repressionstechniken zurück. Hierzu zählten Aufenthaltsverbote für mißliebige Priester, die Verfolgung »politisierender« Geistlicher durch den sogenannten »Kanzelparagraphen« und die Zurückdrängung katholischer Aktivitäten aus der Öffentlichkeit in den kirchlichen Raum. Die katholische Kirche reagierte darauf mit dem heroisierenden Bezug auf regionale Repräsentanten des Kulturkampfes, wie den »Bekennerbischof« Brinkmann[29] und aktivierte demonstrative Formen religiöser Präsenz in der Öffentlichkeit, mit denen das katholische Milieu für kurze Momente den nationalsozialistisch beherrschten öffentlichen Raum zurückeroberte.[30]

26 Vgl. den Bericht des Inspekteurs der Sicherheitspolizei und des SD vom 17.7.1941, Joachim Kuropka (Hg.), Meldungen aus Münster 1924-1944. Geheime und vertrauliche Berichte von Polizei, Gestapo, NSDAP und ihren Gliederungen, staatlicher Verwaltung, Gerichtsbarkeit und Wehrmacht über die politische und gesellschaftliche Situation in Münster, Münster 1991, S. 211 f.

27 Bericht des Inspekteurs der Sipo und des SD vom 24.7.1941, Kuropka, Meldungen, S. 531.

28 Christoph Kösters, Katholische Verbände und moderne Gesellschaft. Organisationsgeschichte und Vereinskultur im Bistum Münster 1918 bis 1945, Paderborn u. a. 1995, S. 554-564.

29 Fastenhirtenbrief von Galens, 12.1.1941, Löffler, Galen-Akten, Bd. II, 817 f.

30 So gab die große Zahl von mehr als 6.000 Teilnehmern der traditionellen »Großen Prozession« in Münster den Charakter einer Gegenveranstaltung zum Gau-

Für die Wirkungsgeschichte des Euthanasieprotests sind diese Konflikterfahrungen von erheblicher Bedeutung, denn im Zuge dieser Auseinandersetzungen entwickelte der Bischof von Münster eine spezifische Protesttechnik, die Behördeneingaben, die Anrufung der Justiz und skandalisierende Milieumobilisierung durch emotionalisierende Predigten, Hirtenworte und Aufrufe an das Kirchenvolk kombinierte. Seine demonstrative öffentliche Mobilisierung der westfälischen Katholiken im Zeichen des Glaubens wirkte stabilisierend und aktivierend auf das Milieu der kirchlich gebundenen Katholiken, und durch sein öffentlichkeitswirksames Eintreten für kirchliche Positionen wurde der Bischof zur überragenden Integrations- und Führungsfigur der westfälischen Katholiken.[31] Dort, wo er öffentlich zu kirchenpolitischen Fragen Stellung bezog, verließen seine Auftritte wiederholt den vorgegebenen liturgischen Rahmen und entwickelten sich zu Treuekundgebungen, in denen Kirchenbesucher mit dem demonstrativen Absingen von Kirchenliedern, mit Heil-Rufen und emporgereckten Schwurhänden ihre Anhänglichkeit für den Bischof bekundeten und ihrem Unmut über die Maßnahmen der nationalsozialistischen Machthaber mit lauten »Pfui-Rufen« Luft machten.[32] Gleichzeitig verdichteten sich dort, wo der Katholizismus aus dem öffentlichen Raum verdrängt wurde, oftmals alte Milieustrukturen, die sich dabei auf Pfarrgemeinden stützen konnten, deren Mitglieder eng untereinander vernetzt waren und teilweise über erhebliche Resistenzpotentiale verfügten.[33] So bestand offenbar schon vor der Verbreitung der Galen-Predigten in Teilen des Bistums eine ausgeprägte Kultur kirch-

parteitag der NSDAP, auf dem der von Galen heftig bekämpfte NS-Ideologe Rosenberg aufgetreten war. Zum »Demonstrationskatholizismus« im Bistum Münster vgl. die instruktive Studie von Christoph Kösters, »Fest soll mein Taufbund immer stehn … «. Demonstrationskatholizismus im Bistum Münster 1933 bis 1945, in: Rudolf Schlögl/Hans-Ulrich Thamer (Hg.), Zwischen Loyalität und Resistenz. Soziale Konflikte und politische Repression während der NS-Herrschaft in Westfalen, Münster 1996, S. 158-184.

31 Zum Ansehen von Galens in der westfälischen Bevölkerung, das traditionelle Formen der Ehrerweisung gegenüber dem Bischofsamt deutlich überstieg, vgl. Kösters, Verbände, S. 519-521.

32 Gestapo-Bericht über eine Predigt von Galens am 30.5.1937, Löffler, Galen-Akten, Bd. II, S. 541 f.

33 In zahlreichen Pfarreien trafen sich beispielsweise trotz intensiver Gestapo-Überwachung illegale Jugendgruppen in der elitären Tradition der Sturmschar und des Bundes Neudeutschland, vgl. Kösters, Verbände, S. 564 f.

licher Flugschriftenverbreitung, mit der die Katholiken auf die zunehmende Beschränkung ihrer Presse reagierten.[34]

In einem Meinungsklima, das von anschwellender Besorgnis über die militärische Lage und Erbitterung wegen des Klostersturms bestimmt wurde, suchte von Galen in drei außerordentlich scharf formulierten Predigten die öffentliche Auseinandersetzung mit dem Regime. Die ersten beiden Predigten bezogen sich nicht auf die »Euthanasie«, sondern intervenierten in erster Linie gegen die Übergriffe auf katholische Orden.[35] Allerdings legen gemeinsame sprachliche Mittel, wie der Gebrauch emotionalisierender Beispiele und Vergleiche sowie die Trias der Leitmotive Luftkrieg, Kirchenkampf und Einforderung rechtsstaatlicher Verhältnisse in allen drei Predigten einen gedanklichen Zusammenhang sehr nahe.[36] In der dritten Predigt am 3. August 1941 nahm von Galen den bevorstehenden Abtransport von Geisteskranken aus der Anstalt Marienthal zum Anlaß, »die furchtbare Lehre« zu brandmarken, »die die Ermordung Unschuldiger rechtfertigen will, die die gewaltsame Tötung der nicht mehr arbeitsfähigen Invaliden, Krüppel, unheilbar Kranken, Altersschwachen grundsätzlich freigibt«.[37] Der Bischof teilte den Kirchenbesuchern mit, er verfüge über zuverlässige Informationen, die »zahlreichen unerwarteten Todesfälle von Geisteskranken« würden »nicht von selbst eintreten, sondern absichtlich herbeigeführt«, und verdeutlichte die furchtbaren Konsequenzen, die sich aus der nationalsozialistischen Praxis ergaben, die Lebensberechtigung der Kranken von ihrem Nutzen für die »Volksgemeinschaft« abhängig zu machen. Denn in letzter Konsequenz betrafen die Krankentötungen nicht mehr nur die in abgelegenen Pflegeanstalten lebenden Geisteskranken.

> »Wenn man den Grundsatz aufstellt und anwendet, daß man den ›unproduktiven‹ Mitmenschen töten darf, dann wehe uns allen, wenn wir alt und altersschwach werden! [...] dann wehe den Invaliden, die im Produktionsprozeß ihre Kraft, ihre gesunden Knochen eingesetzt, geopfert und eingebüßt haben [...] dann wehe unseren braven Soldaten,

34 Vgl. Beatrix Lahrkamp, Zur Auseinandersetzung zwischen katholischer Kirche und Nationalsozialismus im Münsterland. Eine Analyse kirchlicher Erlebnisberichte, in: Westfälische Zeitschrift 136 (1986), S. 111-178, 128, 132-134.

35 Löffler, Galen-Akten, Bd. II, Predigt am 13.7.1941 in St. Lamberti, S. 843-851; Predigt am 20.7.1941 in der Liebfrauenkirche, ebd., S. 855-863.

36 Von Galen, Predigt am 13.7.1941, Löffler, Galen-Akten, Bd. II, S. 845-850; Predigt am 20.7.1941, ebd., S. 855-859, Predigt am 3.8.1941 in St. Lamberti, ebd., S. 876-882.

37 Löffler, Galen-Akten, Bd. II, S. 876.

die als Schwerkriegsverletzte, als Krüppel, als Invaliden in die Heimat zurückkehren.«[38]

Es gehört zu den grundlegenden Wirkungsvoraussetzungen dieser Predigt, daß es von Galen gelang, die konfessionelle und die überkonfessionelle Protestebene aufeinander zu beziehen und mit dem Widerspruch gegen die Krankenmorde zu verbinden.[39] Der Euthanasieprotest traf daher auf ein sensibilisiertes Publikum und war nach vielen Seiten hin anschlußfähig. Dem Protest des Bischofs lag ein zweifacher Normbruch des Regimes zugrunde: Zur ersten Kategorie zählten Übergriffe gegen Positionen der Kirche im öffentlichen Leben, die in der traditionellen Lebensweise der Münsterländer Bevölkerung verankert waren, also im engeren Sinn katholische Anliegen, wie die Verlegung kirchlicher Feiertage, Prozessionsverbote und Beschränkungen des Religionsunterrichts.[40] Eine zweite Gruppe von Normverletzungen stand in enger Verbindung mit der von Bormann betriebenen Verschärfung des kirchenpolitischen Kurses im Frühjahr/Sommer 1941. Von Galen verstand den Klostersturm allerdings nicht allein als kirchenpolitische Angelegenheit, sondern als Mißachtung zentraler Grundlagen einer in seinen Augen immer noch gültigen sozialen Ordnung. Der Bischof stritt für ein traditionsbestimmtes Gesellschaftsmodell, das durch christliches Bekenntnis, naturrechtlich verbürgte Grundrechte des einzelnen und rechtsstaatliche Gebundenheit von Regierung und Verwaltung bestimmt wurde. Menschenrechtsverletzungen, die verlorene Rechtssicherheit und staatliche Eingriffe in das Eigentumsrecht bildeten daher Leitmotive seines Protests.[41] Von Galen begriff sein Bischofsamt als Wächteramt, so daß er sich in seiner Funktion »als Verkünder und Verteidiger der von Gott gewollten Rechts- und Sit-

38 Löffler, Galen-Akten, Bd. II, S. 878.

39 Von Galen verstand seinen Protest explizit nicht als »konfessionell katholisches Anliegen«, Predigt am 13.7.1941, Löffler, Galen-Akten, Bd. II, S. 849.

40 Hirtenwort Galens, 12.7.1941, Löffler, Galen-Akten, Bd. II, S. 841-843; Predigt am 20.7.1941, ebd., S. 859.

41 Als Repräsentanten einer traditionsgebundenen Wertordnung stellte die Bevölkerung den populären Bischof vielfach an die Seite der Wehrmacht. So hielt sich ebenso hartnäckig wie wahrheitswidrig das Gerücht, sein Vorgehen werde durch das Militär gedeckt (z. B. Kreisamt für Rassenpolitik Göttingen an die Kreisleitung Göttingen, 21.10.1941, NdsHStA, Hann. 310-I/O/120; Pfarramt Haltern an Portmann, 26.10.1945, DAM, NL Portmann, A 16.). Tatsächlich beabsichtigte der oberste Wehrkreisrichter, von Galen wegen Wehrkraftzersetzung zum Tode zu verurteilen, und nahm deshalb Kontakt mit der Gauleitung auf; Aktenvermerk des Sachbearbeiters für Berichte der Gauleitung Westfalen-Nord, September 1941, StAMü, Gauleitung Westfalen-Nord, Hauptleitung/15, Bl. 44.

tenordnung«[42] nicht nur zum öffentlichen Protest berechtigt, sondern geradezu verpflichtet fühlte. In seinen Predigten entwarf er eine Alternative zu den nationalsozialistischen Moralvorstellungen, die das Wohlergehen der Individuen den vermeintlichen Interessen des »Volkskörpers« unterordneten und den Führerwillen zur einzigen Richtschnur des Regierungshandelns machten. Insofern läßt sich der Skandal um die Krankenmorde als Konflikt »widerstreitender Wertgemeinschaften«[43] interpretieren, die miteinander um die Setzungskompetenz für moralische Normen rangen.[44]

2. Vom Gerücht zum Skandal. Verbreitung und Wirkung der Galen-Predigten

Der Protest gewann seine besondere Sprengkraft dadurch, daß er auf der Empörung über das Versagen des Regimes bei der Bewältigung der Luftkriegsfolgen und die Erregung über den Klostersturm gleichsam aufsatteln konnte. In der Wahrnehmung der Bevölkerung verschmolzen die drei Ereignisse Luftkrieg, Kirchenkampf und »Euthanasie« zu einem Skandalon, das dem NS-Regime und seinen Institutionen zugerechnet wurde: einer Verwaltung, die ohne Rechtsgrundlagen handelte, einer Polizei, vor der die Bürger in Angst lebten, und einem Gesundheitswesen, das seinen Systemzweck ins Gegenteil verkehrte, indem es Patienten ermordete.[45]

Ausmaß und Geschwindigkeit der Predigtverbreitung waren erstaunlich. Bereits vierzehn Tage nach der August-Predigt beschlagnahmte die

42 Löffler, Galen-Akten, Bd. II, S. 848.

43 Karl Otto Hondrich, Skandale als gesellschaftliche Lernmechanismen, in: Julius H. Schoeps (Hg.), Der politische Skandal, Stuttgart/Bonn 1992, S. 175-189, 182.

44 Zum Skandal als Normkonflikt vgl. Sighart Neckel, Wirkungen politischer Skandale, in: Aus Politik und Zeitgeschichte (1990), B. 7, S. 3-10, 5 f.

45 Bezeichnend für diese Verschmelzung ist, daß Flugblätter den Euthanasieprotest mit Auszügen aus kirchenpolitischen Anordnungen des Reichsstatthalters im Warthegau, Greiser, und mit einer Anklage gegen die Willkürherrschaft der Gestapo kombinierten, anonymes Schreiben an den Gefreiten Martin L., Reserve-Flak-Abt. 406 (Wehrkreis IX), o.D. (vor dem 25.9.1941), BA-MA (Bundesarchiv-Militärarchiv), RW 14/10, Bl. 61-63; Abschrift eines im November 1941 im Gau Köln-Aachen verbreiteten Flugblatts, BAB, R 55/978, vgl. auch Kreisleitung Tecklenburg an Gauamtsleiter Steinecke, 11.8.1941, StAMü, Kreis- und Ortsgruppenleitungen/125.

Gestapo Abschriften in München.[46] Nach zwei weiteren Wochen sorgte sie für Unruhe unter den in Lappland stationierten deutschen Soldaten.[47] Auch in Frankreich, Nordafrika, Norwegen, Polen und Rußland diskutierten Wehrmachtsangehörige über von Galens Protest.[48] Ende September waren die Texte der Predigten »in allen Volkskreisen und verschiedensten Gebieten«[49] des deutschen Machtbereichs anzutreffen. Die Empörung über die darin mitgeteilten Tatsachen hatte ihren Ursprung in der Teilöffentlichkeit der eng an die Kirche gebundenen westfälischen Katholiken, reichte aber weit darüber hinaus und war insofern keineswegs nur ein fragmentierter Skandal. Seit September 1941 verfügte die Gestapo über Hinweise, daß von Galens Protestpredigt in der protestantischen Bevölkerung zirkulierte, wobei die Weitergabe der Texte zumeist auf gezielte Nachfragen der evangelischen Pfarrer bei ihren katholischen Amtskollegen zurückging.[50]

Die persönliche Weitergabe des Textes innerhalb vertrauter Beziehungen war ein häufig genutzter Weg der Verbreitung, jedoch keineswegs der

46 Übersicht über die Berichte des SD-Leitabschnitts München an die Abteilung III B 3, Abstract des Berichts vom 18.8.1941, ZAhdS (Zentrum zur Aufbewahrung historisch-dokumentarischer Sammlungen, Moskau), 500/3/763.

47 Abschrift eines Briefes von Hauptmann F. im Lagebericht der Gauleitung Westfalen-Nord, Oktober 1941, Kuropka, Meldungen, S. 552.

48 Ferdinand A. an die Bischöfliche Pressestelle Münster, 30.4.1991, DAM, Sammlung von Galen/77; Burgard an Portmann, 16.10.1945, DAM, NL Portmann/A 16; Dekanat Ibbenbüren an Portmann, 16.10.1945, ebd.; Hermann L. an die Bischöfliche Pressestelle Münster, 15.5.1991, DAM, Sammlung von Galen/77; Josef P. an die Bischöfliche Pressestelle Münster, 25.5.1991, ebd.; Wissing an Portmann, 29.9.1945, DAM, NL Portmann/A 16, Hecking an Portmann, 16.10.1945, ebd.

49 Bericht des Inspekteurs der Sipo und des SD, 20.8.1941, Kuropka, Meldungen, S. 542. Exemplarisch für die Verbreitung innerhalb des Deutschen Reiches: RSHA, Meldung wichtiger staatspolizeilicher Ereignisse, Nr. 9, 19.9.1941, S. 8, IfZ, MA/442/1 (Osnabrück); Nr. 13, 29.9.1941, S. 6, ebd. (Aachen); Nr. 13, 29.10.1941, S. 9, ebd. (Duisburg); Nr. 7, 19.1.1942, S. 4, ebd. (Dresden); H. V. an die Bischöfliche Pressestelle Münster, 6.5.1991, DAM, Sammlung von Galen/77 (Freiburg); Josef P. an die Bischöfliche Pressestelle Münster, 25.5.1991, ebd. (Salzburg, Herbst 1941); Hildegard B. an die Bischöfliche Pressestelle Münster, 25.5.1991, ebd. (Berlin, Sommer 1941); Maria Theres H. an die Bischöfliche Pressestelle Münster, 5.5.1991, ebd. (Schlesien).

50 Bericht des Inspekteurs der Sipo und des SD, 24.9.1941, Kuropka, Meldungen, S. 545; Kuhlmann an Portmann, 21.9.1945, DAM, NL Portmann/A 16; Hüntmann an Portmann, 4.11.1945, ebd.; Oerdemann an Portmann, 16.9.1945, ebd.; Leugers an Portmann, 21.9.1945, ebd.

einzige.[51] Vor allem in der frühen Phase der Textverbreitung spielten kirchliche Kommunikationsnetze eine zentrale Rolle für die regionale und überregionale Streuung der Predigten. Eine eingespielte und konspirativ erprobte publizistische Infrastruktur in Bistumseinrichtungen und Pfarrämtern sorgte dafür, daß milieunahe Multiplikatoren den Predigttext erhielten. So wurden einigen Pfarrern Texte von der bischöflichen Behörde zur Verfügung gestellt. Offenbar gelangten die Predigten jedoch nicht in erster Linie über die offiziellen Wege innerkirchlicher Kommunikation an ihre Adressaten, denn anderen Geistlichen gingen die Predigten »oft von unbekannter Hand«[52] zu. Anders als bei Hirtenworten wurde die Verlesung der »Euthanasie«-Predigt in den Gottesdiensten nicht zur Pflicht gemacht, sondern erfolgte teils in Verantwortung der Dekane,[53] teils auch auf Eigeninitiative der einzelnen Pfarrer, die dabei nicht selten auf Nachfragen ihrer Gemeindemitglieder reagierten.[54] Daher zog sich die Verlesung über mehrere Wochen hin, und in benachbarten Kirchen konnten durchaus unterschiedliche Predigten verlesen werden.[55] Auf diese Weise verbreitete sich der Euthanasieprotest in einem Großteil der niederrheinischen und westfälischen Dekanate durch das gesprochene Wort, als Kanzelabkündigung in der formierten Spezialöffentlichkeit der

51 Hildegard B. an die Bischöfliche Pressestelle Münster, 28.5.1991, DAM, Sammlung von Galen/77; Ernst B. an die Bischöfliche Pressestelle Münster, 1.6.1991, ebd.

52 Dekanat Dinslaken an Portmann, 21.9.1945, DAM, NL Portmann/A 16 (Zitat).

53 Während dem Dorstener Dekan die ersten beiden Predigten durch die Kirchenbehörden »zur Kenntnisnahme« übersandt wurden, erhielt er die dritte Predigt als private Abschrift später als andere Pfarrer seines Bezirks, Eing an Portmann, 15.10.1945, ebd. Zur Initiativrolle der Dekane vgl. Dekanat Ibbenbüren an Portmann 16.10.1945, ebd. Für den (seltenen) Fall der versuchten Blockade durch den Dekan: Theele an Portmann, 5.10.1945, DAM, NL Portmann/A 16.

54 Burgard an Portmann, 16.10.1945, DAM, NL Portmann/A 16; Hüntmann an Portmann, 4.11.1945, ebd.

55 Der sukzessive, improvisiert wirkende Modus der Verbreitung ergibt sich auch aus dem Bericht der Burgsteinfurter Pfarrchronik: »Die Freude über diese Predigten war so groß, die Notwendigkeit der Verbreitung ihres Inhaltes leuchtete allen so klar ein, daß fast alle Dekanate der Diözese, eins nach dem andern sich entschlossen, die 3 Predigten in den Kirchen zu verlesen.« DAM, NL Portmann/A 16. Die NSDAP vermutete hinter dieser Form der Verbreitung planvolles Handeln der katholischen Kirche »um die Bevölkerung für eine längere Zeitperiode immer wieder in Beunruhigung zu halten«. Kreisleitung Tecklenburg an den stellv. Gauleiter Westfalen-Nord, 4.9.1941, StAMü, Kreis- und Ortsgruppenleitungen/125.

Gottesdienste und als Teil des die eigene Weltinterpretation stabilisierenden Gesprächs innerhalb des katholischen Milieus.[56]

Parallel dazu vervielfältigten katholisch geprägte Kleingruppen die Texte in geringen, zumeist durch maschinenschriftliche Durchschläge erzeugten Auflagen von selten mehr als 20 Exemplaren, die sie entlang der milieunahen Kommunikationsnetze im Familien- und engeren Bekanntenkreis zirkulieren ließen.[57] Solche Kleingruppen bildeten sich unter Verwandten,[58] in den Büros katholisch geprägter Betriebe[59] und in weiterführenden Schulen;[60] und selbst Angestellte der Wehrmachtsverwaltung und Soldaten des Osnabrücker Offiziers-Gefangenenlagers beteiligten sich durch Abschriften an der Weiterverbreitung der Predigten.[61] Die Hauptlast der Vervielfältigung wurde indes von Gruppen getragen, die sich im Schutzkreis der Pfarrgemeinden bildeten. Manche dieser Gruppen basierten auf Verbindungen aus dem in die Illegalität abgedrängten Umfeld katholischer Jugendverbände, z. B. der Sturmschar, oder sie stützten sich auf Reststrukturen kirchlicher Jugendarbeit, wie Meßdiener- und Pfarrjugendgruppen.[62] Auffallend häufig trafen sich

56 Im oldenburgischen Bistumsteil wurde die Predigt erst im September 1941 auf Anweisung von Galens verlesen, als dort Patientenverlegungen anstanden, Verordnung von Galen, 26.11.1941, Löffler, Galen-Akten, Bd. II, S. 911 f.

57 Gertrud H. an die Bischöfliche Pressestelle Münster, 3.5.1991, DAM, Sammlung von Galen/77; Maria L. an die Bischöfliche Pressestelle Münster, 11.5.1991, DAM, ebd.; Hedwig V. an die Bischöfliche Pressestelle Münster, 10.6.1991, ebd. Vgl. ferner Christoph Arens, Zeitzeugen berichten 1991 über Verbreitung und Wirkung der Predigten des Bischofs von Münster, Clemens August Graf von Galen, im Sommer 1941, in: Joachim Kuropka (Hg.), Clemens August Graf von Galen. Neue Forschungen zum Leben und Wirken des Bischofs von Münster, Münster 1992, S. 391-402.

58 Ferdinand A. an die Bischöfliche Pressestelle Münster, 30.4.1991, DAM, Sammlung von Galen/77; Hildegard B. an die Bischöfliche Pressestelle Münster, Juni 1991, ebd.; Burghard an Portmann, 16.10.1945, DAM, NL Portmann/A 16.

59 Gertrud H. an die Bischöfliche Pressestelle Münster, 3.5.1991, DAM, Sammlung von Galen/77; Dekanat Duisburg an Portmann, 12.10.1945, DAM, NL Portmann/A 16; Wenker an Portmann, 11.10.1945, DAM, ebd.

60 Christel M. an die Bischöfliche Pressestelle Münster, 28.5.1991, DAM, Sammlung von Galen/77; Änne von B. an die Bischöfliche Pressestelle Münster, 20.8.1991, ebd.; August K. an die Bischöfliche Pressestelle Münster, 13.6.1991, ebd.; Ernst B. an die Bischöfliche Pressestelle Münster, 1.6.1991, ebd.

61 Hecking an Portmann, 16.10.1945, DAM, NL Portmann/A 16; Ida S. an die Bischöfliche Pressestelle Münster, Juni 1991, DAM, Sammlung von Galen/77.

62 Ernst B. an die Bischöfliche Pressestelle Münster, 1.6.1991, DAM, Sammlung von Galen/77; Dekanat Duisburg an Portmann, 12.10.1945, DAM, NL Portmann/A

diese Gruppen in Kaplaneien und Vikarien, also am Lebensmittelpunkt jüngerer Geistlicher.[63] In dieser doppelten Hinsicht war der katholische Protest gegen die Krankenmorde auch ein Akt jugendlichen Aufbegehrens gegen die nationalsozialistische Diktatur.

Aus der »Gemeindeöffentlichkeit«[64] sickerte der Inhalt der Predigten über situative Öffentlichkeiten wie Arbeitsstätten und Luftschutzkellern aus dem katholischen Milieu in den öffentlichen Raum. Ein geradezu exemplarischer Fall dieser Form des Informationsflusses, der zugleich die prekäre Unsicherheit an den Rändern solcher Milieuöffentlichkeiten verdeutlicht, hat sich in den Akten der Gauleitung Münster erhalten: Ein Pfarrvikar aus Gelsenkirchen übergab ein Exemplar der Predigt an eine »klerikale Familie«,[65] die Abschriften fertigte und eine davon an eine Bekannte weiterreichte. Diese las von Galens Protestpredigt im Luftschutzraum vor und wurde deswegen von einem Anwesenden denunziert und verhaftet. Neben solchen kleinräumigen Formen der Textweitergabe entlang vertrauter Kommunikationsbeziehungen kam auch stärker anonymisierten Formen der Verbreitung, wie dem Auslegen der Predigten in Zügen, vor allem aber dem Postversand an Soldaten der Wehrmacht, einige Bedeutung zu. Sie waren es, die die Predigttexte außerhalb Westfalens bekanntmachten.[66]

16; Pfarramt Altenberge an Portmann, 12.10.1945, ebd.; Kuhlmann an Portmann, 21.9.1945, ebd.

63 Josef T. an die Bischöfliche Pressestelle Münster, 5.5.1991, DAM, Sammlung von Galen/77; H. V. an die Bischöfliche Pressestelle Münster, 6.5.1991, ebd.; Dekanat Ibbenbüren an Portmann, 16.10.1945, DAM, NL Portmann/A 16; Pfarramt Havixbeck an Portmann, 17.11.1945, ebd.

64 Detlef Schmiechen-Ackermann, Katholische Diaspora zwischen Rückzug und Selbstbehauptung in der NS-Zeit. Überlegungen zum Verhältnis von Milieubildung und Widerstandspotentialen am Fallbeispiel von Hannover, in: Geschichte in Wissenschaft und Unterricht 49 (1998), S. 462-476, 471.

65 Sachbearbeiter für Berichte im Gau Westfalen-Nord, Aktivität der Konfessionen, September 1941, StAMü, Gauleitung Westfalen-Nord, Hauptleitung/15, Bl. 35.

66 Dekanat Duisburg an Portmann, 12.10.1945, DAM, NL Portmann/A 16; Dekanat Ibbenbüren an Portmann, 16.10.1945, ebd.; van der Giet an Portmann, 17.10.1945, ebd. Bei der Verbreitung mit der Feldpost stützten sich die Versender auf Adressenkarteien der Kirchlichen Kriegshilfe und katholischer Jugendverbände, Maria B. an die Bischöfliche Pressestelle Münster, 26.8.1991, DAM, Sammlung von Galen/77; H. V. an die Bischöfliche Pressestelle Münster, 6.5.1991, ebd. Der Informationswert der seit der zweiten Oktoberhälfte durch alliierte Flugblätter verbreiteten Predigttexte dürfte demgegenüber weniger ins Gewicht fallen, da diese inzwischen weit verbreitet waren, RSHA, Meldungen wichtiger Staatspolizeilicher Ereignisse, Nr. 2, 5.11.1941, BAB, R 58/195.

In der Bevölkerung provozierte das Bekanntwerden der Predigt erregte Diskussionen zwischen Gegnern und Anhängern des Regimes. Lobten die einen das »mutige Auftreten«[67] des Bischofs, der »trotz aller Gefahren den Mut«[68] hatte, »auszusprechen, was alle aufrichtigen und gläubigen Menschen in Deutschland seit langem aufs tiefste bedrückt«, reagierten die anderen mit ungläubigem Staunen und Empörung auf einen katholischen Bischof, der »Sabotage«[69] übe am »Werk des Führers«. Schließlich sei die »Umbringung der Geisteskranken [...] Dienst am Volke«.

Insgesamt allerdings überwogen die zustimmenden Reaktionen auf den Protest von Galens deutlich. Innerhalb des katholischen Milieus wirkten die Predigten integrierend und mindestens bis in den Spätsommer 1941 mobilisierend.[70] Darauf deutet nicht nur die große Bereitschaft, an der riskanten Verbreitung der Flugblätter mitzuwirken, sondern auch die Zunahme kleiner Formen des zivilen Ungehorsams und das von der NSDAP haßerfüllt registrierte selbstbewußtere Auftreten prononcierter Katholiken gegenüber Parteivertretern.[71] In den Wochen nach dem Bekanntwerden der Predigten dominierten dem Nationalsozialismus gegenüber distanzierte und ablehnende Stimmen die Arena der öffentlichen Meinung. Vor allem im ländlichen Westfalen bewirkte der Protest einen dramatischen Ansehensverfall des Regimes. Seit von Galens Predigten die Runde machten, konstatierten Parteifunktionäre eine »deutlich [...] passivere Haltung gegenüber dem Nationalsozialismus«.[72] Wie »Schnee in der Sonne«, so formulierte eine Zuschrift an das Münsteraner Wehrkreiskommando mit einigem Pathos, schwänden nach dem Bekanntwerden der Euthanasieverbrechen »Hoffnung und Glaube an den Segen der Partei [...] dahin«.[73] Flugblätter und anonyme Zuschriften stellten für das Regime wenig schmeichelhafte Vergleiche zwischen dem

67 Anonyme Zuschrift aus dem Rheinland, 27.8.1941, DAM, GV, Neues Archiv/A-024.

68 Anonyme Zuschrift aus Münster, 24.8.1941, DAM, GV, Neues Archiv/A-024.

69 Witthage an Portmann, 21.11.1945, der Bericht gibt die Diskussion einer ortsfremden Parteigenossin mit westfälischen NSDAP-Angehörigen wieder.

70 Dekanat Vreden an Portmann, 29.9.1945, DAM, NL Portmann/A 16; Auszug aus der Burgsteinfurter Pfarrchronik 1945, ebd.

71 So klagte die Kreisleitung Tecklenburg, »das Auftreten klerikaler Kreise« sei seit von Galens Predigt zunehmend herausfordernder geworden; Bericht an die Gauleitung Westfalen-Nord, 18.9.1941, StAMü, Kreis- und Ortsgruppenleitungen/125.

72 Kreisleitung Tecklenburg an die Gauleitung Westfalen-Nord/stellv. Gauleiter, 7.8.1941, StAMü, Kreis- und Ortsgruppenleitungen/125.

73 Franz Bergmann (wohl Pseudonym) an den Stabschef des Generalkommandos des VI. Armeekorps, 8.9.1941, BA-MA, RW 14/11.

nationalsozialistischen Deutschland und dem bolschewistischen Rußland an, und fingierte Galen-Aufrufe empfahlen, das Regime durch passiven Widerstand zu lähmen.[74]

Von Galens Predigt setzte in der Bevölkerung Diskussionsprozesse in Gang, die Kernelemente der nationalsozialistischen Gesellschaftspolitik delegitimierten. Besonders das Gesundheitswesen litt seit der Offenlegung der Krankenmorde unter einer tiefgreifenden Vertrauenskrise, von der es sich bis Kriegsende nicht mehr erholte. Gerade Gesundheitsprogramme, die von den Dienststellen der NSDAP getragen wurden, standen nun unter Verdacht. Den Röntgenreihenuntersuchungen zur Tuberkulosevorsorge, die das Gauamt für Volksgesundheit in Westfalen durchführte, blieben in einigen Orten aus Angst vor den Folgen eines positiven Befundes bis zu 90 Prozent der Zielgruppe fern.[75] Langfristig verlor gerade die Schauseite des NS-Regimes durch den Kanzelprotest von Galens deutlich an Anziehungskraft. Wen mochte noch eine für die Zeit nach dem Kriegsende angekündigte großzügige Reform der Rentenversicherung interessieren, wenn die künftigen Leistungsempfänger damit rechnen mußten, vorher umgebracht zu werden?[76]

Als besonders bedrückend empfanden Zuhörer und Leser, daß Galen den Ablauf des Euthanasieverfahrens mit Beispielen aus der Lebenswelt seines Publikums illustrieren konnte. Dies erhöhte die Wirkung seines Protests signifikant, denn auf diese Weise konnte der Bischof deutlich machen, daß der Krankenmord kein Problem einer ausgegrenzten Minderheit war, sondern potentiell jede Familie betraf. Er könne »wohl verstehen, daß die Unheilbaren allmählich verschwinden«,[77] so ein Ortsgruppenleiter, aber man müsse »nur mal denken, es sei das eigene Kind«, dann habe man »den rechten Standpunkt in dieser Sache«.

74 Zuschrift an den Polizeipräsidenten in Münster, Abschrift im Wochenbericht des Inspekteurs der Sipo und des SD, 14.8.1941, Kösters, Verbände, S. 562; Bericht des Inspekteurs der Sipo und des SD, 21.8.1941, Kaiser/Nowak/Schwartz, Eugenik, S. 285 f.; Abschrift eines im November 1941 im Gau Köln-Aachen verbreiteten Flugblatts, BAB, R 55/978.

75 Kreisleitung Tecklenburg an die Gauleitung Westfalen-Nord/stellv. Gauleiter, 11.9.1941, StAMü, Kreis- und Ortsgruppenleitungen/125.

76 So wurde in katholischen Handwerkerkreisen Paderborns die Ansicht vertreten, »daß man, sobald man nicht mehr arbeitsfähig sei, eine Spritze bekomme und getötet werde, und das Geld der Altersversicherung verfalle dann dem Staat. Bericht der SD-Hauptaußenstelle Bielefeld, 9.9.1941, Kaiser/Nowak/Schwartz, Eugenik, S. 288.

77 Bericht der SD-Hauptaußenstelle Bielefeld, 26.8.1941, Kaiser/Nowak/Schwartz, Eugenik, S. 287.

Von Galens Protest wirkte weniger über das skandaltypische Element der Enthüllung, als vor allem dadurch, daß er das Thema »Euthanasie« aus der Latenzphase hob. Die wohl wichtigste und dauerhafteste Wirkung seiner Predigt bestand in der diskursiven Enttabuisierung der Krankenmorde. Indem Galen das, was ein Geheimnis sein sollte und doch längst keines mehr war, mit der Autorität seines bischöflichen Amtes offen als Staatsverbrechen brandmarkte, ohne daß das Regime dagegen einschritt, schuf er Raum für eine weiterreichende Erörterung dieses Themas in der Bevölkerung. Wenn man den Bischof »wegen seiner Äußerungen nicht verhafte«,[78] so eine verbreitete Meinung, »sei jeder Deutsche berechtigt, über die Angelegenheit zu sprechen«. Wie sehr sich aufgrund der Predigt die Behandlung des Themas in der öffentlichen Meinung veränderte, spiegelt sich in regionalen SD-Berichten. Bis August 1941 sprachen diese mehrheitlich in der vagen Form der »Verlegung« von Psychiatriepatienten über die »Euthanasie«. Seit September beherrschten direkte Hinweise auf den Krankenmord das Bild.[79]

Die Bevölkerung zeigte sich nicht nur durch das Faktum des Krankenmords beunruhigt, sondern auch durch dessen mögliche Weiterungen. Wenn das Prinzip durchgesetzt würde, »daß man den ›unproduktiven‹ Mitmenschen töten darf«,[80] dann – hier griff von Galen ein Motiv der ersten Predigt in gesteigerter Form wieder auf – sei »keiner von uns seines Lebens mehr sicher«. Gerade diese vom Bischof nur im Konjunktiv angedeutete Möglichkeit nahmen Gegner und Anhänger des Regimes gleichermaßen als Tatsachenbehauptung wahr und behielten sie als Essenz der Predigt in den Köpfen. In diesem Sinne brachte die Kopfzeile eines SD-Berichts die Predigt auf die prägnante Kurzformel »Bischof von Münster – Tötung verwundeter Soldaten«.[81] Diese Akzentverschiebung verschärfte die Brisanz des Kanzelprotests entscheidend, zumal seit längerer Zeit Gerüchte über die Tötung von Kriegsverletzten kursierten.[82]

78 Kreisleitung Tecklenburg an die Gauleitung Westfalen-Nord/stellv. Gauleiter, 15.8.1941, StAMü, Kreis- und Ortsgruppenleitungen/125.

79 Winfried Süß, Der »Volkskörper« im Krieg. Gesundheitspolitik, Gesundheitsverhältnisse und Krankenmord im nationalsozialistischen Deutschland 1939-1945, München 2003, S. 450, Tabelle E. 1.

80 Löffler, Galen-Akten, Bd. II, S. 878.

81 Übersicht über die Berichte des SD-Abschnitts München an die Abteilung III B 3; ZAhdS, 500/3/763.

82 Vernehmung Karl Brandts, Protokoll des Nürnberger Ärzteprozesses, 4.2.1947, IfZ, MB 15/42, Bl. 2431.

3. Protestwahrnehmung und Reaktionen des Regimes

Wie nahmen die Institutionen der Diktatur von Galens Herausforderung wahr, und welche Strategien entwickelten sie zur Einhegung des Skandals? Das Zurückweichen in den Schulkreuz-Konflikten in Oldenburg und Bayern zeigt, daß das NS-Regime zwar dort, wo es die Opposition in der Gesellschaft verankert glaubte und der Widerspruch keine Kernbereiche seiner Ideologie betraf, bisweilen taktisch flexibel auf Kritik reagierte.[83] Eine solche Reaktionsweise war allerdings die Ausnahme. Wo der Widerspruch vorrangige Anliegen der braunen Machthaber in Frage stellte, und überhaupt immer dort, wo es seine Position gefestigt glaubte, beantwortete das NS-Regime Akte des Aufbegehrens mit brutaler Repression und machte dabei auch vor hohen Kirchenämtern nicht halt. Dies hatte zum Beispiel der Bischof Joannes Baptista Sproll erfahren müssen, den herbeigekarrte Pöbelhaufen aus seinem Bistum Rottenburg vertrieben, nachdem er durch sein Fernbleiben bei der Reichstagswahl 1938 ein Zeichen gegen die kirchenfeindliche Haltung der NSDAP gesetzt hatte. Und als der Vizepräsident des Central-Ausschusses der Inneren Mission, Pastor Gerhard Braune, im Sommer 1940 bei der Reichskanzlei gegen die Krankenmorde intervenierte, ließ der Gestapochef Heydrich ihn zur Abschreckung vor weiteren Protesten mehrere Wochen in den Kellern der Prinz-Albrecht-Straße inhaftieren. Von Galen dagegen blieb unbehelligt. Mehr noch: Das Regime stoppte den wichtigsten Teil seines Mordprogramms und sistierte damit ein Kernelement seiner Gesundheitspolitik in Kriegszeiten.

Es spricht sehr vieles dafür, daß es einen kausalen Zusammenhang zwischen von Galens Kanzelprotest und dem Abbruch der »Aktion T4« gibt, den die Forschung bisher weitgehend unterschätzt hat.[84] Für die Wahr-

83 Vgl. Joachim Kuropka (Hg.), Zur Sache – Das Kreuz! Untersuchungen zur Geschichte des Konflikts um Kreuz und Lutherbild in den Schulen Oldenburgs, zur Wirkungsgeschichte des Massenprotests und zum Problem nationalsozialistischer Herrschaft in einer agrarisch-katholischen Region, Vechta 1987; Ian Kershaw, Der Hitler-Mythos. Volksmeinung und Propaganda im Dritten Reich, München 1980, S. 153-157.

84 Die ältere Forschung hat einen solchen Zusammenhang vermutet, aber nicht zweifelsfrei nachgewiesen; vgl. exemplarisch Schmuhl, Rassenhygiene, S. 354. Neuere Studien, etwa von Michael Burleigh und Beth Griech-Polelle, bestreiten dagegen diesen Zusammenhang oder relativieren ihn zumindest stark; Beth Griech-Polelle, Bishop von Galen. German Catholicism and National Socialism, New Haven/London 2002, S. 93; Michael Burleigh, Death and Deliverance, »Euthanasia« in Germany 1900-1945, Cambridge 1994, S. 180.

nehmung des bischöflichen Kanzelprotests erwies es sich als entscheidend, daß die nationalsozialistischen Machthaber von Galens Predigtserie als Auftakt zu einer »Auseinandersetzung um jeden Preis«[85] begriffen und frühe Hinweise auf die gezielte Weiterverbreitung der Texte als Indiz für eine konzertierte Aktion der katholischen Kirche werteten. Damit war für den Münsteraner Gauleiter klar, daß die Entscheidung, wie auf den Protest zu reagieren sei, seinen Kompetenzbereich überstieg. Auf den weiteren Verlauf der Entscheidungsbildung, in dem Goebbels' Propagandaministerium und Bormanns Parteikanzlei miteinander konkurrierten, hatten fünf Annahmen besonderen Einfluß:[86] Erstens ging man davon aus, daß von Galen die Tötung kriegsverletzter Soldaten als Tatsache und nicht als Möglichkeit dargestellt hatte, denn der von der Gauleitung an die Parteikanzlei weitergereichte Gestapobericht hatte Konjunktiv und Indikativ nicht auseinandergehalten und von Galen die wörtliche Behauptung zugeschrieben, daß »Geisteskranke, sonstige Kranke und Invaliden«[87] ebenso wie Kriegsverletzte »zwecks Ermordung [...] abtransportiert« würden. Zweitens rechnete man damit, daß eine Weiterverbreitung der Anschuldigungen nicht zu verhindern sei, auch wenn sich die Gestapo nach Kräften bemühte, die Verbreiter dingfest zu machen.[88] Drittens war man sich sicher, daß die Bevölkerung den Ausführungen des katho-

85 Bericht des Inspekteurs der Sipo und des SD, 31.7.1941, Kuropka, Meldungen, S. 533.

86 Für eine ausführliche Rekonstruktion der Entscheidungsbildung vgl. Süß, »Volkskörper«, S. 127-151.

87 Mittendorf, Bericht über die Predigt Galens am 3.8.1941, 4.8.1941, Löffler, Galen-Akten, Bd. II, S. 883; vgl. Fröhlich, Goebbels-Tagebücher, 23.8.1941, Bd. II/1, S. 298 f.

88 Zwischen August 1941 und April 1942 wurden deswegen mindestens 20 Personen verhaftet. Hinzuzurechnen ist eine nicht näher bekannte Zahl von Geistlichen, die wegen Verlesung der Predigt von der Gestapo verwarnt wurden oder sich weiterer Verfolgung durch den Wehrdienst entzogen (im Bistum Münster mindestens vier), sowie eine unbekannte Zahl von Personen, die verwarnt oder kurzzeitig inhaftiert wurden, ohne daß dies in die »Meldungen wichtiger staatspolizeilicher Ereignisse« einging (BAB, R 58/195-202, 358, IfZ, MA 442/1, 2). Bezeichnend für die anfängliche Unsicherheit des Regimes sind die unterschiedlichen Strafmaße für die Predigtverbreitung. Während die westfälische Gestapo zunächst lediglich mit Verwarnungen und mehrwöchiger Inschutzhaftnahme reagierte, bezahlten 1943 vier Lübecker Pfarrer die Vervielfältigung der Predigt mit ihrem Leben, Hildegard B. an die Bischöfliche Pressestelle Münster, 28.5.1991, DAM, Sammlung von Galen/77; Änne von B. an die Bischöfliche Pressestelle Münster, 20.8.1991, ebd.; Else Pelke, Der Lübecker Christenprozeß 1943, Mainz 1974.

lischen Würdenträgers glaubte.[89] Viertens stand nach drei Predigten zu befürchten, daß der Bischof mit seinen Angriffen fortfahren würde. Fünftens, und dies erwies sich als entscheidend, interpretierten Parteikanzlei und Propagandaministerium von Galens Vorstoß im Kontext einer vermuteten Kursänderung des katholischen Gesamtepiskopats seit dem Juni-Hirtenwort der Fuldaer Bischofskonferenz.[90] Die dritte Predigt von Galens wurde als direkter »Gegenangriff«[91] auf Bormanns Klostersturm gedeutet. Eine der vielen Paradoxien des Skandals besteht darin, daß dies ziemlich sicher nicht der Fall war. Von Galen, der unter den katholischen Bischöfen seit längerem für einen Offensivkurs geworben hatte,[92] unternahm diesen Schritt innerhalb seines eigenen Amtsbereichs auch, weil er erkennen mußte, daß aufgrund der Blockadehaltung Kardinal Bertrams kein einmütiges Votum der Fuldaer Bischofskonferenz für einen entschiedenen öffentlichen Protest gegen die »Euthanasie« zustande kommen würde.[93] Hier führte das wirklichkeitsferne zugespitzte Feinddenken des NS-Regimes, das die katholische Kirche geschlossener, taktisch geschickter und oppositionsbereiter wähnte, als diese tatsächlich

89 Meyer an Bormann, 13.8.1941, Löffler, Galen-Akten, Bd. II, S. 895; Walter Tießler, Licht und Schatten oder: Schonungslose Wahrheit, MS, o.D., S. 141, IfZ, ED/158.

90 Aktenvermerk des Abteilungsleiters Propaganda im Reichsministerium für Volksaufklärung und Propaganda für Goebbels, 12.8.1941, Heinrich Portmann, Der Bischof von Münster. Das Echo eines Kampfes für Gottesrecht und Menschenrecht, Münster 1946, S. 190 f.

91 Aktenvermerk Tießlers für Bormann, 13.8.1941, Portmann, Bischof, S. 195.

92 Denkschrift von Galens vom 31.7.1937, Ludwig Volk (Bearb.), Akten Kardinal Michael von Faulhabers, Bd. II: 1935-1945, Mainz, 2. Aufl. 1984, S. 385; von Galen an Berning, 26.5.1941, Löffler, Galen-Akten, Bd. II, S. 838 (Zitat). Für von Galens Position in der Fuldaer Bischofskonferenz vgl. Anna Maria Zumholz, Clemens August Graf von Galen und der deutsche Episkopat 1933-1945, in: Joachim Kuropka (Hg.), Clemens August Graf von Galen. Neue Forschungen zum Leben und Wirken des Bischofs von Münster, Münster 1992, S. 179-220.

93 Offenbar plante von Galen nach der Ablehnung seines offensiveren Hirtenwortentwurfs durch Bertram im Juni 1941, die Auseinandersetzung zumindest in seinem eigenen Amtsbereich stärker öffentlich zu führen. In diese Richtung deuten jedenfalls seine konkretisierenden Zusätze zur verklausulierten Euthanasiekritik im Juni-Hirtenwort 1941 (vgl. Anm. 17) und Hinweise, daß er die Predigten im Juli/August 1941 mit dem Freiburger Erzbischof Gröber und dem Münchener Kardinal Faulhaber abgestimmt hatte, Gröber an Faulhaber, 30.6.1941, zit. nach Bruno Schwalbach, Erzbischof Conrad Gröber und die nationalsozialistische Diktatur. Eine Studie zum Episkopat des Metropoliten der oberrheinischen Kirchenprovinz während des Dritten Reiches, Karlsruhe 1985, S. 106.

war, zu einer – aus der Sicht der Machthaber – schwerwiegenden Fehlkalkulation, die Zehntausenden von Psychiatriepatienten das Leben verlängerte und möglicherweise sogar rettete.

So ähnlich innerhalb der NS-Führung Hintergründe und mögliche Folgen der Predigt beurteilt wurden, so unterschiedlich waren die Vorschläge, wie darauf zu reagieren sei. Ein Abbruch der »Euthanasie« wurde allerdings zunächst von keiner Seite erwogen. Offenbar plante Bormann, von Galen verhaften zu lassen. Damit folgte er Anregungen westfälischer NSDAP-Funktionäre, die in Anlehnung an den Kulturkampf die Festsetzung und Ausweisung des renitenten Bischofs vorgeschlagen hatten, um ihn von seinen Anhängern zu isolieren. Noch weiter ging ein Mitarbeiter Bormanns, der dafür plädierte, den Bischof kurzerhand aufzuhängen. Andernfalls sei damit zu rechnen, daß seine Mutmaßungen über die Ermordung Kriegsinvalider für bare Münze genommen würden.[94] Gleichzeitig schlug er vor, in vorsichtiger Weise mit der Aufklärung der Bevölkerung über die »Euthanasie« zu beginnen.

Goebbels hielt beide Vorschläge für wenig erfolgversprechend. Bei Strafmaßnahmen gegen den Bischof, insbesondere bei der Todesstrafe, müsse man damit rechnen, ganz Westfalen für die Kriegsdauer abzuschreiben.[95] Zudem bestünde die Gefahr, einen Grundsatzkonflikt vom Zaun zu brechen, der größere Teile des katholischen Deutschlands in offene Opposition zum nationalsozialistischen Staat bringen würde. Gegenwärtig, so kalkulierte er kühl, könne das Regime einen solchen »Kampf auf Hauen und Stechen«[96] nicht bestehen, während er nach dem gewonnenen Krieg leicht zu entscheiden sei.[97] Daher versuchte Goebbels, die Parteikanzlei zu einer zeitweisen Einstellung der kirchenfeindlichen Maßnahmen zu bewegen. In der Behandlung des Galen-Protests ging es für ihn also um eine taktische Wende in der Kirchenpolitik, die Konflikte vermied, um dem Regime während des Krieges die Legitimationspotentiale systemloyaler Kirchen zu erhalten. Dahinter stand auch die Absicht, selbst die Federführung in der Kirchenpolitik zu übernehmen.[98]

94 Aktenvermerk Tießlers für Bormann, 12.8.1941, Portmann, Bischof, S. 189 f.

95 Aktenvermerk Tießlers für Bormann, 14.8.1941, Portmann, Bischof, S. 194.

96 Fröhlich, Goebbels-Tagebücher, 18.8.1941, Bd. II/1, S. 254.

97 Diese rein taktisch motivierte Haltung ist bereits bei Hans Günter Hockerts, Die Goebbels-Tagebücher 1932-1941. Eine neue Hauptquelle zur Erforschung der nationalsozialistischen Kirchenpolitik, in: Dieter Albrecht/Hans Günter Hockerts u. a. (Hg.), Politik und Konfession (FS für Konrad Repgen zum 60. Geburtstag), Berlin u. a. 1983, S. 359-392, 382-387 instruktiv herausgearbeitet.

98 So dezidiert Tießler, Licht und Schatten, Bd. II, S. 141-143, IfZ, ED/158.

Der Erfolg einer Auseinandersetzung mit dem Katholizismus schien Goebbels auch deshalb zweifelhaft, weil er einer andauernden öffentlichen Erörterung der Krankenmorde seitens der Kirche propagandistisch nicht begegnen zu können glaubte. Dabei war für ihn die Tatsache, daß die »Euthanasie« eindeutig gegen geltende juristische Offizialnormen verstieß, die sie als Tötungsverbrechen qualifizierten, kein entscheidendes Problem.[99] Ein kaum auflösbares Dilemma bestand allerdings darin, daß es der NS-Führung inzwischen unmöglich war, die Krankenmorde generell zu leugnen. Hier hatte von Galens Predigt die kommunikative Handlungsfreiheit des Regimes entscheidend beschnitten. Die öffentliche Zurückweisung des Vorwurfs, hirnverletzte Soldaten würden ebenso umgebracht wie geisteskranke Anstaltsinsassen, hätte es daher erfordert, die Bevölkerung in den Grundzügen über das Mordprogramm zu informieren, um vor diesem Hintergrund eine differenzierende Argumentation zu entfalten, die unterschieden hätte zwischen dem tatsächlichen Krankenmord, den man für legitimierbar hielt, und dem behaupteten Soldatenmord, für den es auch in den Augen des Regimes keine Rechtfertigung gab.[100]

Eine solche Art von »Aufklärung« kam jedoch für Hitler nicht in Frage, denn sie hätte sein Regierungshandeln transparent und damit dauerhaft legitimationsbedürftig gemacht. Dies erklärt zu einem guten Teil, warum die öffentlichen Reaktionen der nationalsozialistischen Machthaber auf von Galens Empörung defensiv, ja bisweilen hilflos anmuten. Direkte Entgegnungen auf die Vorwürfe des Bischofs blieben eine seltene Ausnahme in der nationalsozialistisch gelenkten Presse.[101] Daß keine Konfliktpartei massenmedial auf die Öffentlichkeit einwirken konnte, zählt zu den Besonderheiten dieses Skandals. Die propagandistischen Aktionen gegen den Bischof fanden vor allem in der formierten Spezial-

99 Der weitgediehene Versuch, dieses Problem durch ein Euthanasiegesetz im nationalsozialistischen Sinne zu ›lösen‹, wurde seit dem Spätherbst 1940 auf ausdrücklichen Wunsch Hitlers nicht mehr weiterverfolgt, vgl. Götz Aly/Karl Heinz Roth, Das »Gesetz über die Sterbehilfe bei unheilbar Kranken«. Protokolle der Diskussion über die Legalisierung der nationalsozialistischen Anstaltsmorde in den Jahren 1938-1941, in: dies., Erfassung zur Vernichtung. Von der Sozialhygiene zum »Gesetz über Sterbehilfe«, Berlin 1984, S. 101-179.

100 Tießler, Licht und Schatten, Bd. II, S. 141, IfZ, ED/158.

101 Lediglich ein Artikel, der direkt auf den Protest Bezug nahm, ist bekannt: »Die Heimatfront steht – der Bischof von Münster hetzt«, in: Der Ruhr-Arbeiter, Nr. 38 vom 4.9.1941, abgedr. in: Joachim Kuropka (Bearb.), Clemens August Graf von Galen. Sein Leben und Wirken in Bildern und Dokumenten. Cloppenburg 1992, S. 229.

öffentlichkeit nationalsozialistischer Parteiversammlungen statt. Solche Versammlungen wurden seit der ersten Septemberhälfte 1941 für Mitglieder der westfälischen NSDAP und ihrer Gliederungen und teilweise auch in Betrieben abgehalten, mit dem Ziel, von Galens Verhalten als Landesverrat zu brandmarken. In ihnen wurde die gespaltene Haltung der Bevölkerung zum Euthanasieprotest erneut sichtbar. Zwar gelang in einem Teil der Veranstaltungen die Skandalisierung des Bischofs.[102] Besonders in ländlichen Regionen erlebten allerdings Parteiredner, die ihre Vorwürfe konkret auf die Person von Galens bezogen, daß das Publikum den Saal verließ oder Gegenfragen stellte, »die den Redner in größte Schwierigkeiten brachten«.[103]

Beide Handlungsalternativen, die umfassende öffentliche Erörterung der »Euthanasie« ebenso wie Repressionen gegen den Bischof, machten aus einem Vorfall, der als lokales Protestereignis begonnen hatte, eine Grundsatzangelegenheit, die nur von Hitler selbst entschieden werden konnte. Der Diktator war offenbar ursprünglich dazu entschlossen, an dem aufrührerischen Bischof »ein Exempel zu statuieren«,[104] sofern die ersten Informationen über die Predigt zuträfen. Er ließ sich aber am 19. August in einem Gespräch mit seinem Propagandaminister überzeugen, künftig »die Lasten des Krieges, auch solche psychologischer Art […] auf ein Minimum«[105] zu reduzieren. Damit schied die Option, die Bevölkerung über die »Euthanasie« zu informieren, ebenso aus wie eine Verschärfung des Konflikts mit der katholischen Kirche.

Die endgültige Entscheidung zum Abbruch der »Aktion T4« fiel einige Tage später, am 23. August, als der Chef der Reichskanzlei, Hans Heinrich Lammers, erneut versuchte, Hitler für eine gesetzliche Rege-

102 Leugers an Portmann, 21.9.1945, DAM, NL Portmann/A 16; Oerdemann an Portmann, 16.9.1945, ebd.; Dekanat Dorsten an Portmann, 15.10.1945, ebd. Offenbar hielten sich die Parteiredner dort, wo sie den Bischof direkt angriffen, nicht an die Vorgaben des Gauleiters, der versuchte, von Galens Vorwürfe propagandistisch zu entkräften, ohne den Bischof direkt zu attackieren, Fröhlich, Goebbels-Tagebücher, 13.9.1941, Bd. II/1, S. 411 f.

103 Auszug aus der Burgsteinfurter Pfarrchronik 1945, DAM, NL Portmann/A 16 (Zitat); RSHA, Meldung wichtiger staatspolizeilicher Ereignisse, Nr. 13, 29.10.1941, S. 9, IfZ, MA/442/1.

104 Fröhlich, Goebbels-Tagebücher, 19. 8.1941, Bd. II/1, S. 266.

105 Fröhlich, Goebbels-Tagebücher, 19.8.1941, Bd. II/1, S. 264. Die zentrale Bedeutung Goebbels' für die Abbruchentscheidung hat erstmals Hockerts, Goebbels-Tagebücher, S. 387-390 herausgearbeitet.

lung der »Euthanasie« zu interessieren.[106] Ein juristisch reguliertes Verfahren, das die »Euthanasie« aus den rechtlosen Hohlräumen des nationalsozialistischen »Doppelstaates« herausgelöst hätte, sei propagandistisch leichter zu vermitteln, so das Argument der Justizbehörden.[107] Die entgrenzten Handlungsspielräume der Krankenmörder durch geregelte Prozeduren einzuschränken war aber gerade die Lösung, die Hitler nicht wollte. Aus diesem Grund hatte er die Verantwortung einer führerunmittelbaren Sonderbehörde übertragen, die eigens zu diesem Zweck ins Leben gerufen worden war. Im Laufe der Unterredung präsentierte Lammers Hitler bislang zurückgehaltene Protestschreiben beider Kirchen in kumulierter Form. Danach mußte der Diktator erkennen, daß eine Grundannahme seiner Risikokalkulation hinfällig geworden war. Denn er hatte erwartet, daß sich die »Euthanasie« durchführen lasse, »ohne daß die Öffentlichkeit [...] davon Kenntnis erhielt«[108] und sich durch eventuell »durchsickernde Nachrichten nicht [...] gestört fühlen würde«. Unter diesen Umständen machten die kirchlichen Proteste Hitler deutlich, daß der über die Krankenmorde gelegte Geheimhaltungsschleier irreparabel zerrissen war. Vor allem aber demonstrierten sie, daß die »Euthanasie« in erheblichen Teilen der deutschen Bevölkerung nicht konsensfähig war und daß das Regime in dieser Frage mit weiterem Widerstand der katholischen Kirche zu rechnen hatte.[109]

So gesehen ist Hitlers Abbruchentscheidung weniger überraschend, als sie auf den ersten Blick scheint. Die Vernichtung der »Erbkranken« war ein der Eroberung des »Ostraumes« nachgeordnetes Politikziel des Diktators. Die Absicherung der plebiszitären Legitimation seiner Herrschaft schien angesichts des Weltanschauungskrieges gegen die Sowjetunion vordringlicher als die Verwirklichung eugenischer Utopien. Und so ließ er dieses Projekt auf die Zeit nach dem Krieg vertagen, als es den Herrschaftskonsens seiner Diktatur gefährdete.

106 Aussage Lammers', 4.7.1960, S. 2; Lammers an das Landeskriminalamt Nordrhein-Westfalen/ Dezernat 15, 18.7.1960, S. 2, ZSL (Zentrale Stelle der Landesjustizverwaltungen zur Verfolgung nationalsozialistischer Verbrechen), Aussagenslg. Euthanasie, Ordner La-Lh.

107 Bericht der SD-Hauptaußenstelle Bielefeld, 9.9.1941, Kaiser/Nowak/Schwartz, Eugenik, S. 288; Bericht des Generalstaatsanwalts in Hamm an den Reichsminister der Justiz, 30.9.1941, Kuropka, Meldungen, S. 548 f.

108 Vernehmung Brandts, Protokoll des Nürnberger Ärzteprozesses, 4.2.1947, IfZ, MB 15/20, Bl. 2426 (Zitat); 5.2.1947.

109 Aussage Lammers', 21.3.1961, S. 5, ZSL, Aussagenslg. Euthanasie, Ordner La-Lh; im gleichen Sinne auch die Vernehmung Richard von Hegeners, 30.3.1949, S. 47, BAB, EVZ I/1, A. 2.

Damit das lokale Protestereignis zu einem Skandal werden konnte, der das Handeln der Regierenden beeinflußte, mußten charakteristische Merkmale der NS-Herrschaft mit einer Reihe kontingenter Faktoren zusammenwirken. Unter den Struktureigentümlichkeiten sind die polykratische Konkurrenz der Führungsgehilfen und die Notwendigkeit plebiszitärer Herrschaftslegitimation besonders hervorzuheben, unter den kontingenten Faktoren vor allem die mißverstehende Rezeption der Predigt, die ihre Wirkung auf die Bevölkerung in der Wahrnehmung des Regimes krisenhaft zuspitzte. Offenbar hatten die Organisatoren der »Euthanasie« den Abtransport der westfälischen Psychiatriepatienten lange hinausgezögert, weil man dort aufgrund der konfessionellen Bindung von Bevölkerung und Anstaltspersonal mit besonderen Schwierigkeiten rechnete.[110] Daher traf die öffentliche Empörung des Bischofs von Münster das Regime eher aus Zufall als aus Berechnung in einer Situation, die die nationalsozialistischen Machthaber als massenpsychologisch schwierig einschätzten, und zwang sie so zum Handeln, während vorangegangene Eingaben ignoriert und unterdrückt worden waren.

Der Euthanasieprotest von Galens polarisierte die deutsche Bevölkerung, teils entfremdete er sie dem Regime. Die seit seiner Predigt weit verbreitete Besorgnis, Kriegsverletzte würden getötet, wirkte in hohem Maße desintegrierend auf die nationalsozialistische »Volksgemeinschaft«, indem sie Motive weltanschaulicher Opposition mit einem konkreten Protestereignis verband, das auch im Rahmen nationalsozialistischer Wertvorstellungen kaum zu rechtfertigen war. Damit stellte von Galens erfolgreiche Skandalisierung der Euthanasiemorde die grundsätzliche Frage nach der Legitimität politischer Herrschaft im nationalsozialistischen Deutschland in bisher nicht gekannter Schärfe. Je deutlicher die Dimensionen des Massenmordes sichtbar wurden, desto mehr erhielt der Skandal einen fundamentalen Charakter, der die weltanschaulichen Grundlagen der Diktatur in Frage stellte und dann auch vor der Person des Diktators nicht mehr haltmachte.[111]

110 Aus Westfalen wurden erst sehr spät, im Juni 1941, Transporte in Tötungsanstalten durchgeführt. Für einen Zusammenhang mit befürchteten Protesten der Kirchen könnte sprechen, daß sowohl die evangelische Musteranstalt Bethel als auch die in von Galens Bischofsstadt gelegene Anstalt Marienthal (bis Ende Juli 1941) von den Transporten in den Tod ausgenommen blieben.

111 In diesem Sinne berichtete ein SS-Standartenführer an seine vorgesetzte Dienststelle: der heimliche Krankenmord zerstöre wie »kaum etwas anderes das Vertrauen, auch zum Führer persönlich«, Schiele an Jüttner, 22.11.1940, BDC, O/410, Bl. 57.

Von Galens Bedeutung in diesem Konflikt beschränkte sich nicht allein darauf, den Protest gegen die Krankenmorde zu mobilisieren. Mindestens genauso wichtig und bisher zu wenig beachtet ist, daß das NS-Regime den Protest des Bischofs von Münster nicht als Einzelaktion wahrnahm, sondern als Teil eines veränderten Konfliktverhaltens des katholischen Gesamtepiskopats fehlinterpretierte.[112] Dies trieb nicht nur die politischen Kosten maßnahmestaatlicher Einschüchterungsversuche deutlich in die Höhe, sondern veränderte die Perspektive auf den Konflikt entscheidend, indem es ihn mit der Kirchenpolitik verknüpfte. Was das Regime fürchtete, war weniger eine diffuse Unruhe in der Bevölkerung wegen der Krankenmorde, sondern ein dauerhafter, auf Milieuorganisationen gestützter, durch die katholische Hierarchie gelenkter und mit den Kommunikationsmitteln der Kirche ausgetragener Konflikt – also weniger die Eigendynamik des Skandals als dessen Kanalisierung durch eine Gegenmacht.

Ohne die krisenhafte Situationsbewertung des nationalsozialistischen Propagandaministers und ohne dessen von persönlichen Machtinteressen geleitete Intervention wäre Hitler indes wohl kaum für die Durchführungsprobleme der Krankenmordaktion zu interessieren gewesen und der Skandal hätte die regionale Ebene nicht verlassen. Ein Jahr vor dem Stopentscheid war Justizminister Gürtner mit einem ähnlichen Anliegen bereits im Vorzimmer des Diktators gescheitert.

Entschieden wurde der Konflikt zwischen dem NS-Regime und dem Bischof von Münster nur teilweise. Sein mutiger Protest war auf konkrete Kritikpunkte bezogen und hatte damit Erfolg. Hitler sistierte den größten Teil des Euthanasieprogramms, das bis dahin mehr als 70.000 Menschenleben gekostet hatte, für mehr als ein Jahr, bevor der Krankenmord – diesmal in weniger auffälliger Form – erneut in die Heil- und Pflegeanstalten zurückkehrte. In einer Diktatur, die vor dem terroristischen Gebrauch ihrer Machtmittel gegen die eigene Bevölkerung nicht zurückschreckte, war das sehr viel und doch zu wenig. Das Regime reagierte auf eine konkurrierende Wertordnung, die ihre Fähigkeit zur Anhängermobilisierung demonstriert hatte, mit einem Teilrückzug und mit Konfliktvertagung – aus der Perspektive einer Führung, die den »Endsieg« greifbar nahe glaubte, kein zu hoher Preis für die ungestörte Mobilisierung der Bevölkerung für den Raubfeldzug im Osten. Sie beseitigte

112 So z. B. bei Nathan Stolzfus, Widerstand des Herzens. Der Protest in der Rosenstraße und die deutsch-jüdische Mischehe, in: Geschichte und Gesellschaft 21 (1995), S. 218-247, S. 233, der die Bedeutung von Galens einzig in dessen Funktion als Anreger der öffentlichen Meinung sieht.

daher stillschweigend den sichtbaren Teil des Skandalons und ließ den Ankläger unbehelligt, erkannte aber die Legitimität seines Protests nicht an. Einen entscheidenden Moment lang hat der wohl erfolgreichste Akt der Skandalisierung gegen das NS-Regime dessen Handlungsspielräume empfindlich begrenzt und das gesellschaftliche Fundament seiner Herrschaft gefährdet – dauerhaft verhindern konnte er die Morde allerdings nicht.

Armin Nolzen

Der Heß-Flug vom 10. Mai 1941 und die öffentliche Meinung im NS-Staat

1. Einleitung

Im Frühjahr 1941 – der vom Deutschen Reich auf dem europäischen Festland entfesselte Krieg war in vollem Gang – wurde die internationale Öffentlichkeit für wenige Wochen durch ein nachgerade sensationelles Ereignis in Atem gehalten. Am Abend des 10. Mai 1941, kurz nach 18 Uhr, war der Stellvertreter des Führers (StdF) Rudolf Heß, seines Zeichens Reichsminister und oberste Instanz der Nationalsozialistischen Deutschen Arbeiterpartei (NSDAP), vom Augsburger Privatflughafen der Messerschmidt-Werke zu einem Flug aufgebrochen, der ihn binnen weniger Stunden bis in den Norden von Großbritannien geführt hatte.[1] Am Vormittag des 13. Mai 1941 meldete der britische Rundfunk, daß der Stellvertreter des Führers nach einem nächtlichen Alleinflug mit dem Fallschirm in Schottland abgesprungen sei, sich unverletzt gefangen gegeben habe und von einem Mitarbeiter des Foreign Office zweifelsfrei identifiziert worden sei.[2] In den internationalen Medien rückte diese Meldung sofort in den Mittelpunkt der Berichterstattung. Heftig wurde darüber spekuliert, welche Beweggründe Heß eigentlich zu seinem Vorgehen veranlaßt hatten. Die meisten Kommentatoren waren der Ansicht, sein Flug werde die Legitimität des NS-Regimes in der deutschen Bevöl-

1 Zu Heß' Lebensweg Wulf Schwarzwäller, Der »Stellvertreter des Führers« Rudolf Heß. Der Mann in Spandau, Wien/München/Zürich 1974; Peter Padfield, Hess. The Führer's Disciple, London 1993, sowie Kurt Pätzold/Manfred Weißbecker, Rudolf Heß. Der Mann an Hitlers Seite, Leipzig 1999. Zu seiner Rolle als Reichsminister und höchster Repräsentant der NSDAP Peter Longerich, Hitlers Stellvertreter. Führung der Partei und Kontrolle des Staatsapparates durch den Stab Heß und die Partei-Kanzlei Bormann, München u. a. 1992, S. 40-108.

2 Wilhelm Muehlon, Tagebuch der Kriegsjahre, hg. u. eingel. v. Dr. Jens Heisterkamp, Dornach 1992, S. 450 ff. (Eintrag vom 13.5.1941), hier S. 450. Muehlon war ein ehemaliger Krupp-Direktor, der die wilhelminische Rüstungs- und Kriegspolitik kritisiert hatte und 1916 in die Schweiz übergesiedelt war.

kerung untergraben.[3] Der Stellvertreter des Führers selbst wurde jetzt zum Spielball der großen Politik.[4]

Nicht nur in den USA und in den europäischen Hauptstädten hielt man ob jenes überraschenden Ereignisses vom 10. Mai 1941 den Atem an. Auch innerhalb des deutschen Herrschaftsbereiches, der sich zu diesem Zeitpunkt fast schon über ganz Europa erstreckte, war das Aufsehen, das der Heß-Flug erregte, groß. Dies hatte zweifellos mit der Person des Stellvertreters des Führers selbst und seinem öffentlichen Image im NS-Staat zu tun. Neben Hitler, den man gottgleich verehrte und der in dieser Beziehung stets konkurrenzlos blieb,[5] war Heß einer der wenigen Würdenträger im »Dritten Reich«, die sich einer fast unbegrenzten öffentlichen Wertschätzung erfreuten.[6] Dies hatte auch mit einer Propaganda zu tun, die ihn als Saubermann präsentierte, der sich um eine einfache Lebensführung bemühte.[7] In dieser Hinsicht hob sich der Stellvertreter des Führers, so die Ansicht eines Großteils der deutschen Bevölkerung, auch von den übrigen Funktionären der NSDAP ab.[8] Bei seinen zahlreichen öffentlichen Auftritten verstand er es auf besondere Art und Weise, das Bild von einem »guten Nationalsozialisten« zu verkörpern. Ob bei der Eröffnung von Krankenhäusern, bei der Grundsteinlegung zu einer Siedlung oder beim Empfang ausländischer Staatsgäste, immer predigte er die »nationalsozialistische Idee«, und dies mit fast schon an Lächerlichkeit gren-

3 Siehe die Exkurse von Ted Harrison, Peter A. Schupljak u. Robert G. Waite zu den Reaktionen in Großbritannien, der Sowjetunion und den USA in: Pätzold/Weißbecker, Heß, S. 368-434.

4 Dazu die grundlegende Untersuchung von Rainer Schmidt, Rudolf Heß, »Botengang eines Toren«? Der Flug nach Großbritannien vom 10. Mai 1941, Düsseldorf 1997, S. 203-270.

5 Das galt vor allem für die Zeit der »Blitzkriege« zwischen 1939 und 1941; siehe Ian Kershaw, Der Hitler-Mythos. Führerkult und Volksmeinung, Stuttgart 1999, S. 172-181.

6 Sicherheitsdienst (SD) der SS: »Meldungen aus dem Reich (Nr. 85) 6. Mai 1940«, in: Heinz Boberach (Hg.), Meldungen aus dem Reich 1938-1945. Die geheimen Lageberichte des Sicherheitsdienstes der SS, Bd. 4, Herrsching 1984, S. 1098-1113, hier S. 1098 f. Eine ähnliche Einschätzung gibt Thomas Mann, der zu diesem Zeitpunkt im kalifornischen Exil weilte, in einem Brief an seine Verehrerin Agnes Meyer (15.5.1941), in: Thomas Mann. Briefe 1937-1947, hg. v. Erika Mann, Frankfurt a. M. 1979 (Taschenbuchausgabe), S. 187-190, hier S. 188.

7 Als Beispiel siehe einen Ausschnitt aus der »Nationalzeitung« (27.4.1941), in: Der Prozeß gegen die Hauptkriegsverbrecher vor dem Internationalen Militärgerichtshof Nürnberg, Bd. XXXVIII, Nürnberg 1949, S. 162 ff.(= Dok. 102-M), sowie Pätzold/Weißbecker, Heß, S. 156-164.

8 Zum schlechten Image der »kleinen Hitler« Kershaw, Hitler-Mythos, S. 121-130.

zendem Pathos.[9] Hierbei forderte er stets bedingungslosen »Glauben an den Führer«, geißelte die »jüdische Weltverschwörung« und propagierte die »Reinhaltung der Rasse«. Heß war einer der wichtigsten Propagandisten des NS-Staates, ein rabiater Antisemit, Antidemokrat und Antikommunist.

Zu Beginn des Krieges hatte der Stellvertreter des Führers in der Hierarchie des NS-Regimes eine neue Stufe erklommen. In seiner Reichstagsrede vom 1. September 1939 hatte Hitler die Nachfolgeregelung für den Fall seines Ablebens verkündet und Hermann Göring, den Chef des Vierjahresplans und Oberbefehlshaber der Luftwaffe, zu seinem ersten, Heß zu seinem zweiten Nachfolger ernannt.[10] Damit war der Stellvertreter des Führers zum dritten Mann des »Dritten Reiches« aufgestiegen; eine Rolle, die andere hochrangige NS-Funktionäre offenbar anstandslos akzeptierten.[11] In den meisten biographischen Studien zu Heß wird hingegen behauptet, daß er seit dem Kriegsbeginn für den politischen Entscheidungsprozeß im NS-Staat keine Rolle mehr gespielt und sich nur noch für alternative Medizin, Naturheilkunde und Astrologie interessiert habe.[12] Demgegenüber hat Peter Longerich in seiner wichtigen Darstellung zur Dienststelle des Stellvertreters des Führers gezeigt, wie irreführend derartige Einschätzungen sind.[13] Er zeichnet Heß als Politiker, der seine Aufgabe, die NSDAP zu führen, auch nach Kriegsbeginn sehr ernst nahm und der maßgeblich dazu beitrug, deren institutionelle Position im NS-Herrschaftssystem zu stärken.[14] Mit der NSDAP kontrollierte der

9 Einige der unzähligen Reden des StdF finden sich in: Bundesarchiv (BA) Berlin, NS 6/70, sowie in der parteioffiziellen Sammlung: Rudolf Heß, Reden, 2. Aufl., München 1938.

10 Max Domarus (Hg.), Hitler. Reden und Proklamationen 1932-1945. Kommentiert von einem deutschen Zeitgenossen, Bd. 2, Neustadt an der Aisch 1963, S. 1316. Dazu Peter Hubert, Uniformierter Reichstag. Die Geschichte der Pseudo-Volksvertretung 1933-1945, Düsseldorf 1992, S. 165-170.

11 Die Tagebücher von Joseph Goebbels, Teil I: Aufzeichnungen 1923-1941, hg. v. Elke Fröhlich im Auftrag des Instituts für Zeitgeschichte, Bd. 8: April bis November 1940, bearb. v. Jana Richter, München u. a. 1998, S. 378 ff. (Eintrag vom 16.10.1940), hier S. 379 f.

12 Vgl. Joachim C. Fest, Das Gesicht des »Dritten Reiches«. Profile einer totalitären Herrschaft, München 1963, S. 257-270; Dietrich Orlow, Rudolf Heß – ›Stellvertreter des Führers‹, in: Die braune Elite. 22 biographische Skizzen, hg. v. Ronald Smelser u. Rainer Zitelmann, 2. Aufl., Darmstadt 1990, S. 84-95; Padfield, Hess, S. 71-84, sowie Schmidt, »Botengang eines Toren«, S. 61-90, hier S. 84 u. 87.

13 Longerich, Stellvertreter, S. 109-118.

14 Zur Rolle der NSDAP im »Dritten Reich« ist nach wie vor grundlegend Dietrich Orlow, The History of the Nazi Party, Bd. 2: 1933-1945, Newton Abbot 1973.

Stellvertreter des Führers eine Organisation, die zum Zeitpunkt seines Fluges mehr als sechs Millionen Mitglieder hatte, von denen 1,2 Millionen Funktionäre waren.[15] Die wesentlichste Aufgabe der NSDAP im Krieg war es, dafür zu sorgen, daß die Stimmung der Bevölkerung in der Heimat intakt blieb. Heß war also, wie Kurt Pätzold und Manfred Weißbecker zu Recht betonen, eine Art »Befehlshaber im rückwärtigen Dienst«.[16]

Am Abend des 10. Mai 1941 startete mit dem Stellvertreter des Führers also nicht irgendein nachrangiger NS-Funktionär zu einem Flug nach Großbritannien, sondern der nach Hitler und Göring wichtigste Protagonist des »Dritten Reiches«. Die Besonderheit dieses Ereignisses lag nicht zuletzt darin, daß Heß weder den »Führer« noch andere NS-Würdenträger vorab in seine Pläne eingeweiht hatte. Das NS-Regime wurde vom 10. Mai 1941 vollkommen überrascht. Die Tatsache, daß sich der dritte Mann des »Dritten Reiches« mitten im Krieg aus eigenem Antrieb in feindliche Hand begab, hatte das Zeug zu einem Skandal. Hitler und seine Vertrauten mußten sich reiflich überlegen, wie sie diese Nachricht überhaupt der Öffentlichkeit beibringen wollten. In einem Sammelband, der sich mit dem Stellenwert von Skandalen in »modernen Diktaturen« befaßt,[17] ist die Informationspolitik des NS-Regimes zum Heß-Flug von besonderem Interesse. Moderne Diktaturen wie das »Dritte Reich« zeichnen sich bekanntlich dadurch aus, daß sie das Prinzip der Informationsfreiheit bekämpfen und danach streben, die Massenmedien vollkommen ihrer Kontrolle zu unterwerfen. Im NS-Staat gab es keinen freien Markt von Massenmedien. Im Gegenteil: Die tägliche Berichterstattung in Zeitung und Rundfunk, ja selbst die Produktion von Zeitschriften und Büchern war reglementiert. Die »Meinungslenkung« – so der zeitgenössische Begriff – oblag einem riesigen Propagandaapparat.[18]

15 Michael H. Kater, The Nazi Party. A Social Profile of Members and Leaders, 1919-1945, Cambridge/Mass. 1983, S. 116-138 u. 213-228.

16 Pätzold/Weißbecker, Heß, S. 227-235.

17 Zu diesem Begriff die klassische Studie von Sigmund Neumann, Permanent Revolution. The Total State in a World at War, New York/London 1942, S. 1-43. Zu Neumanns vergleichender Theorie der Diktatur Alfons Söllner, Sigmund Neumanns »Permanent Revolution«. Ein vergessener Klassiker der vergleichenden Diktaturforschung, in: Totalitarismus. Eine Ideengeschichte des 20. Jahrhunderts, hg. v. Alfons Söllner, Ralf Walkenhaus u. Karin Wieland, Berlin 1997, S. 53-73.

18 Zu dieser Thematik Peter Longerich, Nationalsozialistische Propaganda, in: Deutschland 1933-1945. Neue Studien zur nationalsozialistischen Herrschaft, hg. v. Karl Dietrich Bracher, Manfred Funke u. Hans-Adolf Jacobsen, Bonn 1992,

Es war der Anspruch dieses Apparates, die Prozesse der öffentlichen Meinungsbildung im NS-Staat jederzeit in die gewünschte Richtung dirigieren zu können. Im folgenden wird danach gefragt, inwieweit dies nach dem Flug des Stellvertreters des Führers vom 10. Mai 1941 gelang.

2. Vorgeschichte und Verlauf des Heß-Fluges

Über die Vorbereitungen, die der Stellvertreter des Führers für seinen spektakulären Flug traf, sind wir durch die einschlägigen Monographien gut unterrichtet. Demnach erwog Heß offenbar seit der Kapitulation Frankreichs und dem deutsch-französischen Waffenstillstand am 22. Juni 1940, einen solchen Schritt zu tun.[19] Hitlers Weisung Nr. 16 zur Vorbereitung der »Operation Seelöwe«, also eines großangelegten Landungsunternehmens in Großbritannien, ließ im Stellvertreter des Führers den Entschluß reifen, eine Initiative zu starten, um die britische Regierung zu einem Separatfrieden mit dem Deutschen Reich zu bewegen.[20] Damit wollte er der propagandistischen Forderung seines »Führers« nachkommen, zu einer Übereinkunft mit Großbritannien zu gelangen und das britische Empire zum Bündnispartner des Deutschen Reiches zu machen.[21] Am 31. August 1940 traf Heß mit dem Geographen Karl Haushofer zusammen, einem seiner engsten Vertrauten. Beide sprachen über die »Operation Seelöwe« und fragten sich dabei, »ob es wirklich keinen Weg gibt, unendlich Folgenschweres hintanzuhalten«.[22] Heß regte an,

S. 291-314, sowie Winfried Ranke, Propaganda, in: Enzyklopädie des Nationalsozialismus, hg. v. Wolfgang Benz, Hermann Graml u. Hermann Weiß, Stuttgart 1997, S. 35-49.

19 Dazu ausführlich Padfield, Hess, S. 134-142; Schmidt, »Botengang eines Toren«, S. 91-126, sowie Pätzold/Weißbecker, Heß, S. 235-241.

20 Zur Vorbereitung der »Operation Seelöwe« Karl Klee, Das Unternehmen »Seelöwe«. Die geplante deutsche Landung in England 1940, Göttingen/Berlin/Frankfurt a. M. 1958.

21 Adolf Hitler, Mein Kampf, 11. Aufl., München 1942, S. 705. Dazu Josef Henke, Hitlers England-Konzeption. Formulierung und Realisierungsversuche, in: Manfred Funke (Hg.), Hitler, Deutschland und die Mächte. Materialien zur Außenpolitik des Dritten Reiches, Düsseldorf 1976, S. 584-603.

22 Karl an Albrecht Haushofer (3.9.1940), in: Hans-Adolf Jacobsen (Hg.), Karl Haushofer. Leben und Werk, Bd. 2: Ausgewählter Schriftwechsel 1917-1946, Boppard am Rhein 1979, S. 452-455 (= Dok. 243), hier S. 453 (Zitate). Zu den Haushofers vgl. die problematischen Studien von Ursula Laack-Michel, Albrecht Haushofer und der Nationalsozialismus. Ein Beitrag zur Zeitgeschichte, Stutt-

»an einem dritten Ort solche Möglichkeiten mit einem Mittelsmann« zu sondieren. Eine Woche später war die Angelegenheit so weit gediehen, daß Heß vorschlug, einen Kontakt in Lissabon zu nutzen, um einen Brief an den Herzog von Hamilton weiterzuleiten, der ein Bekannter von Haushofers Sohn Albrecht war.[23] Am 23. September 1940 wurde das Schreiben dann auch abgeschickt, wenngleich Albrecht Haushofer von vornherein vom Mißerfolg des ganzen Unternehmens überzeugt war.[24]

Es ist nicht ganz klar, zu welchem Zeitpunkt Heß einsah, daß diese Initiative gescheitert war, und er sich zu seinem Alleinflug entschloß. Auf jeden Fall wurde der über Lissabon geleitete Brief von der britischen Zensur abgefangen, und die erhoffte Antwort blieb aus. Statt dessen wurde nunmehr der britische Geheimdienst aktiv und suchte die Hintergründe dieses Schriftstückes auszuleuchten. Von September 1940 bis März 1941 entfaltete man eine Reihe von Aktivitäten, die selbst einen so seriösen Autor wie Rainer F. Schmidt zu der These veranlaßt haben, der britische Geheimdienst habe den Heß-Flug nachgerade »provoziert«.[25] Schmidt bleibt jedoch jeden Beleg dafür schuldig, auf welche Art und Weise überhaupt geheimdienstliche Kanäle auf Heß' Entscheidung eingewirkt haben könnten. Seit Anfang November 1940 war der Stellvertreter des Führers dazu bereit, alleine nach Großbritannien zu fliegen.[26] Nunmehr suchte er auch Kontakte zur Firma Messerschmidt und unternahm einige Probeflüge auf der Me-110, einer zweimotorigen Jagdmaschine, die in

gart 1974, sowie von Bruno Hipler, Hitlers Lehrmeister. Karl Haushofer als Vater der NS-Ideologie, St. Ottilien 1996.

23 Heß an Karl Haushofer (10.9.1940), in: Jacobsen, Haushofer, Bd. 2, S. 455 f. (= Dok. 244).

24 Albrecht an Karl Haushofer (23.9.1940), in: Akten zur Deutschen Auswärtigen Politik. Serie D: 1937-1945, Bd. XI/1, Bonn 1964, S. 139 f. (= Dok. 94). Dazu Pätzold/Weißbecker, Heß, S. 242 ff.

25 Schmidt, »Botengang eines Toren«, S. 127-171, hier S. 136 u. 149. Diese Hypothese entspricht einem Gerücht, das bereits im August 1941 im »Daily Express« kolportiert wurde; siehe die Vorgänge in: Akten der Parteikanzlei der NSDAP. Rekonstruktion eines verlorengegangenen Bestandes. Sammlung der in anderen Provenienzen überlieferten Korrespondenzen, Niederschriften und Besprechungen usw. mit dem Stellvertreter des Führers und seinem Stab bzw. der Parteikanzlei, ihren Ämtern, Referaten und Unterabteilungen sowie mit Heß und Bormann persönlich, hg. v. Institut für Zeitgeschichte, 2 Teile, München u. a. 1983-1992, hier Teil I/1, Regest 15243, Fiches 203 00418 f. (= Politisches Archiv des Auswärtigen Amtes (PA/AA) Berlin, Inland I Partei 27/4).

26 Siehe seinen »Abschiedsbrief« (4.11.1940), gedruckt in: Pätzold/Weißbecker, Heß, S. 254.

über 6.000 Exemplaren gebaut worden war.[27] Einen »Herrenabend« bei Hartmann Lauterbacher, dem Gauleiter Süd-Hannover-Braunschweigs, nutzte der Stellvertreter des Führers, um die anwesenden Generäle und Admiräle über die deutsche Küstenverteidigung an der Nordsee auszufragen.[28] Über den Stand des »Unternehmens Seelöwe«, das sich 1940/41 weiter verzögerte, wußte Heß ebenfalls Bescheid, ja, er war damit bisweilen auch dienstlich befaßt. Dies läßt sich anhand der Vorschläge eines Experten zur künstlichen Flächenvernebelung zeigen, der im Frühjahr 1941 versuchte, einen Termin bei Hitler zu bekommen. Offenbar wollte er dem »Führer« vorschlagen, den Ärmelkanal zur Tarnung vernebeln zu lassen, um das »Unternehmen Seelöwe« doch noch durchführen zu können. Die Kriegsmarine hielt das Projekt für aussichtslos, und die Sache wurde zur weiteren Bearbeitung an den Stellvertreter des Führers abgegeben.[29]

Im Frühjahr 1941 ergab sich dann aber bald eine neue Konstellation, die als eigentlicher Auslöser (nicht als Ursache) des Heß-Fluges gelten muß. Dabei handelt es sich um die Vorbereitungen des NS-Regimes für einen Angriff auf die Sowjetunion.[30] Heß war zweifelsohne über die Planung des »Falles Barbarossa« unterrichtet.[31] Zum einen koordinierte die Abteilung M in der Dienststelle des Stellvertreters des Führersdie innerparteiliche Mobilmachung, die seit März 1941 auf Hochtouren lief.[32]

27 Wolfgang Domarus, Nationalsozialismus, Krieg und Bevölkerung. Untersuchungen zur Lage, Volksstimmung und Struktur in Augsburg während des Dritten Reiches, München 1977, S. 128 ff. Heß hatte es bereits im Ersten Weltkrieg bis zum Fliegerleutnant gebracht und 1918 auch an Kampfeinsätzen an der Westfront teilgenommen; siehe Pätzold/Weißbecker, Heß, S. 27 f.

28 Hartmann Lauterbacher, Erlebt und mitgestaltet. Kronzeuge einer Epoche 1923-45. Zu neuen Ufern nach Kriegsende, Preußisch-Oldendorf 1987, S. 265.

29 Diese Quisquilie nach: Der Dienstkalender Heinrich Himmlers 1941/42. Im Auftrag der Forschungsstelle für Zeitgeschichte in Hamburg, bearb., komm. u. eingel. v. Peter Witte, Michael Wildt, Martina Voigt, Dieter Pohl, Peter Klein, Christian Gerlach, Christoph Dieckmann u. Andrej Angrick, Hamburg 1999, S. 127 f. u. 132 f. (Eintragungen vom 7. u. 16.3.1941), Fußnoten 22 u. 48.

30 Grundlegend Horst Boog, Jürgen Förster, Joachim Hoffmann, Ernst Klink, Rolf-Dieter Müller u. Gerd R. Ueberschär, Die Deutsche Kriegspolitik und die Sowjetunion 1940/41, in: Das Deutsche Reich und der Zweite Weltkrieg, Bd. IV: Der Angriff auf die Sowjetunion, Stuttgart 1985, S. 1-447.

31 Pätzold/Weißbecker, Heß, S. 245.

32 Zur Beteiligung des StdF an den Mobilmachungs-Angelegenheiten siehe Heß: Anordnung 2/41 g. (20.2.1941), in: BA Berlin, NS 6/356, Bl. 122, sowie die Vorgänge in: Akten der Parteikanzlei, Teil I/2, Regest 25250, Fiches 117 04666 f. u.

Zum anderen wurden bald auch andere Dienststellen der NSDAP in die Vorbereitung dieses Feldzugs eingeschaltet. Am 20. April 1941 ernannte Hitler mit Alfred Rosenberg einen Reichsleiter der NSDAP zu seinem »Beauftragten für die zentrale Bearbeitung der Fragen des osteuropäischen Raumes«.[33] Rosenbergs Aufgabe war es, den Aufbau einer Zivilverwaltung in den zu besetzenden Territorien der Sowjetunion vorzubereiten. Zu diesem Zweck nahm er nach und nach Verbindung zu den militärischen Kommandobehörden, den Reichsministerien und anderen Parteidienststellen auf. Joseph Goebbels, der Reichsminister für Volksaufklärung und Propaganda (RMinfVuP) und Reichspropagandaleiter (RPL) der NSDAP, erfuhr in der ersten Maiwoche 1941 von Rosenbergs Beauftragung.[34] Etwa zum gleichen Zeitpunkt wird die Dienststelle des Stellvertreters des Führers davon in Kenntnis gesetzt worden sein. Damit war klargeworden, daß der Angriffstermin auf die Sowjetunion in nicht allzu weiter Ferne liegen würde. Dies war ausschlaggebend für die Eile, die Heß in den wenigen Tagen vor dem 10. Mai 1941 an den Tag legte.[35]

Das letzte schriftliche Zeugnis, das der Stellvertreter des Führers in den NS-Akten hinterließ, war ein Einschreiben an Richard Walther Darré, den Reichsminister für Ernährung und Landwirtschaft, vom 9. Mai 1941. Darin bemerkte Heß, daß er in den nächsten Tagen nicht für eine Besprechung zur Verfügung stehe, da er »eine größere Reise« vorhabe und nicht wisse, wann er wieder zurück sei.[36] Am Abend des 10. Mai 1941

81 f. (= BA Berlin, NS 22/714). Zur Abteilung M im Stab Heß siehe Manfred Weißbecker u. Gerd Noack, »Die Partei als Rückgrat der inneren Front«. Mobilmachungspläne der NSDAP für den Krieg (1937 bis 1939), in: Dietrich Eichholtz u. Kurt Pätzold (Hg.), Der Weg in den Krieg. Studien zur Geschichte der Vorkriegsjahre (1935/36 bis 1939), Köln 1989, S. 67-90.

33 Erlaß Hitlers (20.4.1941), in: »Führer-Erlasse« 1939-1945. Edition sämtlicher überlieferter, nicht im Reichsgesetzblatt abgedruckter, von Hitler während des Zweiten Weltkrieges schriftlich erteilter Direktiven aus den Bereichen Staat, Partei, Wirtschaft, Besatzungspolitik und Militärverwaltung, zusammengestellt u. eingel. v. Martin Moll, Stuttgart 1997, S. 168 f. (= Dok. 81). Christian Gerlach, Kalkulierte Morde. Die deutsche Wirtschafts- und Vernichtungspolitik in Weißrußland 1941 bis 1944, Hamburg 1999, S. 156 f., zeigt, daß Hitler Rosenberg bereits Ende März 1941 mündlich beauftragt hatte.

34 Tagebücher von Joseph Goebbels, Teil I, Bd. 9: Dezember 1940 bis Juli 1941, bearb. v. Elke Fröhlich, München u. a. 1998, S. 299-302 (Eintrag vom 9.5.1941), hier S. 301.

35 Schmidt, »Botengang eines Toren«, S. 194 f.

36 Heß an Darré (9.5.1941), in: BA Berlin, Sammlung Schumacher 236, interpretiert bei Longerich, Stellvertreter, S. 146 (Fußnote 626).

startete er schließlich zu seinem Flug. Heß orientierte sich, von Augsburg kommend, zunächst rheinabwärts, überflog dann den Ostrand der Niederlande, bis er in der Nähe der Emsmündung wieder Kurs nach Nordwesten auf die Insel Texel nahm.[37] Nachdem er die Nordsee überquert hatte, sprang er gegen 23 Uhr, also knapp fünf Stunden nach Flugbeginn, in der Nähe der schottischen Besitztümer des Herzogs von Hamilton in Dungavel mit dem Fallschirm ab. Dort wurde er von Angehörigen der schottischen Homeguard in Haft genommen. Am nächsten Tag gab sich der Stellvertreter des Führers dem Herzog von Hamilton, den er zu sprechen verlangt hatte, zu erkennen und teilte ihm mit, daß er gekommen sei, um die britische Regierung mit Hitlers Friedensbedingungen bekannt zu machen.[38] Daraufhin beauftragte das britische Außenministerium Ivon Kirkpatrick, der in den 1930er Jahren als Diplomat in Berlin tätig gewesen war, mit Heß über einen möglichen Friedensschluß zu verhandeln. Bei drei mehrstündigen Gesprächen, die beide am 13., 14. und 15. Mai 1941 miteinander führten, tat der Stellvertreter des Führers allerdings nichts anderes, als Hitlers bekannte außenpolitische Vorstellungen darzulegen.[39] Die britische Regierung mußte daraus den Eindruck gewinnen, daß Heß nichts Substantielles anzubieten hatte. Bald wurde auch deutlich, daß er sich bei seinem Flug gar nicht auf einen Auftrag Hitlers berufen konnte.

3. Die Reaktion an der Spitze des NS-Regimes und die Entwicklung der öffentlichen Meinung

Im Grunde genommen ist seit dem 10. Mai 1941 darüber spekuliert worden, inwieweit Hitler über Heß' Initiative Bescheid wußte, ja diese möglicherweise vielleicht selbst initiiert hatte. Mittlerweile ist sich die historische Forschung allerdings darin einig, daß der »Führer« und Reichs-

37 Ein Adjutant des StdF hatte den Reichssender Saarbrücken dazu aufgefordert, am 10.5.1941 den ganzen Abend Musik zu spielen, damit sich Heß einpeilen konnte; siehe Goebbels-Tagebücher, Teil I, Bd. 9, S. 317 ff. (Eintrag vom 17.5.1941), hier S. 318. Zum Verlauf des Fluges Padfield, Hess, S. 192-201.

38 Bericht Hamiltons (11.5.1941), in: Prozeß gegen die Hauptkriegsverbrecher, Bd. XXXVIII, S. 174 ff.(= Dok. 116-M), sowie Padfield, Hess, S. 205-217.

39 Die drei Berichte Kirkpatricks finden sich in: Prozeß gegen die Hauptkriegsverbrecher, Bd. XXXVIII, S. 177-184 (= Dok. 117-M bis 119-M). Zum britischen Umgang mit dem Heß-Flug ausführlich Schmidt, »Botengang eines Toren«, S. 203-246.

kanzler völlig ahnungslos war.[40] Dies zeigt sich nicht zuletzt an seiner Reaktion, als er am frühen Vormittag des 11. Mai 1941, einem Sonntag, vom Flug des Stellvertreters des Führers erfuhr. Hitler hielt sich zu diesem Zeitpunkt auf dem Obersalzberg in Berchtesgaden auf, um einige ausländische Staatsgäste zu empfangen. In seiner Begleitung befand sich der übliche Troß von Dienern, Sekretärinnen und Dolmetschern. Der einzige höhere NS-Funktionär, der ebenfalls auf dem Obersalzberg weilte, war Martin Bormann, der Stabsleiter der Dienststelle des Stellvertreters des Führers und Heß' direkter Untergebener.[41] Um 11 Uhr meldete sich Karl Heinz Pintsch, ein Adjutant des Stellvertreters des Führers, auf dem Berghof und verlangte, sofort zu Hitler vorgelassen zu werden. Als dieser ihn empfing, übergab Pintsch einige Schriftstücke, in denen Heß seine Initiative offenbarte und die Beweggründe darlegte, die ihn dazu veranlaßt hatten.[42] Hitler las diese Ausführungen und war vollkommen konsterniert. Er ließ Bormann zu sich rufen, um ihm die Neuigkeit mitzuteilen. Dieser war genauso fassungslos, hatte Heß ihn doch ebensowenig vorher ins Vertrauen gezogen.[43]

Nachdem Hitler und Bormann ihre erste Bestürzung über den Flug des Stellvertreters des Führers überwunden hatten, besprachen sie das weitere Vorgehen miteinander. Vordringliches Ziel war es, die Nachricht vom Verschwinden des Stellvertreters des Führers zurückzuhalten, um dadurch Zeit zu gewinnen. Hitler zitierte Göring, Reichsführer-SS Heinrich Himmler und Reichsaußenminister Joachim von Ribbentrop ohne Angabe von Gründen per Telefon nach Berchtesgaden. Göring und Himmler trafen um 20.45 Uhr dort ein, Ribbentrop etwas später.[44] So-

40 Ian Kershaw, Hitler. 1936-1945, Stuttgart 2000, S. 497 ff.

41 Zu Bormanns Lebensweg die Biographie von Jochen von Lang, Der Sekretär. Martin Bormann: Der Mann, der Hitler beherrschte, Stuttgart 1977.

42 Heß' schriftliche Hinterlassenschaften an Hitler sind nicht überliefert. Deren Existenz geht aber aus vielen anderen Dokumenten hervor; siehe Willi A. Boelcke (Hg.), Kriegspropaganda 1939-1941. Geheime Ministerkonferenzen im Reichspropagandaministerium, Stuttgart 1966, S. 732-737 (Eintrag vom 15.5.1941), hier S. 733 f., sowie Hildegard von Kotze (Hg.), Heeresadjutant bei Hitler 1938-1943. Aufzeichnungen des Majors Engel, Stuttgart 1974, S. 103 f. (Eintrag vom 11.5.1941), hier S. 103. Zum folgenden ist grundlegend Schmidt, »Botengang eines Toren«, S. 185-191.

43 Dabei hatte Bormann ein sehr enges Verhältnis zu Heß; siehe die Nachkriegsaussage eines Mitarbeiters, in: Institut für Zeitgeschichte München, Zeugenschrifttum 243 I-II, sowie Pätzold/Weißbecker, S. 94-100.

44 Dienstkalender Heinrich Himmlers, S. 157 (Eintrag vom 11.5.1941), Fußnote 6. Zur Atmosphäre, die zu diesem Zeitpunkt auf dem Berghof herrschte, siehe Kershaw, Hitler. 1936-1945, S. 492 f.

fort informierte Hitler seine Vertrauten über den Heß-Flug und besprach mit ihnen das weitere Krisenmanagement. Himmler verhörte Pintsch, der auf dem Berghof festgesetzt worden war, um weitere Mitwisser des Fluges des Stellvertreters des Führers festzustellen. Diese fanden sich schnell. So waren Heß' Adjutanten Alfred Leitgen und Günter Sorof in die technischen Vorbereitungen involviert und wurden in »Schutzhaft« genommen.[45] Dasselbe Schicksal ereilte Alfred Heß, den Bruder des Stellvertreters des Führers und zweiten Mann der Auslandsorganisation (AO) der NSDAP. Auch mehrere untergeordnete Mitarbeiter des Stabes Heß wurden verhaftet. Albrecht Haushofer wurde auf den Obersalzberg zitiert und dort befragt, konnte jedoch am 17. Mai 1941 wieder nach Berlin zurückkehren.[46] Daraufhin nahm ihn das Reichssicherheitshauptamt in »Ehrenhaft« und verhörte ihn vierzehn Tage lang.[47] Lediglich Ernst Wilhelm Bohle, der Chef der AO, entging Himmlers Schergen. Bohle hatte, wie sich erst später herausstellte, einige vom Stellvertreter des Führers für seine Verhandlungen mit der britischen Regierung benötigte Schriftstücke übersetzt, weil er geglaubt hatte, Hitler wolle England ein Friedensangebot unterbreiten.[48] Insgesamt wurden nach dem 12. Mai 1941 etwa zehn Personen als Mitwisser des Heß-Fluges verhaftet.

Das NS-Regime reagierte am 11. und 12. Mai 1941 also zunächst einmal abwartend auf den Flug des Stellvertreters des Führers.[49] Hitler gab sich zu diesem Zeitpunkt noch der Hoffnung hin, daß Heß unterwegs ab-

45 Zum folgenden Schmidt, »Botengang eines Toren«, S. 200. Die meisten Verhafteten wurden ins Konzentrationslager Sachsenhausen eingeliefert, wo sie teils jahrelang blieben. Pintsch, Leitgen und Sorof wurden aus der NSDAP ausgeschlossen; siehe die Vorgänge in: Akten der Parteikanzlei, Teil I/2, Regesten 25481 u. 27234, Fiches 307 04773-77 (= BA Berlin, Partei-Correspondence Karl-Heinz Pintsch). Zum Ausschluß aus der NSDAP generell Armin Nolzen, Parteigerichtsbarkeit und Parteiausschlüsse in der NSDAP, 1921-1945, in: Zeitschrift für Geschichtswissenschaft 48 (2000), S. 965-989.

46 Siehe die Eintragungen im Tagebuch seiner Mutter Martha Haushofer (11. bis 16.5.1941), in: Jacobsen, Haushofer, Bd. 2, S. 508-511 (= Dok. 271), hier S. 509.

47 Reinhard Heydrich an Bormann (15.5.1941), in: Akten der Parteikanzlei, Teil I/1, Regest 14995, Fiches 107 01291 f. (= BA Berlin, NS 19 alt/401).

48 Goebbels-Tagebücher, Teil I, Bd. 9, S. 326-329 (Eintrag vom 22.5.1941), hier S. 328.

49 Dafür waren in erster Linie außenpolitische Gründe maßgeblich, denn Ribbentrop drängte darauf, die Verbündeten Italien und Japan über den Heß-Flug zu informieren, bevor sie von britischer Seite davon erfuhren. Dazu ausführlich Schmidt, »Botengang eines Toren«, S. 195 ff.

gestürzt sei.[50] In diesem Glauben wurde er auch dadurch bestärkt, daß der britische Rundfunk noch nichts über den Stellvertreter des Führers hatte verlauten lassen. Am Nachmittag des 12. Mai 1941 formulierte Hitler eine offizielle Stellungnahme.[51] Wenige Stunden später wurde Propagandaminister Goebbels vom Obersalzberg aus telefonisch über die Ereignisse informiert und instruiert, diese Stellungnahme im Rundfunk ausstrahlen zu lassen.[52] Hitler legte Wert darauf, das Kommuniqué als »parteiamtliche Mitteilung« zu bezeichnen. Diese Mitteilung wurde um 21 Uhr über alle Sender des »Großdeutschen Rundfunks« verlesen und zierte am nächsten Morgen auch noch die Titelseiten aller deutschen Zeitungen. Sie lautete wie folgt:

> »Parteigenosse Heß, dem es auf Grund einer seit Jahren fortschreitenden Krankheit vom Führer strengstens verboten war, sich noch weiter fliegerisch zu betätigen, hat, entgegen diesem vorliegenden Befehl, es vermocht, sich in letzter Zeit wieder in den Besitz eines Flugzeugs zu bringen. Am Samstag, dem 10. Mai, gegen 18 Uhr, startete Parteigenosse Heß in Augsburg wieder zu einem Flug, von dem er bis zum heutigen Tage nicht zurückgekehrt ist. Ein zurückgelassener Brief zeigte in seiner Verworrenheit leider die Spuren einer geistigen Zerrüttung, die befürchten läßt, daß Parteigenosse Heß das Opfer von Wahnvorstellungen wurde […]. Unter diesen Umständen muß also leider die nationalsozialistische Bewegung damit rechnen, daß Parteigenosse Heß auf seinem Flug irgendwo abgestürzt bzw. verunglückt ist«.[53]

An dieser Erklärung sind mehrere Dinge bemerkenswert: Erstens wurde die Öffentlichkeit davon in Kenntnis gesetzt, daß der Stellvertreter des Führers mit dem Flugzeug unterwegs war, ohne daß ein Ziel des Flugs (von dem Hitler und seine Entourage auf dem Obersalzberg zu diesem Zeitpunkt ja bereits informiert waren) genannt worden wäre. Zweitens wurde mitgeteilt, daß Heß unter einer »geistigen Zerrüttung« und

50 Kotze, Heeresadjutant 104 f. (Eintrag vom 12.5.1941), hier S. 105, sowie Paul Schmidt, Statist auf diplomatischer Bühne 1923-45. Erlebnisse des Chefdolmetschers im Auswärtigen Amt mit den Staatsmännern Europas, Bonn 1950, S. 538.

51 Kershaw, Hitler. 1936-1945, S. 493 u. 1187 (Endnote 190).

52 Goebbels-Tagebücher, Teil I, Bd. 9, S. 307-310 (Eintrag vom 13.5.1941), hier S. 309 f. Der RMinfVuP ließ den StdF umgehend aus einer im Rohentwurf fertigen »Wochenschau« herausschneiden. Zur Zensur der »Wochenschau« durch Goebbels Gerd Albrecht, Nationalsozialistische Filmpolitik. Eine soziologische Untersuchung über die Spielfilme des Dritten Reichs, Stuttgart 1969, S. 57-70.

53 Domarus, Hitler, Bd. II, S. 1714.

»Wahnvorstellungen« litt, und dies schon jahrelang! Drittens ging man davon aus, daß er unterwegs verunglückt sei. Hitler und seine Umgebung erklärten Heß also für unzurechnungsfähig und unterstellten, daß er möglicherweise zu Tode gekommen sei. Ulrich von Hassel, der bis zum Februar 1938 deutscher Botschafter in Rom gewesen war und später zum bürgerlichen Widerstand gegen Hitler zählte, schüttelte ob der »Torheit« dieses Kommuniqués nur den Kopf. Er konnte es nicht begreifen, daß man öffentlich einräumte, jahrelang einen angeblich Geisteskranken als Nachfolger Hitlers öffentlich geduldet zu haben.[54]

Nach dieser ersten offiziellen Verlautbarung des NS-Regimes war nun auch für die britische Seite klargeworden, daß Heß auf eigene Faust nach Schottland geflogen war und sich noch nicht einmal auf eine Willenserklärung Hitlers berufen konnte. Am Morgen des 13. Mai 1941 meldete die BBC, wie eingangs erwähnt, daß der Stellvertreter des Führers mit dem Fallschirm in Schottland abgesprungen sei und sich nunmehr unversehrt in britischem Gewahrsam befinde. Zähneknirschend mußte Hitler ein weiteres Kommuniqué veranlassen. Am 14. Mai 1941 war unter der Schlagzeile »Die Aufklärung des Falles Heß« in allen deutschen Tageszeitungen folgendes zu lesen:

> »Die Nationalsozialistische Parteikorrespondenz teilt mit:
> Soweit die bisher vorgenommene Durchsicht der von Rudolf Heß zurückgelassenen Papiere ergibt, scheint Heß in dem Wahn gelebt zu haben, durch einen persönlichen Schritt bei ihm von früher her bekannten Engländern doch noch eine Verständigung zwischen Deutschland und England herbeiführen zu können. Tatsächlich ist er auch, wie unterdes durch eine Mitteilung aus London bestätigt wurde, in Schottland vom Flugzeug in der Nähe des Ortes, den er aufsuchen wollte, abgesprungen und wurde dort anscheinend verletzt aufgefunden […]. Die ganze Art seines Vorgehens bestätigt jedenfalls die schon in der ersten Mitteilung gegebene Tatsache, daß er unter Wahnvorstellungen gelitten hat […]. Die Nationalsozialistische Partei bedauert, daß dieser Idealist einer so verhängnisvollen Wahnvorstellung zum Opfer fiel. An der dem deutschen Volke aufgezwungenen Fortführung des Krieges gegen England ändert sich dadurch nichts. Er wird solange

54 Die Hassell-Tagebücher 1938-1944. Ulrich von Hassell. Aufzeichnungen vom Andern Deutschland. Nach der Handschrift rev. u. erw. Ausg., hg. v. Friedrich Freiherr Hiller von Gaertringen, Berlin 1988 (Taschenbuchausgabe), S. 251-254 (Eintrag vom 18.5.1941), hier S. 251.

geführt, bis […] die britischen Machthaber gestürzt bzw. friedensbereit sind.«[55]

In dieser Verlautbarung wurden Heß' Wahnvorstellungen, von denen schon in der Mitteilung vom 12. Mai 1941 die Rede gewesen war, notdürftig präzisiert. Demzufolge habe der Stellvertreter des Führers geglaubt, eine Verständigung zwischen Berlin und London herbeiführen zu können. Dieser Versuch sei allerdings von vornherein zum Scheitern verurteilt gewesen und der Krieg gegen das britische Empire werde weitergeführt. Es war erstaunlich, wie zurückhaltend Heß beurteilt wurde, denn man gestand ihm immerhin zu, er sei ein »Idealist« gewesen! Für Goebbels war Heß nur ein »Herostrat und danebengelungener Christus«, ein Verbrecher und Scharlatan.[56]

Im Inland blieben die beiden parteiamtlichen Mitteilungen vom 12. und 13. Mai 1941 die einzigen Stellungnahmen des NS-Regimes zum Flug des Stellvertreters des Führers Goebbels verpflichtete seine Mitarbeiter bei der Ministerkonferenz am 14. Mai 1941 ausdrücklich darauf, zum Heß-Flug zu schweigen.[57] In der Auslandspropaganda wurde jedoch eine andere Taktik angewandt. Generell galt, wie Goebbels es kurz und bündig ausdrückte, die »Parole: im Innern Haltung und vorläufiges Schweigen, nach Außen Abwehr der Lügen und andeutende Darstellung des Tatbestandes«.[58] Für die Auslandspropaganda erging daher die Anweisung, alle Meldungen, die im Zusammenhang mit dem »Fall Heß« standen, zu dementieren.[59] Im Deutschen Reich selbst war man auf die spärlichen Informationen angewiesen, die in den beiden parteiamtlichen Mitteilungen enthalten waren. Diese riefen in der deutschen Öffentlichkeit sogleich einen beispiellosen Stimmungseinbruch hervor. Der SD-Bericht

55 Domarus, Hitler, Bd. II, S. 1715 f. Auch dieses Kommuniqué stammte von Hitler; siehe dessen Ausführungen in: Henry Picker, Hitlers Tischgespräche im Führerhauptquartier, Stuttgart 1951, S. 149 f. (Eintrag vom 27.3.1942 nachmittags), hier S. 150, bei der die Chronologie der Ereignisse allerdings etwas durcheinandergeraten ist. Vgl. Kershaw, Hitler. 1936-1945, S. 494.

56 Goebbels-Tagebücher, Teil I, Bd. 9, S. 310 ff. (Eintrag vom 14.5.1941), hier S. 311. Er spielte damit auf den Griechen Herostratos an, der 356 vor Christus den Artemis-Tempel in Brand gesteckt hatte, um berühmt zu werden.

57 Boelcke, Kriegspropaganda, S. 731 f. (Eintrag vom 14.5.1941), hier S. 731.

58 Goebbels-Tagebücher, Teil I, Bd. 9, S. 312 ff. (Eintrag vom 15.5.1941), hier S. 313, sowie Ralf Georg Reuth, Goebbels, München 1990, S. 474 f.

59 Boelcke, Kriegspropaganda, S. 732-737 (Eintrag vom 14.5.1941), hier S. 735 ff. Zum Thema bisher nur Martin Moll, »Das Neue Europa«. Studien zur nationalsozialistischen Auslandspropaganda in Europa 1939-1945. Die Geschichte eines Fehlschlages, 2 Bände, Phil. Diss. Graz 1986.

vom 15. Mai 1941 vermeldete, daß in der Bevölkerung »große Bestürzung« herrsche und sich eine »Flut an Gerüchten und Vermutungen« Bahn gebrochen habe.[60] Der Kreisleiter der NSDAP in Marktheidenfeld berichtete am Tag darauf, der Heß-Flug habe die Bevölkerung seines Kreises vollkommen »verstört«.[61] Im Kriegstagebuch der Mediävistin Luise von Winterfeld, der Stadtarchivarin und Leiterin des Amtes für Statistik in Dortmund, liest sich dies wie folgt:

> »Der Fall Rudolf Hess, der in seiner Rätselhaftigkeit alle Gemüter beunruhigt und bedrückt, wirkt sich in der Bevölkerung wie eine verlorene Schlacht aus. Die Leute sind in ihrem Vertrauen schwer erschüttert. Es kursieren viele Gerüchte, die natürlich unwahr sind wie z. B. R. Hess' Mutter sei eine Engländerin, oder seine erste Frau sei eine Engländerin. Gerade, weil der Stellvertreter des Führers allgemeinstes Vertrauen genoß, begreift man sein Handeln nicht u. fragt sich bang, ob andere hinter ihm stehen u. Spaltungen sich zeigen. Die allgemeine Ansicht ist, dass die Motive zu diesem Handeln uns unklar bleiben werden.«[62]

Winterfelds Äußerungen können als repräsentativ für die in den Tagen nach dem 12. Mai 1941 im »Großdeutschen Reich« vorherrschende Stimmungslage gelten. Allenthalben wurde die Wirkung des Heß-Fluges mit einer »verlorenen Schlacht« verglichen, überall war von »Vertrauensverlust« die Rede. Goebbels, der durch die Berichte der Reichspropagandaämter über die Entwicklung der öffentlichen Meinung informiert worden war, mußte eine »richtige Deroute« konstatieren.[63] Auch die Informationspolitik des NS-Regimes selbst stieß auf teilweise vehemente Kritik. So berichtete ein Landrat, daß die Bevölkerung das Gefühl habe, »nicht bloß falsch, sondern auch wieder viel zu mangelhaft unterrichtet worden« zu sein.[64] Das selbstverordnete Schweigen des NS-Regimes ließ

60 SD: »Meldungen aus dem Reich (Nr. 186) 15. Mai 1941«, in: Boberach, Meldungen, Bd. 7, S. 2302-2312, hier S. 2302.

61 Dieser Bericht findet sich in: Akten der Parteikanzlei, Teil I/1, Regest 14999, Fiches 541 00006 f. (= Staatsarchiv Würzburg, NSDAP-Gauleitung Mainfranken 112g I/3). Zur Rolle der Kreisleitungen im »Dritten Reich« ist grundlegend Claudia Roth, Parteikreis und Kreisleiter der NSDAP unter besonderer Berücksichtigung Bayerns, München 1997, hier S. 292-304, zum Berichtswesen.

62 Stadtarchiv Dortmund (StdtADo), 424/11, Bl. 32 (Eintrag vom 18.5.1941).

63 Goebbels-Tagebücher, Teil I, Bd. 9, S. 310 ff. (Eintrag vom 14.5.1941), hier S. 312. Zu diesem Stimmungseinbruch Kershaw, Hitler Mythos, S. 204 f., sowie ders., Hitler. 1936-1945, S. 495 ff.

64 Auszug aus einem »Monatsbericht des Landrats des Bezirks Ebermannstadt« (31.5.1941), in: Bayern in der NS-Zeit, Bd. I: Soziale Lage und politisches Verhal-

einen Freiraum, den man mit Gerüchten wie den angeblichen verwandtschaftlichen Beziehungen des Stellvertreters des Führers nach Großbritannien anreicherte. Auch Flüsterwitze verbreiteten sich nun wie ein Lauffeuer.[65] Unter den in Berlin lebenden Ausländern wurde über eine ernsthafte deutsche Friedensoffensive spekuliert.[66] Noch am 17. Mai 1941 notierte Goebbels, daß den »Fall Heß niemand glauben und verstehen will. Er ist auch so absurd, daß alle meinen, seine Darlegung sei eine plumpe Lügenerfindung von uns«.[67]

Die Verschlechterung des Stimmungsklimas, die sich nach den beiden parteiamtlichen Mitteilungen vom 12. und 13. Mai 1941 im Deutschen Reich Bahn gebrochen hatte, hielt nicht sehr lange an. Im SD-Bericht vom 19. Mai 1941 wurde zum ersten Male erwähnt, daß die öffentlichen Erörterungen über den »Fall Heß« abklängen.[68] Im Grunde genommen hatte sich das Thema wenige Tage später schon wieder erledigt. In der bisherigen Forschungsliteratur haben sich drei Argumentationsmuster herauskristallisiert, um diesen Sachverhalt zu erklären. Erstens sei der Flug des Stellvertreters des Führers einzig und allein der ohnehin unbeliebten NSDAP angelastet worden, wohingegen Hitlers öffentliches Ansehen sogar noch gestiegen sei. Zweitens habe sich das öffentliche Interesse wieder der militärischen Entwicklung zugewandt, was nicht zuletzt auf die spektakuläre Berichterstattung der deutschen Presse über das Landungsunternehmen auf der Insel Kreta zurückzuführen gewesen sei,

ten der Bevölkerung im Spiegel vertraulicher Berichte, hg. v. Martin Broszat, Elke Fröhlich u. Falk Wiesemann, München 1977, S. 148 f.

65 Der als Jude stigmatisierte Romanist Victor Klemperer, Ich will Zeugnis ablegen bis zum letzten. Tagebücher 1933-1941, hg. v. Walter Nowojski unter Mitarb. v. Hadwig Klemperer, Berlin 1995, S. 594 f. (Eintrag vom 24.5.1941), hier S. 594, notierte folgenden Flüsterwitz: »Brauner Wellensittich entflogen. Abzugeben Reichskanzlei«. Zu Klemperer die Beiträge in Hannes Heer (Hg.), Im Herzen der Finsternis. Victor Klemperer als Chronist der NS-Zeit, Berlin 1997.

66 Diese Berichte sind überliefert in: Akten der Parteikanzlei, Teil II/2, Regest 41062, Fiches 22066-22082 (= PA/AA Berlin, Dienststelle Ribbentrop 2/2). Zur Dienststelle Ribbentrop, die formal dem Stab Heß unterstand, siehe Hans-Adolf Jacobsen, Nationalsozialistische Außenpolitik 1933-1938, Frankfurt a. M./Berlin 1968, S. 252-312.

67 Goebbels-Tagebücher, Teil I, Bd. 9, S. 317 ff. (Eintrag vom 17.5.1941), hier S. 319 (Zitat).

68 SD: »Meldungen aus dem Reich (Nr. 187) 19. Mai 1941«, in: Boberach, Meldungen, Bd. 7, S. 2313-2329, hier S. 2313. Ähnlich auch die Einschätzungen des RMinfVuP; siehe Goebbels-Tagebücher, Teil I, Bd. 9, S. 317 ff. (Eintrag vom 17.5.1941), hier S. 317, sowie Boelcke, Kriegspropaganda, S. 740-743 (Eintrag vom 19.5.1941), hier S. 740.

das am 20. Mai 1941 begonnen hatte. Drittens habe man den Heß-Flug als »Verrat« gewertet und eine Jetzt-erst-recht-Mentalität entwickelt, die viele auf eine Vernichtung Großbritanniens hoffen ließ.[69] Hinzuzufügen ist, daß die Repressionsmaßnahmen des NS-Regimes dazu beitrugen, öffentliche Erörterungen über den »Fall Heß« zu unterbinden. Äußerungen mutmaßlicher Gegner des NS-Staates, die im Zusammenhang mit dem Flug des Stellvertreters des Führers fielen, wurden unnachgiebig verfolgt.[70] Das Reichsjustizministerium reorganisierte nach dem »Fall Heß« auch die Strafverfolgung bei »heimtückischen Angriffen« auf Vertreter von Partei und Staat.[71] Öffentliche Kritik an der Person des Stellvertreters des Führers, die seit dem 12. Mai 1941 natürlich opportun war, sollte nicht mit einer Herabsetzung der NSDAP einhergehen dürfen.

4. »Meinungslenkung« durch Mundpropaganda

Die bisher genannten Argumente reichen meines Erachtens jedoch nicht aus, um den Umschwung, wie er sich nur wenige Tage nach dem »Fall Heß« in der öffentlichen Meinung ergab, zu erklären. Auffällig ist zunächst, daß man bei den propagandistischen Aktivitäten des NS-Regimes nach dem 12. Mai 1941 gar nicht von »Meinungslenkung« im klassischen Sinne sprechen kann, sondern eher von Verschweigen. Die staatlich kontrollierten Massenmedien schwiegen, und dies auf Anweisung des Reichsministeriums für Volksaufklärung und Propaganda.[72]

69 Zum folgenden die Arbeiten von Marlis G. Steinert, Hitlers Krieg und die Deutschen. Stimmung und Haltung der deutschen Bevölkerung im Zweiten Weltkrieg, Düsseldorf 1970, S. 193 ff.; Bernd Stöver, Volksgemeinschaft im Dritten Reich. Die Konsensbereitschaft der Deutschen aus der Sicht sozialistischer Exilberichte, Düsseldorf 1993, S. 327, sowie Kershaw, Hitler-Mythos, S. 205 f.

70 Christian Tilitzki (Hg.), Alltag in Ostpreußen 1940-1945. Die geheimen Lageberichte der Königsberger Justiz 1940-1945, Leer 1991, S. 145-151 (= Dok. 19), hier S. 146. Ähnlich die Äußerung eines im Gefängnis Bruchsal inhaftierten Juden, die einem Kreisleiter der NSDAP zu Ohren kam; siehe Generalstaatsanwalt Karlsruhe: »Lagebericht« (3.6.1941), in: BA Berlin, R 3001/3370.

71 Dazu die Vorgänge in: Akten der Parteikanzlei, Teil II/2, Regest 41134, Fiches 24254 f. u. 25018-25025 (= BA Berlin, R 3001/27 u. 108). Zu den vielfältigen Möglichkeiten der Repression, die das »Heimtückegesetz« bot, ist grundlegend Bernward Dörner, »Heimtücke«: Das Gesetz als Waffe. Kontrolle, Abschreckung und Verfolgung in Deutschland 1933-1945, Paderborn/München/Wien/Zürich 1998.

72 So schon Klemperer, Zeugnis, S. 592 f. (Eintrag vom 15.5.1941), hier S. 592: »Affäre Heß [...], vorgestern wirre ›Aufklärung‹, jetzt totgeschwiegen«.

Statt dessen präsentierte man zwei »parteiamtliche Mitteilungen«, um die Meinungsbildungsprozesse im »Fall Heß« zu steuern.[73] Das vollkommene Zurücktreten des Propagandaministeriums nach dem 12. Mai 1941 war mehr als eine Äußerlichkeit, denn darin zeigt sich, daß der NSDAP die »Meinungslenkung« aufgebürdet wurde. Die bisherige Forschung zur NS-Propaganda hat kaum einmal registriert, wie wichtig die NSDAP, ihre Gliederungen und angeschlossenen Verbände für die Entwicklung der öffentlichen Meinung im NS-Staat waren. Zum einen nahm der Parteiapparat die Aufgabe der »Menschenführung« für sich in Anspruch; also die direkte propagandistische Beeinflussung der deutschen Bevölkerung.[74] Zum anderen umfaßte die Partei samt ihrer Gliederungen und angeschlossenen Verbände 1939/40 insgesamt 45 Millionen Menschen und damit fast zwei Drittel der deutschen Bevölkerung.[75] Die öffentliche Meinung im NS-Staat konstituierte sich also nicht zuletzt auch über Mechanismen der »Meinungslenkung« in der NSDAP selbst. Die Öffentlichkeit des »Dritten Reiches« war zu guten Teilen eine durch diese soziale Bewegung organisierte. Um die öffentliche Meinungsbildung nach dem Flug des Stellvertreters des Führers beurteilen zu können, wird man also auch danach fragen müssen, wie die NSDAP diese Affäre verarbeitete.

In der NSDAP, ihren Gliederungen und angeschlossenen Verbänden war die Stimmung nach dem 12. Mai 1941 ebenfalls auf den Nullpunkt gesunken. Nachdem der »Großdeutsche Rundfunk« die erste Meldung vom Verschwinden des Stellvertreters des Führers gesendet hatte, wurde Goebbels bereits »von allen Seiten, Gauleiter, Reichsleiter usw. mit Telephonanrufen bestürmt. Keiner will diesen Wahnsinn überhaupt glau-

73 Dieser Sachverhalt fiel schon den Zeitgenossen auf. So notierte von Winterfeld am 16.5.1941 in ihrem Kriegstagebuch: »Mir fällt auf, dass die Nachrichten nur von der Partei ausgehen. Nicht gesagt wird, dass Rudolf Hess auch Reichsminister, also Beamter, u. Stellvertreter des Führers ist u. dass nicht gesagt wird, dass er durch sein Handeln gegen den Befehl des Führers u. durch seinen eigenmächtigen Verkehr mit einem feindl. Volk seine Ämter verwirkt hat«; siehe StdtADo, 424/11, Bl. 22.

74 Zum Begriff »Menschenführung«, der dem militärischen Kontext entstammte, siehe die Einleitung in: Dieter Rebentisch u. Karl Teppe (Hg.), Verwaltung contra Menschenführung im Staat Hitlers. Studien zum politisch-administrativen System, Göttingen 1986, S. 7-32.

75 Eine Bestandsaufnahme der Mitgliedschaft der NS-Organisationen gibt mein Aufsatz »NSDAP, Krieg und Gesellschaft, 1939-1945«, in: Das Deutsche Reich und der Zweite Weltkrieg, Bd. 9: Krieg und Gesellschaft 1939-1945, hg. v. Militärgeschichtlichen Forschungsamt, München 2004 (im Erscheinen).

ben«.[76] Die vertraulichen Lageberichte, die Reichsaußenminister Ribbentrop am 13. Mai 1941 durch die ihm unterstehende Dienststelle über den »Fall Heß« erhielt, sprechen eine ähnliche Sprache, wobei auch auf Heß' »Eigentümlichkeiten« wie eine »Neigung zu übersinnlichen Theorien« verwiesen wurde.[77] Im SD-Bericht war von »Niedergeschlagenheit« die Rede, die unter den »Parteigenossen« vorherrsche.[78] Ein Mitarbeiter der Reichspropagandaleitung, der vorher für den Stab Heß' tätig gewesen war, nahm die Nachricht »fassungslos« zur Kenntnis.[79] Bormann, der bisherige Stabsleiter der Dienststelle des Stellvertreters des Führers, behielt jedoch einen kühlen Kopf. Für ihn stand die Frage im Vordergrund, wie mit seiner Dienststelle verfahren werden sollte, die das Führungsorgan der NSDAP war. Dabei hatte er den unschätzbaren Vorteil, sich in Hitlers unmittelbarer Umgebung auf dem Obersalzberg aufzuhalten und sich dort ins rechte Licht zu setzen. Noch bevor er die erste Mitteilung zum Heß-Flug formuliert hatte, verfügte Hitler schon am Morgen des 12. Mai 1941, daß die Dienststelle des Stellvertreters des Führers ab sofort unter der Bezeichnung Partei-Kanzlei (PK) weiterarbeiten und Bormann diese Dienststelle leiten werde.[80] Damit war schon einmal sichergestellt, daß in der NSDAP Kontinuität herrschte.

Bormanns erste offizielle Handlung als Leiter der Partei-Kanzlei der NSDAP bestand darin, daß er die Reichs- und Gauleiter am Abend des 12. Mai 1941 nach Berchtesgaden bestellte, damit sie von Hitler persönlich über die Begleitumstände des »Falles Heß« informiert wurden und Richtlinien für die weitere Behandlung der Angelegenheit erhielten.[81] Bei diesem Treffen, das am Nachmittag des 13. Mai 1941 stattfand, verlas Bormann zunächst einmal die von Heß hinterlassenen Schriftstücke, ehe

76 Goebbels-Tagebücher, Teil I, Bd. 9, S. 307-310 (Eintrag vom 13.5.1941), hier S. 310.

77 Siehe Akten der Parteikanzlei, Teil II/2, Regest 41061, Fiches 22062-22065 (= PA/AA Berlin, Dienststelle Ribbentrop 2/2).

78 SD: »Meldungen aus dem Reich (Nr. 186) 15. Mai 1941«, in: Boberach, Meldungen, Bd. 7, S. 2302-2312, hier S. 2302.

79 Willi Krämer, Vom Stab Heß zu Dr. Goebbels, Vlotho 1979, S. 98.

80 Hitlers Verfügung (12.5.1941) findet sich in: Verfügungen, Anordnungen, Bekanntgaben, hg. v. der Partei-Kanzlei der NSDAP, Bd. I, München 1942, S. 4. Zu deren Entstehung Akten der Parteikanzlei, Regest 14988, Fiches 101 20520-24 (= BA Berlin, R 43 II/1213), sowie Longerich, Stellvertreter, S. 150.

81 Ein Telegramm vom 12.5.1941, mit dem Bormann die Reichs- und Gauleiter zu diesem Treffen beorderte, findet sich in: Akten der Parteikanzlei, Teil I/2, Regest 25486, Fiche 126 02728 (= BA Berlin, NS 8/185). Sie sollten am 13.5.1941 in Zivil um 16 Uhr auf dem Obersalzberg erscheinen.

Hitler die Szenerie betrat.[82] Der »Führer« legte den »Fall Heß« aus seiner Perspektive dar und steigerte sich mehr und mehr in eine seiner berüchtigten Redetiraden hinein. Mehrere Male betonte er, daß der ehemalige Stellvertreter des Führers ein »Verräter« sowie offenbar »geisteskrank« sei. Im Unterschied zu den beiden parteiamtlichen Mitteilungen vom 12. und 13. Mai 1941 wurde Heß durch Hitler vollkommen desavouiert. Dies war nicht zuletzt deshalb notwendig geworden, damit sich Hitler keine kritischen Fragen gefallen lassen mußte, weshalb er den Stellvertreter des Führers denn nicht schon vorher seines Amtes enthoben hatte, wenn er schon lange von dessen angeblicher Geisteskrankheit wußte. Die Zusammenkunft der Reichs- und Gauleiter diente also in erster Linie dem Zweck, die Parteiführerschaft in einer Krisensituation auf Hitler einzuschwören. Dies gelang auch. Hatte unter den Reichs- und Gauleitern am 12. Mai 1941 noch Verblüffung und ungläubiges Staunen geherrscht, so waren nach dem Treffen mit Hitler alle nur noch »maßlos empört«.[83]

Das Treffen in Berchtesgaden am 13. Mai 1941 diente jedoch nicht nur dazu, daß die Reichs- und Gauleiter ihre Treue zum »Führer« bekundeten. Darüber hinaus wurde in den Gesprächen auf dem Obersalzberg auch eine Mundpropaganda-Aktion beschlossen, die von den Gauleitern koordiniert werden sollte.[84] Die Parteimitglieder und die Angehörigen der Gliederungen und angeschlossenen Verbände sollten auf mündlichem Weg darüber aufgeklärt werden, daß Heß ein »Verräter« sei. Es ging darum, den Stellvertreter des Führers in der NSDAP unmöglich zu machen. Daß man sich hierbei der mündlichen Verbreitung bediente, war konsequent, fuhr doch das Reichsministerium für Volksaufklärung und Propaganda in der offiziösen Auslandspropaganda gerade den gegenteiligen Kurs! Nachdem die Entscheidung für die Mundpropaganda

82 Zum Ablauf dieses Treffens siehe Goebbels-Tagebücher, Teil I, Bd. 9, S. 310 ff. (Eintrag vom 14.5.1941), hier S. 311 f.; die Memoiren des Gauleiters Karl Wahl, »Es ist das deutsche Herz«. Erlebnisse und Bekenntnisse eines ehemaligen Gauleiters, Augsburg 1954, S. 269-279; Kershaw, Hitler. 1936-1945, S. 497 f., sowie Martin Moll, Steuerungsinstrument im »Ämterchaos«? Die Tagungen der Reichs- und Gauleiter der NSDAP, in: Vierteljahrshefte für Zeitgeschichte 49 (2001), S. 215-273, hier S. 234 f.

83 So eine Äußerung August Eigrubers, des Gauleiters von Oberdonau, bei einem Treffen mit dem RMinfVuP; siehe Goebbels-Tagebücher, Teil I, Bd. 9, S. 317 ff. (Eintrag vom 17.5.1941), hier S. 318.

84 Dies ergibt sich aus einem Fernschreiben Walter Tießlers, des Verbindungsmannes zwischen der PK und der RPL (22.5.1941), in: Akten der Parteikanzlei, Teil II/2, Regest 41104, Fiches 59248 f. (= BA Berlin, NS 18/128 a). Zu Tießler Longerich, Stellvertreter, S. 125 f.

der NSDAP gefallen war, hatte Goebbels seinen Referenten im Ministerium mit auf den Weg gegeben, alle Auslandsmeldungen zu bestreiten, in denen behauptet wurde, Heß habe »Verrat« begangen.[85] Das NS-Regime ließ sich nach dem 13. Mai 1941 also auf eine vollkommen widersprüchliche Propaganda ein. Das Reichsministerium für Volksaufklärung und Propaganda tat alles, um Heß im Ausland in möglichst günstigem Licht erscheinen zu lassen. Dagegen agitierte die NSDAP im Inland auf mündlichem Wege gegen den Stellvertreter des Führers und erklärte ihn zum Verräter. Interessant ist in diesem Zusammenhang Goebbels' Doppelrolle: Als Reichsminister verantwortete er die eine Seite der Propaganda, als NSDAP-Reichspropagandaleiter und Gauleiter von Berlin hingegen die andere. Goebbels sorgte auch dafür, jedwede Erinnerung an den früheren Stellvertreter des Führers aus dem Bewußtsein der Parteimitglieder zu tilgen und dessen Porträts aus dem parteioffiziellen Schrifttum und den Parteigebäuden zu entfernen.[86]

Bei der Zusammenkunft der Reichs- und Gauleiter am 13. Mai 1941 wurde die NSDAP also, wie Goebbels es ausdrückte, »zum Gegenstoß angesetzt«.[87] Die Mundpropaganda, die in den nächsten Tagen zum »Fall Heß« praktiziert wurde, war eine außergewöhnliche Aktion. Im Unterschied zur bisherigen Propaganda – auch in der Zeit vor 1933 – verzichtete die NSDAP nämlich auf jede zentrale Steuerung.[88] Weder die Partei-Kanzlei noch die Reichspropagandaleitung, noch irgendeine andere Reichsleitungs-Dienststelle der NSDAP gaben schriftliche Richtlinien aus, welche Themen angesprochen werden sollten und welche nicht. Es blieb den Gauleitern selbst überlassen, wie sie die Mundpropaganda inhaltlich und organisatorisch gestalteten. Goebbels in seiner Eigenschaft als Berliner Gauleiter instruierte beispielsweise seine Kreisleiter, »durch

85 Boelcke, Kriegspropaganda, S. 731 f. (Eintrag vom 14.5.1941), hier S. 731.

86 Siehe die Vorgänge in: Akten der Parteikanzlei, Teil I/1, Regest 15068, Fiches 101 00548 f. (= BA Berlin, R 43 II/1213). Bis zum 12.5.1941 hatte in den mehr als 30.000 Ortsgruppen der NSDAP neben dem Porträt Hitlers auch ein Heß-Bild gehangen; siehe Carl-Wilhelm Reibel, Das Fundament der Diktatur. Die NSDAP-Ortsgruppen 1932-1945, Paderborn/München/Wien/Zürich 2002, S. 74, Fußnote 42.

87 Boelcke, Kriegspropaganda, S. 732-737 (Eintrag vom 15.5.1941), hier S. 735.

88 Die Steuerung der NSDAP-Propaganda war in der »Kampfzeit« üblich gewesen, wenngleich sich die RPL nicht immer durchsetzen konnte; siehe Gerhard Paul, Aufstand der Bilder. Die NS-Propaganda vor 1933, Bonn 1990. Für die Zeit nach 1933 existiert bislang keine systematische Studie zur Propaganda der NSDAP. Daniel Mühlenfeld (Mülheim) bereitet eine Dissertation zum RMinfVuP vor, die sich auch mit der Rolle der RPL in der NSDAP befassen wird.

geeignete Mundpropaganda den tollen Gerüchten entgegen[zu]wirken«.[89] Die Berliner Kreisleiter wiederum sorgten dafür, daß die ihnen unterstehenden Ortsgruppenleiter nichtöffentliche Versammlungen einberiefen, bei denen die Parteimitglieder vom »Verrat« des Stellvertreters des Führers ins Bild gesetzt wurden. Jedoch gab es bei diesem Verfahren einige Reibungsverluste. In einer Berliner Ortsgruppen-Versammlung wurde so ausführlich über den »Fall Heß« berichtet, daß die Reichspropagandaleitung mutmaßte, der zuständige Ortsgruppenleiter habe sich ausgiebig des Materials der NS-Auslandspropaganda bedient.[90] Offenbar war der Wissensdurst der Anwesenden in Sachen Heß so groß, daß man ihn nur mit zusätzlichen Informationen befriedigen konnte.

Zur Mundpropaganda der NSDAP im »Fall Heß« sind naturgemäß nur wenige schriftliche Quellen überliefert.[91] Eines dieser Dokumente ist eine Rede Hans Franks, des Generalgouverneurs für die besetzten polnischen Gebiete, der als Leiter des Reichsrechtsamtes der NSDAP auch Reichsleiter war und in dieser Funktion an der Tagung auf dem Obersalzberg teilgenommen hatte.[92] Nachdem Frank aus Berchtesgaden wieder ins Generalgouvernement zurückgekehrt war, versammelte er die Funktionäre des Arbeitsbereichs der NSDAP am 19. Mai 1941 in Krakau, um ihnen Instruktionen zur Behandlung des »Falles Heß« zu erteilen. Detailliert schilderte er die wutentbrannte Reaktion Hitlers auf die Nachricht vom Heß-Flug und schwor die Funktionäre des Arbeitsbereichs auf ihren neuen Vorgesetzten Bormann ein.[93] Zugleich brandmarkte Frank den

89 Goebbels-Tagebücher, Teil I, Bd. 9, S. 312 ff. (Eintrag vom 15.5.1941), hier S. 313.

90 Boelcke, Kriegspropaganda, S. 737 ff. (Eintrag vom 17.5.1941), hier S. 738.

91 Vgl. dagegen Franz Graf Stuhlhofer, Hitler zum Fall Heß vor den Reichs- und Gauleitern am 13. Mai 1941. Dokumentation der Knoth-Nachschrift, in: Geschichte und Gegenwart 18 (1999), S. 95-100, der eine Quelle ediert hat, die angeblich zur mündlichen Unterrichtung der »Parteigenossen« im Gau Kurhessen diente. Höchstwahrscheinlich handelt es sich bei diesem Dokument allerdings um eine Fälschung.

92 Christoph Kleßmann, Hans Frank – Parteijurist und Generalgouverneur in Polen, in: Die braune Elite, S. 41-51. Eine wissenschaftliche Biographie Franks ist ein Desiderat.

93 Franks Rede in: BA Berlin, R 52 II/183, Bl. 3189-3215. In der Edition: Das Diensttagebuch des deutschen Generalgouverneurs in Polen 1939-1945, hg. v. Werner Präg u. Wolfgang Jacobmeyer, Stuttgart 1975, S. 375 (Eintrag vom 19.5.1941), ist sie nicht gedruckt. Zum Arbeitsbereich der NSDAP im Generalgouvernement Armin Nolzen, Die Arbeitsbereiche der NSDAP im Generalgouvernement, in den Niederlanden und in der besetzten Sowjetunion, in: Robert Bohn (Hg.), Die deutsche Herrschaft in den »germanischen« Ländern 1940-1945, Stuttgart 1997, S. 247-275, hier S. 253-261.

Stellvertreter des Führers als »Verräter«. Aus einem weiteren Dokument zur Mundpropaganda nach dem 13. Mai 1941 ergibt sich, daß die Aktion im »Reichsgau« Sudetenland verspätet durchgeführt wurde, weil der dortige Gauleiter vergeblich auf Richtlinien aus der Parteizentrale gewartet hatte.[94] In der Partei-Kanzlei und in der Reichspropagandaleitung war man mit der Mundpropaganda-Aktion ohnehin nicht sehr zufrieden. Nimmt man jedoch die offiziösen Lageberichte zum Maßstab, so scheint es der NSDAP in den nächsten Wochen gelungen zu sein, die Parteiöffentlichkeit davon zu überzeugen, daß Heß ein »Volksverräter« sei oder daß er »Landesverrat« begangen habe. In den meisten Berichten, die zwischen dem 15. und 16. Mai und Anfang Juni 1941 entstanden, tauchten plötzlich diese beiden Begriffe auf, die man in den beiden parteiamtlichen Mitteilungen wohlweislich vermieden hatte.[95] Dies verweist darauf, daß sich die Lesart der NSDAP durchzusetzen begann und der Stellvertreter des Führers zur persona non grata wurde.

Die Mundpropaganda im »Fall Heß« diente der NSDAP dazu, ihren eigenen Apparat wieder auf Linie zu bringen. Dies war notwendig, weil der Stellvertreter des Führers für die Angehörigen der NSDAP, ihrer Gliederungen und angeschlossenen Verbände eine Art »Ersatzführer« gewesen war. Aufgrund der enormen quantitativen Größe der NSDAP betraf die Mundpropaganda jedoch fast zwei Drittel der deutschen Bevölkerung. Die nicht parteigebundene Öffentlichkeit erreichte man damit kaum. Am deutlichsten zeigt sich dies am Beispiel der Wehrmacht, der zu diesem Zeitpunkt mehr als sechs Millionen Offiziere und Soldaten angehörten und die institutionell von der NSDAP unabhängig war.[96] Hitler setzte auch in der Wehrmacht auf Mundpropaganda. Am 15. Mai

94 Tießler: »Fernschreiben« (22. Mai 1941), in: Akten der Parteikanzlei, Teil II, Regest 41104, Fiches 59248 f. (= BA Berlin, NS 18/128 a). Zur NSDAP im »Reichsgau« Sudetenland siehe Volker Zimmermann, Die Sudetendeutschen im NS-Staat. Politik und Stimmung der Bevölkerung im Reichsgau Sudetenland (1938-1945), Essen 1999, S. 119-137 u. 247-270, sowie Ralph Gebel, »Heim ins Reich!« Konrad Henlein und der Reichsgau Sudetenland (1938-1945), 2. Aufl., München 2000, S. 128-136.

95 SD: »Meldungen aus dem Reich (Nr. 189) 26. Mai 1941«, in: Boberach, Meldungen, Bd. 7, S. 2341-2352, hier S. 2344; den Lagebericht des Generalstaatsanwalts in Königsberg (6.6.1941), in: Tilitzki, Ostpreußen, S. 145-151 (= Dok. 19), hier S. 146, sowie Goebbels-Tagebücher, Teil I, Bd. 9, S. 322 ff. (Eintrag vom 20.5.1941), hier S. 323.

96 Zum Verhältnis zwischen Wehrmacht und NSDAP Armin Nolzen, Von der geistigen Assimilation zur institutionellen Kooperation. Das Verhältnis zwischen NSDAP und Wehrmacht 1943-1945, in: Jörg Hillmann u. John Zimmermann (Hg.), Kriegsende 1945 in Deutschland, München 2002, S. 69-96.

1941 orientierte er die Amtschefs im Oberkommando des Heeres zum »Fall Heß« und bat diese darum, seine Ausführungen den untergeordneten Dienststellen auf mündlichem Wege bekanntzugeben und allen »anders lautenden Gerüchten entgegenzutreten«.[97] Diese Aufgabe oblag einzig und allein den Truppenkommandeuren, so daß die NSDAP die Entwicklung der Stimmung in der Wehrmacht nur beobachten konnte.[98] Wenig später ergingen die entsprechenden Anordnungen.[99] Daraufhin brach sich in der Wehrmacht schnell die Einsicht Bahn, daß die offizielle Erklärung des NS-Regimes für den Flug des Stellvertreters des Führers zutraf.[100] Goebbels sprach mit einem Angehörigen einer Propaganda-Kompanie, der gerade vom »Südostfeldzug« heimgekehrt war. Demzufolge war das Urteil über Heß bei der Truppe »ziemlich eindeutig«.[101] Nach Lage der Dinge bedeutete dies, daß man in der Wehrmacht mit dem Stellvertreter des Führers abgeschlossen hatte.

5. Schlußfolgerungen

Der Flug des Stellvertreters des Führers nach Schottland vom 10. Mai 1941 hätte eigentlich das Zeug zu einem Skandal gehabt, der die innere

97 Generaloberst Halder. Kriegstagebuch. Tägliche Aufzeichnungen des Chefs des Generalstabs des Heeres 1939-1942, bearb. v. Hans-Adolf Jacobsen, Bd. II, Stuttgart 1963, S. 412-415 (Eintrag vom 15.5.1941), hier S. 414 (Zitat). Am selben Tage hatte Goebbels noch geunkt, der Flug des Stellvertreters des Führers habe »Freude bei Reaktion und Wehrmacht« ausgelöst; siehe Goebbels-Tagebücher, Teil I, Bd. 9, S. 312 ff. (Eintrag vom 15.5.1941), hier S. 312.

98 Siehe Manfred Messerschmidt, Die Wehrmacht im NS-Staat. Zeit der Indoktrination, Hamburg 1969, S. 210-305, sowie Christoph Rass, »Menschenmaterial«: Deutsche Soldaten an der Ostfront. Innenansichten einer Infanteriedivision 1939-1945, Paderborn/München/Wien/Zürich 2003, S. 237-330.

99 Dazu die Erwähnung von »schärfsten Anordnungen« der Wehrmacht, um »in Offizierskreisen jegliche Ausschlachtung des Falles zu einer Stimmungsmache gegen die Partei zu unterbinden«, in: Akten der Parteikanzlei, Teil I/2, Regest 25485, Fiche 223 00013 (= PA/AA Berlin Sonderreferat Krümmer 1/2).

100 Generalfeldmarschall Fedor von Bock. Zwischen Pflicht und Verweigerung. Das Kriegstagebuch, hg. v. Klaus Gerbet, München/Berlin 1995, S. 187 f. (Eintragungen vom 17.-19.5.1941), hier S. 188.

101 Goebbels-Tagebücher, Teil I, Bd. 9, S. 326-329 (Eintrag vom 22.5.1941), hier S. 328. Zum Verhältnis zwischen RMinfVuP und dem Propagandaapparat der Wehrmacht Martin Moll, Die Abteilung Wehrmachtpropaganda im Oberkommando der Wehrmacht: Militärische Bürokratie oder Medienkonzern?, in: Bürokratien. Initiative und Effizienz, hg. v. Wolf Gruner u. Armin Nolzen, Berlin 2001, S. 111-150.

Stabilität des NS-Regimes nachhaltig gefährdete. Das Skandalöse des Vorfalles ist auf zwei Ebenen festzumachen: Erstens war der dritte Mann des »Dritten Reiches« mitten im Krieg aus eigenem Antrieb zum »Feind« übergelaufen, um der britischen Regierung ein Friedensangebot zu unterbreiten. Zweitens wurde einer der treuesten Paladine Hitlers, der seit 1922 an der Seite des »Führers« stand, in der ersten (partei)offiziellen Verlautbarung als »geisteskrank« bezeichnet, und es wurde vorgegaukelt, daß man über diesen Zustand bereits »jahrelang« Bescheid wußte. Der Skandal lag also sowohl in dem Ereignis des Fluges selbst als auch in der Art und Weise, wie man ihn zu erklären versuchte. Die öffentliche Aufregung legte sich jedoch schnell, und der Heß-Flug blieb »eine Halbwochensensation, mehr nicht«.[102] Dies läßt sich auf mehrere Ursachen zurückführen. Erstens stellten die Massenmedien des NS-Staates sofort andere Themen in den Mittelpunkt ihrer Berichterstattung, wodurch man das öffentliche Interesse vom Flug des Stellvertreters des Führers ablenkte. Zweitens bewirkten die Mechanismen des »Führer-Mythos« eine weitgehende Beruhigung der Öffentlichkeit. Hitler, und damit das NS-Regime als solches, wurde in erster Linie als Opfer der Ereignisse angesehen, und der Ärger verlagerte sich einzig und allein auf Heß. Drittens trug auch die Unterdrückung von »heimtückischen« Äußerungen, die im Zusammenhang mit dem Flug des Stellvertreters des Führers fielen, zum Abflauen der öffentlichen Erörterung des Themas bei. Viertens startete die NSDAP eine Gegenoffensive, in deren Verlauf es durch gezielte Mundpropaganda gelang, Heß unter den Angehörigen der Partei, ihrer Gliederungen und angeschlossenen Verbände zu einem »Verräter« zu stigmatisieren. Diese Lesart setzte sich auf Initiative Hitlers und der militärischen Kommandobehörden fünftens dann auch in der Wehrmacht durch. Die genannten fünf Aspekte hingen miteinander zusammen und bewirkten einen Stimmungsumschwung im »Fall Heß«. Der Skandal wurde nicht dem NS-Regime, sondern nur einem einzelnen Repräsentanten angelastet. Die öffentliche Meinungsbildung nach dem Flug des Stellvertreters des Führers stellte insofern eine Kombination aus einem unterdrückten beziehungsweise einem affirmativen Skandal dar.

Welche Schlußfolgerungen lassen sich nun aus der Skandalgeschichte des »Falles Heß« ziehen? In der NS-Forschung ist die Entwicklung der öffentlichen Meinung im »Dritten Reich« zumeist als Resultat einer zentral gelenkten Propaganda interpretiert worden. Dabei hat man sich lange auf das Reichsministerium für Volksaufklärung und Propaganda, die »gleichgeschaltete« Presse und den gelenkten Rundfunk konzentriert. Im

102 Goebbels-Tagebücher, Teil I, Bd. 9, S. 321 f. (Eintrag vom 19.5.1941), hier S. 321.

Mittelpunkt des Erkenntnisinteresses standen die staatlich kontrollierten Organe der »Meinungslenkung«. Ein solcher Ansatz geht implizit davon aus, daß die öffentliche Meinung im NS-Staat größtenteils an der Regimespitze geformt wurde. Die öffentliche Meinungsbildung nach dem Flug des Stellvertreters des Führers verlief jedoch in umgekehrter Richtung. Die durch die NS-Massenmedien verbreiteten Verlautbarungen, die eine »Geisteskrankheit« des Stellvertreters des Führers postulierten, entfachten einen Skandal, den man nur aus der Welt schaffen konnte, indem man die öffentliche Meinung gewissermaßen von unten aus korrigierte. Sowohl bei der Entwicklung des »Falles Heß« zum Skandal als auch bei der Gegenpropaganda des NS-Regimes stand die mündliche Verbreitung im Mittelpunkt. In der Bevölkerung wurden gleich nach dem 12. Mai 1941 Flüsterwitze und Gerüchte kolportiert; ein Zeichen für eine ganz und gar unkontrollierte Meinungsbildung.[103] Die Mundpropaganda der NSDAP und der Wehrmacht trug schließlich nicht unwesentlich dazu bei, die Gerüchtebildung in der Öffentlichkeit einzudämmen.[104] In diesem Zusammenhang war es von einiger Bedeutung, daß sich die NSDAP immer mehr zu einer »totalen Organisation« entwickelte, sich also immer mehr »Volksgenossen« einverleibte.[105] Ihre Mundpropaganda, wonach Heß ein »Verräter« sei, verfing sich auf diese Weise nicht nur innerhalb des Parteiapparates, für den sie eigentlich konzipiert war. Sie sickerte dadurch auch in eine breitere Öffentlichkeit ein. Dies legt die Hypothese nahe, daß im »Dritten Reich« auch die Meinungsbildungsprozesse an der Peripherie der Herrschaft keineswegs frei erfolgten, sondern zu guten Teilen durch die NSDAP gelenkt waren.

Aus den bisherigen Ausführungen lassen sich auch noch weitergehende Schlußfolgerungen zum Stellenwert der öffentlichen Meinung in mo-

103 Dazu allgemein Fritz K. M. Hillenbrand, Underground Humor in Nazi Germany, 1933-1945, London/ New York 1995, sowie Christoph H. Roland, Das Gerücht im Dritten Reich zwischen 1939 und 1945. Soziologisch-linguistische Betrachtungen zur Kommunikationsform des Gerüchtes, Tübingen 2001.

104 Die Mundpropaganda im NS-Staat ist bislang kaum untersucht. Zum Begriff siehe die Einleitung von Mitherausgeber Wolfram Wette, in: Das letzte Jahr. Stimmungsberichte der Wehrmachtpropaganda 1944/45, hg. v. Wolfram Wette, Rebecca Bremer u. Detlef Vogel, Essen 2001, S. 9-37, hier S. 29-36, die gleichwohl jedwede weiterführende Fragestellung vermissen läßt.

105 Zum Konzept der »totalen Organisation« siehe Hannah Arendt, Elemente und Ursprünge totaler Herrschaft, 4. Aufl., München 1995, S. 495-544, hier S. 524 u. 527 f., sowie die empirische Anwendung bei Sven Reichardt, Faschistische Kampfbünde: Gewalt und Gemeinschaft im italienischen Squadrismus und in der deutschen SA, Köln/ Weimar/ Wien 2002, S. 426-429.

dernen Diktaturen ziehen. Zunächst ist festzuhalten, daß diktatorische Regime die öffentliche Meinung beobachteten und politische Entscheidungen daran orientierten. Weil es in modernen Diktaturen weder freie Wahlen noch ein autonomes System von Massenmedien gab, benötigten sie ein differenziertes Berichtswesen, um diese Beobachtung zu organisieren. Zu diesem Zweck etablierten staatliche Verwaltungen, Polizeien und Geheimdienste und die Einheitsparteien der modernen Diktaturen ein komplexes System von Lage-, Stimmungs- und Tätigkeitsberichten.[106] In der Allgemeinen Systemtheorie wird dieser Sachverhalt wie folgt beschrieben: In allen funktional differenzierten Gesellschaften, zu denen meines Erachtens auch moderne Diktaturen wie das NS-Regime gehören, besteht eine Interdependenz zwischen der Beobachtung der öffentlichen Meinung und der Formulierung von kollektiv bindenden Entscheidungen durch das jeweilige politische System.[107] Durch Skandale wird dieser Zusammenhang offengelegt, wodurch ein Moment der Beschleunigung entsteht. Im Fall eines Skandals gilt es gemeinhin, schnell zu reagieren, damit er sich nicht ausweitet. Das ist wiederum nur dann möglich, wenn man an der öffentlichen Meinung ablesen kann, daß sich ein Ereignis zum Skandal entwickelt. Die Skandalforschung eignet sich also vor allen Dingen dazu, diese zirkuläre Dynamik nachzuzeichnen. Besonders vielversprechend scheint mir der Vergleich zwischen modernen Diktaturen und anderen politischen Systemen zu sein. Dabei sollte man den Skandal nicht nur als Beleg für Konsens oder Dissens zwischen Herrschenden und Beherrschten deuten. Interessanter ist es, Gemeinsamkeiten und Unterschiede bei der Problembewältigung im Krisenfall herauszuarbeiten. Denn ein solcher ist der Skandal in jedem politischen System.

106 Dazu aus vergleichender Sicht bisher nur Aryeh C. Unger, The Totalitarian Party. Party and People in Nazi Germany and Sowjet Russia, Cambridge 1974, S. 221-262.

107 Niklas Luhmann, Die Politik der Gesellschaft, Frankfurt a. M. 2000, S. 274-318, hier S. 303-312. Zum Begriff der funktionalen Differenzierung ders., Die Gesellschaft der Gesellschaft, Frankfurt a. M. 1997, S. 743-776. Es ist strittig, inwieweit moderne Diktaturen ebenfalls unter diese Bezeichnung fallen. Ich bejahe diese Frage, ohne an dieser Stelle eine Begründung liefern zu können. Zur Relevanz von Luhmanns Systemtheorie für die Geschichtswissenschaften siehe Frank Becker u. Elke Reinhardt-Becker, Systemtheorie. Eine Einführung für die Geschichts- und Kulturwissenschaften, Frankfurt a. M. 2001.

Bernd Florath

Das philosophische Argument als politischer Skandal

Die Herausforderung der SED durch Robert Havemann

Zu Beginn der sechziger Jahre konnte der Physikochemiker Robert Havemann mit einer Fülle einflußreicher Aufgaben und Ämter, illustrer Beziehungen und Funktionen glänzen: Er war ordentlicher Professor für physikalische Chemie und Prodekan an der Berliner Humboldt-Universität, nebenamtlicher Arbeitsstellenleiter an der Deutschen Akademie der Wissenschaften, wurde im Mai 1961 zu deren Korrespondierendem Mitglied gewählt, war Nationalpreisträger, Volkskammerabgeordneter und Spitzenkandidat der SED für die Abgeordnetenhauswahlen in Westberlin. Als junger Wissenschaftler hatte er während des Krieges mit Freunden eine Widerstandsgruppe organisiert, die verfolgte Juden versteckt, ausländischen Zwangsarbeitern mit Informationen und Medikamenten geholfen und mit diesen gemeinsam versucht hatte, Verbindung zu den Alliierten aufzunehmen. Er war mit seinen Mitstreitern kurz vor Weihnachten 1943 vom nationalsozialistischen Volksgerichtshof zum Tode verurteilt worden und überlebte dieses Urteil nur, weil ihm einflußreiche Wissenschaftler mit dem Argument, er wäre für kriegswichtige Forschungen unersetzbar, erst wochen-, dann monateweise Vollstreckungsaufschub verschafften. Seit seiner Befreiung aus dem Zuchthaus Brandenburg galt er als der Repräsentant der antifaschistischen Intellektuellen, unbeugsam, mutig: ein Vorbild für die Jugend in der SBZ/DDR. Nicht immer war das, was er sagte, vollkommen konform mit der Linie der SED. 1946 wandte er sich gegen die Todesstrafen im Nürnberger Kriegsverbrecherprozeß, weil er als überlebender Todeskandidat aus prinzipiellen Gründen diese Strafe ablehnte. Doch bald traten diese Ungleichheiten in den Positionen hinter dem uneingeschränkten Engagement Havemanns für die SED zurück. Er relegierte 1953 Studenten, die sich nicht von der Jungen Gemeinde lossagten, attackierte abweichende Parteigenossen mit dogmatischen Polemiken, ja denunzierte Kollegen bei der Staatssicherheit, der er seit dem Februar 1956 als Informant diente.[1]

1 Zur Biographie Havemanns vgl. die, obgleich in einigen Fragen aufgrund des umfangreichen, erst später verfügbaren Quellenmaterials, inzwischen ergänzungsbedürftige Publikation: Robert Havemann. Dokumente eines Lebens, zusam-

Doch auf diesem Höhepunkt seiner Karriere war Havemann bereits auf dem Wege, aus einer zuerst lediglich provozierenden Diskussionsposition den Kern einer politischen Kontroverse zu treffen, die ihn letztlich für immer mit seiner Partei entzweien würde. Die Distanz, die sich hier aufzubauen begann, begriffen seine Kontrahenten scheinbar früher als er selbst: 1962 verweigerte man ihm die Publikation eines Konferenzbeitrages: »Ein Skandal«, empörte sich Havemann und meinte zweifelsohne den Akt politischer Zensur, nicht aber die provokative Zuspitzung seines Beitrages, der selbst die lähmende Wirkung des Marxismus-Leninismus skandalisierte, indem er die vermeintlich fortschrittlichste Ideologie der Zeit als wissenschaftsverhinderndes Dogma brandmarkte. Seit sechs Jahren versuchte er, die Verkrustung der herrschenden Ideologie aufzubrechen, der er selbst anhing.

mengestellt und eingleitet von Dirk Draheim, Hartmut Hecht, Dieter Hoffmann, Klaus Richter, Manfred Wilke, Berlin 1991; daneben: Oskar Pfefferkorn, Robert Havemann. Physiker und »Friedenskämpfer«, in: SBZ-Archiv, 6 (1955), H. 8, S. 117 f.; J. C. Schwarz, Der Mikrofonzertrümmerer, in: Am Webstuhl der Zeit. Monographien und Skizzen, Berlin 1957; Peter Christian Ludz, Freiheitsphilosophie oder aufgeklärter Dogmatismus, in: Leopold Labedz (Hg.), Der Revisionismus, Köln/Berlin 1965 (Library of International Studies), S. 380-438; Hans-Dietrich Sander, Havemann und kein Ende, in: SBZ-Archiv, 17 (1966), S. 99-101; Robert Havemann, Fragen. Antworten. Fragen. Aus der Biographie eines deutschen Marxisten, München 1970; Helga Grebing, Die intellektuelle Opposition in der DDR seit 1956. Ernst Bloch – Wolfgang Harich – Robert Havemann, in: Aus Politik und Zeitgeschichte, 1977, Nr. B 45, S. 3-19; Hartmut Jäckel (Hg.), Ein Marxist in der DDR. Für Robert Havemann, München/Zürich 1980; Andreas W. Mytze (Hg.), Robert Havemann 70, Berlin 1980 (europäische ideen; 48); Walter Uhlmann (Hg.), Sterben um zu leben. Politische Gefangene im Zuchthaus Brandenburg-Görden 1933-1945, Köln 1983; Dieter Hoffmann/Hubert Laitko, Robert Havemann. Ein nichtkonformer Kommunist in Deutschland, in: Theodor Bergmann/Mario Keßler (Hg.), Ketzer im Kommunismus. Alternativen zum Stalinismus, Mainz 1993, S. 320-338; MfS-Akten Robert Havemann (GI »Leitz«), in: Europäische Ideen 96 (1996), S. 11-15; Wolf-Dieter Bilke/Herward Pietsch, Robert Havemann (11.3.1910-9.4.1982), in: Wissenschaftshistorische Adlershofer Splitter, 1997, H. 3, S. 149-160; Manfred Wilke/Werner Theuer, »Der Beweis eines Verrats läßt sich nicht erbringen«. Robert Havemann und die Widerstandsgruppe Europäische Union, in: Deutschland Archiv, 32 (1999), H. 6, S. 899-912; Katja Havemann/Joachim Widmann, Robert Havemann – oder Wie die DDR sich erledigte, Berlin 2003; Christian Sachse, Robert Havemann – Der Galilei von Grünheide. 40 Jahre »Dialektik ohne Dogma?«, in: Zeitschrift des Forschungsverbundes SED-Staat 14 (2003), S. 85-92.

»Meinungsstreit fördert die Wissenschaften«[2] – dieses Credo hatte Havemann als Titel eines Zeitungsartikels in jenem Sommer 1956 formuliert, der dem XX. Parteitag der KPdSU folgte, aber vom blutigen Herbst in Budapest noch nichts wußte. Es war Walter Ulbricht persönlich, der ihn zu diesem Artikel im »Neuen Deutschland« aufgefordert hatte. Die Debatte von der SED angehörenden Wissenschaftlern, die der Schreibbitte des Parteichefs vorausging, war gleichsam eine Illustration für seine Distanz zu jenen, die ihre Auffassung politischen Lebens aus dem Innern sowjetischer Emigration gezogen hatten: jeglicher Neuerung abhold, jeder Kritik von außen furchtsam und feindlich gegenüberstehend und erst recht vollkommen verständnislos gegen abweichende Meinungen aus den eigenen Reihen. Havemann hatte die offene Diskussion gefordert, versucht zu erklären, daß nun, da Stalin nicht mehr allgemeingültige und damit zugleich verbindliche Axiome setzte, Erkenntnisfortschritt sich nur, wie dies im Wissenschaftsbetrieb immerhin nicht unüblich sei, über den Streit der Meinungen durchsetze, der keine a priori gesetzte Autorität kenne. Die auf Havemann folgenden Redner fielen über ihn her. In der Tagungspause nach seiner Rede wollte ihn keiner seiner Kollegen mehr kennen, »sie gingen an mir vorbei, das Äußerste war ein mitleidiger Blick«.[3] Alle warteten auf die sich nun zwingend anschließende verbale Hinrichtung. Doch Walter Ulbricht, der den Brauch pflegte, derartige Veranstaltungen mit einem Schlußwort zu zensurieren, in dem er als Oberlehrer der SED die Genossen für ihre Beiträge lobte oder tadelte und gleichermaßen die Hausaufgaben für die nächste Stunde formulierte, schalt die gesamte Versammlung: Nur ein Genosse habe die Forderung des Tages begriffen: Genosse Havemann.[4] Wenn Stalin kein Klassiker mehr sei, müßten sich die Marxisten-Leninisten darauf einlassen, selbst Lösungen zu suchen und zu finden. Ulbricht glossierte die gegen Havemanns Beitrag gerichteten Kritiken als von Rednern gehalten, die »wahrscheinlich unsere marxistisch-leninistische Lehre als etwas Abgeschlossenes betrachten. Die Diskussion wird auch dadurch gehindert, daß bei der Vertretung neuer Gedankengänge vielfach geantwortet wurde:

2 Robert Havemann, Meinungsstreit fördert die Wissenschaften. Idealistische Wurzeln des Dogmatismus. Erstarrung hindert wissenschaftliche Erkenntnis, in: Neues Deutschland, 8.7.1956; wieder abgedruckt in: ders., Rückantworten an die Hauptverwaltung »Ewige Wahrheiten«, hg. v. Hartmut Jäckel, München 1971, S. 16-25.

3 Robert Havemann, Fragen, Antworten, Fragen. Aus der Biographie eines deutschen Marxisten, München 1970, S. 92.

4 Vgl. ebd., S. 90, 92.

›Du liegst schief.‹ Man muß diese Methoden überwinden.«[5] Also bat Ulbricht Havemann, einen Artikel[6] zu schreiben, der eine Debatte anstieß, die abzubrechen letztlich mit den Verhaftungen der Diskutanten Wolfgang Harich, Helmut Just u. a. im Winter 1956/57 erzwungen wurde.

Im Sommer 1956 nahm Wolfgang Harich Havemanns Fehdehandschuh auf. Havemann hatte den mit Lehrstühlen für Marxismus-Leninismus wohlbestallten Ideologen der Partei die Frage gestellt, ob sie beim Philosophieren über die allgemeinsten Gesetzmäßigkeiten überhaupt Grundkenntnisse jener Wissenschaften besäßen, deren Resultate sie be- oder auch verurteilten. Der politische Kern der Frage war freilich ein Angriff auf den ideologischen Urteilsvorbehalt der kommunistischen Partei, der durch die offiziellen Vertreter des dialektischen und historischen Materialismus in den Wissenschaften ebenso exekutiert wurde. Harich machte sich selbst zum Sprecher der »Hauptverwaltung ›Ewige Wahrheiten‹« und verteidigte mit der Existenz spezifisch philosophischer Fragestellungen auch den Urteilsvorbehalt des ideologischen Systems. Daß Harich neben seiner orthodox vorgetragenen Polemik gleichzeitig ein gegen Ulbricht gerichtetes Reformpapier[7] entwickelte und diskutierte, blieb der Öffentlichkeit weitgehend verborgen. Es erschien daher grotesk, daß sich zum Jahreswechsel gerade die Kontrahenten Havemanns in

5 Walter Ulbricht, Zur wissenschaftlichen Diskussion an den Universitäten. Aus der Rede auf der Tagung des Parteiaktivs der SED an der Humboldt-Universität Berlin. 13. Juni 1956, in: ders., Zur Geschichte der deutschen Arbeiterbewegung. Aus Reden und Aufsätzen, Bd. VI: 1956-1957, Berlin 1962, S. 76; vgl. auch S. 74: »Genosse Professor Dr. Havemann hat sehr treffend gesagt: ›Manche suchen das Fehlerhafte und sehen und finden das Neue nicht.‹ Das ist die Kernfrage. Die Klärung einiger Fragen ist an den Universitäten und Hochschulen so weit gediehen, daß die eigentliche Diskussion, nämlich der wissenschaftliche Meinungsstreit über das Neue beginnen und ernsthaft dem Dogmatismus zu Leibe gerückt werden kann.« – Ulbricht verwies auf dem 28. ZK-Plenum nochmals ausdrücklich auf diese Rede an der Humboldt-Universität und griff dabei auf Überlegungen Havemanns zurück: ders., Über die Arbeit der SED nach dem XX. Parteitag der KPdSU und bisherige Durchführung der Beschlüsse der 3. Parteikonferenz. 28. Tagung des Zentralkomitees der Sozialistischen Einheitspartei Deutschlands vom 27. bis 29. Juli 1956. Bericht des Politbüros, gegeben vom Ersten Sekretär des Zentralkomitees, Genossen Walter Ulbricht, Berlin 1956, S. 43 f.

6 Havemann, Meinungsstreit, erschien am 8.7.1956 im »Neuen Deutschland«, zweieinhalb Wochen nach der dortigen Veröffentlichung der Rede Ulbrichts in der Humboldt-Universität am 21.6.1956.

7 Vgl. Bernd Florath, Rückantworten an die »Hauptverwaltung Ewige Wahrheiten«. Wolfgang Harich ohne Schwierigkeiten mit der Wahrheit, in: Utopie kreativ, Nr. 47/48 (1994), S. 58-73.

der Untersuchungshaftanstalt der Staatssicherheit in Berlin-Hohenschönhausen wiederfanden.

Havemann war indes 1956 weit entfernt davon, den Geltungsanspruch des Marxismus-Leninismus zu bestreiten oder auch nur einschränken zu wollen. Nicht allein, daß er die Gesamtheit seiner Äußerungen im wohlwollend verstandenen Interesse der Partei tat, er eine Flexibilisierung kommunistischer Politik im Interesse ihrer größeren Stabilität einforderte, um ihr ein erneutes Desaster wie am 17. Juni 1953 zu ersparen: Er war zugleich bereit, sich einer Parteidisziplin zu unterwerfen, die er – unbeschadet benannter oder sich noch offenbarender interner Differenzen – für eine conditio sine qua non der politischen Arbeit akzeptierte. Er forderte – wie eine Reihe ihm nahestehender Wissenschaftler –[8] von seiner Partei jene Bewegungsfreiheit, die es einem Intellektuellen erst ermöglichte, sein spezifisches geistiges Potential politisch in die Waagschale zu werfen.

Es wäre zu prüfen, ob Havemann zu diesem Zeitpunkt mit der Diskussion vertraut war, die in der zweiten Hälfte der vierziger Jahre in Ungarn geführt wurde und in deren Verlauf Georg Lukács bereits 1949 des Revisionismus geziehen wurde.[9] Lukács hatte in seinem Buch »Literatur und Demokratie« mit der Metapher vom Partisanen ein Konzept entwikkelt, wonach der Parteidichter, was zugleich den kommunistischen Intellektuellen in jeder professionellen Sparte geistig-schöpferischer Arbeit meint,

> »niemals Führer oder einfacher Soldat, sondern immer Partisan [ist]. Das heißt, wenn er ein wirklicher Parteidichter ist, dann besteht eine tiefe Einheit mit der geschichtlichen Berufung der Partei, mit der großen strategischen Linie, die von der Partei bestimmt wird. Innerhalb

8 Zur Zeit des Höhepunktes der ungarischen Revolution, am 26. Oktober 1956, berichtet der Mitarbeiter der ZK-Abteilung Wissenschaft einem Hauptmann Bischof von der MfS-HA V über eine Diskussion von 15 der SED angehörenden Wissenschaftlern, darunter Havemann, Franck, Rienäcker, Reimann und Kottowski, über die Vorgänge in Polen und Ungarn: »Die Volksmassen drängen nach Demokratisierung. Wenn die Partei diesen Prozeß zu bremsen versucht, gerät sie in den Nachtrab und wird von den Massen getrieben. Aber über diese Bremser wird die Geschichte hinweggehen. Damit wir nicht in solche Lage geraten, muß man alle Kanäle öffnen.« – BStU, MfS AOP 5469/89, Teil I, Bl. 52.

9 Vgl. István Hermann, Georg Lukács. Sein Leben und sein Werk, Budapest 1985, S. 172-177; József Révai, Die Lukács-Diskussion des Jahres 1949, in: Georg Lukács und der Revisionismus. Eine Sammlung von Aufsätzen, Berlin 1960, S. 22 f.

dieser Einheit muß er sich jedoch mit eigenen Mitteln auf eigene Verantwortung offenbaren.«[10]

Das Verhältnis zwischen Partei und Parteiintellektuellen, das Lukács 1945 präferierte, bot die Chance, das Wesen intellektuellen Handelns für kommunistische Intellektuelle auch unter den Bedingungen der Herrschaft ihrer eigenen Partei aufrechtzuerhalten. Es implizierte die politische Verbundenheit und Parteinahme ebenso wie die gleichzeitige Aufrechterhaltung kritischer Distanz zur Macht, d. h. die Erfüllung des Berufs von Intellektuellen: die Einforderung der Rückbindung von Machtausübung an ethische und theoretische Prinzipien. Es negierte freilich die Forderung des Bolschewismus (in seiner ursprünglichen Form, wie sie als dessen Geburtsurkunde im innerrussischen Streit der Sozialdemokraten 1903 entstand), Mitgliedschaft vom Urteil der Partei darüber abhängig zu machen, ob jemand aktiv und korrekt für die Partei tätig ist. Das Konzept von Lukács wäre geeignet gewesen, die Spannung von politischem Konzept, Gesellschaftstheorie, Ethik, Utopie einerseits und (macht-)politischer Praxis als produktiven, permanenten Widerspruch aufrechtzuerhalten, weil sie dann auch ihre Akteure mit der jeweils eigenen Berechtigung gehabt hätte. Doch das Machtstreben der kommunistischen Parteiführer war absolut. Es duldete keine definier- noch gar einklagbare politische, ethische oder theoretisch klar bestimmte konzeptionelle Rückbindung, und schon gar kein außerhalb ihres selbstkontrollierten Kreises stehendes Korrektiv.

In seinem Artikel im »Neuen Deutschland« forderte Havemann Regeln ein, die, so banal sie klingen mögen, für derartige hochideologisierte Diskussionen von einiger Sprengkraft waren: Er schrieb, daß es nur im offenen, unermüdlich und bis zu Ende geführten Meinungsstreit möglich sei, zu neuen Erkenntnissen zu kommen, daß die erste Voraussetzung eines solchen »wirklich produktiven, schöpferischen Meinungsstreites [...] die Respektierung aller ernsthaften und sachlichen von der Gegenseite vorgebrachten Gegenargumente – ja mehr noch, die Respektierung der Gegenansicht« sei, und setzte listig hinzu: »Wer andere Meinungen nicht achtet und zu unterdrücken sucht, schätzt offensichtlich die Überzeugungskraft seiner eigenen Ideen gering ein.«[11]

Ohne Zweifel vertrat Havemann in seinen Interventionen auch Thesen, deren konkrete philosophische Inhalte umstritten waren und auch

10 Georg Lukács, Parteidichtung, in: ders., Schriften zur Ideologie und Politik, Neuwied/Berlin 1967 (Georg Lukács, Werkauswahl, Bd. 2), S. 400.

11 Havemann, Meinungsstreit, S. 16 f.

umstritten bleiben würden.[12] Seine Zurückweisung der Praxis des Dialektischen Materialismus, als ideologische Glaubensfolie zu dienen, trug er als Attacke auf die Philosophie als Wissenschaft vor, was nicht nur seine Verbündeten unter den Philosophen abschreckte, sondern seine Position zugleich mit philosophischen Argumenten angreifbar machte. Er reduzierte die Arbeit der Philosophie Friedrich Engels folgend lakonisch auf »die Lehre vom Denken und seinen Gesetzen – die formelle Logik und die Dialektik. Alles andre geht auf in der positiven Wissenschaft von Natur und Geschichte.«[13] Gegen diese These argumentierten Victor Stern,[14] der für Havemann geradezu den Idealtypus eines Dogmatikers darstellte, ebenso wie Georg Klaus[15] und Wolfgang Harich, der Havemann einen Katalog von Fragen vorhielt, um der zwischen wissenschaftlicher Debatte und politischem Streit changierenden Argumentation die begriffliche Basis zu sichern.[16] Die in der Tonart herablassende Art des Harichschen Fragens bestätigte scheinbar Havemanns Ausgangsthese: daß die Vertreter des offiziellen Marxismus-Leninismus (zu denen er in diesem Moment auch Harich zählte) erst über Bord gehen müßten, um einer marxistischen Philosophie Raum zu schaffen.

Doch vor allem zielte Havemann mit seinen Einwürfen immer wieder auf die Gewißheit dessen, was als offizielles Statement aus den Gremien der SED kam. Nicht, daß er deren Autorität negierte: Er versuchte eine

12 Vgl. zu dieser Debatte: Norbert Kapferer, Das Feindbild der marxistisch-leninistischen Philosophie in der DDR 1945-1988, Darmstadt 1990, S. 100; Camilla Warnke, Über Parteipolitik in der DDR-Philosophie. Essay anläßlich von Norbert Kapferers Buch: Das Feindbild der marxistisch-leninistischen Philosophie in der DDR 1945-1988, in: Leviathan 19 (1991), H. 3, S. 372-385; dies., Kommunistische Parteiherrschaft und Wissenschaft. Zur gescheiterten Emanzipation des Gesellschaftswissenschaftlichen Grundstudiums an der Berliner Humboldt-Universität 1956-1958. Eine Fallstudie, in: Heinz Eidam/Wolfdietrich Schmied-Kowarzik (Hg.), Kritische Philosophie gesellschaftlicher Praxis. Auseinandersetzungen mit der Marxschen Theorie nach dem Zusammenbruch des Realsozialismus, o.O. 1994, S. 233-250; Volker Gerhardt/Hans-Christoph Rauh (Hg.), Anfänge der DDR-Philosophie. Ansprüche, Ohnmacht, Scheitern, Berlin 2001 (Forschungen zur DDR-Gesellschaft).

13 Friedrich Engels, Herrn Eugen Dührings Umwälzung der Wissenschaft (Anti-Dühring), in: Karl Marx/Friedrich Engels, Gesamtausgabe, Abt. 1, Bd. 27, Berlin 1988, S. 235.

14 Victor Stern, Dogmatismus und Meinungsstreit, in: Neues Deutschland vom 25.8.1956.

15 Georg Klaus, Verhältnis von Philosophie und Naturwissenschaften, in: Neues Deutschland vom 5.8.1956.

16 Wolfgang Harich, Rückfragen an Robert Havemann, in: Sonntag vom 23.9.1956.

Trennlinie zu finden zwischen den politischen Entscheidungen seiner Partei und den wissenschaftlichen Grundlagen dieser Entscheidungen. Die Arbeit der kommunistischen Wissenschaftler sollte sich – da sich der Marxismus als Wissenschaft definierte – nach wissenschaftlichen Kriterien vollziehen. Freilich blieb es die Domäne der Partei, über politische Fragen zu beschließen. Und unbestritten fühlte sich Havemann als Mitglied der SED auch verpflichtet, sich diesen Beschlüssen zu unterwerfen – selbst wenn er im Konfliktfalle Beschlüsse für falsch oder unbegründet hielt oder ihm sich ihre Begründung nicht erschloß.

Nach dem XX. Parteitag der KPdSU schienen die politischen Optionen der Chruščevschen Regenerierung der kommunistischen Partei und der Opposition für eine Zeit die gleiche Sprache zu sprechen. Hieraus erwuchs eine tiefgreifende Verunsicherung der Nomenklatura.[17] Erst die Niederschlagung der ungarischen Revolution behob diese Irritationen. Als sich am Ende des Jahres 1956 die konservative, stalinistische Linie innerhalb der SED von ihnen wieder erholt hatte, attackierten deren akademische Statthalter auch Havemann: Sein Parteisekretär Rudi Singer und der Ideologiesekretär Kurt Hager forderten den Widerrede haltenden Genossen Professor auf der III. Hochschulkonferenz 1958 auf, Reue zu zeigen und Selbstkritik zu üben.[18]

Wenn bis zum 4. November 1956 der reaktionäre Teil der Nomenklatura über die scheinbaren semantischen Gemeinsamkeiten von Chruščevscher Parteireform und Opposition irritiert war, so war diese Irritation keineswegs einseitig: Noch hatte sich der Anschein nicht verflüchtigt, daß Stalin-Kritik der Parteiführung und Stalinismuskritik der Revisionisten nahe beieinanderstünden. Ein Bewußtsein darüber zu unterstellen, daß Oppositionelle und Kommunismusreformer verschiedenen Diskursen folgten, die sich nur eines gemeinsamen Vokabulars bedienten, greift zu kurz. Biographische Zeugnisse belegen den schwierigen Weg oppositioneller Protagonisten zur Lösung aus der Illusion der Gemeinsamkeit mit dem nichtstalinistischen Flügel der kommunistischen Nomenklatura.[19] Mehr noch: Der Begriff der Verschiedenheit der Diskurse folgt

17 Vgl. Ferenc Fehér/Ágnes Heller, Die Linke im Osten – Die Linke im Westen. Ein Beitrag zur Morphologie einer problematischen Beziehung, Köln 1986, S. 18 f.

18 Vgl. Kurt Hager, Der Kampf für die sozialistische Hochschule. Aus dem Referat des Genossen Prof. Kurt Hager, Sekretär des ZK, auf der III. Hochschulkonferenz der SED, in: Neues Deutschland vom 1.3.1958, zit. nach: Havemann. Dokumente eines Lebens, S. 169 f.

19 Vgl. nur pars pro toto: Jacek Kuroń, Glaube und Schuld. Einmal Kommunismus und zurück, Berlin/Weimar 1991 (Osteuropäische Bibliothek); Ágnes Heller, Der

mühselig nur ihrer tatsächlichen Ausdifferenzierung und der Positionierung der handelnden Individuen. Mehrdeutigkeiten, Richtungsänderungen auf diesem Wege waren keine Ausnahme, sondern – so ist zu vermuten – eher die Regel.

Robert Havemann war als Intellektueller über das Studium des Marxismus zur politischen Arbeiterbewegung gestoßen. Zum Kommunisten wurde er in der praktischen Gemeinsamkeit des Zuchthauses. Aus dieser Erfahrung war ihm die Einheit seiner Partei ein zu hoher Wert. Er übte die erwartete Selbstkritik. Doch er tat dies, ohne seine Position in den vergangenen Debatten zu verleugnen. Spürbar gegen die eigene Überzeugung unterwarf er sich der Parteiraison, beharrte aber, indem er diese Unterwerfung als einen Prozeß darstellte, bei dem er nicht vom Irrtum zur Wahrheit gelangte, sondern andere Bedingungen eine andere politische Schwerpunktsetzung erheischten, auf dem Primat seiner individuellen Einsicht in die Verhältnisse. Entschuldigend fügte er hinzu, daß er in diesem konkreten Falle vielleicht die veränderte Lage etwas langsamer begriffen habe als andere, was schließlich jedem passieren könne. Mit der eigenen Fähigkeit zum Irrtum illustrierte er aber zugleich die – dank des XX. Parteitages auch belegbare – Fähigkeit jedes Parteimitgliedes zum Irrtum – mithin auch der ganzen Partei respektive ihres politisch herrschenden Kerns:

> »Ich möchte ganz freimütig erklären, daß ich die Meinung, daß der Dogmatismus eine sehr schwere Gefahr und vielleicht die Hauptgefahr sei, einmal hatte. Heute bin ich aber vollständig derselben Meinung […], daß tatsächlich der Revisionismus […] äußerst gefährlich ist und die Hauptgefahr darstellt, daß man daher gegen den Revisionismus […] den Hauptstoß richten muß. (unverständlicher Zuruf des Genossen Singer) Es gibt Altes und Neues, Genosse Singer, und manchmal kommt einer nicht gleich mit. Das kann auch für mich gelten, und das kommt vielleicht auch gelegentlich einmal bei dem Genossen Singer vor!«[20]

Havemann bestritt keine der Differenzen mit der Parteiführung, deutete indes deren Sinn im Lichte seines durch die Autorität Ulbrichts gedeckten Artikels als Ausdruck eines vorwärtsweisenden Meinungsstreites. Indem er sich dem neuen Dogma nicht einfach unterwarf, sondern sich

Affe auf dem Fahrrad. Eine Lebensgeschichte, bearbeitet von János Kőbányai, Berlin/ Wien 1999.

20 Robert Havemann, Diskussionsbeitrag auf der III. Hochschulkonferenz, masch. Protokoll, SAPMO-BArch, SED, IV 2/1.01/388, Bl. 253.

ihm mit der Begründung anschloß, daß die Parteiführung in diesem konkreten Streitfall recht behalten hätte, postulierte er die Legitimität des umgekehrten Falles. Elegant behandelte er dabei Hager als einen der an der Debatte beteiligten Wissenschaftler und ignorierte so, daß dessen Intervention (z. B. über Friedrich Herneck)[21] natürlich nicht wissenschaftlicher, sondern politischer Natur war. Wo er folgenlos seine Position aufrechterhalten konnte, deklarierte er sie als Erfolg seines wissenschaftlich begründeteren Standpunktes.

Doch Havemann ging noch weiter: Entgegen der Forderung, reuig Selbstkritik zu üben, begründete er seine 1956 geübten Bemerkungen. Er brachte es fertig, in einem Atemzug die politische Zensur der SED gegen die Rede eines kommunistischen Parteiführers – das Einziehen der bereits gedruckten Ausgabe der »BZ am Abend« mit der Rede Władysław Gomułkas – gutzuheißen und zugleich deren Voraussetzungen als inakzeptable Entmündigung der Parteimitglieder zu desavouieren, die die – unterstellte – Richtigkeit der Parteimaßnahme nicht begreifen konnten, weil ihnen Informationen vorenthalten blieben.

> »Ich habe gesagt, ich stimme allem, was der Genosse Neumann hier eben in dem Referat gesagt hat, vollständig zu. (Zuruf: Aber?) Gar kein Aber! Ich habe dann folgendes gesagt: … mit einer Ausnahme, (Heiterkeit) Das war damals so, da war diese Geschichte mit der Rede Gomulkas und der große Krach darüber, warum die Zeitung verboten wurde usw. Da habe ich gesagt, mit einer Ausnahme, denn ich kann ihm nicht zustimmen, was er im einzelnen über Polen gesagt hat, denn ich habe darüber keine Informationen.«[22]

Dieser Kritik fügte er, gleichsam seine eingangs des Diskussionsbeitrages geübte Selbstkritik in der Sache auf den Kopf stellend, hinzu, daß, »um die Kraft der Partei im Kampf gegen den Feind zu stärken« es notwendig sei, sich mit der innerparteilichen Demokratie (d. h. die *Freiheit* der Diskussion wenigstens innerhalb der Partei) zu befassen. Havemann erklärte nun, daß er zu diesem Zwecke einen Kursus über die Leninschen Normen des Parteilebens in der Universitätsverwaltung durchführe, zu dem aber die Mitglieder der Universitätsleitung nicht erscheinen würden.[23]

21 Ebd., Bl. 258; zu Herneck vgl. J. Wolfgang Görlich, Geist und Macht in der DDR. Die Integration der kommunistischen Ideologie, Olten/Freiburg i. Br. 1968, S. 50-56; Guntolf Herzberg, »Dr. Herneck auf der Linie unserer Feinde«. Von der Zerstörung eines Philosophen durch die SED, in: Deutschland Archiv 33 (2000), S. 240-251.

22 Havemann, Diskussionsbeitrag, ebd., Bl. 258 f.

23 Ebd., Bl. 259.

Die den Kampf gegen den Revisionismus als Mittel zur Aufrechterhaltung der Reinheit der Lehre Lenins im Munde führen, entzögen sich dem Studium des Leninschen Werkes. – Es war eine ebenso starke wie schlitzohrige Vorhaltung, der sich die so Angesprochenen kaum entziehen konnten und die das Unbehagen des Apparates markierte, der sich gegen die »Rückkehr zu den Leninschen Normen« wehrte wie gegen jedwede historische »Rückkehr«.[24]

Havemann hielt sich in der folgenden Zeit mit offenkundig kritischen Stellungnahmen in der Öffentlichkeit zurück, ohne die von ihm angestoßene Debatte einschlafen zu lassen. Immer wieder beklagte er, daß hier noch viele offene Fragen bestünden, er sie aber als diszipliniertes Parteimitglied nicht debattieren könne, ohne bestehende Beschlüsse zu unterlaufen. Dieser deutlich ausgesprochene Verweis auf die Fehlstellen einer reglementierten Debatte unterlief indes zugleich den Versuch, ganze Themen als nichtexistent zu beschweigen oder sie als gelöst hinzustellen. Noch 1959 kam Havemann wieder und wieder auf die Folgen der III. Hochschulkonferenz zurück und bezeichnete sie insgesamt als verfehlt. »Das könne man natürlich nicht in der Öffentlichkeit und auch nicht in der Parteiöffentlichkeit sagen, aber man müsse sich darüber im klaren sein.«[25]

In einem Vortrag auf der Leipziger Tagung »Die fortschrittlichen Traditionen in der deutschen Naturwissenschaft des 19. und 20. Jahrhunderts« im September 1962 unterwarf Havemann die Geschichte des Verhältnisses von marxistisch-leninistischer Philosophie und Naturwissenschaft in den sozialistischen Staaten einer niederschmetternden Diagnose: Die Frage, ob die offizielle Philosophie des Marxismus-Leninismus die Entwicklung der Naturwissenschaften befruchtet habe, verneinte er im wesentlichen. »Etwas Furchtbares ist geschehen: Der dialektische Materialismus ist jahrzehntelang durch seine offiziellen Vertreter bei allen Naturwissenschaftlern der Welt einschließlich der führenden Naturwissenschaftler der Sowjetunion in zunehmendem Maße diskreditiert

24 Vgl. Fehér/Heller, Linke, S. 19 über den Kernbegriff der Freiheit als Unterscheidungsmoment zwischen Oppositionellen und Reformen im Apparat und das Mißtrauen der Nomenklatura gegenüber der Regeneration des Leninschen Kommunismus. Vgl. auch Ferenc Fehér, The Social Character of Khrushchev' Regime, in: Ferenc Fehér/Ágnes Heller, Eastern Left, Western Left. Totalitarianism, Freedom and Democracy, Cambrigde 1987, S. 77-103.

25 Gregor Schirmer an Hans Singer, 8.12.1959, zit. nach: Bernd Florath, Vom Zweifel zum Dissens, in: Silvia Müller/Bernd Florath (Hg.), Die Entlassung. Robert Havemann und die Akademie der Wissenschaften 1965/66, Berlin 1996 (Schriftenreihe des Robert-Havemann-Archivs; 1), S. 19.

worden.«[26] Seine schonungslose Bilanz, die nicht mit Namen sparte, rief den Unmut seiner Kontrahenten hervor.

Es soll an dieser Stelle der Substanz der formal philosophiehistorischen Fragestellung Havemanns nicht weiter nachgegangen werden.[27] Neben dieser zweifellos wichtigen Frage scheint nämlich bereits das Verfahren, mit dem Havemann seiner Position in der DDR Öffentlichkeit verschaffte, von nicht minder zentraler Bedeutung zu sein. Havemanns Diskussionsbeitrag wurde vom Herausgeber des Konferenzprotokolls Gerhard Harig unterdrückt. Havemann war empört: ein beispielloser Vorgang, der den gängigen Verfahrensweisen im Wissenschaftsbetrieb eklatant widersprach. »Ich verlange, daß man mir gegenüber genauso offen auftritt[,] wie ich offen auftrete. Außerdem verlange ich das Publikationsrecht. Das ist ein Skandal.«[28]

Havemann fuhr zu seinem Freund Stefan Heym, in dessen Haus in Berlin-Grünau ein Vervielfältigungsgerät stand. Der Apparat in Heyms Keller diente des öfteren dazu, auch Havemanns Manuskripte zu vervielfältigen.[29] Der Leipziger Vortrag wurde kopiert und an Kolleginnen und Kollegen im In- und Ausland geschickt. Was, so fragte Havemann, sei an diesem Text so falsch, daß er gegen jeden regulären akademischen Usus nicht ins Protokoll einer Tagung aufgenommen werden könne? Der Vortrag erreichte natürlich auch Kurt Hager und andere politisch Verantwortliche.

Auf den Tabubruch Gerhard Harigs setzte Havemann damit einen anderen. Der Konflikt, der sich entwickelte, beruhte auf zwei Regelver-

26 Robert Havemann, Hat die Philosophie den modernen Naturwissenschaften bei der Lösung ihrer Probleme geholfen?, in: ders., Dialektik ohne Dogma? Aufsätze, Dokumente und die vollständige Vorlesungsreihe zu naturwissenschaftlichen Aspekten philosophischer Probleme, hg. v. Dieter Hoffmann, Berlin 1990, S. 50 f.

27 Schon der von Havemann angeschriebene Arnošt Kolman, der Havemanns antistalinistischen Impuls sehr begrüßte, unterzog in der Sache den Leipziger Vortrag einer herben Kritik: Arnost Kolman an Robert Havemann, 23.11.1962, SAPMO-BArch, DY 30, IV A2/9.04/100, jetzt in: Havemann, Dialektik, S. 213-220. Vgl. zu den Positionen in Havemanns Vortrag auch Peter Christian Ludz, Freiheitsphilosophie oder aufgeklärter Dogmatismus, in: Leopold Labedz (Hg.) Der Revisionismus, Köln/Berlin 1965 (Library of International Studies), S. 380-438; Dieter Hoffmann, Der Physikochemiker Robert Havemann (1910-1982) – eine deutsche Biographie, in: ders./Kristie Macrakis (Hg.), Naturwissenschaft und Technik in der DDR, Berlin 1997, S. 319-337.

28 Sitzung der SED-Universitätsparteileitung vom 8.1.1963, Bl. 2, SAPMO-BArch, DY 30, IV A2/9.04/99.

29 Dies bestätigte Stefan Heym am 4.3.1995 in einem Brief an den Verfasser.

letzungen: Harig hatte mit seiner Weigerung, einem umstrittenen und streitbaren Beitrag die für die Debatte notwendige Öffentlichkeit zu geben, eine als selbstverständlich geltende Verfahrensregel der wissenschaftlichen Debatte der politischen Zensur geopfert. Harig entzog damit einer wissenschaftlichen Diskussion die Grundvoraussetzung: Er verwehrte potentiell Interessierten den Zugang zum Text und wollte offensichtlich so eine inhaltliche Diskussion vollkommen verhindern. Havemann hatte mit seiner eigenmächtigen Verbreitung wiederum ein politisches Tabu gebrochen, indem er Öffentlichkeit hergestellt hatte, ohne das Placet der im Realsozialismus allein dafür autorisierten politischen Behörden einzuholen.

Die sich anschließende heftige Diskussion vermengte beide Dimensionen des Konflikts. Niemand innerhalb der politischen Führung der SED wollte klar und unmißverständlich erklären, daß die inhaltliche Diskussion unzulässig sei. Insofern konnte die Berechtigung des Havemannschen Handlungsmotivs nicht geleugnet werden. Dennoch wurde er aufgrund des nicht gedruckten Textes öffentlich angegriffen. Die gegen ihn erhobenen Vorwürfe waren unmittelbar politischer Natur. Doch die sie stützenden Argumente changierten auf mehreren Ebenen.

Einerseits wurde Havemann das Parteivergehen vorgehalten, in der Öffentlichkeit die Zensur des SED-Genossen Harig desavouiert zu haben. Die sorgsame Trennung von allgemeiner Öffentlichkeit und Parteiöffentlichkeit, deren Hierarchisierung, die die Diskussion über politisch brisante Fragen und offene Kontroversen über zu treffende Entscheidungen ausschließlich der (in sich wiederum hierarchisierten) Parteiöffentlichkeit vorbehielt, war die logische Kehrseite des Dogmas von der politischen Geschlossenheit der kommunistischen Parteien. Interne Differenzen wurden stigmatisiert, selbst wo sie von banaler oder zumindest peripherer Bedeutung waren.

Andrerseits hatte Havemann dadurch, daß er seinen Diskussionsbeitrag auch an Wissenschaftler im westlichen Ausland geschickt hatte (Linus Pauling, Werner Heisenberg u. a.), auch ein ungeschriebenes Gesetz übertreten, was aus seiner unkonventionellen Methode, ein Diskussionsverbot zu unterlaufen, einen politischen Akt machte. Der Philosoph Georg Klaus, der sich mit Havemann einig wußte in der Ablehnung des parteiamtlichen Dogmatismus, schrieb ihm:

> »Du hast Dich [...] nicht damit begnügt, Dein Referat Deinen nächsten Freunden zu senden, um den wilden Gerüchten, die über den Inhalt dieses Referats im Umlauf waren, entgegenzutreten [...] Diskussionsbemerkungen, die, in engem Kreise vorgetragen, vielleicht als

schnodderig bezeichnet werden können, gewinnen, an sowjetische Wissenschaftler und Zeitungen verschickt, den Charakter von politischen Taktlosigkeiten und Beleidigungen und, an westdeutsche Wissenschaftler verschickt, den Charakter eines illoyalen Verhaltens gegenüber unserer Partei und Parteidisziplin.«[30]

Mit der die Vertreter des Parteiapparates entwaffnenden Deutlichkeit stellte Havemann die Logik von parteiinterner Debatte und einheitlich-geschlossener Außenfassade der kommunistischen Partei auf den Kopf. Seine öffentlich vorgetragene Kritik definierte er als selbstlose persönliche Aufopferung für das Auffinden neuer, dringend benötigter politischer Konzepte. Dabei, so sagte er, gehe er hohe persönliche Risiken ein, weil er nicht – wie dies sonst üblich sei – lediglich bereits gesicherte Positionen vertrete, sondern mutig Neuland beschreite.

> »Ich will alles in meinen Kräften stehende tun, um der Partei zu helfen. Ich tue das so gut wie ich kann. Selbst auf die Gefahr hin, rede ich, daß ich etwas sage, was vorher noch nicht abgedruckt war. Um alles gut zu verstehen, muß man Aussprachen, Diskussionen usw. haben. So kann es passieren, daß ich etwas sage, was nicht in Ordnung ist. Das kann man doch sagen. Warum protestiert man hinter meinem Rücken, ohne jemals mit mir zu sprechen. Keiner macht das. Hier diskutiere ich ganz offen. Ich trete in der Öffentlichkeit auf. Da habe ich große Resonanz, das weiß ich. Ich gebe mir aber Mühe, und ihr kommt hinterher an und sagt, er hat das und das gesagt, aber zu mir sagt man das nicht. Ich will Offenheit, ich will Aussprache. Ich halte mit meiner Meinung nicht hinter dem Berg.«[31]

Von offizieller Seite wurde Havemann wegen seiner Äußerungen attackiert, ohne daß man auf deren Substanz einging. Wenige Monate nach dem Leipziger Vortrag griff ihn Kurt Hager am 18. Januar 1963 auf

30 Georg Klaus an Robert Havemann, 5.3.1963, SAPMO-BArch, DY 30 IV A2/9.04/99.

31 Sitzung der SED-Universitätsparteileitung vom 8.1.1963, Bl. 9, SAPMO-BArch, DY 30, IV A2/9.04/99. In gleicher Art und Weise argumentierte Havemann, der zu dieser Zeit noch als Geheimer Informant der Staatssicherheit geführt wurde, auch seinem Führungsoffizier Naye gegenüber: »Zur Verschickung als Form der Veröffentlichung seines Vortrages steht ›Leitz‹ [i. e. der Deckname von Havemann – B.f.] auf dem Standpunkt, daß er für den wissenschaftlichen Meinungsstreit jede Form der Öffentlichkeit wählen kann, damit seine Bereitschaft zur Diskussion bewiesen hat, [man] ihm aber offensichtlich ausweicht.« – HA III/6/5. Naye, Treffbericht, 18.5.1963, BStU, MfS, AOP 5469/89, Teil I, Bl. 301.

dem VI. Parteitag an,[32] woraufhin sich Havemann Anfang März im selben Gestus beschwerte und nochmals betonte, daß es ihm vollkommen fernläge, den dialektischen Materialismus einer Revision zu unterziehen, sondern er diesen gegen die landläufigen Verballhornungen verteidige. Zugleich unterstellte er Hager, daß dessen Angriff auf einem Mißverständnis beruhe. Weil sein Leipziger Text der Öffentlichkeit vorenthalten wurde, geisterten die seltsamsten Gerüchte über ihn durch die Debatten.[33] Er bat Hager daher, ihm »einen geeigneten Weg vorzuschlagen, auf dem diese Fehldeutungen für die Partei und die Öffentlichkeit richtiggestellt werden können«.[34]

Doch die Diskussion, die die SED Havemann anbot, kreiste lediglich immer wieder um den Vorwurf der illegitimen Verbreitung eines Manuskripts, das der Offizialphilosophie feindlich gegenüberstehende Ansichten enthalten hätte. Eine Diskussion über den Inhalt der Rede wurde Havemann verweigert, und er lehnte es ab, in dafür nicht kompetenten politischen Gremien der SED eine philosophische Debatte zu führen oder dort erst eine Erlaubnis für diese Debatte einzuholen. Während sich also die SED der philosophischen Debatte mit Havemann verweigerte, lehnte dieser das damit praktizierte Diskussionsverbot ab und verließ den Rahmen der parteiinternen Teilöffentlichkeit, um so von außen Druck auf die SED auszuüben. Georg Klaus, der sich nach seiner ersten positiven Reaktion auf Havemanns Text zwischen den Fronten sah, setzte Havemann diese Veränderung der politischen Dimension in der Debatte durchaus zutreffend auseinander. Er hoffte ihn freilich so zu einer Zurücknahme der Provokation zu bewegen, die in der Sprengung des üblichen Modus der Diskussion bestand:

> »Aus diesem Diskussionsbeitrag, der, so weit es den Kampf gegen Dogmatismus, gegen mechanischen Materialismus und insbesondere gegen die mechanisch-materialistischen Interpretation der Quanten-

32 Kurt Hager, in: Protokoll der Verhandlungen des VI. Parteitages der Sozialistischen Einheitspartei Deutschlands. 15. bis 21. Januar 1963 in der Werner-Seelenbinder-Halle zu Berlin. 4. bis 6. Verhandlungstag, Berlin 1963, S. 14: »So vertrat ein Genosse Naturwissenschaftler auf einer wissenschaftlichen Tagung in Leipzig die falsche Auffassung, der dialektische Materialismus habe der Naturwissenschaft nicht nur nicht geholfen, sondern sich geradezu als Hemmnis erwiesen.«

33 Dies bestätigte auch Georg Klaus in einem Brief an Havemann: »Es ist gut, daß Du mir das Manuskript geschickt hast, denn man hat mir Schauermärchen über den Inhalt Deines Vortrages erzählt. Ich bin im großen und ganzen mit Deinen Ausführungen einverstanden.« – SAPMO-BArch, DY 30 IV A 2/2.024/66, Bl. 38.

34 Robert Havemann an Kurt Hager, 1.3.1963, SAPMO-BArch, DY 30 IV A 2/2.024/66, Bl. 19.

physik betrifft [...], hat sich meines Erachtens jetzt etwas entwickelt, was den Charakter einer wissenschaftspolitischen Plattform hat.«[35]

Havemanns Vorgehen führte rasch dazu, daß der Chef der Berliner Bezirksleitung der SED, Paul Verner, die SED-Universitätsparteileitung drängte, disziplinarisch gegen den widerspenstigen Genossen vorzugehen. Doch die Parteiorganisation der Universität reagierte zögerlich.

Die Situation spitzte sich erst zu, als Havemann auf einer Kollegiumssitzung der Humboldt-Universität mit dem Staatssekretär für das Hoch- und Fachschulwesen, Ernst-Joachim Gießmann, polemisierte. Havemann hielt ihm vor, daß er sich im Ministerrat für die Universitäten stark machen müsse. »Wenn man das nicht kann, muß man das Amt anderen zur Verfügung stellen.«[36] Mit diesem Zwischenruf brachte Havemann zweifelsohne den allgemeinen Unmut seiner Kollegen zum Ausdruck,[37] doch den aufmerksamen Vertretern des Parteiapparates war die Unbotmäßigkeit durchaus nicht entgangen. Paul Verner forderte nunmehr den Kopf Havemanns.[38] Über die Sommerferien wurde der Ausschluß Havemanns aus der Universitätsparteileitung vorbereitet.

35 Georg Klaus an Robert Havemann, 5.3.1963, SAPMO-BArch, DY 30 IV A2/9.04/99.

36 Humboldt-Universität zu Berlin. Rektorat, Protokoll der Kollegiumssitzung vom 19. Juni 1963, 25.6.1963, Bl. 7, ebd.

37 Der zugespitzte Stil, in dem Havemann hier Konsequenz im Handeln eines Vertreters der Exekutive verlangte, war durchaus kein Novum. Havemann erwies sich auch in den Debatten der Volkskammerausschüsse, die ebensowenig öffentlich waren wie die SED-internen, als drastischer Fragesteller: Vgl. seine Replik auf das Kostenargument für die Ablehnung der Erhöhung der Zahl von Studienplätzen in naturwissenschaftlichen Fachrichtungen im Volkskammerausschuß für Volksbildung und Kultur am 4./5. Juni 1956: »Ich finde es aber noch viel kostspieliger, jedes Jahr die Hälfte der Bewerber in den mathematisch-naturwissenschaftlichen Fakultäten abzulehnen, weil man das nicht wiedergutmachen kann. Das Staatssekretariat für Hochschulwesen, das bei solchen Forderungen die Unterstützung der Fachministerien hat, muß klarmachen, daß Millionen fehlinvestiert sind, wenn diese Ausgaben für den Nachwuchs nicht auch gemacht werden. Diese Dinge sind von großer Tragweite für die Zukunft, bis in den dritten Fünfjahrplan. Diejenigen, die den dritten Fünfjahrplan verwirklichen, werden sagen: Warum hat man 1956 die Ausbildungskapazitäten nicht vergrößert? Man mußte doch das voraussehen.« – 8. und 9. Sitzung des Ausschusses für Volksbildung und Kultur am 4. und 5. 6. 1956 – Stenografische Niederschrift – Beratung über die Vorbereitung des Gesetzentwurfes über den zweiten Fünfjahrplan auf dem Gebiet der Wissenschaft – BArch, DA 1/1580, Bl. 180.

38 Werner Neugebauer (SED-Bezirksleitung Berlin) an Kurt Hager, 30.7.1963, SAPMO-BArch, DY 30, A2 /9.04/304.

Aber der Umstand, daß im Entwurf der Ausschlußbegründung wahrheitsgemäß auf die Differenzen Bezug genommen wurde, die Havemann in seinem Leipziger Vortrag deutlich gemacht hatte, paßte Paul Verner überhaupt nicht ins Konzept.

> »Dem Aufbau des Materials kann man nicht zustimmen. Die Probleme, die Havemann in seinem Vortrag in Leipzig behandelt hat, gehören keinesfalls an die Spitze der Begründung.«[39]

Der Apparat scheute den offenen Streit mit Havemann in der Sache. Dessen Kritik an den »offiziellen Vertretern des dialektischen Materialismus«, Philosophen, die Philosophie nicht als Wissenschaft, sondern als Ideologie der Machtsicherung betrieben, kam gerade nicht zu dem pauschalisierenden Resultat, daß der dialektische Materialismus als System wissenschaftlich ohne Wert sei, ja die positiven Wissenschaften in ihrer Entfaltung hindere. Havemann argumentierte – wenn auch im Detail durchaus nicht immer sehr präzise[40] – konkret an jenen historischen Vorgängen entlang, die eine solche These zu stützen schienen. Wo er zu diesem Schluß kam, galt ihm dies als Indiz für eine Verfälschung des wirklichen dialektischen Materialismus, den er im wesentlichen als dialektische Methode interpretierte, die den Naturwissenschaften innewohne. Kurt Hager interpretierte jede Kritik an einem schlechten sowjetischen Philosophen als politischen Angriff auf den Marxismus-Leninismus und auf die Sowjetwissenschaft in toto. Während Havemann festhielt, daß die dogmatisierte Kaderphilosophie in der Sowjetunion die Naturwissenschaften behindert habe, deren Fortschritte eher trotz dieser Behinderungen zustande gekommen seien, argumentierte Hager umgekehrt, daß der naturwissenschaftliche Fortschritt in der Sowjetunion Havemanns These widerlege und den produktiven Einfluß der Philosophie beweise. Daß Hager auf diese Weise die schlechtesten Philosophen verteidigen mußte und nachgerade zum Maßstab der Philosophie erhob, birgt eine gewisse Logik in sich.

Der erste Artikel,[41] der sich öffentlich mit Havemanns Leipziger Rede auseinandersetzte, mußte nicht allein wegen deren faktischer Nichtpublizität einen Schattenkampf vorführen. Alfred Kosing konnte zugleich jenen Lesern gegenüber, die den Havemannschen Text nicht kannten,

39 Bemerkungen zur Begründung der UPL der Humboldt-Universität den Ausschluß des Genossen Prof. Havemann aus der UPL betreffend, o.D. [zwischen dem 26. und dem 29.8.1963], SAPMO-BArch, DY 30, A2 /9.04/304.

40 Vgl. hierzu den Brief Kolmans an Havemann, 23.11.1962, in: Havemann, Dialektik.

41 Alfred Kosing, Wege und Abwege der Philosophie, in: Forum, 1963, Nr. 6, S. 8 f.

abenteuerliche Behauptungen über dessen Inhalt aufstellen, den anzugreifen um so einfacher war, als dem Angegriffenen die Chance zur Replik nicht gegeben wurde. Es ist nicht verwunderlich, daß Kosing gegen Havemanns Versuch, den dialektischen Materialismus wissenschaftlich zu operationalisieren, ihn als Methode zu schärfen und zugleich zu propagieren, auf dessen Weltanschauungscharakter bestand. Für Kosing war die Philosophie zugleich das allgemein-theoretische Fundament der Politik der SED, was vice versa der Politik der SED »wesentliche Züge einer angewandten Wissenschaft« verleihe.[42] Aus diesem logischen Salto mortale folgt freilich zwingend, daß Kritik an der SED vom wissenschaftlichen Standpunkt aus unzulässig sei, sie nur als politischer Angriff angesehen werden könne.

Andererseits schienen die Disziplinierungsmaßnahmen gegen Havemann die Situation vorerst auch beruhigt zu haben. Sie signalisierten gewissermaßen ein Patt: Der unbotmäßige Delinquent war abgestraft, der Disziplinierungsabsicht der Konservativen war damit entgegengekommen, der Schein, daß die SED alles kontrolliere, wiederhergestellt. Andrerseits wurde Havemanns Bewegungsspielraum durch die Zurücksetzungen nicht wesentlich beeinträchtigt. Zugleich hätten darüber hinausgehende Maßregelungen einer neuen Begründung bedurft, da die alten vorerst aufgebraucht waren. Und wie sich in den folgenden Wochen erweisen sollte, hatte es den Anschein, als wären die Maßregelungen keineswegs von Dauerhaftigkeit geprägt, sondern eher ein Pyrrhussieg des Apparates.

Es ist schwer zu sagen, ob Havemann in den folgenden Wochen tatsächlich eine Strategie verfolgte oder seine Handlungen sich spontan aus der Situation ergaben: Einerseits nahm er in der Sache keine seiner Aussagen zurück, spitzte sie eher politisch noch zu. Andererseits ließ er sich auf jede sich bietende Diskussion ein, selbst wenn sie als eine ihn zu disziplinierende Aussprache initiiert war.

> »Im Verlauf einer siebenstündigen Aussprache über philosophische und politische Probleme brachte Havemann zum Ausdruck, daß er nun langsam zu der Einsicht komme, daß seine Position, die er in dem Leipziger Referat vertreten hat, nicht mehr zu halten ist, und daß die Versendung dieses Referats an verschiedene Persönlichkeiten in anderen Ländern politisch schädlich sei.

42 Ders., Über die Funktionen der marxistischen Philosophie, in: Deutsche Zeitschrift für Philosophie (13) 1965, H. 3, S. 364-366; vgl. auch Görlich, Geist und Macht, S. 174.

Es ist unverkennbar, daß diese Wendung des Genossen Prof. Havemann wesentlich darauf zurückzuführen ist, daß er in den letzten Wochen in Diskussionen (besonders auf der Konferenz in Greifswald) für seine Haltung scharf kritisiert wurde und, was ihn offenbar sehr beeindruckt hat, daß er nicht mehr für die Volkskammer kandidiert und aus der UPL ausgeschlossen wurde.«[43]

Die teilweisen Rückzüge Havemanns, seine Zugeständnisse an den Apparat in bestimmten Fragen, bewahrten nicht nur seine Bewegungsfreiheit an anderer Stelle, sie vollzogen sich zugleich immer auch in doppelsinniger Form: Zwar habe er mit einigen Thesen des Leipziger Vortrages unrecht gehabt, dies sei aber erst durch die offene Diskussion zutage gefördert worden, womit sein Vortrag dennoch als legitimes Mittel gedient habe, neuen Erkenntnissen Bahn zu brechen, während seine Unterdrückung dem Erkenntnisfortschritt im Wege gestanden hätte.

Es schien, als gewännen die Möglichkeiten und Chancen offener Diskussion trotz oder widersinnigerweise gerade wegen der Disziplinierungsmaßnahmen vorerst noch Raum. Nach der eingehenden Diskussion mit dem sowjetischen Philosophen Bonifati Kedrov, die Havemann in seiner Haltung offenbar bestärkt hatte, nahm er im Oktober 1963 an der Universität seine für Hörer aller Fakultäten offene Vorlesung des Wintersemesters über »Philosophische Aspekte naturwissenschaftlicher Probleme« wieder auf. Diese Vorlesung hielt er bereits seit 1960. Seit dem Wintersemester 1962/63 stand sie sogar auf dem obligatorischen Programm des gesellschaftswissenschaftlichen Grundstudiums.[44] Bislang hatte es dagegen keine offiziellen Einwände gegeben. Lediglich Hermann Ley hatte Havemann und dessen Assistenten in einem Brief an die ZK-Abteilung Wissenschaften angegriffen und gefordert, daß ihnen die Durchführung dieser im Curriculum vorgeschriebenen Veranstaltung untersagt werde.[45]

Auf der Aktivtagung der SED-Organisation der Humboldt-Universität im Oktober 1963 fand eine offen kontroverse Diskussion statt, die zwar nicht frei war von polemischer, in einigen Beiträgen auch denunziatorischer Schärfe, in der sich aber auch nicht ohne Grund auf ähnliche Prozesse in den kommunistischen Parteien der Tschechoslowakei, Italiens,

43 ZK-Abteilung Wissenschaften, Sektor Gesellschaftswissenschaften, Betr.: Aussprache Prof. Havemanns mit dem sowjetischen Philosophen, Prof. Kedrow am 5.10.1963, Berlin, den 8. Oktober 1963, SAPMO-BArch, DY 30, IV A2/9.04/100

44 Robert Havemann, Ein deutscher Kommunist. Rückblicke und Perspektiven aus der Isolation, Reinbek 1978, S. 11 f.

45 Vgl. Hermann Ley an Johannes Hörnig, 14.3.1963, SAPMO-BArch, DY 30, IV A2/9.04/99.

Österreichs und Frankreichs berufen wurde.[46] Die Vorstöße Havemanns und vieler anderer Intellektueller korrespondierten mit denen Roger Garaudys in Frankreich, Ernst Fischers und Franz Mareks in Österreich, Leszek Kołakowskis in Polen, Palmiro Togliattis in Italien, Eduard Goldstückers, Ota Šiks in der ČSSR u. a.[47] Nicht zuletzt konnten sich solche Argumente selbst auf offizielle SED-Beschlüsse stützen. Im September veröffentlichte das Politbüro das »Jugendkommuniqué«[48]:

> »Es geht nicht länger an, ›unbequeme‹ Fragen von Jugendlichen als lästig oder gar als Provokation abzutun, da durch solche Praktiken Jugendliche auf den Weg der Heuchelei abgedrängt werden. Wir brauchen vielmehr den selbständigen und selbstbewußten Staatsbürger mit einem gefestigten Charakter, mit einem durch eigenes Denken und in der Auseinandersetzung mit rückständigen Auffassungen und reaktionären Ideologien errungenen sozialistischen Weltbild, das auf fortgeschrittenen wissenschaftlichen Erkenntnissen beruht.«[49]

46 Vgl. u. a. Labedz, Revisionismus; Martina Langermann, Zur Geschichte der Edition und Adaption Franz Kafkas in der DDR (1962 bis 1966), in: Jürgen Kocka (Hg.), Historische DDR-Forschung. Aufsätze und Studien, Berlin 1993 (Zeithistorische Studien; 1), S. 345-360; Erinnerungen an die Kafka-Konferenz in Liblice. Dokumentation eines Rundtischgesprächs mit Klaus Hermsdorf, Werner Mittenzwei, Lenka Reinerowa und Adolf Dresen zur Jahrestagung 1999 in Potsdam. Moderation: Jürgen Danyel, in: Argonautenschiff. Jahrbuch der Anna-Seghers-Gesellschaft 9 (2000), S. 80-101.

47 »Genosse Havemann behauptet, die Kulturpolitik, wie sie in Ungarn, Polen und der ČSSR betrieben wird, sei im Gegensatz zu unserer der richtige Weg und die theoretischen Auffassungen, die zu diesen Fragen von den italienischen, französischen und österreichischen Genossen vertreten würden (gemeint sind Togliatti, Garaudy, Fischer), entsprächen seinen Auffassungen.« – Information der Abteilung Wissenschaften des ZK der SED, 29.11.1963, SAPMO-BArch, DY 30, IV A2/9.04/99. Vgl. auch Universitätsparteisekretär Werner Tzschoppe an Paul Verner, 15.3.1964, SAPMO-BArch, ZPA DY 30, A2/9.04/103: »Ohne etwa mit Fischer, Garaudy, Aragon, Goldstücker usw. in allen Punkten einverstanden zu sein, hielt ich eine Reihe von Fragestellungen für sehr fruchtbar. Ich war der Meinung, daß wir in der DDR in dieser Beziehung erheblich im Rückstand seien.«

48 Vgl. Ulrike Schuster, Die SED-Jugendkommuniqués von 1961 und 1963. Anmerkungen zur ostdeutschen Jugendpolitik vor und nach dem Mauerbau, in: Jahrbuch für zeitgeschichtliche Jugendforschung 1994/95, Berlin 1995, S. 64 f.; Monika Kaiser, Machtwechsel von Ulbricht zu Honecker. Funktionsmechanismen der SED-Diktatur in Konfliktsituationen 1962 bis 1972, Berlin 1997 (Zeithistorische Studien; 10), S. 133-159.

49 Der Jugend Vertrauen und Verantwortung. Kommuniqué des Politbüros des Zentralkomitees, in: Dokumente der SED, Bd. IX, Berlin 1965, S. 691 f.

Für wenige Wochen und Monate schien es möglich, in der DDR Abschied vom Sozialismus Stalinscher Prägung zu nehmen. Ulbricht selbst wirkte im Spätsommer 1963 als Motor des Reformwerkes und richtete seine hauptsächlichen Angriffe auf jene Nomenklaturkader, die sich als unfähig erwiesen, seine Konzeption der Flexibilisierung der Volkswirtschaft umzusetzen: »Es geht um eine tiefe Wende und nicht um eine Reparatur! ... Der schlimmste Bürokrat muß nach dem Lesen des Kommuniqués sagen: Verdammt noch mal, jetzt ändert sich wirklich etwas. Und wer es nicht mit seinem Verstand erfassen kann, soll es fühlen.«[50]

Anfang Dezember wollte Paul Verner diesem Trend einen Riegel vorschieben und zitierte die Universitätsparteileitung in die Bezirksleitung der SED.[51] Werner Tzschoppe, SED-Sekretär an der Humboldt-Universität, erwartete seine eigene Ablösung. Doch gemeinsam mit Verner betrat Ulbricht die Versammlung, und statt der Attacke Verners auf die Universitäts-SED demontierte Ulbricht die Arbeit der Vernerschen Bezirksleitung: »Offenkundig weiß das Politbüro mehr über das, was sich in Berlin entwickelt und hier vor sich geht, als die Mitglieder der Bezirksleitung«, hielt er Paul Verner vor. Anstatt die geforderten »großen Veränderungen« im Denken anzugehen, konstatiert der Parteipatriarch »wieder Perioden der Verbürokratisierung. Der Bürokratismus bekommt die Oberhand. Es werden administrative Methoden angewandt, anstatt Überzeugungsarbeit zu leisten, statt das geistige Leben zu entfalten.«[52]

50 Ausführungen des Genossen Walter Ulbricht auf der gemeinsamen Sitzung der Kommission zur Ausarbeitung des Jugendkommuniqués und des Jugendgesetzes am 12. September 1963. Mitschrift Kurt Turbas, zit. nach: Kaiser, Machtwechsel, S. 154.

51 Abteilung Wissenschaften. Aktennotiz, 28.11.1963, SAPMO-BArch, DY 30, IV A2/9.04/100: »Die nächsten Schritte zur Bereinigung der Lage:

1. Vorbereitung und Durchführung einer GO-Versammlung am 9.12.1963, die zur endgültigen Klärung aller Fragen führen muß. (Dazu wird durch Abt. und BL eine konkrete Argumentation und der Plan des Vorgehens ausgearbeitet.)

2. Es ist eine Beratung mit allen GO-Sekretären der Humboldt-Universität durchzuführen.

3. Sekretär der UPL, Genosse Tzschoppe, sollte von seiner Funktion noch vor dieser GO-Versammlung beurlaubt werden.

4. Zur Durchführung dieser Maßnahmen ist eine eingehende Argumentation zu erarbeiten.«

52 Schlußwort des Genossen Ulbricht auf der 9. Tagung der Bezirksleitung Groß Berlin am 18. 11. 1963, SAPMO-BArch, DY 30, J IV 2/2 J-1091, Bl. 1 und 6.

Werner Tzschoppe[53] hatte, seit er die Leitung der Universitätsparteileitung Anfang der sechziger Jahre übernommen hatte, den mit ihm befreundeten Havemann taktisch überlegt unterstützt. Er wich aus, wo eine verfrühte Konfrontation mit übergeordneten Leitungen aussichtslos erschien, ja begründete den Ausschluß Havemanns aus der Universitätsparteileitung persönlich in der geforderten Art und Weise. Zugleich hinderte er diesen nicht an der Fortsetzung der Diskussion. Im Gegenteil: In der SED-Hauszeitung der Universität ermöglichte er jene öffentliche Diskussion, die bis dahin verhindert worden war. Hier erschienen bis zum Jahresende 1963 mehrere Beiträge, die mit Havemann über die philosophische und allgemein wissenschaftspolitische Substanz sowohl des Leipziger Vortrages als auch der Vorlesungen stritten. Auf Bodo Wenzlaffs Artikel[54] konnte Havemann ungehindert reagieren.[55] Ein weiterer Artikel, geschrieben von Hermann Ley, replizierte auf Havemanns Antwort.[56] Die durch Versammlungen, Vorlesungen und Zeitungsartikel sich öffnende Publizität beschleunigte die Wirkung dessen, was Havemann sagte. Zugleich erweiterten sich die Spielräume der Beteiligten.

Ulbrichts Kritik an Verners Berliner Parteiapparat implizierte indes auch eine deutliche Warnung vor Grenzüberschreitungen durch Havemann. Ulbricht sah in Havemann wohl eher einen nützlichen Rammbock zum Aufbrechen der bürokratischen Verkrustungen, ohne sich dessen Vorstellungen selbst auch nur zu nähern. Es ging Ulbricht nicht

53 Tzschoppe war schon Anfang der fünfziger Jahre Universitätsparteisekretär. Er hatte anschließend in Moskau ein mehrjähriges Studium absolviert, in dessen Verlauf seine politischen Vorstellungen vom Tauwetter der frühen Chruščev-Jahre geprägt wurden. Wie Zdeněk Mlynář oder Michail Gorbačev gehörte er zu jenem Teil des Parteikaders, der den antistalinistischen Impuls dieser Jahre nie wieder ablegte und in einer historisch günstigen Situation umzusetzen versuchte. Er zählt zweifellos zu den Brückengestalten zwischen intellektueller Opposition und »Abtrünnigen der Nomenklatura« – Vgl. Fehér/Heller, Linke, S. 16 f. und 42 f. (Anm. 15).

54 Bodo Wenzlaff, Philosophie ohne Philosophen? Bemerkungen zu einer Vorlesungsreihe von Prof. Dr. R. Havemann, in: Humboldt-Universität 7 (1963), Nr. 26; Auszüge in: Havemann. Dokumente, S. 176-178.

55 Robert Havemann, Ehrlich um Klarheit ringen. Zu den Bemerkungen von Dr. Bodo Wenzlaff zu meinen Vorlesungen, in: Humboldt-Universität 7 (1963), Nr. 27, S. 6; Nachdruck in: Havemann, Rückantworten, S. 55-58. Dies sollte der letzte Text sein, der von Havemann in der DDR vor 1989 erscheinen durfte.

56 Hermann Ley, Die philosophischen Gedanken des Marxismus-Leninismus bewähren sich in der Wirklichkeit. Bemerkungen zum nebenstehenden Beitrag von Prof. Dr. Robert Havemann, in: ebd., S. 7.

darum, Havemann zu unterstützen. Er forderte Verner vielmehr auf, selbst Foren der geistigen Öffentlichkeit zu organisieren:

> »Die Änderung der Arbeit muß anfangen beim Genossen Verner. [...] Ihr müßt in Berlin das geistige Leben organisieren, sonst wird euch das der Havemann organisieren. Wenn Havemann solche Sachen organisiert, dann kann sich die ZPKK damit befassen, wenn ihr aber nicht das geistige Leben organisiert, dann werden wir euch kritisieren. Das gilt auch für die Ideologische Kommission.«[57]

Havemann, Tzschoppe und ihre Genossen betrachteten die Intervention Ulbrichts dennoch als Bestätigung ihrer Auffassung.[58] Sie begannen, den entstandenen Freiraum zu nutzen, um ihrerseits den Einfluß der »Dogmatiker« zurückzudrängen. Auf Veranstaltungen kam Havemann nun deutlicher auf den politischen Kern der philosophischen Debatten. Die ZK-Abteilung Wissenschaften hielt Havemanns Aussagen fest:

> »Die Kommunistischen Parteien haben sich immer störend in die Entwicklung der Naturwissenschaft eingemischt [...] Die Fehler, die in der Zeit des Personenkults vorkamen, sind nicht nur Fehler Stalins, sondern Fragen eines inneren Systems. [...] Der dialektische Materialismus ist während des Personenkults verzerrt worden.«[59]

Tzschoppe schickte im Einvernehmen mit Franz Dahlem, dem stellvertretenden Staatssekretär für das Hochschulwesen, jenen stalinistischen Prorektor in Pension, der Havemann als »Verkörperung des imperialistischen Feindes an der Universität« angegriffen hatte, und setzte den Philo-

57 Protokoll Nr. 43/63 der Sitzung des Politbüros des Zentralkomitees am Dienstag, dem 3. Dezember 1963 im Sitzungssaal des Politbüros SAPMO-BArch, DY 30, J IV 2/2 A 1.001.

58 Abteilung Wissenschaften. Sektor Hoch- und Fachschulpolitik, Notiz für Genossen Hörnig. Betr.: Lage an der Humboldt-Universität, 5.12.1963, SAPMO-BArch, DY 30, IV A2/9.04/100: »Aus verschiedenen Anzeichen heraus ist bei uns der Eindruck entstanden, daß an der Humboldt-Universität gegenwärtig von einigen Genossen der UPL die Auffassung verbreitet wird, als handele es sich bei der letzten UPL-Sitzung in der Bezirksleitung um eine Bestätigung und Rechtfertigung der von der UPL vertretenen Linie.« – In einem Gespräch mit dem Autor bestätigte Werner Tzschoppe im September 1992, daß er zu diesem Zeitpunkt genau diese Hoffnung hegte.

59 Johannes Hörnig an Kurt Hager, 30.9.1963, Betr. Auftreten von Prof. Havemann auf einer wissenschaftlichen Tagung der Naturwissenschaftlichen Fakultäten und Philosophischen Institute der Universitäten Rostock und Greifswald am 27./28.9. in Greifswald, SAPMO-BArch, DY 30, IV A2/9.04/99.

sophen Wolfgang Heise an dessen Stelle.[60] Die Universitätsparteileitung opponierte offen gegen Entscheidungen der Berliner Bezirksleitung.[61] Und schließlich forderte die Parteiorganisation des chemischen Instituts, der Havemann angehörte, dessen Wiedereinsetzung in die Universitätsparteileitung.[62]

Doch im Januar gab Ulbricht die Rückendeckung auf.[63] Die Stabilität seines Machtapparats war ihm wichtiger als die Experimente, die ihm für die neue Wirtschaftspolitik zeitweilig notwendig erschienen. »Havemann greift zu einer falschen Zeit an«, sagte er zu Verner und gab diesem den Freibrief, die Lage an der Humboldt-Universität wieder unter Kontrolle zu bringen.[64]

Spätestens zum 5. Plenum des ZK vom 3. bis 7. Februar 1964 wollte Paul Verner eine Trendwende erzwingen, die das Plenum sogleich als offizielle Parteilinie unhinterfragbar sanktionieren sollte. Zuvor mußte Werner Tzschoppe abgelöst werden. Die zu diesem Zwecke am 1. Februar einbestellte Versammlung der Universitätsparteileitung und der Parteisekretäre der Humboldt-Universität aber verweigerte sich diesem Ansinnen noch.[65] Erst nachdem Tzschoppes Teilnahme für die Fortsetzung desselben Brainwashing am folgenden Tage unterbunden worden war, stimmte die Mehrheit der Teilnehmer dem von Verner verlangten Sturz zu und

60 Vgl. Franz Dahlem an Johannes Hörnig, 6.12.1963, SAPMO-BArch, DY 30, IV A2/9.04/100; vgl. auch Aktennotiz für Hörnig, 23.12.1963, ebd.

61 Werner Tzschoppe an Paul Verner, 20.1.1964, SAPMO-BArch, DY 30, IV A2/9.04/101.

62 Beschluß der Leitung GO Chemie, 21.11.1963, LArch Berlin, C Rep. 902, IV A2/4/704.

63 Über die Veranlassung des Kurswechsels zu diesem Zeitpunkt läßt sich allenfalls spekulieren. Der stets genauestens informierte Ulbricht wurde selbstverständlich über die Wirkung seiner Kritik an Verner informiert. Die Pensionierung des geistig und politisch starren Kominternzöglings und aus dem KPdSU-Institut der Roten Professur in Moskau hervorgegangenen Robert Naumann mag ihm noch ins Konzept gepaßt haben, doch spätestens die respektlosen und Insubordination verbreitenden Attacken der Universitätsparteileitung auf die Berliner SED-Bezirksleitung und die Tatsache, daß diese gemeinsam mit seinem alten Intimfeind Franz Dahlem mit der Einsetzung Wolfgang Heises Kaderpolitik jenseits des Nomenklaturplans des Politbüros machte, mußte den Machtpolitiker und Dirigenten des Apparats alarmieren.

64 SAPMO-BArch, NY 4182/938, Bl. 142.

65 »Seit Sonnabend haben viele nachgedacht und anerkannten das Wesen der Kritik, auch für ihre eigene Arbeit.« Bericht [der Abt. Wissenschaften] über die 2. Aussprache mit den Sekretären der Grundorganisationen der Humboldt-Universität am 3.2.1964, LArch Berlin, C Rep. 902, IV A2/4/704.

akzeptierte den ihr vom Apparat zudiktierten neuen Sekretär in der Befürchtung, Tzschoppe sei bereits verhaftet.[66] Damit war dem Widerstand der Universitätsparteiorganisation das Rückgrat gebrochen. Im unmittelbaren Anschluß daran tagte das Zentralkomitee. Von der Tribüne dieses mächtigen Gremiums verhängten Horst Sindermann, Erich Honecker, Kurt Hager über die Auffassungen Robert Havemanns das Verdikt des Revisionismus. Hanna Wolf, Direktorin der Parteihochschule beim ZK der SED, formulierte – möglicherweise unbeabsichtigt – eine Aufforderung zur Hinrichtung: »Warum müssen wir zulassen, daß er wie Sokrates – er ist nicht so klug wie Sokrates – unsere Jugend verdirbt?«[67]

Doch wer sollte einem bereits von Freislers Volksgerichtshof zum Tode verurteilten Veteranen des antifaschistischen Widerstandskampfes und Zuchthausgenossen Erich Honeckers den Schierlingsbecher reichen?

Eine Aktivtagung der SED an der Universität verdammte am 17. Februar Havemanns Vorlesungen als die Partei schädigend. In einem Beschluß verurteilten sie »das Auftreten des Genossen Professor Havemann gegen die Politik der Partei und die Weltanschauung der Arbeiterklasse« und verlangten von ihm, seine Vorlesungen »zu unterlassen, in denen er von den Beschlüssen der Partei abweichende Auffassungen vertreten hat«.[68]

Zugleich gab es auch Widerstände: Viele waren mit der Ablösung von Tzschoppe nicht einverstanden. Von Mitarbeitern und Studenten der Universität wurde bezweifelt, ob die Absetzung der Vorlesungen richtig sei. Auf einer Parteiversammlung am Chemischen Institut der Universität stritten sich Hager und Havemann noch am 4. März 1963 über die Bewertungen, die das ZK-Plenum den Havemannschen Vorlesungen erteilt hatte. Havemann, der nicht bereit war, freiwillig auf seine Vorlesungen zu verzichten, erklärte, daß er die Parteiempfehlungen ignorieren werde. Hager wurde spätestens hier klar, daß die SED Havemann entweder gewähren lassen müsse oder aber ihn verbieten.[69]

Während es schien, als sei noch nicht alles verloren, verbreiteten sich in der Bundesrepublik Gerüchte darüber, daß Robert Havemanns Vorlesungen verboten, er selbst entlassen und verhaftet worden sei. Am 10. März 1964 erschien der dpa-Korrespondent Rudolf Jungnickel bei

66 Brief Werner Tzschoppes an den Verfasser, 21.10.1994.

67 Zit. nach: Der Spiegel, 1964, Nr. 12, S. 41.

68 Beschluß des Parteiaktivs der Humboldt-Universität vom 17.2.1964, LArch Berlin, C Rep. 902, IV A2/4/704.

69 Zur Lage in der Grundorganisation Chemie der Humboldt-Universität, 4.3.1963, SAPMO-BArch, DY 30, IV A2/9.04/103

Havemann und befragte ihn. Havemann dementierte die Gerüchte. Seine Vorlesungen seien regulär mit Auslaufen des Semesters beendet, er im Amte und frei. Ein Interview verweigerte er ausdrücklich. Am Nachmittag des 11. März 1964 erschien im »Hamburger Echo am Abend« ein Artikel, der in Frage und Antwort ein Interview Havemanns mit der Zeitung suggerierte.[70] Der Artikel beruhte auf einem Gespräch, das Havemann am 6. März mit Karl-Heinz Neß geführt hatte, einem Westdeutschen, der sich als an einigen juristischen Problemen in den Vorlesungen interessiert vorgestellt hatte. Das von Neß aus seinen Gesprächsnotizen gefertigte Interview war nicht autorisiert und gab in knapper Form Aussagen Havemanns aus dem zweistündigen Gespräch in der Reformulierung von Neß wieder.[71]

Obwohl Neß keinerlei Autorisierung hatte, aus dem Gespräch mit Havemann ein Interview zu formulieren, können zwei Feststellungen kaum in Frage stehen: Erstens war Havemann nicht dagegen, daß Neß seine Aussagen in der westdeutschen Öffentlichkeit verwandte, und zweitens hat Neß sie in der Substanz zutreffend wiedergegeben. Havemann bestritt zwar die Authentizität des Interviews, nicht aber die Tatsache, daß er mit Neß gesprochen hatte.

Bereits am folgenden Tage beschloß die Universitätsparteileitung den Ausschluß Havemanns aus der SED. Wenige Stunden später wurden die

70 Robert Havemann, »Wir Deutschen machen alles besonders gründlich«, in: Hamburger Echo am Abend vom 11.3.1964, zit. nach: ders., Warum ich Stalinist war und Antistalinist wurde. Texte eines Unbequemen, hg. v. Dieter Hoffmann u. Hubert Laitko, Berlin 1990, S. 189-191.

71 Vergleicht man von Havemann autorisierte Texte mit dem sogenannten Interview, so fällt in der Tat auf, daß eine Reihe stereotyper Erklärungsmuster, die Havemann häufig gebraucht, um die DDR-konformen Teile verkürzt erschienen. Das »Hamburger Echo am Abend« brachte keinerlei kritische Bemerkungen Havemanns über die Politik in der Bundesrepublik, es zitierte zwar Havemanns schon häufiger gebrauchte Formulierung, daß den Bürgern in der DDR mehr Freiheit gegeben werden müsse als denen westlicher Länder, unterließ aber den in diesem Gedankengang vorausgehenden ebenfalls zu zitieren: »Im Sozialismus ist jetzt schon Freiheit für alle Bürger in einem Maße möglich, wie sie es sich unter den Bedingungen des Kapitalismus überhaupt nicht vorstellen können und auch niemals erreichen können.« (Robert Havemann an die Zentrale Partei-Kontroll-Kommission, 5.5.1964, Bl. 8, SAPMO-BArch, DY 30, IV 2/11/v. 4920). Diese ausgesprochen apologetisch klingende Argumentationsfigur findet sich bis in die frühen siebziger Jahre in Havemannschen Texten und entfaltet im Grunde erst durch Kenntnis seiner in den Vorlesungen entwickelten Explikation des Verhältnisses von Möglichkeit und Wirklichkeit ihre subversive Brisanz. – Vgl. Havemann, Dialektik, S. 128-133.

SED-Funktionäre der Universität zu einer erneuten Aktivtagung zusammengetrommelt und von Paul Verner persönlich über den Stand der Dinge unterrichtet. Gleichzeitig wurde Havemann vom Staatssekretär für das Hoch- und Fachschulwesen Gießmann aus seinem Amt als ordentlicher Professor an der Humboldt-Universität fristlos entlassen.[72] Die unglaubliche Geschwindigkeit, mit der die SED auf ein knappes Interview in einer Hamburger Provinzzeitung reagierte, gibt Anlaß zu Spekulationen, die sich indes aus den Akten nicht verifizieren lassen. Das »Hamburger Echo am Abend« erwies den SED-Parteikontrolleuren nachträglich die Argumentationshilfe, indem es auf der Authentizität des Interviews beharrte, statt einzuräumen, daß es sich um einen redaktionellen Verschnitt handelte,[73] was nicht nur Havemann energisch behauptete, sondern auch Karl-Heinz Neß bestätigte.[74] Havemanns Versuch, die Hamburger Redaktion presserechtlich zu belangen, wurde von der SED ebenso unterbunden wie der Versuch, »zur Richtigstellung dieses gefälschten Interviews eine entsprechende Presserklärung für unsere Presseorgane abzugeben«.[75] Klärungsbedarf bestand seitens der SED nicht: Das Interview war der lange gesuchte Anlaß, Havemann mundtot zu machen, ohne sich auf eine Debatte über seine politischen und theoretischen Herausforderungen einlassen zu müssen.

Von dem Ausschluß schien Havemann letztlich doch überrascht: Zweifelsohne war er überrumpelt. An keiner Stelle des Interviews hatte er seine parteiinternen Gegner angegriffen. Er hatte den öffentlichen Streit als den lebendigen Beweis dafür hingestellt, daß in der DDR – wenigstens im Ansatz – das möglich sei, was er fordere: eine öffentliche und vorurteilsfreie politische Debatte. Mit aller Loyalität gegen die ihn maßregelnde Partei führt er selbst die Tatsache, daß seine Ansichten öffentlich verurteilt wurden, noch als positives Argument ein, das seinem Auftreten Rechtfertigung im Sinne der Partei verschaffe. Nirgends verlangte

72 Vgl. Florath, Vom Zweifel, S. 32.

73 Günter Hahn, Wir warten auf Antwort, in: Hamburger Echo am Abend, 14. 3. 1964: »Fast zwei Stunden sprach Karl-Heinz Neß am 6. März 1964 mit Prof. Havemann. In seinem Institut in der Ostberliner Bunsenstraße. Unser Mitarbeiter hatte jede Frage schriftlich formuliert. Jede Antwort ließ er sich bestätigen. Mehr konnte er nicht tun.«

74 Karl Heinz Neß an Robert Havemann, 15.3.1964, SAPMO-BArch, DY 30, IV A2/ 9.04/103, Bl. 60: »In meinen Veröffentlichungen habe ich betont, daß es sich um die Wiedergabe eines Gespräches mit Ihnen handle, die überwiegend auf Aufzeichnungen von Stichworten beruhe. Von einem ›Interview‹ habe ich niemals gesprochen.«

75 Havemann an ZPKK, 5.5.1964, Bl. 8-10, SAPMO-BArch, DY 30, IV 2/11/v. 4920.

er, daß sich die SED nach ihm zu richten habe: »Das Entscheidende ist die Diskussion, das Beim-Namen-Nennen der Fehler. Das bewirkt eine Klimaänderung. Das offene Wort wird die schöpferischen Kräfte der Volksmassen mobilisieren.«[76] Er sieht sich sowohl in Übereinstimmung mit den Entwicklungen in Polen und der ČSSR als auch mit Walter Ulbricht, der noch auf dem 5. Plenum erklärt hatte:

> »Das neue ökonomische System der Planung und Leitung der Volkswirtschaft braucht *Leiter*, die perspektivisch denken können, die den Mut haben, Risiken zu tragen [...] Kleinliche, engstirnige Beamtenseelen, die [...] den Blick für das Neue und die Verbindung zu den Menschen verloren haben, können wir als Leiter ebensowenig gebrauchen wie alte Routiniers, die nicht begreifen wollen, daß es im neuen ökonomischen System der Planung und Leitung der Volkswirtschaft unmöglich ist, mit alteingefahrener administrativer und dogmatischer Arbeitsweise die Menschen zu führen.«[77]

Der Tabubruch Havemanns, der darin bestand, sich zu einem parteiinternen Streitthema in der bürgerlichen Presse – und vom Standpunkt der SED war das »Hamburger Echo am Abend«, obwohl eher sozialdemokratisch ausgerichtet, eine bürgerliche Zeitung – zu äußern, hat für in der Arbeiterbewegung wurzelnde politische Parteien eine lange Vorgeschichte. Das kategorische Verbot für Kommunisten, in der bürgerlichen Presse die kommunistische Partei zu kritisieren, ist von Lenin als zwingender Grund zum Parteiausschluß definiert worden. Schon aus diesem Grunde war Havemann im Umgang mit westlichen Medien zurückhaltend. Er hatte den sich anbietenden Kontakt lediglich genutzt, um seine Partei zu verteidigen. Das Erscheinen des Neßschen Textes, das dem stalinistischen Flügel der SED-Führung so brillant ins Konzept paßte, als gezielte Provokation zu interpretieren, lag also durchaus auf der Hand. Wolfgang Heise warnte auf der Universitätsparteileitungssitzung am 12. März 1964:

> » Ich habe Angst, daß wir auf eine Provokation der Westdeutschen hereinfallen. Da mache ich noch nicht recht mit. [...] Eine Parteistrafe halte ich für nötig, aber Ausschluß, Genossen, Ausschluß ist der politische Tod. [...] Bis jetzt stand nicht die Frage einer organisatorischen Maßnahme. Jetzt machen wir das auf Grund eines Interviews.«[78]

76 Havemann, Wir Deutschen, S. 190.

77 Walter Ulbricht, Die Durchführung der ökonomischen Politik im Planjahr 1964 unter besonderer Berücksichtigung der chemischen Industrie. Referat auf der 5. Tagung des ZK der SED. 3. bis 7. Februar 1964, Berlin 1964, S. 16 f.

78 SED-Parteileitung Humboldt-Universität, Protokoll, Leitungssitzung am 12. März 1964, SAPMO-BArch, DY 30, IV A2/9.04/103.

Doch Wolfgang Heise ist das einzige Leitungsmitglied der SED, das sich dem Ausschluß Havemanns verweigert.

Unter den nicht zur SED gehörenden Kollegen Havemanns sprach der Dekan der mathematisch-naturwissenschaftlichen Fakultät im Disziplinarverfahren gegen Havemann genau denselben Gedanken aus und verdeutlichte so, daß SED und Regierung lediglich einen unerheblichen Anlaß strapazierten, um einen politisch unbequemen Kritiker mundtot zu machen:

> »Spekt. Bernhard: Ich möchte zu bedenken geben, daß unsere Beweisführung sehr wesentlich auf westlichen Informationsmaterialien basiert. […] Man soll doch bei der Beurteilung dieser ganzen Pressemeldungen Vorsicht walten lassen. Es steht zur Debatte: Das Leben von Havemann und sein außerordentlich leichtfertiges Vergehen.
> […] Ich habe das deutliche Gefühl, daß nicht nur Prof. Havemann Opfer einer raffinierten Aktion geworden ist und ob wir nicht alle als Schachfiguren agieren, denn so, wie die Figuren stehen, könnte es von der westlichen Seite aus nicht besser gemacht werden.«[79]

Allein, eine wirkliche Überprüfung des Vorganges war überhaupt nicht beabsichtigt. Beide Maßregelungen, Parteiausschluß wie Entlassung, waren formal statuten- resp. rechtswidrig zustande gekommen. Auf Havemanns formale Einsprüche hin wurden sie in reguläre Verfahren umgewandelt. Ein Disziplinarverfahren, das freilich einer unabhängigen rechtlichen Überprüfung schon deshalb nicht standhalten konnte, weil die Zusammensetzung des Gremiums nachweislich ergebnisorientiert manipuliert wurde, sanktionierte erwartungsgemäß die Entlassung Havemanns.[80] Das Verfahren der Zentralen Parteikontrollkommission lief in lange eingeübter Zielstrebigkeit. Allein die Tatsache, daß Havemann nicht wie Kritiker der SED in früheren Jahren auch verhaftet wurde,[81] belegt die neue Qualität repressiver Maßnahmen. »Der Fall Havemann

79 Protokoll über die mündliche Verhandlung im Disziplinarverfahren gegen Professor Dr. Havemann, SAPMO-BArch, DY 30, IV A2/9.04/103.

80 Vgl. Florath, Vom Zweifel, S. 33-35.

81 In der Aktivtagung der Universitäts-SED drohte Peter Alfons Steiniger (1950 immerhin der Bürge Havemanns) genau solche Schritte an: »Ich habe von Genossen Pietsch gehört, daß es ihm nicht möglich ist, Herrn Havemann eindeutig zu beurteilen. Ist Konspiration mit dem Feind nicht eindeutig genug und ein Vergehen gegen die Partei? Ich freue mich nur, daß du mich nicht als Jurist danach gefragt hast.« – Parteiaktivtagung am 12. März 1964, SAPMO-BArch, DY 30, IV A2/9.04/103.

sollte zum Maßstab für die Grenzen jener undogmatischen Kreativität werden, welche Ulbricht so nachdrücklich einforderte.«[82]

Robert Havemanns biographische, ja seine mentale Verbundenheit mit vielen verantwortlichen SED-Funktionären war viel zu tief, als daß ihm die Dimension des Bruches, der am 12. März 1964 zwischen ihm und der SED stattgefunden hatte, in aller Konsequenz gleich klargeworden wäre. Es war bei weitem mehr als eine listige Geste, wenn er in den folgenden Monaten immer wieder den Kontakt zu Kurt Hager oder zu Alfred Neumann (der ebenso wie Erich Honecker bis Ende April 1945 Havemanns Mithäftling im Zuchthaus Brandenburg-Görden gewesen war) suchte. In entgegengesetzter Richtung schien auch für einige Zeit noch das wirkliche Bestreben in der SED-Führung vorhanden gewesen zu sein, einen Frieden herzustellen, der freilich unter der diktierten Voraussetzung stand, daß sich Havemann künftig aus politischen Dingen insofern heraushalte, als er nicht mehr eigenverantwortlich, ungefragt und vor allem kontrovers zur geltenden Parteilinie politisch tätig werde. Seine Entlassung als Universitätsprofessor wurde geradezu luxuriös abgefedert. Die Akademie der Wissenschaften übernahm den bis dahin nebenamtlichen Chef der Forschungsstelle für Fotochemie hauptamtlich für diesen Posten, wobei zwar die in der damaligen Zeit außerordentlich hohen Bezüge Havemanns gekürzt wurden, sie aber dennoch weit über dem seinerzeit Üblichen verblieben.[83]

Havemann sah sich einer Flut von Polemiken ausgesetzt, die sich gegen seine Überlegungen richtete.[84] Aber er hatte keine Möglichkeit, in diese Diskussion einzugreifen. Sie fand nicht mit ihm, sondern ausschließlich gegen ihn statt, und das einzige, was die Teilnehmer voneinander unter-

82 Thomas Klein, »Für die Einheit und Reinheit der Partei«. Die innerparteilichen Kontrollorgane der SED in der Ära Ulbricht, Köln/Weimar/Wien 2002 (Zeithistorische Studien; 20), S. 412-417, Zitat S. 414.

83 Havemanns Professorengehalt war erst im Mai 1963 auf 4.600 Mark erhöht worden (Brief des Verwaltungsdirektors der Humboldt-Universität an Staatssekretär Gießmann, 21.5.1963, Berlin-Brandenburgische Akademie der Wissenschaften [im folg.: BBAW], Archiv, Leitung, Personalia, Nr. 168a, Bl. 95); der »Einzelvertrag zwischen dem Vorsitzenden der Forschungsgemeinschaft (Klare) und Havemann vom 28.4.1964« legt Havemanns Gehalt als hauptamtlicher Leiter der Arbeitsstelle für Photochemie ab dem 1. April 1964, auf 4.000 Mark fest – ebd., Bl. 106; vgl. auch Werner Hartke an Erich Apel, November 1964, ders. an Hermann Klare, ebd., Nr. 161, Bl. 117 f.

84 In der Universitätszeitschrift der SED »Humboldt-Universität« erschienen nach den bereits erwähnten von Kosing, Wenzlaff und Ley 1963 allein in den Nummern 1-19 des Jahres 1964 13 Artikel.

schied, waren Tonart, Gestus und wissenschaftliche Ernsthaftigkeit, mit der sie sich mit den von Havemann tatsächlich vorgebrachten Argumenten beschäftigten. Wolfgang Heise lehnte es beispielsweise ab, sich nach dem Parteiausschluß an dieser öffentlichen Hinrichtung zu beteiligen.

Havemann versuchte, sich inmitten dieses Stimmengewirrs Gehör zu verschaffen. Es schien ihm logisch, daß wenigsten die kritisierten Texte zur Verfügung stünden. Er hatte schon während des Wintersemesters 1963/64 seine Vorlesungen vom Tonband abschreiben lassen und diese Arbeitsmanuskripte vervielfältigt. Kurt Hager hatte er das Manuskript persönlich geschickt, damit dieser nicht nur nach den Berichten seiner Abgesandten urteilen möge, sondern sich selbst ein Bild machen könne.[85] Anfang April 1964 bot er das Gesamtmanuskript dem Dietz Verlag an.[86] Selbstverständlich wurde das Angebot vom Verlag auf Geheiß des ZK ignoriert. Nach Wochen des Schweigens wandte er sich an Kurt Hager und setzte diesem auseinander, daß nicht nur einige der Polemiken, die die »Humboldt-Universität« veröffentlicht hatte, vollkommen überflüssig gewesen wären, wenn der Text seiner Vorlesungen vorliegen würde, sondern auch Hager selbst irreführend zitiere. Er bat Hager um öffentliche Richtigstellung oder um die Möglichkeit, dies selbst zu tun.[87]

Aber Hager verweigerte Havemann die Kommunikation. Schließlich ließ dieser seine Vorlesungen im Hamburger Rowohlt Verlag erscheinen. Es war dies der erste bewußte Schritt, der die selbstgesetzte Schranke durchbrach, eine innerkommunistische Kontroverse nur innerhalb der Partei oder doch wenigstens innerhalb der Grenzen des von ihr kontrollierten Landes auszutragen. Die Alternative wäre Havemanns Schweigen gewesen. Doch mit der Veröffentlichung in der Bundesrepublik eröffnete er zugleich neue Wege der politischen Kritik. Das Interesse, das ihm im Westen gerade von linken Intellektuellen entgegengebracht wurde, nicht weil er die SED kritisierte, sondern wegen seiner Auffassungen über Demokratie, die die Verhältnisse in der Bundesrepublik keineswegs be-

85 Kurt Hager an Walter Ulbricht, 5.2.1964, SAPMO-BArch, DY 30, IV 2/11/v. 4920, Bl. 153.

86 Robert Havemann an Dietz Verlag, 6.4.1964, SAPMO-BArch, DY 30, A2 /2.026/ 66, Bl. 50: »Da im In- und Ausland laufend zahlreiche von mir nicht autorisierte Auszüge aus dem Skripten dieser Vorlesung veröffentlicht werden, sowohl in Zeitungen und Zeitschriften wie auch in Rundfunksendungen, bin ich daran interessiert, daß eine von mir autorisierte Ausgabe als Buch veröffentlicht wird. Nur auf diese Weise kann verhindert werden, daß weiterhin von dem Text meiner Skripten aus dem Zusammenhang gerissene und dadurch sinnentstellende Auszüge veröffentlicht werden.«

87 Robert Havemann an Kurt Hager, 4.6.1964, in: Havemann, Dialektik, S. 243 f.

schönigten, sondern einer ebenso grundsätzlichen Revision unterzogen, machte ihn auch dort interessant. Diese neuen Verbündeten erleichterten einen Schritt, der in seiner Tragweite von erheblich größerer Bedeutung war, als es ein bloßer Wechsel des Verlagsortes vermuten ließe.[88]

Ende 1965 gab er einem freien Journalisten ein längeres Interview, das dieser im »Spiegel« veröffentlichen ließ.[89] Es wurde von Havemann autorisiert und war der Versuch einer Bestandsaufnahme. Havemann kennzeichnete die Verfassung des offiziellen Parteimarxismus als erstarrt, unfruchtbar, als »sklerotisch«. Als Reaktion auf diesen Artikel erschien in der FDJ-Studentenzeitung »Forum« ein Artikel,[90] in dem Aussagen Havemanns aus der Zeit vor 1956 mit Aussagen aus den sechziger Jahren konfrontiert wurden. Das denunziatorische Machwerk profitierte von der Wehrlosigkeit Havemanns. »Uns scheint, die ideologische ›Osteomalazie‹ des Robert Havemann von 1964 ist eine ebenso schlimme Krankheit wie seine geistige ›Sklerose‹ von 1951.«[91] Havemann sah sich konfrontiert mit einem Abschnitt der eigenen Biographie, den er durch sein Handeln seit Jahren kritisch konterkariert hatte. Doch – und insofern wurde ihm selbst dieser Artikel zur Anregung – die Kritik an der stalinistischen Politik hatte die kritische Beschäftigung mit der eigenen Rolle bislang allenfalls implizit enthalten. Er schrieb eine Antwort, die er am 2. Februar an die Redaktion des »Forum« schickte. In dieser Antwort verwahrte er sich nicht gegen den Vorwurf, Stalinist gewesen zu sein. Havemann griff die Attacke auf und gab der Herausforderung eine für den Autor gänzlich unerwartete Richtung:

> »Hermann Knappe wirft mir vor, daß ich mich bisher nicht offen und selbstkritisch hierzu bekannt habe. Ich nehme seinen Vorwurf uneingeschränkt an. […] Die Beispiele, die Hermann Knappe aus meinen früheren Schriften als Beleg meines damaligen Denkens anführt, geben nur ein blasses Bild. Es war viel schlimmer.«[92]

88 Vgl. Brian Plane, The »Sputnik Myth« and Dissent Over Scientific Policies Under the New Economic System in East Berlin, 1961-1964, in: Minerva 37 (1999), H. 1, S. 45-62.

89 »Der Marxismus leidet an Sklerose«. DDR-Professor Havemann über Deutschland und Kommunismus (Interview mit Werner G. J. Knop), in: Der Spiegel, 18, 1964, H. 51, S. 37-49.

90 Hermann Knappe, Weder Sklerose noch Osteomalazie, in: Forum, 1965, Nr. 2, S. 16 f. Auszüge in: Havemann, Ein deutscher Kommunist, S. 115-117.

91 Ebd., S. 117.

92 Robert Havemann, »Ja, ich hatte unrecht«, in: Havemann, Rückantworten, S. 59.

Havemanns knappe Replik ist eine schonungslose Abrechnung mit der eigenen Verblendung. Sie wurde indes nicht geschrieben von der Warte eines Menschen, der meint, nunmehr die richtigen Alternativen auf die bislang falschen Antworten gefunden zu haben, sie bildet die Antwort eines Zweiflers, der sich nur darüber im klaren war, Fragen immer wieder neu aufzuwerfen. Zugleich war sie eine Reaktion, mit der Havemann sein bereits 1956 aufgestelltes Credo für eine fruchtbare Diskussion praktizierte, in den Überlegungen des Kontrahenten »das Bedeutsame, das Neue, das Richtige herauszufinden – nicht das Bedeutungslose, das Alte und das Falsche«.[93]

Am 8. Februar lehnte die Redaktion des »Forum« den Abdruck des Artikels ab. Havemann wandte sich daraufhin an Günther Rienäcker, der als Generalsekretär der Deutschen Akademie der Wissenschaften Havemanns Dienstvorgesetzter war, und schickte ihm, wie auch anderen Kolleginnen und Kollegen, eine Kopie seiner Antwort, damit nicht »bei meinen wissenschaftlichen Kollegen der Eindruck entstehen kann, als läge es an mir, daß keine Entgegnung und Klarstellung dieser Anwürfe in der Presse veröffentlicht wird, so als ob ich die Beleidigung hinnehmen wolle und die Anwürfe des pseudonymen Autors anerkenne«.[94]

Havemann konnte zu diesem Zeitpunkt nicht wissen, daß die Ablehnung seines Artikels nicht auf dem ängstlichen Reflex eines Redakteurs oder auf der hartnäckigen Verweigerung irgendeines Parteibeamten beruhte. Die Ablehnung war auf höchster Ebene beschlossen worden. Schon am 3. Februar hatte Kurt Turba, zu diesem Zeitpunkt noch Chef der Jugendkommission des ZK, das Manuskript an seinen unmittelbaren Chef und Förderer Ulbricht weitergeschickt und empfohlen, es zu drukken.

> »Da er diese Sache aus einer Defensivhaltung heraus geschrieben hat, scheint es uns das schwächste Glied in der Kette des internationalen Revisionismus zu sein und bietet sich gegebenenfalls zu einer Auseinandersetzung an.«[95]

Ulbricht muß Turba selbst ablehnend geantwortet haben, denn die Havemannsche Antwort gab er erst am 6. Februar 1965 »Gen. Schön zum

93 Ders., Ehrlich um Klarheit ringen (1963), in: ebd., S. 56; vgl. ders., Meinungsstreit fördert die Wissenschaften (1956), in: ebd., S. 25.

94 Robert Havemann an Günther Rienäcker, 24.2.1965, BBAW, Archiv, Personalia, Bd. 162, Bl. 101.

95 Kurt Turba an Walter Ulbricht, 3.2.1965, SAPMO-BArch, DY 30, IV 2/11/v. 4920, Bl. 80.

Umlauf P.B.«.[96] Das tagte am folgenden Dienstag, dem 10. Februar, Havemann erhielt indes schon am 8. die abschlägige Antwort der Redaktion.

Turbas Überlegungen lassen sich freilich in zwei Richtungen deuten: Entweder war der Abstand zwischen den Diskurswelten Havemanns und der des Apparates, zu dem Turba zu diesem Zeitpunkt – wenn auch als eine Art Paradiesvogel[97] – zählte, so weit voneinander entfernt, daß er die Qualität der Havemannschen Antwort wirklich nicht erfaßte, oder er wollte Ulbricht hier ein Kuckucksei ins »Forum« legen. Oder glaubte Turba am Ende, mit Ulbricht gemeinsam den Apparat herausfordern zu können? Sein Motiv läßt sich aus den Akten allein nicht rekonstruieren. Sicher geht aus ihnen aber hervor, daß die Entscheidung, Havemann keinen Raum in der kontrollierten medialen Öffentlichkeit der DDR mehr zu geben – nicht einmal für den Fall einer selbstkritischen Beschäftigung mit der eigenen Person –, keineswegs zufällig und auch nicht von subordinierten Beamten des Apparats gefallen ist. Ulbricht selbst hatte Havemann fallenlassen.

Das Skandalon, einer öffentlichen Attacke ausgesetzt zu sein und zugleich keine Möglichkeit zu haben, sich dagegen auch nur zu äußern, stellte Havemann vor die Alternative, sich zu unterwerfen und zu schweigen, das Land zu verlassen und seine Position von außen vorzubringen, ohne noch länger Teil des Diskurses sein zu können, oder diesmal bewußt jene Wege zu wählen, die den Staat herausfordern mußten. Havemann übergab seine Antwort der Redaktion der Wochenzeitung »Die Zeit« in Hamburg zum Abdruck und verteilte vervielfältigte Exemplare unter Kollegen. Die Publikation in westdeutschen Medien war ihm nach der Veröffentlichung des Interviews im »Spiegel«[98] während einer Vorladung im Büro des Ministerrates unter Androhung von Konsequenzen ausdrücklich untersagt worden.[99] Dennoch zeigte sie jetzt – zumindest vorerst – keine administrativen Folgen. Anders die Vervielfältigung des Artikels mit Mitteln, die Havemann als Forschungsstellenleiter der Akademie der Wissenschaften zur Verfügung standen. Havemann wurde eine Ordnungsstrafe auferlegt wegen Vervielfältigung einer nicht lizenzierten Druckschrift ohne Druckerlaubnis. 220,75 Mark sollte er bezahlen. Die

96 Ebd., Bl. 81.

97 Als sich Honecker des lästigen Konkurrenten in der Jugendpolitik des ZK nach dem 11. Plenum 1965 endlich entledigen konnte, wurde dies u. a. damit begründet, daß Turba »auf Grund seines ganzen Verhaltens für die weitere Arbeit im Apparat des ZK nicht tragbar ist« – Protokoll Nr. 9/66 der Sitzung des Sekretariats vom 27.1.1966, SAPMO-BArch, DY 30, J IV 2/3 A 1261.

98 Havemann, Der Marxismus leidet an Sklerose.

99 Vgl. Müller, Florath, S. 101-103.

kleinliche Maßnahme mochte Havemann amüsiert haben, doch er nutzte sie, um Öffentlichkeit für den Vorgang herzustellen: »Nach dem in der Kaderabteilung bei Genossin Thormann vorliegenden Vermerk vom 13. 9. 65 empfahl Prof. Havemann, den Pfändungsbescheid dem Lohnbüro zuzustellen, denn je mehr Menschen davon wüßten, um so besser sei es.«[100] Havemann verwandelte die eigene Selbstkritik, die ihm immer wieder abverlangt wurde, zur Demaskierung seiner Kontrahenten, die nun unterdrückten, was sie selbst herausgefordert hatten.

Gleichzeitig suchte Havemann wieder Kontakt zum Politbüro. Auf der Gedenkfeier zum 20. Jahrestag der Befreiung des Zuchthauses Brandenburg-Görden sprach er mit Alfred Neumann. Neumann übermittelte dies Hager, der Havemann herablassend mitteilte, wenn er sich der Partei gegenüber erklären möchte, sei Johannes Hörnig von ihm »beauftragt, diese Erklärung entgegenzunehmen«.[101] Havemann wollte sich allerdings kaum bei Hofe erklären. Am 25. September 1965 formulierte er in einem Schreiben an Hager sehr deutlich, daß er wieder Mitglied der SED werden wolle, weil sein Ausschluß ungerechtfertigt gewesen sei.[102]

Im folgenden handelte Havemann, als lägen die Dinge so, wie *er* sie Hager gegenüber dargestellt hatte. Im Oktober 1964 erhielt er das Angebot der Redaktion des »Spiegel«, in der sich in der Bundesrepublik entfaltenden Debatte über die Aufhebung des KPD-Verbotes von 1956 seinen Standpunkt darzustellen. In dieser Möglichkeit sah er die Chance, in kommunistischem Sinne, wie er ihn definierte, aber zugleich als auch im Westen als eigenständiger Geist respektierte Stimme aus der DDR, d. h. als Partisan, für die in der Bundesrepublik verfolgten Kommunisten einzutreten. Er setzte die semantische Gemeinsamkeit oppositioneller Rede und chruščevscher Reformrhetorik der Belastungsprobe aus: Am 4. November 1965 wandte er sich wieder an Hager:

> »Ich warte zwar noch auf Antwort auf meinen Brief vom 10. Oktober, aber eine Angelegenheit, die mir wichtig und dringlich genug erscheint, veranlaßt mich, Dir erneut zu schreiben. [...] Bei der Abfassung des Artikels möchte ich aber nicht nur auf meine eigenen Überlegungen angewiesen sein. Ich würde sehr gern mit Genossen unserer Partei oder der KPD, die über den Fragenkomplex gut orientiert

100 Dr. Woytt, Aktenvermerk über Ordnungsstrafe, 29.9.1965, BBAW, Archiv, Personalia, Bd. III, Nr. 161, Bl. 80.

101 Müller, Florath, S. 105.

102 Ebd., S. 106-108. Zum seinerzeit in der Dokumentation abgedruckten Briefentwurf konnte im Nachlaß Robert Havemanns inzwischen auch der Durchschlag des Briefes selbst gefunden werden.

sind, vorher sprechen. [...] Ich glaube, daß es notwendig ist, daß Ihr mir in dieser Sache beisteht und dabei alle Differenzen mit mir einmal gänzlich außer Acht laßt.«[103]

Aus dem ZK erhielt Havemann keine Antwort. Unterdessen schrieb er den Artikel.[104] Eine Reihe von Mitstreitern unterstützten und berieten ihn. Zumindest die Mitarbeit von Werner Tzschoppe und Stefan Heym kann als sicher gelten. In mehreren Arbeitsschritten entstand ein Plädoyer für die Existenz einer legalen kommunistischen Partei in der Bundesrepublik. Mit harten Vergleichen rügte er das Parteiverbot: Es bringe die Bundesrepublik in die politische Nähe der faschistischen Regimes in Spanien und Portugal. Zugleich empfahl er den westdeutschen Kommunisten, sich an ihren Genossen in Schweden, Frankreich, der ČSSR und Italien zu orientieren und die stalinistische Vergangenheit hinter sich zu lassen.

Zweifelsohne ergriff Havemann innerhalb der innerkommunistischen Debatte der sechziger Jahre Partei für die Reformkräfte, für den demokratischen und gegen den diktatorischen Flügel, der in Osteuropa seine Macht letztlich nur noch mit militärischen Mitteln aufrechterhalten konnte. Nirgends in diesem Text findet sich eine auch nur ansatzweise antikommunistische Argumentation. Dennoch wurde ihm genau das von der SED vorgeworfen: In einer Erklärung, die das in Ostberlin tagende Politbüro der illegalen westdeutschen KPD am Vormittag des 20. Dezember 1965 auszuarbeiten beschloß und die vom Politbüro der SED wenige Stunden später ausdrücklich gebilligt wurde,[105] wurde Havemann bezichtigt, »im Einvernehmen mit westdeutschen Agenturen« die KPD spalten zu wollen.[106]

Havemann wurde noch am 23. Dezember 1965 an seiner Arbeitsstelle fristlos entlassen. Die Absicht der SED, ihn durch die Mitglieder der Akademie regulär auch als Mitglied der Gelehrtengesellschaft abwählen zu lassen, scheiterte indes. Mit einem offenkundigen Rechtsverstoß strich ihn der Akademiepräsident Werner Hartke als Korrespondierendes Akademiemitglied aus deren Listen. Havemann hatte es aber innerhalb

103 Ebd., S. 109.

104 Robert Havemann, Die Partei ist kein Gespenst. Plädoyer für eine neue KPD, in: Der Spiegel, 1965, Nr. 52, mit Textvarianten jetzt in: Müller, Florath, Die Entlassung, Dok. 15, S. 114-122.

105 Vgl. KPD Politbüro-Sitzung am Montag, dem 20. Dezember 1965, BArch, BY 1/2755; Beschlußprotokoll der Beratung des Politbüros am 21. Dezember 1965, BArch, BY 1/2756; Protokoll Nr. 51/65 der außerordentlichen Sitzung des Politbüros des Zentralkomitees der SED, 20.12.1965, in: Müller, Florath, S. 123.

106 Müller, Florath, S. 124.

der wenigen Wochen zwischen seiner Entlassung und der Streichung geschafft, die Haltlosigkeit der Vorwürfe gegen ihn soweit ad absurdum zu führen, daß es vor allem – wie Nobelpreisträger Gustav Hertz feststellte – die »qualitativ sehr gute[n] Mitglieder«[107] waren, die gegen seine Abwahl stimmten. Die Situation nach der gescheiterten Abwahl war für das Akademiepräsidium peinlich, doch ihr durch offenen Rechtsbruch beizukommen desavouierte die Einrichtung über Jahre hinweg. Wolfgang Steinitz – langjähriger Vizepräsident der Akademie und SED-Mitglied – schrieb mit Erbitterung:

> »Ich glaube aber, daß sehr viele AkM den Beschluß vom 1.4. nicht so sehr als gegen Havemann gerichtet empfinden werden, als vielmehr gegen das Plenum und die Grundlagen der Akademie. Ich fürchte sogar, daß jetzt weit mehr als 30 % so denken und daß wir eine Kluft zwischen einer grossen, bisher völlig loyalen Gruppe von parteilosen AkM und der Partei aufreissen werden.«[108]

Havemann hatte die Macht herausgefordert. Er war ihr unterlegen. Doch der Preis, den die SED zahlen mußte, war der Verlust an Glaubwürdigkeit, besonders unter ihr gegenüber aufgeschlossenen Intellektuellen. Die SED mußte, um sich eines einzelnen Kritikers zu entledigen, jeglichen Schein der Gesetzlichkeit fallenlassen. Wo das legal allein legitimierte Gremium sich dem absoluten Machtanspruch verweigerte, wurde mit der Anmaßung der Despotie das Versagen der legalen Gremien behauptet, um dem Rechtsbruch Legitimität im Sinne einer extralegalen Mission zuzurechnen – ganz wie Werner Hartke, der als Funktionär der SED seinen Rechtsbruch gegenüber dem Plenum in die Präsidentenworte kleidete:

> »Rechtsschöpfung durch Präsidium setzte Versagen des Plenums in Bezug auf Solidarität der DAW voraus.«[109]

107 Ebd., S. 347.

108 Ebd., S. 380; vgl. auch die ähnlichen Stellungnahmen und Reminiszenzen von Werner Krauss (ebd., S. 378), Kurt Mothes (369-371, 381 f.), Theodor Frings (381), Jürgen Kuczynski (Ein linientreuer Dissident. Memoiren 1945-1989, Berlin 1994, S. 152, 174). Brigitte Reimann äußerte sich schon in analoger Weise als Mitglied der Jugendkommission des ZK anläßlich der Weigerung des »Forum«, Havemanns Antwortartikel zu drucken (Brigitte Reimann an Hermann Henselmann, 8.5.1965, in: dies., Briefwechsel, hg. v. Ingrid Kirschey-Feix, Berlin 1994, S. 54 f.).

109 Argument des Akademiepräsidiums auf die Frage, wieso das Wahlgremium-Plenum überhaupt gefragt wurde. – Müller, Florath, S. 381.

Thomas Lindenberger

In den Grenzen der Parteiöffentlichkeit

Polizei und Skandal in der staatssozialistischen Diktatur

Skandal, Polizei, Öffentlichkeit – begriffliche Vorbemerkungen

Amtsmißbrauch – juristisch als »Amtsvergehen« oder »-verbrechen« gefaßt[1] – durch Polizisten zählt zu den klassischen Skandalanlässen in modernen Bürger-Gesellschaften mit unabhängigen Massenmedien.[2] Der Skandalisierbarkeit von Polizistenhandeln liegt die Vorstellung zugrunde, daß jene, die berechtigt sind, im Auftrag und zum Wohl der Allgemeinheit in Gefahrensituationen oder im Rahmen der Strafverfolgung einseitig Gewalt gegen Personen anzuwenden, gerecht und angemessen gegen jedermann handeln müssen, also weder auf den eigenen Vorteil bedacht sein noch zum unbilligen Nachteil bestimmter Gesellschaftsgruppen oder einzelner Bürger handeln dürfen.

So alt wie diese Erwartung ist ihre Enttäuschung: Eine endlose Kette von Skandalen zieht sich durch die Geschichte der staatlichen Polizei. Dabei tauchen immer wieder zwei auslösende Konstellationen auf: Zum einen ragt der Gewaltexzeß im unmittelbaren Umgang vor allem von uniformierten Polizisten mit dem Bürger heraus. Regelmäßigen Anlaß zu Polizeiskandalen gaben und geben zum anderen Korruption und Kollusion innerhalb der Polizeibürokratie. »Skandalöse« Zustände in Polizei-Dienststellen finden sich dabei vor allem in zwei Aufgabenbereichen: in der Verbrechensbekämpfung, wenn Polizisten bei der Strafverfolgung

1 Siehe Heinz Wagner, Amtsverbrechen, Berlin 1975 (Strafrechtliche Abhandlungen, hg. v. Eberhard Schmidhäuser, Bd. 24.)

2 Obwohl die historische Forschung zur Geschichte der modernen Polizei in den vergangenen Jahrzehnten beträchtliche Fortschritte gemacht hat (s. Ralph Jessen, Polizei und Gesellschaft. Zum Paradigmenwechsel in der Polizeigeschichtsforschung, in: Gerhard Paul/Klaus-Michael Mallmann, Die Gestapo – Mythos und Realität. Mit einem Vorwort v. Peter Steinbach, Darmstadt 1995, S. 19-43), existiert bedauerlicherweise noch keine Geschichte des Polizeiskandals. Siehe aber die Fallstudie Thomas Lindenberger, Vom Säbelhieb zum »sanften Weg«? Lektüren physischer Gewalt zwischen Bürgern und Polizisten im 20. Jahrhundert, in: WerkstattGeschichte 12 (2003), Nr. 35, S. 7-22.

mit Beschuldigten widerrechtlich kooperieren, und in der polizeilichen Genehmigungs- bzw. Verbotspraxis, wenn sie sich ihre Ermessensentscheidungen durch Begünstigte bezahlen lassen.

Die Aufdeckung von skandalösen Zuständen bei der Polizei und ihre nachhaltige Bekämpfung gehört zu den undankbarsten Aufgaben einer kritischen Öffentlichkeit. Polizeiapparate verfügen über jahrzehntelang eingespielte Selbstschutzmechanismen, an denen investigative Journalisten, versierte Rechtsanwälte und parlamentarische wie außerparlamentarische Untersuchungsausschüsse ein ums andere Mal scheitern. Die Gründe für den Sisyphus-Charakter öffentlicher Polizeikritik liegen in der Polizei selbst: Polizisten sind in einen Herrschaftsverband eingebunden, der hierarchisch gegliedert ist und nach dem Befehl-Gehorsam-Prinzip funktioniert. Zugleich bilden sie Gemeinschaften von Kollegen, zu deren Aufgaben es von Berufs wegen gehört, in Streßsituationen rasche, aber rechtlich einwandfreie Richtig-Falsch- bzw. Gut-Böse-Entscheidungen zu treffen. Da diese Situationen überdies zum Teil mit Risiken für die eigene Person verbunden sind, müssen sich Polizisten in ihrem Handeln unbedingt auf die Unterstützung durch Kollegen verlassen können. Friktionen zwischen dem Druck von oben, der die Interessen der politischen Leitung der Polizei und ihres öffentlichen Auftraggebers repräsentiert, und der die Sicherheitsbedürfnisse der Polizisten wahrenden horizontalen Solidarität sind daher der Polizeipraxis inhärent.

Die Reaktion von Polizeiapparaten auf die von außen aufgezwungene Thematisierung von Mißständen gehört folglich zum Ritual des Polizeiskandals selbst: Die verschworene Schicksalsgemeinschaft wehrt Kritik ab, solange es nur irgend geht. Der erforderliche innere Zusammenhalt wird durch einen Kult der Kameradschaft gestiftet, der herkömmlicherweise auf männlich codierten Selbstbildern beruht. Diese ›Cop Culture‹ befördert die Tendenz zur kommunikativen Abschottung und Verselbständigung als einer permanenten Anfeindungen ausgesetzten eigenen Welt.[3] Gerade dieser Mechanismus begünstigt wiederum irreguläre und illegale Verhaltensweisen und Zustände in der Polizei, die diese immer wieder zum Gegenstand der Skandalisierung durch Dritte werden läßt.

Daneben existiert eine weitere, in der entgegengesetzten Richtung angelegte Beziehung zwischen Skandal und öffentlicher Polizei. Das aktive Skandalisieren gehört seinerseits zu den Handlungsoptionen moderner Polizeien. Um die Aufmerksamkeit und Kooperationsbereitschaft der ihr gewogenen Bürger zu erhöhen, brandmarkt sie im Rahmen ihrer öffent-

3 Vgl. Rafael Behr, Cop Culture – der Alltag des Gewaltmonopols. Männlichkeit, Handlungsmuster und Kultur in der Polizei, Opladen 2000.

lichen Kommunikation gezielt bestimmte Verhaltensweisen und deren Träger bzw. beliefert die für die Polizeiarbeit verantwortlichen Politiker und Pressevertreter mit Informationen, um dieses zu tun. Opfer dieser in der Regel über die Massenmedien inszenierten Skandalisierungen sind häufig ethnisch, generationell oder kulturell definierte Gruppen, die, wenn sie einmal als Außenseiter stigmatisiert und ausgegrenzt sind, um so leichter und im Konsens mit den Bürgern von der Polizei als »Störer« der öffentlichen Sicherheit identifiziert und verfolgt werden können. Zu betonen ist allerdings, daß dem Einsatz derartiger Kommunikationsstrategien eine innere Grenze gesetzt ist: Ein umfassend beunruhigtes, durch Horrorgeschichten über den allgemeinen Verfall der öffentlichen Sicherheit in Panik versetztes Publikum droht den Glauben an die Kompetenz der Polizei zu verlieren. Damit stünde eine der wichtigsten Grundlagen effizienter Polizeiarbeit zur Disposition.

Unabdingbare Voraussetzung für den Polizeiskandal in seiner doppelten Bedeutung ist in jedem Fall ein Mindestmaß von Autonomie der Öffentlichkeit gegenüber der staatlichen Exekutive. Es bedarf dazu nicht unbedingt allseitig entwickelter demokratischer Verhältnisse. Die im semi-absolutistischen Kaiserreich gewährten Bürgerrechte reichten hin, um den endemischen Mißbrauch der Staatsexekutive, insbesondere ihre klassenpolitische Instrumentalisierung, immer wieder zu skandalisieren.[4] In der akribisch gesteuerten Medienöffentlichkeit einer modernen Diktatur wie der der DDR hingegen war ein »klassischer«, sich in der mehrfachen Abfolge von Enthüllung, Empörung, Vertuschung und Aufklärung spiralförmig steigernder Polizeiskandal nicht denkbar. Erst im Herbst 1989 führte der massive Polizeieinsatz gegen Demonstranten zu Beginn der demokratischen Revolution am 4. Oktober in Dresden – anläßlich der Durchfahrt der ausreisenden Botschaftsbesetzer aus Prag – und vor allem am 7. Oktober am Abend der Feierlichkeiten zum 40jährigen Staatsjubiläum in der Ostberliner Innenstadt – zu einer öffentlich artikulierten Empörung, die binnen kurzem die auch aus den westlichen Demokratien geläufigen Folgen zeitigte: ein unabhängiger Untersuchungsausschuß unter Schutzherrschaft prominenter Personen, der staatliche Vertuschungsmanöver verhindern sollte, öffentliche Hearings, detaillierte Dokumentationen und Berichte Betroffener, materielle Unterstützungsaktionen, sodann die Zusammenarbeit mit flexiblen Kräften in

4 Siehe dazu Thomas Lindenberger, Straßenpolitik. Zur Sozialgeschichte der öffentlichen Ordnung in Berlin 1900-1914, Bonn 1995.

Stadtverwaltung und Justiz, schließlich Versuche der strafrechtlichen Verfolgung, die allerdings im Sande verliefen.[5]

Solange die SED-Herrschaft die Medienöffentlichkeit souverän beherrschte, kann daher von Polizeiskandalen im Staatssozialismus im strikten Sinne nicht gesprochen werden. Öffentliche Kritik an konkreten Maßnahmen der bewaffneten Organe war tabu, da diese als Angriff auf die legitime Existenz des Staates, den sie schützten und dessen Macht sie verkörperten, verstanden wurde. Natürlich gab es jede Menge zu »skandalisieren«: brutale Übergriffe gegen einzelne Bürger, Amtsmißbrauch, Korruption, Schlamperei – die Volkspolizei war in dieser Hinsicht eine moderne Polizei wie jede andere. Auch und gerade nach den Maßstäben einer auf das Wohl des Volkes und den Aufbau des Sozialismus verpflichteten Polizei war die Diskrepanz von Anspruch und Wirklichkeit offenkundig. Unter dieser Diskrepanz litt aber nicht nur das Staatsorgan »Volkspolizei«, sondern das öffentliche Gemeinwesen der DDR insgesamt. Insbesondere in der Spätphase der DDR forderten andere Exekutivorgane, insbesondere das Ministerium für Staatssicherheit, in weitaus größerem Umfang fundamentale Kritik und Ablehnung heraus als die im Alltag vergleichsweise »harmlose« und vor allem durch ihre offenkundige Nachrangigkeit gegenüber den anderen »bewaffneten Organen« wenig Respekt einflößende Volkspolizei. Entsprechend ihrem Meinungsmonopol stand es nur der SED allein zu, bei politischem Bedarf aus offenkundigen Mängeln der Arbeit dieser Polizei einen »Skandal« zu inszenieren, ohne von »Skandal« zu sprechen. Wie das funktionieren konnte, wie die Volkspolizei aber auch ihrerseits im eigenen Interesse zum Mittel der »Skandalisierung« greifen konnte, davon soll im folgenden die Rede sein.

Von der Unmoral zum Antisowjetismus: Volkspolizisten am Pranger der Partei

Der SED-Staat knüpfte mit seinem System der öffentlichen Polizei, sosehr er deren Zwecksetzungen auch in Richtung »Aufbau des Sozialismus« festzulegen versuchte, in vielfacher Hinsicht – juristisch, strukturell, kulturell – an die überlieferte Polizeipraxis in Deutschland an. An die Stelle des bürgerlichen Staates getreten, erwartete er von seinen »bewaffneten Organen« Disziplin, Pflichteifer, Zuverlässigkeit und Unbestechlichkeit, nun natürlich im Zeichen der politisch richtigen »Parteilichkeit«. Dennoch lagen gerade in den fünfziger Jahren die Unzuläng-

5 Vgl. Und diese verdammte Ohmacht. Report der unabhängigen Untersuchungskommission zu den Ereignissen vom 7./8. Oktober 1989 in Berlin, Berlin 1991.

lichkeiten dieser zum größten Teil aus blutigen Anfängern und ungebildeten Arbeitern bestehenden Truppe auf der Hand und waren beliebte Gegenstände beißenden Spotts und politischer Witze.[6]

Vor allem in Phasen der aktionistischen Massenmobilisierung thematisierte die SED Mißstände in der Volkspolizei, um auch deren »Massen« – immerhin handelte es sich um ca. 50-60.000 Staatsfunktionäre – aufzurütteln und für ihre »Kampfziele« zu begeistern. Dazu gehörte zum Beispiel im ersten »Jahr des sozialistischen Aufbaus«, 1952, das öffentliche Anprangern »opportunistischen« Verhaltens von Volkspolizisten während der Kollektivierungskampagne, etwa wenn ein Kriminalkommissar versucht hatte, einen gewaltsamen Konflikt zwischen LPG-Gründern und Kollektivierungsgegnern als Wirtshausschlägerei zu verharmlosen. Die Partei stellte solche Verhaltensweisen an den Pranger ihrer Presseorgane und ließ sie in der volkspolizeiinternen Öffentlichkeit der Dienstbesprechungen und Parteiversammlungen in aller Ausführlichkeit »auswerten«.[7]

Die Skandalisierung solcher Einzelfälle zielte hier wie in anderen ähnlichen Fällen in erster Linie auf die Volkspolizei als Publikum und darüber hinaus auf die staatsloyale Öffentlichkeit. Gerade für die frühen fünfziger Jahre sind die Öffentlichkeit der Kritik-und-Selbstkritik-Rituale und ihre schonungslose Härte charakteristisch, auch und gerade wenn es um die Tätigkeit von Staatsfunktionären ging. Die Spalten der *Volkspolizei*,[8] der in einigen Tausend Exemplaren verbreiteten Zwei-Wochenzeitschrift der Volkspolizei, waren damals voll von Berichten über »schlechte« Polizeiarbeit, skandalöse Zustände in einzelnen Dienststellen, natürlich immer verbunden mit konstruktiver Kritik, wie Mißstände abzustellen seien, und unter peinlichster Vermeidung der Infragestellung sakrosankter SED-Positionen. Die Republik war jung und unerfahren, ihre Staatsfunktionäre machten noch jede Menge Fehler, aber diese hatten auch immer ihr Gutes, weil man ja aus ihnen lernen konnte, vorausgesetzt, daß die Richtung der Fehlerkritik stimmte – so in etwa lautete der Tenor derartiger Berichterstattungen.

6 Siehe umfassend Thomas Lindenberger, Volkspolizei. Herrschaftspraxis und öffentliche Ordnung im SED-Staat, 1952-1968, Köln, Weimar, Wien 2003 (= Zeithistorische Studien, hg. v. Zentrum für Zeithistorische Forschung Potsdam; Bd. 27).

7 Siehe Thomas Lindenberger, Der ABV als Landwirt, in: ders., (Hg.), Herrschaft und Eigen-Sinn in der Diktatur. Studien zur Gesellschaftsgeschichte der DDR, Köln u. a. 1999, S. 167-203.

8 Siehe Thomas Lindenberger, Führungsorgan aller Volkspolizisten? *Die Volkspolizei,* in: Simone Barck u. a. (Hg.), Zwischen »Mosaik« und »Einheit«. Zeitschriften in der DDR, Berlin 1999, S. 508-515.

Während einer zweiten Welle der kampagnenartigen, sich aller Mittel der Massenmobilisierung bedienenden Transformationspolitik in den Jahren nach dem V. Parteitag 1958 kam es zu einem zweiten Höhepunkt derartiger Kritik-und-Selbstkritik-Kampagnen. Was die Thematisierung polizeilicher Mißstände anbelangt, richtete sich die Partei nun vor allem an ihre eigene, exklusivere Öffentlichkeit, die man sich mit ihren etwa zwei Millionen Mitgliedern dennoch keineswegs als hermetisch abgeschlossenen Personenkreis vorstellen darf. Wir haben es mit Verlautbarungen vor dem Zentralkomitee der Partei und in den gedruckten, allen Parteifunktionären zugänglichen Protokollen zu tun, also um eine halböffentliche Sphäre, in die Interessierte durchaus Einblick nehmen konnten.

Anlaß zur Besorgnis in den Führungsetagen der Partei wie der Volkspolizei gaben Berichte über Korruption, Vorteilsannahme und mangelnden Diensteifer in unteren Dienststellen. Die internen Inspektoren des Ministeriums des Innern, vor allem aber die Parteikontrollkommissionen der SED,[9] die sich vor Ort mit dem undisziplinierten, rechtswidrigen und regelrecht verbrecherischen Verhalten von Genossen in der Volkspolizei auseinandersetzen mußten, schickten immer wieder Tatarenmeldungen über das »Versöhnlertum« und das »unmoralische Verhalten« von Volkspolizisten an ihre jeweiligen Zentralen in Berlin. Ihre Berichte bilden die Hauptquelle für unsere Kenntnisse über die Skandalisierbarkeit der Zustände in der Volkspolizei während der fünfziger Jahre.

Wenn sich bei genaueren Nachforschungen herausstellte, daß die gesamte Führungsriege einer Dienststelle verwickelt war, sprachen die Parteikontrolleure von »moralischer Versumpfung« und »Zersetzungserscheinungen«. Ein typisches Beispiel stellt der Bericht der örtlichen Parteikontrollkommission über das Volkspolizei-Kreisamt in Rodewisch im Jahr 1955 dar. Als Hauptverantwortliche für die ausführlich geschilderten Mißstände und Verfehlungen benannten sie fast das gesamte Leitungspersonal der Behörde: den Amtsleiter, seinen Politstellvertreter, den Leiter der Personalabteilung, den Leiter des Sekretariats, den Instrukteur für Ausbildung und Schulung und den Sekretär einer SED-Grundorganisation. Wie so oft ging es um sexuelles Fehlverhalten, gemeinsame Saufereien und damit zusammenhängend um Zwischenfälle, »die das Ansehen der Partei und Volkspolizei bei der Bevölkerung herabsetzten«. Die Leitung der Parteiorganisation im Kreisamt hatte es unterlassen, sich mit den Mißständen zu befassen. Kritiker dieses Verhaltens aus den eige-

9 Zur Entwicklung der Parteikontrollkommissionen als parteiinternem Repressionsapparat s. Thomas Klein, »Für die Einheit und Reinheit der Partei«. Die innerparteilichen Kontrollorgane der SED in der Ära Ulbricht, Köln/Weimar/Wien 2002.

nen Reihen seien dienstlich gemaßregelt worden. Als »Hauptfigur für die immer stärker um sich greifenden politisch-moralischen Zersetzungserscheinungen« stellte der Bericht den jungen Politstellvertreter heraus. Seine »schmutzige Einstellung zur Frau« sei durch häufig wechselnde Intimbeziehungen belegt. Dieses Verhalten und vor allem seine Duldung durch die anderen, an etlichen Saufgelagen ebenfalls beteiligten Offiziere schlage sich im Autoritätsverlust bei den untergebenen Wachtmeistern nieder. Einer von ihnen weigerte sich, in die Partei einzutreten, solange solche Leute wie jener Politstellvertreter Mitglied seien. Das versöhnlerische Verhalten in der übergeordneten Bezirksbehörde, wo es ebenfalls zu moralischen Verfehlungen gekommen sei, habe diesen Zustand zusätzlich befördert. »Bei der Betrachtung der Ursachen für die Verfehlungen muß auch berücksichtigt werden, daß sich einige Genossen Offiziere von der Partei zu entfernen beginnen«, so der beunruhigende Ausblick am Ende des Berichts.[10]

Angehörige derartiger »versumpfter« und »versöhnlerischer« Reviere und Kreisämter wurden vor die Parteikontrollausschüsse der SED zitiert, dort mit Parteistrafen belegt und in besonders gravierenden Fällen aus Partei und Volkspolizei hinausgesäubert.

Für sich betrachtet, sind die Ursachen der Probleme der Partei- und Staatsführung mit ihren Polizisten leicht auszumachen: sie waren die Folge eklatanter und seit langem bekannter Mängel in Bezahlung, Ausbildung, Ausrüstung, Arbeitsbedingungen und Berufsethos. Die Disziplin litt vor allem in der mittleren und unteren Ebene zusätzlich unter der enormen Fluktuation im Personalbestand, der im Schnitt pro Jahr zwischen zehn und zwanzig Prozent umfaßte. Wer nach Ablauf der drei- oder fünfjährigen Dienstverpflichtung keine Lust mehr hatte, dem fiel es leicht, sich von dieser Truppe abzusetzen: Arbeiter wurden in der ganzen DDR gesucht und oft genug besser bezahlt. Wer gravierende Konflikte mit den Vorgesetzten und der Partei hatte, ging in den Westen. Die durch den permanenten Personalmangel gerade in den operativen Dienstzweigen, vor allem in der Schutzpolizei, bedingte Arbeitsüberlastung und mangelnde Qualifikation stellten alles andere als gute Voraussetzungen für verantwortungsbewußte, engagierte und formal korrekte Polizeiarbeit dar, zumal jenes Druckmittel fehlte, das in bürgerlichen Gesellschaften Polizeien immer wieder unter den Zugzwang setzt, die

10 Stiftung Archiv der Parteien und Massenorganisationen der Deutschen Demokratischen Republik im Bundesarchiv (SAPMO), Dy 30 IV 2/4-174, Bl. 79-91, SED-Gebietsleitung Wismut – GPKK –, 25.5.55, Bericht über das politisch-moralische Verhalten leitender Genossen im VPKA (B) Wismut Rodewisch.

gröbsten Mißstände abzustellen, nämlich die unabhängige, öffentliche Polizeikritik. Angesichts anhaltender Mißstände mußte hier die Partei intervenieren – im Rahmen der Parteiöffentlichkeit.

Ex cathedra tat sie dies am 15. März 1958 in einem »Brief des Zentralkomitees der SED an alle Grundorganisationen der Partei in der Deutschen Volkspolizei«.[11] Unter dem Motto »Der gegenwärtige Zustand der inneren Ordnung und Disziplin beeinträchtigt an manchen Stellen die Einsatzbereitschaft der Deutschen Volkspolizei« zitierte der Brief einen eklatanten Fall polizeitaktischen Fehlverhaltens: Im Juli 1957 war es einem wegen illegalen Waffenbesitzes Festgenommenen im Kreisamt Lobenstein, Bezirk Gera, aufgrund der Fahrlässigkeit und Angst der anwesenden Offiziere gelungen, erst zwei Volkspolizisten und dann sich selbst zu erschießen.[12]

Der diesen Vorgang aufgreifende offene ZK-Brief zielte auf die Mobilisierung der Partei in der VP: Ulbricht prangerte (partei-)öffentlich die Untätigkeit der Grundorganisationen in den VP-Dienststellen des Bezirks Gera an, die es unterlassen hatten, von sich aus Parteiverfahren gegen die verantwortlichen Offiziere einzuleiten. Weitere Beispiele belegten die gewohnheitsmäßigen Schlampereien in der Dienstdurchführung und das als »Verspießerung« gegeißelte Desinteresse vor allem der Offiziere an der Parteiarbeit. Die Parteileitungen müßten energisch um die »bedingungslose Einhaltung der einheitlichen Parteidisziplin« kämpfen. Der Katalog von »Konsequenzen« am Ende des Briefes knüpfte an die Kampfrhetorik »gegen jede opportunistische und revisionistische, aber auch dogmatische Entstellung der Parteilinie« an. Die folgenden wortreichen Ausführungen über die Parteiarbeit als unabdingbare Pflicht aller VP-Angehörigen unterstreichen den Eindruck, daß tödliche Schlampereien wie die in Lobenstein hier vor allem dazu dienten, die Indifferenz in polizeilichen Dingen als politische Indifferenz zu kennzeichnen und zu bekämpfen, gerade bei den Offizieren: »Jeder Offizier muß sich darüber im klaren sein, daß er in erster Linie politischer Funktionär ist«.

Da Mannschaften und Offiziere als Parteimitglieder formell gleichberechtigt waren, enthielt die Aufforderung an die Parteiorganisationen, gegen die Selbstgefälligkeit und Überheblichkeit der Offiziere (»Verspießerung«) vorzugehen, die Aufforderung zur Kritik und Kontrolle von unten. An dieser rhetorischen Wendung, die in fast allen »Versumpfungs«-Berichten der Parteikontrollkommissionen anzutreffen ist, läßt

11 Parteiinterne Druckschrift im Bestand der Bibliothek der SAPMO.

12 Siehe Untersuchungsbericht: Doppelmord am 22.7.57 an zwei VP-Angehörigen im VPKA Lobenstein, BArchB, DO-1, 2.2-58098.

sich am deutlichsten ihre Ersatzfunktion für eine öffentliche Polizeikritik ablesen. Getreu ihrem Anspruch, im Namen und im Interesse aller Werktätigen zu wirken, appellierte die Partei an das einfache Parteimitglied im Volkspolizisten, um sozialen Druck gegen die Verselbständigungstendenzen unter deren Vorgesetzten zu erzeugen.

Auf diesen offenen Brief hin folgte 1958 eine regelrechte Welle von Berichten örtlicher Parteikontrollkommissionen über »versumpfte« Dienststellen. Dabei ging es nicht nur um Verstöße gegen die von Ulbricht auf dem V. Parteitag verkündeten zehn Gebote der sozialistischen Moral. Im Lichte der Verhärtung der Parteilinie nach der »Entlarvung« der Schirdewan-Wollweber-Gruppe rückten nun zunehmend politische Verfehlungen von Volkspolizei-Offizieren in den Vordergrund. Diese verdichteten sich zu einem Syndrom der »Kleinbürgerlichkeit«, das ein Bericht der Kreisparteikontrollkommission aus Jena vom Dezember 1958 folgendermaßen charakterisierte: »Kleinbürgerliches Denken bestimmte oft das Handeln einzelner Volkspolizisten, was besonders die Anwendung der Prinzipien der soz. Moral auf das eigene Ich zeigte [...]« Es sei »nicht zufällig, dass die meisten Parteiverfahren durchgeführt wurden 1. wegen unmoralischen Lebenswandel (Trinkereien) 2. Umgang mit kleinbürgerlichen Kräften (negativen Elementen) und nicht klassenmässigen Verhalten 3. wegen Korruptionserscheinungen und Vernachlässigung der revolut. Wachsamkeit 4. Umgang mit anderen Frauen«. Die Genossen würden derartige Verhaltensweisen als »Kavaliersdelikt« herunterspielen, wechselseitig Nachsicht üben, die damit verbundenen Gefahren unterschätzen und sich schließlich der Parteierziehung entziehen. Von hier aus sei es dann kein weiter Schritt mehr zum Sündenfall eines Kommunisten schlechthin, zur »Revision der Linie der Partei«.[13]

Die nächste Stufe der parteiinternen Skandalisierung stellte der Auftritt von Max Sense, Mitglied der Zentralen Parteikontrollkommission, auf dem 4. Plenum des ZK zu Beginn des Jahres 1959 dar. Ohne jede Zurückhaltung präsentierte Sense die Schreckensbilanz der chronique scandaleuse, die den Berichten der unteren Parteikontrollkommissionen des Jahres 1958 zu entnehmen war.[14] »Es gibt sehr ernste Hinweise vor allem

13 KPKK Jena-Stadt, 12.11.58, Bericht über die durchgeführten Untersuchungen der KPKK Jena-Stadt in der BPO des VPKA Jena-Stadt in der Zeit vom 8.9.-25.10.1958, SAPMO, Dy 30 IV 2/4-175, Bl. 158-164.

14 Sie wird hier nach dem Arbeitsprotokoll zitiert. In der für die weitere Parteiöffentlichkeit bestimmten Druckfassung des Protokolls getilgte Passagen sind im folgenden Zitat durch Kursivdruck gekennzeichnet.

aus den Volkspolizeikreisämtern. Die Zahl der Parteiverfahren wegen ernster Verstöße gegen die sozialistische Moral steigt. Es handelt sich dabei vielfach um kriminelle Vergehen. […].« Leitende Genossen der Volkspolizei, so Sense, widersetzten sich der führenden Rolle der Partei, es herrsche vielfach »eine Atmosphäre der Unterdrückung der Kritik und des Ausweichens vor der Stellungnahme zu nicht parteimäßigem Verhalten von Offizieren, während es andererseits zahlreiche Beispiele gibt, daß Genossen Wachtmeister unverhältnismäßig hart bestraft werden. […] Auf diesem Boden haben sich ernsthafte Aufweichungserscheinungen entwickelt. Es gibt Unklarheiten und Unverständnis in der Frage der Überlegenheit des Sozialismus über den Kapitalismus. Es macht sich bemerkbar eine Ablehnung der führenden Rolle der Sowjetunion. Das geht sogar bis zum offenen Antisowjetismus. Es gibt zahlreiche Unklarheiten über den Charakter unseres Arbeiter-und-Bauern-Staates, ein Verkennen der gefährlichen Rolle des deutschen Imperialismus, den Glauben an eine konfliktlose Entwicklung und das Verlassen des Klassenstandpunktes. Die Folgen sind dann solche kriminellen Handlungen wie Bestechung und Begünstigung von Verbrechern.«[15]

Der Vorgang offenbart also zwischen Anfang 1958 und Anfang 1959 alle wesentlichen Stationen einer Skandalisierung von Mißständen: Sie beginnt mit einem initiierenden Eklat aufgrund unübersehbaren Fehlverhaltens, hier dramatisiert anhand des Amokschützen in Lobenstein. Darauf folgt die Mobilisierung des Aufdeckungseifers der unteren Organe der Parteikontrolle in den Kreisen. Schließlich faßt ein Oberkontrolleur die Befunde coram publico, vor dem Parlament der Partei gewissermaßen, zusammen und extrapoliert ihre gefährliche Tendenz: Anzuprangern waren nicht nur »Unklarheiten und Unverständnis in der Frage der Überlegenheit des Sozialismus über den Kapitalismus« – derlei intellektuelle Gebrechen waren überall in der Partei, zumal unter den notorisch ungebildeten Volkspolizisten, anzutreffen. Die eigentliche Gefahr ging vielmehr von der Infragestellung der Existenzgrundlage der Parteiherrschaft aus: »Das geht sogar bis zum offenen Antisowjetismus.« Dieser Abfall vom Glauben war im Rahmen des gegebenen Bezugssystems nicht mehr zu überbieten, mit dem Aussprechen dieser Häresie war die Inszenierung des Skandals perfekt.

Damit hatte die Kampagne im Rahmen des gegebenen Instanzenzuges der Wahrheitsfindung zugleich ihren Höhepunkt überschritten, und die

15 Prot. 4. Tagung des ZK der SED, 15.-17.1.1959, Erster Verhandlungstag, 15.1.59 [Redemanuskript Sense], SAPMO, Dy 30 IV 2/1-214, Bl. 235-237;

Katharsis der Konsequenzen konnte einsetzen – wenn auch mit einer gewissen zeitlichen Verzögerung und im Zuge hartnäckigen internen Ringens. Landauf, landab predigten Polizeiführer der unteren und mittleren Ebene die »Wende in der Arbeit der Volkspolizei«, die nun endlich erreicht werden müsse. Die Volkspolizei müsse ihre Isolierung von den Massen durchbrechen – ein Euphemismus für die noch weitverbreitete Distanz der Volkspolizisten zur Staatspartei. Es ging darum, vor allem bei den unteren Dienstgraden SED-Mitgliedschaft und Kirchenaustritt als Voraussetzung für ein Verbleiben bei der Volkspolizei durchzusetzen. Folgenreicher für deren Führung aber war Senses abschließende Feststellung zu diesem Thema:

> »Da das aus allen Bezirken kommt, ist das offensichtlich eine Erscheinung, die auch zentrale Ursachen hat. Alle Untersuchungen, die geführt worden sind, bestätigen, daß die Anleitung und Kontrolle durch die Hauptverwaltung der Deutschen Volkspolizei sehr mangelhaft sind.«[16]

Mit dieser klassisch verschwörungstheoretischen Argumentation lenkte der Parteikontrolleur den Druck auf die Ebene des Polizeiapparats, in der sich in den folgenden Jahren einiges ändern sollte, auf die Führungsetage im Ministerium des Innern. In einem nun über mehrere Jahre hinweg schwelenden Konflikt zwischen der Parteiorganisation in der Berliner Dienststelle des Ministeriums und dem Minister und seinen Stellvertretern ging es immer wieder um die Verantwortung für Leitungsmängel und Disziplinlosigkeit in den unteren Dienststellen, die die Partei dem Konservatismus und der Selbstgefälligkeit der Polizeispitze anlastete. Auch der unauffälligen Ablösung des Innenministers Maron am Ende der Volkskammerwahlperiode 1963 durch Friedrich Dickel war eine weitere Serie einschlägiger »Versumpfungsberichte« vorausgegangen. Diesmal wurden die Anschuldigungen aber nicht mehr parteiöffentlich, sondern geheim lanciert, nämlich als vertrauliche Vorlagen des MfS im Dezember 1962, der zentralen Parteikontrolle im Januar 1963 und der ZK-Abteilung für Sicherheitsfragen im März 1963, die jeweils für das oberste sicherheitspolitische Entscheidungsgremium der DDR, den Nationalen Verteidigungsrat, und Erich Honecker als dem zuständigen Mitglied des Sekretariats des ZK bestimmt waren.[17]

So offen und in dieser Ausführlichkeit wie 1958 und 1959 wurde vorher und nachher nicht mehr über die internen Mißstände in der VP gespro-

16 Ebd.

17 Siehe Lindenberger, Volkspolizei, S. 115-129.

chen. Ähnliches gilt auch für andere Bereiche des SED-Apparats und der DDR-Öffentlichkeit: die Jahre um 1960 zeichnen sich in der DDR-Geschichte durch zahlreiche von oben lancierte Kampagnen aus, zu denen auch immer die schonungslose interne Kritik und Selbstkritik gehörte. Im Rahmen dieser Mobilisierung der Parteiöffentlichkeit ließen sich Skandalisierungsstrategien im Interesse des Herrschaftsausbaus gezielt einsetzen. In ruhigen Zeiten hingegen diente ihr »Rohmaterial«, die endemischen Mißstände und Fehlleistungen im sozialistschen Staatsapparat, als Argument in den Positionskämpfen im Arkanum der Parteiherrschaft.

Die Volkspolizei auf der »richtigen Seite«

Spätere Kampagnen gegen Abweichler waren eindeutig gegen Minderheiten innerhalb der Partei gerichtet, nicht gegen eine ganze Gruppe von Funktionären, gegen einen Apparat als Ganzes. Allenfalls das »Kahlschlagplenum« des ZK der SED im Dezember 1965 mit seiner Kehrtwende in der Jugend- und Kulturpolitik läßt sich damit vergleichen. Hier stellten die von Erich Honecker angeführten Hardliner einer restriktiven Machterhaltungspolitik eine ganze Generation Jugendlicher und die DDR-Intellektuellen unter den Generalverdacht westlicher Dekadenz und politischer Unzuverlässigkeit. Berüchtigt sind die Auswirkungen auf das Filmwesen: Nahezu eine ganze Jahresproduktion an DEFA-Spielfilmen, insbesondere »Gegenwartsfilme«, die sich kritisch mit Zuständen in der DDR auseinandersetzten, blieb 1965 und 1966 unveröffentlicht.[18]

Zu dieser Zeit stand die Volkspolizei allerdings schon längst mit beiden Beinen auf der »richtigen« Seite. Sie griff selbst in die dem SED-Staat vorbehaltene gelenkte Öffentlichkeit ein und konnte bei sich bietender Gelegenheit »mit-skandalisieren«. Ein Schlaglicht auf das berühmteste Filmverbot der DDR-Geschichte im Anschluß an die Kampagne gegen »Spur der Steine« soll das abschließend verdeutlichen.

Eigentlich gehörte »Spur der Steine« nicht zu den auf dem Kahlschlagplenum verbotenen Filmen, eher im Gegenteil: Die Leitung der DEFA hatte sogar darauf gehofft, mit diesem auf einer sozialistischen Großbaustelle angesiedelten Drama um Arbeit, Liebe und Parteidisziplin den Vorwurf der Realitätsferne und mangelnden Parteilichkeit, wie er noch im

18 Siehe Günther Agde (Hg.), Kahlschlag. Das 11. Plenum des ZK der SED 1965. Studien und Dokumente, Berlin 2000.

Dezember 1965 gegen die dann verbotenen Filme erhoben worden war, widerlegen zu können. Wie in der einschlägigen Forschungsliteratur gut belegt, gestaltete sich die Genehmigungsprozedur unter Einschaltung höchster Parteifunktionäre ab März 1966 schwieriger als erwartet. Verboten wurde »Spur der Steine« bekanntlich im Juni 1966, nachdem er zwei Wochen gelaufen war und die SED gezielt »Kinoskandale« inszeniert hatte.[19] Ein Stein des Anstoßes – unter etlichen anderen – war eine burleske Sequenz zu Beginn der Geschichte, in der sich die Brigade Balla während eines heißen Maifeiertags betrinkt und anschließend in den Stadtteich springt, und die damit endet, daß Brigadier Balla, dargestellt vom populärsten Filmstar der DDR, Manfred Krug, den eingreifenden Volkspolizisten ebenfalls ins Wasser befördert.

Zur Vorgeschichte dieses inszenierten Skandals gehört ein noch unbekanntes Detail aus dem Spätherbst 1965. Als »Spur der Steine« im Frühjahr 1966 den führenden SED-Kulturpolitikern zur Genehmigung vorlag, hatte sich in ganz anderen Kreisen des Partei- und Staatsapparats bereits eine strikt ablehnende Haltung artikuliert. Der Protest kam von unten, aus den Kreisen der Volkspolizei, und landete bereits im November 1965 auf dem Schreibtisch der Agitationsabteilung des ZK. In einer »Sonderinformation« teilte der Leiter der Politischen Verwaltung des Innenministeriums am 12. November 1965 mit:

Die Bezirksbehörde Halle berichte »über gegenwärtig stark vorhandene Diskussionen über die in der NBI [Neue Berliner Illustrierte – T.L.] Nr. 45/65 veröffentlichten Fotos aus der Verfilmung des Romans ›Spur der Steine‹« Dabei ging es den Beschwerdeführern nicht nur, wie man erwarten würde, um »Verächtlichmachung der Volkspolizei« im allgemeinen, sondern um mehr: »Übereinstimmend wird von den Genossen zum Ausdruck gebracht, daß die NBI mit diesem Beitrag völlig im Gegensatz zu der verstärkten Öffentlichkeitsarbeit zur Bekämpfung der Jugendkriminalität stehe. Leitende Offiziere sind der Auffassung, daß die Aufmachung dieser Szene des Films dazu angetan sei, Rowdygruppen in ihrer Haltung gegen die Volkspolizei zu bestärken. Von den Genossen der Kriminalpolizei des VPKA Merseburg wird in diesem Zusammenhang auf die Auswirkungen des Films ›Die Glatzkopfbande‹ hingewiesen, nach dessen Vorbild sich zahlreiche Banden bildeten. Die Genossen sind der Meinung, daß angesichts der gegenwärtigen Lage unter Teilen der Ju-

19 Siehe zuletzt Joshua Feinstein, The Triumph of the Ordinary. Depictions of Daily Life in the East German Cinema, 1949-1989, Chapel Hill/London 2002, S. 183-191.

.. geht einen halben Schritt zurück. Da umfaßt Balla seine Beine, hebt den überraschten Mann hoch.

Der Polizist, um sein Gleichgewicht bemüht, befiehlt: „Loslassen!" Diesmal gehorcht Balla aufs Wort.

sonen und ihre Eigenschaften" sowie für die Romanstadt Schkona in Anspruch nimmt, „die auf keiner Karte verzeichnet ist". Wer hier nach der Existenz von Vorbildern suche, befinde sich im Irrtum, warnt der Autor. Von Ereignissen dagegen ist nicht die Rede. Und so ist denn auch das Ruhe und Ordnung störende Bad im Marktteich keine Erfindung. Es hat sich in Coswig tatsächlich einmal abgespielt.

Natürlich hat dieses Naturschauspiel auch die Drehbuchautoren der DEFA nicht kaltgelassen. Und daß diese Szene des Films dann am Originalschauplatz aufgenommen wurde, war nur recht und der DEFA wegen eingesparter Baukosten auch billig. Mangel an Komparserie – Roman und Drehbuch schreiben Zuschauer vor – brauchte man nicht zu befürchten. Obwohl etliche Coswiger das ungewöhnliche Bad schon einmal gesehen hatten, freilich ohne Regie und Kamera, harrten sie bei der filmischen Nachahmung tapfer aus. Es sollte doch schließlich alles seine Ordnung haben.

Gegenüber dem Roman ist die Filmszene, die ja ohne Kommentar auskommen muß, in Dialog und Handlung pointierter. (Unsere Bildunterschriften gehen vom Drehbuch aus.) Doch davon ein andermal!

Hier seien noch drei eindeutige Erklärungen gegeben:

Die Bilder auf diesen Seiten sind hochgradig exklusiv – so sehr, daß Sie sie nicht einmal im Film wiedersehen werden. Der wird nämlich nicht in Farbe gedreht.

Wir haben weder etwas gegen die Anhaltiner im allgemeinen noch gegen die anhaltinischen Coswiger im besonderen. Im Gegenteil! Kein Berliner, der sie um die aufsehenerregende Badegeschichte nicht beneidete!

Wir haben auch gegen die Berliner nichts.

Für den bedauerlicher- sowie teilweise unseriösen Text zeichnet Heinz Niemann, für die exposiven Fotos K. D. Schwarz verantwortlich.

Fotos aus dem Film »Spur der Steine«. Neue Berliner Illustrierte Nr. 45/65

gend besonders die Gefahr der Nachahmung dieses negativen Beispiels ›Ballas‹ besteht.«[20]

Die politische Atmosphäre in der DDR im Sommer und Herbst 1965 war geprägt von dem von Erich Honecker kunstvoll organisierten Stimmungsumschwung in der ganzen Partei, der das Ende der offenen, verhältnismäßig »liberalen« Jugend- und Kulturpolitik einleitete und im Rundumschlag des »Kahlschlagplenums« enden sollte. Dieser Umschwung fand, wie Monika Kaiser in ihrer Pionierstudie zum »Machtwechsel« von Ulbricht zu Honecker herausgearbeitet hat,[21] zum einen im geheimen, in den Kulissen der Macht, auf Sitzungen des Sekretariats des ZK der SED und des Politbüros statt. Zum anderen bediente er sich gezielt des öffentlichen Skandals: Die ersten sichtbaren Opfer des neuen Kurses waren die jugendlichen Beatfans der DDR, die Ende Oktober und Anfang November durch eine Welle von gegen Musikgruppen und Jugendclubs ausgesprochenen Verboten zu einer öffentlichen Konfrontation mit der Staatsgewalt mit Demonstrationen und Polizeieinsätzen regelrecht herausgefordert wurden. Im Anschluß daran inszenierten die Sicherheitsexperten eine aufwendige Law-and-Order-Kampagne gegen äußerlich »auffällige«, d. h. vor allem langhaarige Jugendliche.[22] Interessant ist für unsere Fragestellung, daß hier Volkspolizisten selbst als Betreiber des Skandals auftraten.

20 MdI, Politische Verwaltung, Der Leiter, 12.11.65, Sonderinformation über Diskussionen zu den Bildern in der NBI aus dem Film »Spur der Steine«, SAPMO Dy 30 IV A2/902-69 (unpag.). Der 1963 in die Kinos gekommene DEFA-Spielfilm »Die Glatzkopfbande« (Buch: Lothar Creutz/Richard Groschopp, Regie: Richard Groschopp) sollte die kriminellen Machenschaften einer jugendlichen Rowdybande, die unter anderem gewaltsam gegen Volkspolizisten vorgeht, denunzieren, erzielte aber gerade bei jungen Männern die gegenteilige Wirkung eines nachahmenswerten Beispiels; s. Lindenberger, Volkspolizei, S. 404. Zur Produktionsgeschichte dieses manipulatorischen Machwerks, das für sich in Anspruch nahm, auf einem »authentischen Fall« von Jugenddelinquenz zu beruhen, s. Inge Bennewitz, Die Glatzkopfbande. DEFA-Spielfilm und Realität, in: Deutschland-Archiv 34 (2001), S. 67-76.

21 Monika Kaiser, Machtwechsel von Ulbricht zu Honecker. Funktionsmechanismen der SED-Diktatur in Konfliktsituationen 1962 bis 1972, Berlin 1997 (= Zeithistorische Studien; Bd 10).

22 Siehe zu diesem bereits hinreichend aufgearbeiteten Komplex Dorothee Wierling, Jugend als innerer Feind. Konflikte in der Erziehungsdiktatur der sechziger Jahre, in: Hartmut Kaelble u. a. (Hg.), Sozialgeschichte der DDR, Stuttgart 1994, S. 404-425; Michael Rauhut, Beat in der Grauzone. DDR-Rock 1964 bis 1972 – Politik und Alltag, Berlin 1993; Mark Fenemore, The Limits of Repression

»Rowdys« als Chiffre skandalösen Verhaltens in der Öffentlichkeit gehörten spätestens seit dem Auftauchen der Halbstarken Ende der fünfziger Jahre zum festen Repertoire der Partei wie der Volkspolizei, wenn es galt, die »Werktätigen« für Ordnung und Sicherheit im Sozialismus zu gewinnen. Sie standen selbstverständlich nicht nur für ungehobeltes Benehmen, Sachbeschädigungen und Belästigungen friedlicher Bürger, sondern zugleich für westliche Dekadenz und die psychologische Kriegsführung des Klassenfeindes.[23] Aus dieser Perspektive bot das Bild des badenden Anarcho-Brigadiers Balla Vertretern der Staatsgewalt zweifellos Anlaß zu Empörung, die flugs mit dem Schreckgespenst des Rowdytums verknüpft wurde. Gerade nach den schlechten Erfahrungen mit der »Glatzkopfbande« ließ die Popularität von Krug Schlimmstes befürchten. Und wie die Weiterleitung des Unmuts durch die Politische Verwaltung der Volkspolizei an die Agitations-Abteilung des ZK der SED zeigt, wußte auch die Volkspolizei, wie sie sich an der Inszenierung eines Skandals unter den restriktiven Bedingungen staatssozialistischer Öffentlichkeit beteiligen konnte.

Fazit

Welche Rolle spielte der Skandal in der Geschichte der Deutschen Volkspolizei und mit ihm der Polizeiskandal in der Geschichte der SED-Diktatur?

Allgemein ist festzuhalten: Die Strukturen herrschaftlicher Bevormundung gesellschaftlicher Kommunikation schlossen in der DDR bis kurz vor ihrem schnellen Ende eine öffentliche Skandalisierung des Fehlverhaltens einzelner Polizisten wie von Mißständen in der Polizei im allgemeinen aus. Auch in jenen Räumen zugelassener loyaler Kritik an Mißständen, wie etwa im Fernseh-Magazin »Prisma« und im Satire-Magazin »Der Eulenspiegel«, die eklatante Fehlleistungen der Planwirtschaft und der staatlichen Bürokratie anprangern durften, blieb Kritik an den Sicherheitsorganen tabu.

Dennoch lieferten die Volkspolizei und Normenkonflikte um die öffentliche Ordnung auch in der DDR jenen Rohstoff für Skandale, wie er

and Reform: Youth Policy in the early 1960s, in: Patrick Major/Jonathan Osmond (Hg.), The Workers' and Peasants' State. Communism and Society in East Germany under Ulbricht 1945-71, Manchester/New York 2002, S. 171-189.

23 Siehe ausführlich Lindenberger, Volkspolizei, Kap. 9: »Aufklären – liquidieren – erziehen. Volkspolizei und Rowdytum, 1956-1969«.

uns aus demokratischen Verhältnissen bekannt ist: zum einen empörende Zustände in der Polizei selbst (Korruption, Schlamperei, Disziplinlosigkeit) und Fehlverhalten gegenüber Bürgern; zum anderen das auffällige Verhalten bestimmter Gruppen und Subkulturen. Die Mißstände in der Volkspolizei im Rahmen interner Disziplinierungs- und Säuberungsverfahren zu skandalisieren, war absolutes Vorrecht der Parteiführung. Abweichendes Verhalten in der Öffentlichkeit hingegen konnte bei Bedarf von den Sicherheits- und Rechtspolitikern im Verein mit der Volkspolizei skandalisiert werden. Der Skandal sollte dabei nicht nur vermutete »ordnungsliebende« Einstellungen bei der breiten Masse der DDR-Bürger ansprechen, er hatte zusätzlich eine symbolische Funktion: Im Herbst 1965 mußten die öffentlich gebrandmarkten und in der Parteipresse mit maßlosen Anschuldigungen überzogenen Beatfans für die spektakuläre Markierung der Rückkehr zu einem »harten« Kurs herhalten.[24]

Das unzweifelhaft auch in der DDR vorhandene Potential des Polizeiskandals beruhte auf den Eigenheiten der öffentlichen Ordnung in modernen Gesellschaften: Ihre auf Konformität mit Standards »ordentlichen Verhaltens« zielende Durchsetzung von Regeln richtet sich an alle ohne Ansehen der Person, und die erfolgreiche Durchsetzung dieser Standards macht es erforderlich, daß die professionellen Exekutoren öffentlicher Ordnung ihnen selbst sichtbar unterworfen sind, sich selbst an sie binden. Die in allen Polizeien, ob in Demokratien oder Diktaturen, unausweichlichen Friktionen und Unvereinbarkeiten zwischen Ordnungsansprüchen und un-ordentlicher Praxis zu thematisieren und damit der Dynamik des öffentlichen Skandals auszusetzen, unterlag in der gesteuerten Öffentlichkeit der DDR jedoch konsequent der Prärogative der Partei und erfolgte daher in extrem selektiver und sorgfältig inszenierter Weise. Parteiöffentlich angeprangert wurden interne Mißstände, kaum jedoch Übergriffe gegenüber Bürgern. Und auch dazu kam es nur während der dynamischen Phasen massenpolitischer Mobilisierung, zu denen immer auch verstärkte Bemühungen um die Disziplin und Reinheit von Partei und Staatsapparat gehörten. In ruhigeren Zeiten hingegen kam die dienstliche und parteiinterne Disziplinierung ohne den Pranger aus und wirkte diskret und im stillen.

24 Siehe Elfie Rembold, »Dem Eindringen westlicher Dekadenz ist entgegenzuwirken«. Jugend und die Kultur des Feindes in der DDR, in: Jan C. Behrends/Thomas Lindenberger/Patrice G. Poutrus (Hg.), Fremde und Fremd-Sein in der DDR. Zu den historischen Ursachen der Fremdenfeindlichkeit in Ostdeutschland, Berlin 2003, S. 193-214.

Die Sicherheitsorgane konnten sich ihrerseits an der Skandalisierung des auffälligen, das »herrschende« Verständnis von »öffentlicher Ordnung und Sicherheit« in Frage stellenden Verhaltens von Minderheiten beteiligen. Ähnlich wie bei Polizeiorganen in liberalen Staaten versprach sich die Volkspolizei davon im ureigenen Interesse die Absicherung und Erweiterung von Herrschaftsressourcen. Unter staatssozialistischen Bedingungen ging es ihr darum, von der Parteiführung vorgezeichnete politische Entwicklungen mitzugestalten.

Festzuhalten ist aber darüber hinaus mit Blick auf das Ende der DDR: Über vier Jahrzehnte hinweg hatte die SED mit dem Bild von der »guten« Polizei zugleich die seit jeher damit verbundenen Tugenden der Gleichbehandlung und der »engen Verbindung zur Bevölkerung« versprochen, gerade unter Verweis darauf, daß die Volkspolizei zum ersten Mal in Deutschland eine Polizei »aus dem Volk und für das Volk« sei. Der für die alltägliche Praxis der Volkspolizei charakteristische, unkompliziert persönliche Umgang mit den Bürgern schien diese Volksnähe ein Stück weit zu belegen. Damit steigerte sich zugleich die im Konfliktfall wahrgenommene Diskrepanz zwischen Ideal und Wirklichkeit: Für viele DDR-Bürger stellten die Polizeieinsätze gegen das demonstrierende »Volk« Anfang Oktober 1989 ein genuines, augenöffnendes Schockerlebnis dar. Der erste »echte« Polizeiskandal der DDR durchlief alle Entwicklungsstadien eines klassischen Skandals: Dem Initial-Schock des gemeinsamen Erlebnisses als Polizeiopfer folgten Enthüllungen in Foren der unabhängigen Öffentlichkeit, sodann die Katharsis der Empörung und schließlich die Genugtuung öffentlicher Schuldeingeständnisse. Nicht zuletzt deshalb stand dieser Skandal am Beginn einer Revolution.

Stefan Wolle

Lanzelot und der Drache

Skandal und Öffentlichkeit in der geschlossenen Gesellschaft der DDR am Beispiel der Ausbürgerung des Liedermachers Wolf Biermann im November 1976

Biermann und die DDR

Wolf Biermann war für das SED-System der Skandal par excellence. Er war das öffentliche Ärgernis in einem Land ohne Öffentlichkeit, die permanente Ruhestörung im wohlbehüteten Nachtwächterstaat, der bunte Vogel unter dem grauen Nutzvieh des volkseigenen Hühnerhofes. Und er war wie seine bewunderten Vorbilder François Villon, Pierre-Jean Berangér und Heinrich Heine der »Bruder Leichtfuß« in dem von Erich Honecker dekretierten »sauberen Staat«.

Insofern war die gesamte Existenz des Liedermachers Biermann ein *unterdrückter Skandal* im Sinne des vorangestellten Klassifikationsversuches von Martin Sabrow.[1] Doch es war ein unterdrückter Skandal, der sich mit den üblichen Methoden der Repression nicht unterdrücken ließ. Trotz der öffentlichen Kampagne gegen Biermann im Herbst 1965 und dem faktischen Auftritts- und Druckverbot durch das 11. Plenum des ZK der SED im Dezember 1965, welches freilich niemals juristisch formalisiert wurde, machte der Liedermacher munter weiter. Er sang in seinem Zimmer in der Chausseestraße und anderswo im kleinen Kreis. Er machte Schallplattenaufnahmen mit westlichen Firmen, die – selten genug – im westlichen Rundfunk gesendet und über Tonbandmitschnitte in der DDR verbreitet wurden. Wenigstens die Peter Huchel gewidmete »Ermutigung« aus dem Jahr 1966 wurde mit der Anfangszeile »Du, laß dich nicht verhärten/In dieser harten Zeit« fast zum Volkslied, manche sagen sogar zur »heimlichen Nationalhymne der DDR«.[2] Sicher ist, daß viele Gedichtzeilen wie sprichwörtliche Wendungen zitiert wurden und in die Alltagssprache eingingen. »Warte nicht auf beßre Zeiten« oder »Die Stasi ist mein Eckermann« hatten einen festen Platz im ungedruckten »Ost-Büchmann« der geflügelten Worte. Die Redensart vom »sozialistischen Gang« überlebte schließlich sogar die DDR.

Die Doppelung von unterdrücktem und nicht unterdrückbarem Skandal entwickelte eine Eigendynamik, die für die Herrschenden immer be-

1 Vgl. den Einleitungsbeitrag von Martin Sabrow im vorliegenden Band, S. 7 ff..

2 Wolf Biermann, Alle Lieder, Köln 1991, S. 178 f.

drohlicher wurde. Je länger der Skandal Biermann dauerte, desto skandaloser wurde er.

Und Biermann wußte dies und krähte es frech und ungeniert heraus: »Ihr macht, was ihr verhindern wollt:/Ihr macht mich populär ... Wenn ihr mich wirklich schaffen wollt/Ihr Herren hoch da droben/Dann müßt ihr mich ganz öffentlich/Nur LOBEN, LOBEN, LOBEN«[3]

Wie Lanzelot im mittelalterlichen Heldenepos trat er an, furchtlos dem Drachen die Stirn zu bieten. Das feuerspeiende Untier hätte wohl die Kraft gehabt, den frechen Bänkelsänger im Handumdrehen zu rösten und zu verschlingen. »Wer mit ihm kämpfte, war verlorn/Vor ihm wurd alles schwach/Zweihundert Helden und noch mehr/Erschlug er nach und nach«, sang Biermann in seiner »Großen Ballade« am Anfang seines in der DDR niemals aufgeführten Stückes über den Drachen Dra-Dra und den tapferen Drachentöter Hans Folk.[4] Doch der fahrende Ritter Biermann führte seinen Drachen an der Nase herum, ließ ihn tanzen, machte ihn lächerlich und dadurch anderen Menschen Mut zum Widerstand. Wie der Drachentöter Lanzelot in seinem Dra-Dra mit einem Besenstiel als Lanze und einem Nudelbrett als Schild, zeigte Biermann die Schwäche des Drachen. Denn die strukturelle Schwäche des diktatorischen Staates liegt in seiner Stärke. Wer auf den kleinsten Widerspruch mit schweren Prankenhieben reagiert, schafft sich mehr Gegner, als er vernichten kann. Neunmalkluge westliche Beobachter haben oft gefragt: Hätte man den Biermann nicht auf irgendwelchen Kleinkunstbühnen singen lassen können, bis er alt und grau wird? Doch der SED-Staat mit seinem Anspruch auf totale Beherrschung der Öffentlichkeit hatte wenig Spielraum. Irgendwann und irgendwie mußte er auf Biermanns Unverschämtheiten reagieren, wollte er nicht vor dem Ritter mit dem Besenstiel den Drachenschwanz einziehen.

Die Ausbürgerung

Am 16. November 1976 kam es schließlich, wie es kommen mußte. Es ist erstaunlich, daß Biermann selbst es nicht vorausgesehen hat. In den täglichen Abendnachrichten der »Aktuellen Kamera« verkündete der Sprecher in unbewegt sachlicher Diktion: »Die zuständigen Behörden der DDR haben Wolf Biermann, der 1953 aus Hamburg in die DDR übersie-

3 Ebd., S. 166 f.

4 Wolf Biermann, Der Dra-Dra. Die große Drachentöterschau in acht Akten mit Musik, Berlin (West) 1970, S. 12.

delte, das Recht auf weiteren Aufenthalt in der Deutschen Demokratischen Republik entzogen. Diese Entscheidung wurde auf Grund des ›Gesetzes über die Staatsbürgerschaft der Deutschen Demokratischen Republik – Staatsbürgerschaftsgesetz – vom 20. Februar 1967, Paragraph 13, nach dem Bürgern wegen grober Verletzung der staatsbürgerlichen Pflichten die Staatsbürgerschaft der DDR aberkannt werden kann, gefaßt. Biermann befindet sich gegenwärtig in der Bundesrepublik Deutschland. Mit seinem feindseligen Auftreten gegenüber der Deutschen Demokratischen Republik hat er sich selbst den Boden für die weitere Gewährung der Staatsbürgerschaft entzogen. Sein persönliches Eigentum wird ihm – soweit es sich in der DDR befindet – zugestellt.«[5]

Am folgenden Tag druckten alle DDR-Zeitungen den Text und dazu einen mit Dr. K. gezeichneten Kommentar. Hinter dem Kürzel verbarg sich der stellvertretende Chefredakteur des »Neuen Deutschland«, Alt-Nazi Günter Kertzscher, der wie kein anderer den Jargon der Diffamierung politischer Gegner beherrschte. Zusätzlich wurde im »Zentralorgan« ein Kommentar der DKP-Zeitung »Unsere Zeit« unter dem Titel »Rummel um Biermann« abgedruckt. Damit war für die SED-Führung der Vorgang abgeschlossen. Proteste aus dem Westen gedachte man zu ignorieren. Proteste aus dem Osten waren Sache der Sicherheitsorgane und der Staatsanwaltschaft. Doch es geschah etwas Unvorhergesehenes, Neues und in der bisherigen Geschichte der DDR absolut Einmaliges. Am folgenden Tag veröffentlichten westliche Nachrichtenagenturen einen Protestbrief gegen die Ausbürgerung, den zwölf namhafte Schriftsteller der DDR unterzeichnet hatten. Der Skandal war perfekt. Genauer gesagt: Der permanente, aber verborgene Doppelskandal, den Biermanns Existenz in der DDR hervorgerufen hatte, war zum waschechten öffentlichen Skandal geworden. Es war ein Skandal in seiner ganzen Wortbedeutung und mit allen dazugehörigen Ingredienzen: Spitzenmeldungen und Dementis, Gerüchte und gezielte Indiskretionen, Verleumdungen, Tratsch und Klatsch, mit medialer Personifizierung des politischen Vorgangs durch Hauptpersonen und Nebenpersonen, Helden und Bösewichten. Und all dies flimmerte nicht nur allabendlich über die Bildschirme in der DDR, sondern füllte auch die großformatigen Seiten des Zentralorgans und der anderen gleichgeschalteten Zeitungsblätter der DDR.

Aus dem unterdrückten, aber nicht unterdrückbaren Doppelskandal war ein öffentlicher, nämlich gesamtdeutscher Skandal geworden. Die

5 Zitiert nach: Biermann und kein Ende. Eine Dokumentation zur DDR-Kulturpolitik, hg. v. Dietmar Keller u. Matthias Kirchner, Berlin 1991, S. 127 f.

mediale Öffentlichkeit der Bundsrepublik griff tief in die inneren Vorgänge in der DDR ein, dominierte sie geradezu, blieb aber dennoch eine Scheinöffentlichkeit. Ihr fehlte die Wirkung von Öffentlichkeit als Teil eines verfassungsrechtlich abgesicherten Kreislaufes. So trug denn alles, was sich in der Scheinöffentlichkeit westlicher Medien abspielte, auch Züge eines Scheinskandals. Die skandalträchtigen Vorgänge wurden medial transportiert; sie wurden sorgfältig registriert und im kleinen Kreis kommentiert. Allerdings bestärkte die ausführliche Information oft das seltsame Gefühl, das wirkliche Leben sei anderswo. So führte die gute politische Information der DDR-Bürger durch die Westmedien zu einer lähmenden Passivität. Im Oktober 1989, während der ersten Straßendemonstrationen gegen das SED-System, marschierten Gruppen von Demonstranten durch die abendlichen Straßen und skandierten die bemerkenswerte Losung: »Glotze aus!«

Die Parteiführung versuchte im November 1976 auf kläglich mißglückte Weise, den Teufel mit Beelzebub auszutreiben und einen – im Sinne der erwähnten Klassifikation – *instrumentellen Skandal* zu inszenieren. Die bestellte Empörung der Werktätigen trug sogar Züge eines *affirmativen Skandals.* Waren doch viele Leserbriefe in dem Gestus verfaßt: »Wie konnte man den Nestbeschmutzer so lange bei uns dulden?« In geschlossenen Parteiversammlungen gingen manche hartgesottene Altgenossen noch weiter und stellten die Frage, warum Biermann nicht aus dem Fenster gefallen oder unter ein Auto gekommen ist. Die sowjetischen Genossen hätten doch unter Stalin manchen heiklen Fall auf diese Weise gelöst.

Doch schließlich schufen die Biermann-Ausbürgerung und die darauffolgenden Proteste Ansätze einer oppositionellen Gegenöffentlichkeit. Diese allerdings bildete sich nicht im Dissidentenmilieu von Schriftstellern und Künstlern, sondern im Schutzraum der evangelischen Kirche.

Anhand der Ereignisse im November 1976 und der anschließenden Auseinandersetzungen läßt sich die komplette Phänomenologie der »unöffentlichen Öffentlichkeit« des SED-Staates exemplifizieren.

Diktatur und Öffentlichkeit

Über fast ein halbes Jahrhundert herrschte in der DDR die zwar nicht hermetisch abgeschlossene, doch jedes vervielfältigte oder öffentlich gesprochene Wort reglementierende und kontrollierende *verordnete Öffentlichkeit* des Staates. Seine ideologischen Tugendwächter ahndeten jede Abweichung von der weltanschaulichen oder begrifflichen Norm und verfügten über ein ausbalanciertes und hochperfektioniertes System von Vor- und Nachkontrollen, von Strafen und Strafandrohungen, die von geminderten Berufschancen bis zu Gefängnisaufenthalten reichten.

Unterdrückung der Öffentlichkeit stellt eines der konstitutiven Merkmale der Diktatur dar. Dagegen bedeutet Information über die eigenen Angelegenheiten die erste und wichtigste Voraussetzung für ein funktionierendes Gemeinwesen. Je freier und vielfältiger das Angebot, desto besser können die Mitglieder der Gemeinschaft an der Entscheidungsfindung teilhaben. Der Austausch von Meinungen und Informationen erfordert den öffentlichen Raum – das Forum, den Marktplatz, den Versammlungssaal, die modernen Medien. Nur so kann die Idee – frei nach Karl Marx – durch das Wort zur materiellen Gewalt werden und die Massen ergreifen. Die Symbole von Öffentlichkeit sind Licht, Klarheit und Transparenz. Deshalb war es auch kein Zufall, daß die Reformbewegung in den sozialistischen Ländern seit 1985 den russischen Begriff »Glasnost« zu ihrem Schlachtruf erkoren hatte: auf deutsch einfach Öffentlichkeit oder Publizität. Es hat trotz der Ähnlichkeit mit dem germanischen Stamm »Glas« nichts zu tun, sondern hängt etymologisch mit »glas/golos« (die Stimme) zusammen und bedeutet Transparenz oder Durchsichtigkeit erst im semantisch erweiterten Sinne.

Die Kennzeichen von »Nichtöffentlichkeit« sind Dunkelheit, Obskurantismus, Konspiration und Geheimnis. Das Mysterium der politischen Macht verbirgt sich vor dem Auge des Betrachters. Es liegt im Halbdunkel, im Unterirdischen, im Nebel des Weihrauchs und ist nur den geweihten Priestern zugänglich. Die Analogie zwischen den religiösen Riten der Mysterienkulte und der modernen Diktatur bietet sich geradezu an.

Der natürliche Feind absoluter Kontrolle ist das helle Tageslicht der Aufklärung, der rationale Gedanke, das freie Wort. Nichts beargwöhnt deswegen die Diktatur schärfer als den öffentlichen Raum und das dort gesprochene Wort. Und wohl niemals und nirgendwo – wenigstens nicht in der neueren europäischen Geschichte – gab es eine derart lückenlose und perfekte Überwachung des öffentlichen Raumes.

Elemente der fragmentierten Öffentlichkeit im SED-System

Die Kontrolle der Öffentlichkeit durch die Instanzen des totalitären Staates war dennoch unvollkommen – also eben gerade nicht total. Der Begriff des Totalitarismus stößt hier an seine logische Grenze, ist doch jede Totalität ein lebensfremdes Abstraktum, das eigentlich nur in der

Mathematik oder spekulativen Philosophie zulässig ist. Trotz aller Versuche der absoluten Beherrschung des öffentlichen Raums gab es auch in Diktaturen verborgene und fragmentierte Kommunikationsräume und Diskurssphären. Dort brach sich der Skandal Bahn, in allen jenen Formen, die hier zur Debatte stehen.

Die Ursache für die Lücken im System der Kontrolle und Überwachung lagen nicht im Fehlen der verwaltungstechnischen und geheimpolizeilichen Mittel oder gar in der mangelnden Möglichkeit der geistigen Manipulation von Menschen – diese ist fast grenzenlos. Nach den historischen Erfahrungen des 20. Jahrhunderts wird man sich schwer der Erkenntnis entziehen können, daß es durch ein geschicktes Amalgam aus Terror, Volksverführung und Privilegierung der Nutznießer jedes diktatorischen System möglich ist, die Masse der Bevölkerung willenlos zu machen und widerstrebende Minderheiten zu unterdrücken. Seit Fjodor Michailowitsch Dostojewskis bekannter »Legende vom Großinquisitor« sind diese Methoden der Verführung durch »Macht, Geheimnis und Brot« vielfach dargestellt worden. Ihre klassische Ausprägung hat die Beschreibung der totalen Herrschaft in der düsteren Anti-Utopie »1984« von George Orwell gefunden. Der Unterschied zur Lebenswirklichkeit in totalitären Staaten liegt nicht im moralischen Bereich. Die realen Terrorapparate in Hitlers Deutschland und Stalins Sowjetreich standen Orwells literarischen Fiktionen in nichts nach, eher überboten sie diese noch an Brutalität und Skrupellosigkeit. Auch die Weltanschauungssurrogate des NS-Staates wie des »real existierenden Sozialismus« waren kaum weniger stupide als Orwells »Engsoz«.

Die Grenzen der Diktatur liegen in der Diktatur selbst. Je rigoroser eine totalitäre Staatsmacht Widerspruch auslöscht, kritisches Denken vernichtet, Kreativität und Initiative unterdrückt – kurz gesagt also die Diskurssphäre zerstört –, desto mehr untergräbt sie ihre eigene Macht.

Umgekehrt bedarf die totalitäre Staatsmacht zu ihrer Stabilisierung des Regulativs, der Reformimpulse, der Verbesserungsvorschläge der Untertanen. Sie bedarf also auch der Mobilisierung ethischer Motive, des ehrlichen Glaubens, Arbeitseifers und Leistungswillens. Im Grunde braucht die Diktatur sogar die Häretiker. Wie jede Kirche lebt auch die kommunistische Diktatur in ihren Ketzern. Die willenlosen und korrupten Werkzeuge der Macht können die Diktatur nicht vom Weg in die Entropie abbringen. Die Abweichler, Häretiker und Ketzer dagegen erfüllen das sterbende System mit neuem Leben. Sie lassen wenigstens für kurze Momente vergessen, daß die Gesellschaft dem Erstickungstod entgegengeht. Und sie liefern schließlich auch die Feindbilder, welche die Vollstrecker des diktatorischen Willens zu ihrer Selbstlegitimation brauchen.

Dieser dialektische Prozeß realisiert sich über eine Art von Diskurs, der über blechernes Gegröle der Propagandalautsprecher und tönende Siegesfanfaren hinausgeht. Orwells Roman war als Anklage gegen den Kommunismus von großer Wirkung, als Analyse der Funktionsmechanismen der Diktatur ist er unbrauchbar.

Auch die SED-Diktatur konnte zu keinem Zeitpunkt ihrer Existenz wirklich auf innere Kommunikation verzichten. Diese bildet sozusagen den Blutkreislauf der Gesellschaft. Seine Abschnürung führt, um im medizinischen Bilde zu bleiben, schnell zum Exitus. Notgedrungen begnügte sich die SED-Führung mit Versuchen der Teilabschnürung. Allerdings führten auch diese zu dauerhaften Deformationen der individuellen wie der kollektiven Physis.

Es hat in der DDR mehrere Kommunikationskreisläufe oder Diskurssphären gegeben, die nicht unabhängig voneinander funktionierten, sondern auf komplizierte Art aufeinander einwirkten und reagierten. Bei aller Fragwürdigkeit solcher Hilfskonstruktionen sollen sieben solcher Diskursfragmente beschrieben und deren Wirkungsweise skizziert werden. Sie bildeten, gegeneinander wirkend und miteinander verwoben, einen in dieser Art in der Geschichte wohl einmaligen fragmentierten Kommunikationsraum. Jede der erwähnten Teilöffentlichkeiten besaß ein eigenes subkulturelles Fluidum, einen spezifischen Sprachgestus, teilweise sogar eigene Lexik und Syntax. Die Angehörigen der einzelnen Sprachgruppen erkannten sich an Mimik, Gestik und Satzmelodie, was vielfache Grenzüberschreitungen nicht ausschloß.

Vor allem aber existierte keine der Teilöffentlichkeiten separat und unbeeinflußt. Sie bedingten einander, waren ineinander verflochten und bildeten in ihrer Gesamtheit eine vielfach gespaltene, ebenso komplizierte wie komplexe Diskurssphäre, einen Resonanzboden gesellschaftlicher Prozesse und schließlich jenen Kommunikationsraum, in dem die SED-Diktatur politisch überwunden wurde.

Die verborgene Öffentlichkeit der Apparate und die verordnete Öffentlichkeit der gleichgeschalteten Medien

Nichts ist falscher als der Vorwurf des Bürokratismus, den übrigens Biermann in seinen Liedern und Statements oft formulierte und der sogar den Begriff vom »bürokratischen Sozialismus« prägte. Das Gegenteil war der Fall. Oft fanden wichtige Entscheidungen keinen oder nur rudimentären Niederschlag in den Akten. Wichtige Weisungen wurden häufig nur mündlich weitergegeben. Bei Anleitungen durch übergeordnete

Funktionäre herrschte gelegentlich sogar ein regelrechtes Verbot, schriftliche Notizen zu Papier zu bringen. Es gab keine rechtliche, sondern nur eine rein politische Verantwortlichkeit. Die Weisung der Partei stand über den geschriebenen Gesetzen und Verordnungen.

Die Vorgeschichte der Biermann-Ausbürgerung bietet ein Musterbeispiel für eine reine Opportunitätsentscheidung ohne Berücksichtigung formaler Abläufe. Am Dienstag, dem 16. November 1976, entschied das Politbüro des ZK der SED unter Leitung von Erich Honecker nach einer offenbar nur wenige Minuten in Anspruch nehmenden Diskussion, Wolf Biermann während seiner Konzertreise durch die BRD die Staatsbürgerschaft abzuerkennen.[6] Der Tagesordnungspunkt Biermann wurde erst nachträglich auf die Tagesordnung gesetzt. Es hatte, soweit die Aktenlage reicht, keine Vorinformationen und keine schriftliche Vorlage gegeben. War man sich bereits vor Biermanns Reiseantritt einig gewesen, oder hat Honecker seine Genossen im Politbüro faktisch vor vollendete Tatsachen gestellt? Wir wissen es nicht und werden es wohl auch nie erfahren. Über die Abläufe der Entscheidungsfindung einer für die gesamte DDR so wichtigen Frage gibt es kein Aktenstück. Auch die rechtliche Seite des Vorgangs hing vollkommen in der Luft. Formal konnte das Politbüro natürlich keine Staatsbürgerschaften zu- oder aberkennen. Doch es hatte die Macht und entschied nach Kriterien der politischen Nützlichkeit, was es für gut und richtig hielt. Es gehört allerdings zu den Seltsamkeiten der SED-Herrschaft, daß eine solche Entscheidung in der veröffentlichten Begründung durch die Berufung auf ein »Staatsbürgerschaftsgesetz« garniert wurde. Die institutionalisierte Rechtlosigkeit der SED-Diktatur schmückte sich gern mit der papierenen Würde von Rechtsformeln und Paragraphen.

Gerade das Beispiel Biermann zeigte schon 1976 jedem denkenden Zeitgenossen die Unvollkommenheit des staatlichen Systems von Öffentlichkeitsunterdrückung. Seit 1965 war kein Lied und kein Gedicht von Biermann mehr gedruckt worden, sein Name fand in keiner Zeitung und keinem Buch Erwähnung. Weder er selbst noch andere durften seine Lieder öffentlich singen. Doch paradoxerweise zeigt gerade dieses absolute Schweigen, wie bekannt der Liedermacher war. Obwohl das Verbot niemals formell verfügt oder gar veröffentlicht wurde, wußte bis ins letzte Provinznest jeder Entscheidungsträger Bescheid. Lediglich einmal, so wird erzählt, gelang es, Lieder von Biermann als Übersetzungen von Berangér

6 In Sachen Biermann. Protokolle, Berichte und Briefe zu den Folgen einer Ausbürgerung, hg. v. Roland Berbig u. a., (Forschungen zur DDR-Geschichte, Bd. 2), Berlin 1994, S. 60 ff.

auszugeben und in Leipzig in ein öffentlich aufgeführtes Programm unterzubringen.

Halböffentlichkeit oder domestizierte Scheinöffentlichkeit

Aufgrund der Unzulänglichkeiten der staatlichen Kontrolle, teilweise auch mit Wissen und Billigung der Obrigkeit, entstand in der DDR eine Art kontrollierter *Halböffentlichkeit.* Sie erstreckte sich vor allem auf die Bereiche Wissenschaft, Kunst, Literatur und Theater. Sie ermöglichte es, Spielräume zu erweitern, Varianten zu erproben und Toleranzgrenzen vorsichtig zu verschieben. Es handelte sich also um eine *domestizierte Scheinöffentlichkeit.* Der ständige Wechsel zwischen harter und weicher Linie war das eigentliche Kontinuum der sozialistischen Kulturpolitik zwischen 1945 und 1989. Den braven Kindern wurde im sozialistischen Staatskindergarten gelegentlich ein bißchen Auslauf gegönnt. Sollten einige Zöglinge sich dennoch als ungezogen erweisen, konnten sie – ganz wie im Kindergarten – einzeln oder gruppenweise bestraft werden. Doch die Halböffentlichkeit der Literaturdebatten und ästhetischen Diskurse konnte unter gewissen Umständen mehr als nur Spielwiese sein. Sie konnte auch zum Feld der Erprobung echter Öffentlichkeit werden. Die vom Staat angestrebte Domestizierung kritischer Geister erwies sich als nicht gefahrlos, da sie bisweilen in gezielte Versuche mündete, die Halböffentlichkeit zur *Gegenöffentlichkeit* zu entwickeln. Die Auftritte Biermanns im privaten Kreis sind ein gutes Beispiel für die merkwürdige Ambivalenz von geduldeter Halböffentlichkeit und rudimentärer Gegenöffentlichkeit.

Gesamtdeutsche Öffentlichkeit als asymmetrische Doppelprojektion

Wenn, wie im November 1976, wieder einmal eine »politisch komplizierte Situation« herrschte, drehten selbst gute Genossen an der Sendereinstellung ihres Rundfunk- oder Fernsehgerätes, um zu hören »was der Westen sagt«. Vom Anfang bis zum Ende der DDR gehörte die ständige Präsenz westlicher Medien zu den mentalitätsgeschichtlich prägenden Grundlagen dieses Staates. Die Bedeutung dieser Tatsache ist kaum zu überschätzen: Die bundesdeutschen Rundfunk- und Fernsehprogramme haben über 45 Jahre der Trennung die kulturelle Einheit der deutschen Nation aufrechterhalten. Als die Deutschen wieder zusammenkamen, trällerten sie die gleichen Schlagermelodien, verwendeten die gleiche, mit Anglizismen versetzte Sprache, verehrten die selben Sport- und Popidole und hatten ähnliche, von der westlichen Werbung geprägte Konsum- und Alltagsgewohnheiten. Die in zahllosen empirischen Erhebungen festgestellten Differenzen zwischen Bewohnern der alten und neuen Bundesländer waren angesichts einer staatlichen Teilung von annähernd einem halben Jahrhundert im Grunde marginal.[7] Während es der Staatsmacht gelang, das Eindringen von Druckerzeugnissen westlicher Herkunft fast vollständig zu unterbinden, konnte die DDR-Bevölkerung die elektronischen Medien ohne wesentliche Einschränkungen empfangen. Es gab in den siebziger und achtziger Jahren kaum noch Versuche, das »Abhören von Feindsendern« technisch zu unterbinden. Auch Druck, Propaganda und Repression scheiterten und wurden seit dem VIII. Parteitag allmählich aufgegeben. Lediglich in den Kasernen der Volksarmee und der anderen militärischen Formationen war der Empfang westlicher Sender offiziell verboten und konnte disziplinarische und strafrechtliche Folgen nach sich ziehen. Radio- und Fernsehapparate durften nur in den Klubräumen stehen, und auf der Skala sollten die DDR-Sender durch ein Strichlein gekennzeichnet sein. Die Angehörigen der »bewaffneten Organe« sollten auch zu Hause kein Westfernsehen sehen, doch selbst die Einhaltung dieser Beschränkung war schwer zu kontrollieren.

Die Wirkungen der allabendlichen »kollektiven Ausreise« waren freilich ambivalent. Der ständige Konsum westlicher Medien führte dazu, daß viele Menschen gar nicht mehr »in der DDR lebten«. Das war für die SED zwar ideologisch bedenklich, hatte praktisch jedoch eine stabilisierende Funktion. Die per Knopfdruck geistig Ausgereisten empfanden auch ihre Freiheitsberaubung als weniger schmerzhaft.

In der auf Ausbürgerung und Schriftstellerprotest folgenden Pressekampagne feierte die zum System gewordene Schizophrenie der DDR-Öffentlichkeit ihren traurigen Höhepunkt. Mit der Wochenendausgabe des »Neuen Deutschland« vom Sonnabend, dem 20. November 1976, setzte eine Flut von Gegenerklärungen ein. Eine ganze großformatige ND-Seite war gefüllt mit Erklärungen von Bürgern aller Bevölkerungsschichten. Darunter befanden sich seltsam gewundene Widerrufe, wie von dem bekannten Schauspieler Ekkehard Schall oder dem Bildhauer Fritz Cremer, begeisterte Zustimmungserklärungen von systemtreuen Schriftstellern und Erklärungen von angeblichen Werktätigen. Das eigentlich Merkwürdige an dieser Kampagne bestand in der Tatsache, daß das

7 So auch der Befund einer systematischen Erhebung von Hans-Jürgen Wensierski, Mit uns zieht die alte Zeit. Biographie und Lebenswelt junger Bürger im gesellschaftlichen Umbruch (Biographie und Gesellschaft. 21), Opladen 1994; andere Autoren kommen zu divergierenden Resultaten.

corpus delicti, nämlich der Protestbrief der zwölf an das ZK der SED, niemals in der DDR erschienen war, aber von allen Briefeschreibern im Wortlaut gekannt oder doch indirekt als bekannt vorausgesetzt wurde. Noch befremdlicher waren die vielen persönlich gefärbten Beschimpfungen, die sogar mit Details aus Biermanns Biographie aufwarteten. Alle kannten Biermann, der doch seit 1965 in der DDR mit keinem gedruckten oder gesendeten Wort mehr erwähnt worden war. Er wurde nun als »Schriftsteller« in distanzierenden Ironiezeichen bezeichnet. Diese Schreibweise erinnerte viele Leser an das in der DDR vielgelesene Buch »LTI«, in welchem Victor Klemperer diese Manier als Kennzeichen der Sprache des Dritten Reiches aufgespießt hatte. In der Tat waren auf den Ausbürgerungslisten der Jahre nach 1933 die Bezeichnungen Schriftsteller und Künstler oft in Gänsefüßchen gesetzt worden.

Am Montag, dem 22. November 1976, steigerte sich der Umfang der Kampagne auf zweieinhalb Großseiten. Bereits in den frühen Morgenstunden war das Zentralorgan an den Kiosken ausverkauft, und zum ersten Mal wurden die Pflichtabonnenten der Parteizeitung beneidet. Selten ist das ND so sorgfältig gelesen und so intensiv kommentiert worden. Die Seltsamkeiten der Gegenerklärungskampagne steigerten sich zur Groteske. Nun meldeten sich unter der Rubrik »Wir Arbeiter lassen unseren Staat nicht beschmutzen« auch Angehörige der führenden Klasse zu Worte. Die Frauenbrigade »Otto Nagel« aus dem Kabelwerk Oberspree unterschrieb einmütig eine Erklärung, in der es hieß: »Wer unseren Staat der Arbeiter und Bauern mit Dreck bewirft, der hat ein für allemal das Recht verwirkt, Staatsbürger der DDR zu sein.« – »So einfach ist das?« fragten sich viele Leser, die sich nichts sehnlicher wünschten als die Aberkennung der Staatsbürgerschaft. Der Schiffbauer Udo E. aus Wismar meinte beispielsweise: «Mit seinem Auftritt in Köln hat Biermann sein wahres Gesicht gezeigt.« Und Werner K. von der Technischen Gebäudausrüstung schrieb: »Sein Auftreten dokumentiert, daß er ein Feind unserer Republik ist.« Hatten Udo E. und Werner K. etwa heimlich Westfernsehen geguckt, oder woher wollten sie das so genau wissen?

Ganz sicher hat diese Übersteigerung der Distanzierungskampagne der SED-Führung sehr geschadet. Viele junge Leute hörten zum ersten Mal von dem Liedermacher Biermann, dessen Lieder auch in den Westmedien bis zum Zeitpunkt seiner Ausbürgerung nicht gerade überrepräsentiert waren. Biermanns Popularität hatte im Grunde seinen Höhepunkt in der zweiten Hälfte der sechziger Jahre erreicht, und sein Stern war 1976 eher im Sinken begriffen. Die Jahre der Isolation waren nicht ohne Spuren geblieben. Nun änderte sich das dank Ausweisung, Protest und Gegenprotest schlagartig. Die mediale Resonanz auf die Biermann-

Ereignisse zeigte im Grunde, daß es trotz aller Abgrenzungsbemühungen auch dreißig Jahre nach der Teilung Deutschlands immer noch eine gesamtdeutsche Medienlandschaft gab. Es gab einen zwar gestörten, aber doch funktionierenden Kreislauf von Informationen und Meinungen. Mehr noch: Mit dem im November 1976 beginnenden Exodus vieler Schriftsteller begannen die künstlichen Grenzen zwischen DDR-Literatur und BRD-Literatur zu verschwimmen. Es ist ein gutes Beispiel für den »dialektischen Materialismus«, daß gerade Biermann, der in den ersten Jahren nach der Ausbürgerung nicht müde wurde zu betonen, er sei ein DDR-Schriftsteller im BRD-Exil, zum Erhalt einer einigen deutschsprachigen Literatur beigetragen hat. Stacheldraht und Mauer haben den »medialen« Zusammenhang zwischen Ost und West eher verstärkt als befördert.

Öffentlichkeitssurrogate

Die Scheinöffentlichkeit manifestierte sich in den verborgenen Winkeln und Gassen der Gesellschaft, aber auch in den Katakomben und Kloaken des Gemeinwesens. Ihre anarchische Form fand sie in Gerüchten, Witzen, Wandersagen und Schmierereien an Toilettenwänden. Sie besaß aber nicht nur eine subversive Potenz, sondern auch eine Ersatzfunktion, die auf die anderen Formen der Kommunikation zurückwirkten und deshalb beispielsweise vom MfS sehr aufmerksam registriert wurden.

Das politische Gerücht war eine weitere für die DDR charakteristische Form mündlicher Volkskultur.[8] Dort, wo man den freien Austausch von Waren und Dienstleistungen reglementiert, entsteht eine Schattenwirtschaft, und dort, wo man die offene Verbreitung von Nachrichten und Meinungen unterdrückt, blüht das Gerücht, sozusagen als schwarzer Markt der Information. Im Gegensatz zum Witz, dessen ambivalente Eigenschaften es teilt, bezieht es sich in der Regel auf bevorstehende Ereignisse und beruft sich auf Quellen aus dem inneren Kreis der Macht. Doch die Gerüchte betrafen durchaus nicht nur die politische Sphäre. Da die Medien den Eindruck erwecken sollten, Kriminalität sei eine dem Sozialismus fremde Erscheinung, kam sie in der offiziellen Berichterstattung kaum vor. Zumindest unterlagen entsprechende Informationen einer strengen Reglementierung vor allem durch die Abteilung Presse und Kultur des MfS. Das hatte zur Folge, daß Mordfälle, Sexualdelikte und ähnliche Verbrechen die Phantasie der Bürger über Gebühr anreg-

8 Jean-Noel Kapferer, Gerüchte. Das älteste Massenmedium der Welt, Leipzig 1996.

ten. Gelegentlich versuchte die Obrigkeit, dem entgegenzusteuern, indem sie die Lehrer auf internen Sitzungen mit der Behauptung konfrontierte, der »Gegner« habe solche Vorkommnisse in die Welt gesetzt, um den abendlichen Besuch von Versammlungen der Massenorganisationen zu sabotieren.

Das Fehlen einer Boulevardpresse förderte die Klatschkultur über das Leben der Prominenten aus Politik und Kultur.

Der Außenseiter Biermann nahm in dieser Klatschkultur einen prominenten Platz ein. Als Partner der populären Schauspielerin Eva-Maria Hagen, »Stiefvater« des aufstrebenden Popstars Nina Hagen, Freund und Bekannter vieler Prominenter und nicht zuletzt als Kindheitsfreund der »First Lady« und Volksbildungsministerin Margot Honecker gab es über Biermann mehr Stoff als genug. Natürlich war auch der Schnüffeldienst der Stasi auf diesem Feld aktiv.

Nach der Ausbürgerung Wolf Biermanns im November 1976 stellte das MfS eine kleine Schrift zusammen, die nachteilig gefärbte Informationen zu seinem Lebenswandel enthielt.[9] Die SED-Funktionäre verbreiteten diese Angaben auf mündlichem Wege, um die ideologisch sauberen Genossen mit Argumenten zu versorgen, die unter die Gürtellinie zielten. »Merkmale Biermannscher ›Gedichte‹«, hieß es da, »sind die vulgäre Sprache, seine primitiven und ordinären sprachlichen Mittel. Offensichtlich glaubt er, so die Sprache der Arbeiter zu treffen. Er verletzt und beleidigt vor allem die Arbeiter, für die er zu sprechen vorgibt.«[10] Dann folgte der Einblick in seine finanzielle Situation: »Biermann erhielt von den Abnehmern seiner Machwerke in der BRD und anderen imperialistischen Staaten hohe Honorare. Allein die Einnahmen aus der öffentlichen Nutzung seiner Machwerke betragen jährlich über 30.000 DM. Noch höhere Summen zahlten ihm Verlage und Publikationsorgane wie z. B. Nachrichtenmagazine, Zeitungen und Zeitschriften, Rundfunk- und Fernsehanstalten imperialistischer Staaten für seine hetzerischen Artikel, Interviews und Auftritte sowie der amerikanische Schallplattenkonzern ›CBS‹ mit seinen Hetzsendungen.«[11] Den Höhepunkt bildete ein voyeuristischer Blick in das verworfene Privatleben des ideologischen Taugenichts: »Er konnte trotz des von westlichen Massenmedien hochgespielten ›Berufsverbots‹ in der DDR gut leben. Er war Nutznießer aller sozialökonomischen Erfolge der DDR, besaß den jeweils modernsten

9 BStU, ZA, MfS, Bestand Mielke, Ordner 412, Information zur Charakterisierung Wolf Biermanns und seines feindlichen Wirkens vom 25.11.1976.

10 Ebd., Bl. 5.

11 Ebd., Bl. 13.

Pkw, ein Motorboot, und konnte sich ein eigenes Grundstück leisten. Darüber hinaus verfügte er über ein beträchtliches Bankkonto. Für seinen persönlichen Lebenswandel ist u.a. auch seine Einstellung gegenüber Frauen kennzeichnend, die sich in vielen Intimbeziehungen, in häufig wechselnden Frauenbekanntschaften ausdrückt. Er muß für mehrere uneheliche Kinder Unterhalt zahlen. Selbst noch sehr junge Mädchen, die für ihn gewisse Sympathien empfanden, hat er schamlos ausgenutzt und ihre Empfindungen mißbraucht. Seine jetzige Ehefrau hat schon vor einigen Wochen auf Ehescheidung geklagt, diese Klage lediglich als Ergebnis falsch verstandener ›Solidarität‹ jetzt zurückgezogen.«[12]

Oppositionelle Gegenöffentlichkeit

Oft ist zu lesen, Biermanns Kölner Konzert am 13. November 1976 wäre der erste öffentliche Auftritt seit elf – oder weil es sich besser anhört – seit zwölf Jahren gewesen. Das ist nicht richtig. Am 9. September 1976 trat der Sänger in der Nikolaikirche in Prenzlau auf. Er selbst hatte darüber einen Brief an seine Mutter geschrieben, der im »Spiegel« abgedruckt und im SFB am 21. September 1976 verlesen wurde.

Der Auftritt Biermanns in Prenzlau fand drei Wochen nach der Selbstverbrennung des Pfarrers Oskar Brüsewitz auf dem Marktplatz von Zeitz statt. Die Stimmung bei jungen Kirchenbesuchern war angesichts der unsäglichen Hetzkampagne des Staates und der schwankenden Haltung der Kirchenleitungen hochgradig aufgeladen. Biermann sprach ausführlich über den Opfertod des Pastor Brüsewitz, den er als eine »Flucht in den Tod« bezeichnete.[13] Dann sang er zum ersten Mal öffentlich das Lied mit der bekannten Schlußzeile »Ich möchte am liebsten weg sein/und bleibe am liebsten hier«, das wie kaum ein anderes das Lebensgefühl einer ganzen Generation traf.[14]

Aus der Rückschau kann man sagen, daß der tragische Tod des Landpfarrers Brüsewitz der Anfang jener spezifischen Kirchenopposition war, die dreizehn Jahre später zum Kristallisationspunkt der friedlichen Revolution im Herbst 1989 werden sollte. In den kirchlichen Räumen trafen sich damals zwei Traditionslinien, die einander ideologisch und lebensgeschichtlich gänzlich fremd waren. Auf der einen Seite standen junge Leute, die sich angesichts der globalen Bedrohung auf die Bergpredigt

12 Ebd., Bl. 13.
13 Zitiert nach: Biermann und kein Ende, S. 80.
14 Biermann, Alle Lieder, S. 280.

beriefen, deren oberstes Credo die Gewaltlosigkeit war, die sie über jedes politische Ziel stellten. Auf der anderen Seite standen marxistisch geprägte junge Leute, die sich in ihrer Kritik am SED-Staat auf die Klassiker des Marxismus-Leninismus beriefen und denen zumindest in der Theorie Gewaltanwendung keineswegs fremd war. Gerade Biermann sah sich selbst als Revolutionär, als Marxist und Kommunist.

»Ich sagte, als ich hierher fuhr«, schrieb Biermann in dem Brief an seine Mutter in Hamburg, »was kann ein Kommunist diesen DDR-Christen schon erzählen, soll ich von unseren Gemeinsamkeiten reden? Warum habe ich in all den 11 Jahren meines Berufsverbots die vielen Angebote, in der Kirche aufzutreten, abgelehnt? Warum habe ich es jetzt und zum ersten Mal gemacht? [...] Soweit ich es von außen sehe, gibt es in der Kirche der DDR eine Gruppe meist älterer, reaktionärer Menschen, die gegen jede Art von Sozialismus giften. Sie haben zum Glück kaum Einfluß auf das, was in diesem Land los ist. Es gibt eine andere Gruppe von sogenannten fortschrittlichen Christen, die um einer ärmlichen Karriere willen der stalinistischen Bürokratie zum Munde reden. Auch diese Leute spielen in unserem Land keine gute oder gar keine Rolle. Wenn die Kirche überhaupt und zum Nutzen der DDR eine Chance hat, dann meiner Meinung nach, nur als eine rote Kirche. Eine Kirche, die sich besinnt und so eine christlich-kommunistische Kritik an unseren Verhältnissen übt und so eine Position einnimmt, die wirklich fortschrittlich ist und aufbauend ist. Ich weiß nicht [...] ob meine Genossen im ZK, Abteilung Kirchenfragen entzückt über eine solche rote Kirche wären.«[15]

Wir wissen heute, daß Biermanns Genossen im ZK nicht entzückt waren. Daß das Konzert in Prenzlau in den unmittelbaren Entscheidungsprozeß bezüglich der Ausbürgerung eingeflossen ist, kann nur vermutet werden. Doch das historische Bündnis, das der Sänger mit leichter Hand skizziert, erkannte die SED-Führung klarsichtig als große Gefahr. In den Kirchen sollte sich in den kommenden Jahren aus der Halböffentlichkeit der kulturellen und wissenschaftlichen Debatten eine echte Gegenöffentlichkeit entwickeln, ein Raum also, der nicht unter Kontrolle des Staates stand, in dem trotz aller Spitzel ein angstfreier Diskurs stattfinden konnte. Ein Sänger wie Biermann war das letzte, was sich der Staat in diesem unkontrollierten Raum wünschen konnte.

15 Zitiert nach: Biermann und kein Ende, S. 80 f.

Der Skandal und seine Folgen

So war die Ausbürgerung Biermanns ein Zeichen von Schwäche und Hilflosigkeit der SED-Führung. Hätten ihn Stasi-Agenten aus dem Fenster seiner Wohnung in der Chausseestraße geworfen oder ihn während einer Fahrt mit seinem Segelboot über Bord gehen lassen und im Greifswalder Bodden ersäuft, wäre die internationale Empörung sicherlich noch heftiger gewesen. Auch eine gewaltsame Ausweisung hätte viel Aufsehen erregt. Doch der peinliche Akt, den Sänger in den Westen fahren zu lassen und ihm dann hämisch grinsend die Tür vor der Nase zuzuschlagen, hat die DDR unsterblich blamiert.

Man hat auch darüber diskutiert, ob es aus der Sicht des SED-Politbüros falsch oder richtig war, den Liedermacher vor die Tür zu setzen. Wie die SED-Führung auch immer gehandelt hätte, sie konnte angesichts der Umstände nicht mehr richtig handeln. Anders ausgedrückt: Eine Diktatur kann keine Fehler machen, weil sie der Fehler ist. Die offene Gesellschaft kommerzialisiert den Skandal. Selbst die Fundamentalkritik an einer alles zur Ware machenden Gesellschaft hat ihren Marktwert. Es gibt aus dieser Logik kein Entrinnen. Doch die Demokratie macht den Skandal auch produktiv, verwandelt sein destruktives Potential in positive Impulse. Die geschlossene Gesellschaft dagegen verdrängt den Skandal in den Untergrund der Halböffentlichkeit, instrumentalisiert ihn für neue Unterdrückung und geht daran zugrunde. Man hat die Biermann-Ausbürgerung und die darauffolgenden Proteste den »Anfang vom Ende der DDR« genannt.[16] Das mag so gewesen sein oder auch nicht. Die gescheiterte Diktatur besteht aus lauter letzten Tagen und die siegreiche Demokratie aus lauter ersten Tagen – jedenfalls im Rückblick. Doch damals hat wohl niemand vom baldigen Ende der DDR geredet. Die Biermann-Ausbürgerung und die darauf folgende Erregung wurden eher als ein Endpunkt denn ein Aufbruch empfunden.

Die Partei praktizierte eine geschickte Taktik der Schadensbegrenzung. Zunächst differenzierte sie zwischen prominenten Protestlern, die sie höflich und vorsichtig ersuchte, von ihrem Standpunkt abzurücken, und unbedeutenderen DDR-Bürgern, die sie wegen des gleichen Vergehens verhaften und für Jahre ins Gefängnis stecken ließ. Dann begann die Welle der Ausreisen. Eva-Maria Hagen, frühere Ehefrau Biermanns, und ihre Tochter, die in der DDR durchaus angesehene Sängerin Nina Hagen, machten den Anfang. Kurz darauf folgte der Schriftsteller Thomas Brasch.

16 Die Ausbürgerung. Anfang vom Ende der DDR, hrsg. von Fritz Pleitgen, Berlin 2001.

Obwohl auch schon vorher einzelne Künstler die DDR legal in Richtung Westen verlassen hatten, entwickelte sich nun der Exodus zur Massenerscheinung und sollte bis zum Ende des Staates nicht mehr abreißen.

Der eigentliche Anlaß des Protests war schnell vergessen. Biermann blieb in der Bundesrepublik, die Fronde der Schriftsteller zerfiel, ehe sie politische Wirkung erzielen konnte, und jeder ging jetzt seinen eigenen Weg. Viele führte er außer Landes, andere in die Isolation, dritte in einen wankelmütigen Opportunismus. Das Zerbrechen jeder Gemeinsamkeit konnte der SED-Führung nur recht sein, half es doch, die Schaffung von »Märtyrern« zu verhindern. Im Rückblick wertete auch Günter de Bruyn die Vorgänge in diesem Sinne: »Die Protestierer, oder besser: Petitionisten verstanden sich in der Mehrzahl weder als Opposition noch als Gruppe. Sie hatten sich zu diesem einen Zweck zusammengefunden, ohne die Absicht, Auftakt zu einer Bewegung zu sein. Was die Individualisten verband, war die Ablehnung des Ausbürgerungsaktes, nicht die des Regimes. Die Staatsführung hatte es deshalb leicht, die Gruppe, die keine war, aufzulösen. Sie brauchte den Individualisten nur ihre individuellen Interessen vor Augen zu führen, indem sie individuell vorging und kollektive Bestrafungen vermied. Durch differenzierte Behandlung machte sie die sowieso bestehenden Differenzen in Ansichten, Absichten und Bevorzugungen deutlich, so daß keine erneute Gemeinsamkeit durch Strafen oder Benachteiligung entstand. Als die Sanktionen beendet waren, saßen die einen, die Unbekannten, in Gefängnissen, oder sie hatten beruflich und finanziell Nachteile erlitten; die mehr oder weniger Prominenten aber hatten zum größten Teil lediglich ihre Ehrenämter verloren und wurden, soweit sie der Partei angehörten, von dieser für das gleiche Vergehen in unterschiedlicher Weise bestraft. Es gab Rügen, strenge Rügen, Streichungen und Ausschlüsse für die Genossen, aber keine Ausschlüsse aus den Künstlerverbänden. Hier wurden die Bösewichter lediglich aus den Vorständen entfernt.«[17]

Osteuropäische Schriftsteller waren zu verschiedenen Zeiten zur Stimme des unterdrückten Volkes geworden. Doch dies hatten die Protagonisten des Schriftstellerprotestes gar nicht beabsichtigt. Stefan Heym schilderte in seinen Tagebüchern sehr ehrlich, daß ihn die Anrufe und Solidaritätsbekundungen aus allen Teilen der Bevölkerung eher belästigten. Er wollte kein Volkstribun sein, sondern sehnte sich an seinen Schreibtisch zurück.[18] Wie er war die gesamte etablierte Schriftsteller-Elite nicht bereit

17 Günter de Bruyn, Vierzig Jahre. Ein Lebensbericht, Frankfurt a.M. 1996, S. 215 f.

18 Stefan Heym, Der Winter unsers Mißvergnügens. Aus den Aufzeichnungen des OV Diversant, München 1996.

oder nicht in der Lage, die Funktion eines öffentlichen Sprachrohrs des Bürgerprotestes zu übernehmen, zumal ihr das Zuckerbrot des Westreise-Privilegs winkte. Viele der aufsässigen Literaten verließen auf Zeit oder für immer die DDR. Andere reisten mit Dauervisum durch die Welt. Die Gemaßregelten wurden durch Reisepaß mit oder ohne Rückkehrerlaubnis faktisch zu Bevorzugten des SED-Staates. Jedenfalls hielt sich das Mitleid der Zurückbleibenden in Grenzen. Zwischen der seit den späten siebziger Jahren im Schutzraum der Kirche entstehenden Opposition und den kritischen Literaten entstand eine seltsame Kommunikationslosigkeit, die über das Ende der DDR fortdauert.

Keiner der bekannten DDR-Schriftsteller spielte in der Opposition irgendeine wichtige Rolle. Weder stellten sich die prominenten Literaten schützend vor die kleinen Grüppchen, die es wagten, den Staat herauszufordern, noch spielten ihre literarischen Werke oder öffentlichen Stellungnahmen vor dem Oktober 1989 irgendeine Rolle. Erst als die Steinchen des Unwillens die Lawine der Volksrevolution ausgelöst hatten, versuchten die Helden des November 1976, sich an die Spitze der Bewegung zu stellen. Teilweise allerdings geschah dies nur allzu deutlich in der Absicht, zu retten, was nicht mehr zu retten war. So gehörten Christa Wolf, Stefan Heym und Volker Braun am 29. November 1989 zu den Erstunterzeichnern des bekannten Aufrufs »Für unser Land«, in dem der Erhalt der DDR als »sozialistische Alternative zur Bundesrepublik« gefordert wurde. Selbst als sich der Generalsekretär der SED, Egon Krenz, eilfertig dem Aufruf anschloß und das Papier zwecks kollektiver Unterzeichnung durch den Partei- und Staatsapparat »durchgestellt« wurde wie in alten Zeiten, wurden die sozialistischen Träumer nicht wach. Wer wieder aus der Reihe tanzte, war Biermann. Der verlorene Sohn kehrte mit seinem Konzert in der Leipziger Messehalle am 1. Dezember 1989 zurück ins ungeliebte Vaterland und sang sein optimistisches Totenlied auf die »verdorbenen Greise« aus dem Wandlitzer Bonzen-Ghetto. Schon 1965 hatte er ihnen prophezeit: »Im ›Neuen Deutschland‹ finde ich/tagtäglich eure Fressen/Und trotzdem seid ihr morgen schon/Verdorben und vergessen«.[19] Nun wurde sein Auftritt in Leipzig neuerlich zum Skandal. Er sang von Egon Krenz, immerhin Oberhaupt eines immer noch souveränen Staatswesens: »Du hast ja die Panzer in Peking bejubelt/Ich sah dein Gebiß beim Massenmord […] Du bist unsere Stasi-Metastase/am kranken Körper der Staatspartei.«[20] Sogar westliche Pressestimmen meinten,

19 Biermann, Alle Lieder, S. 166 f.
20 Ebd., S. 412.

der Liedermacher müsse sich bei Egon Krenz entschuldigen. Doch der schnelle Machtverfall der SED machte die bizarre Idee obsolet. Biermann hat den Skandal immer gewollt – auch wenn er als Künstler darunter gelitten haben mag. Er hat ihn gebraucht und benutzt, denn allein durch allgemeines Aufsehen, durch Ungehörigkeit und durch die Erregung medialer Neugier schuf er jene Öffentlichkeit, die ihn schützte, die der totalitären Macht schadete und die diese Macht schließlich in ihrer Substanz traf. Der Skandal in der Diktatur ist subversiv und destruktiv. Er ist der Sand im Getriebe der wohlgeschmierten Maschinerie der Unterdrükkung, die gezielte Regelverletzung angesichts allmächtiger Regularien, der organisierte Störfall im reibungslosen Ablauf der Machtausübung. Wo Widerspruch Skandal ist, da ist der Skandal notwendig. Keiner hat dies intensiver durchlitten als Biermann, der schon 1965 in seiner »Ballade für einen wirklich tief besorgten Freund« auf den Vorwurf, er sei vielleicht »ein bißchen zu weit gegangen«, mit den in der DDR fast sprichwörtlich gewordenen Gedichtzeilen antwortete: »Mein Lieber, das kommt von der Arbeitsteilung:/Der eine schweigt, und der andere schreit/Wenn solche, wie du entschieden zu kurz gehen/Dann gehen eben andre ein bißchen zu weit!«[21]

21 Ebd., S. 203.

Martin Sabrow

Die Wiedergeburt des klassischen Skandals

Öffentliche Empörung in der späten DDR

Skandale in der Diktatur sind Skandale der Diktatur – entweder von oben inszeniert und als politisches Machtinstrument eingesetzt oder umgekehrt von unten gegen die Machthaber und ihr Öffentlichkeitsmonopol gerichtet. In durchherrschten Gesellschaften ist »der Mißstand« ein politischer Machtfaktor von besonderer Bedeutung, dessen öffentliche Resonanz je nach Stärke und Charakter des Regimes die diktatorische Herrschaft befestigen helfen kann oder ihr zur Last fällt. In dieser Antinomie bewegte sich mit anderen Diktaturen des 20. Jahrhunderts auch der SED-Staat, der aber zudem über seine gesamte Existenzdauer hinweg mit einer westlichen Parallelöffentlichkeit auszukommen hatte, die den Kampf um die ›Skandalhoheit‹ nachhaltig beeinflußte. Zum Alltag der DDR gehörte die Präsenz der bundesdeutschen Medien, und deren Einfluß auf die fernsehende und Radio hörende DDR-Bevölkerung war weder durch aktive Repression noch durch passive Duldung zu stoppen. Die Trias von Mißstand, Aufsehen und Empörung bedrohte die Herrschaftslegitimation des Realsozialismus in zugespitzter Weise und zwang das Regime immer wieder zu einem reaktiven Handeln, dessen Bandbreite zwischen repressiver Erstickung, kanalisierender Eindämmung und ohnmächtigem Zurückweichen lag. Die folgende Betrachtung ist der Frage gewidmet, wie sich das Wechselspiel von öffentlicher Entrüstung und staatlicher Entgegnung in der späten DDR veränderte und auf welche Weise es zur inneren Aushöhlung und schließlich zum Zusammenbruch der SED-Herrschaft beitrug.

I. Zur Anatomie eines unterdrückten Skandals: Der Fall Brüsewitz

Als Ausgangspunkt möge ein skandalmachender Vorgang aus der Zeit der noch stabilen SED-Herrschaft dienen: die öffentliche Selbstverbrennung des Pfarrers Oskar Brüsewitz in der Innenstadt von Zeitz am 18. August 1976. Der 47jährige Brüsewitz, der seit 1970 eine Pfarrstelle im sächsischen Rippicha versah, besaß keine überregionale Bekanntheit. Dennoch trug seine aufsehenerregende Tat, deren Folgen er wenige Tage später erlag, alle erforderlichen Voraussetzungen in sich, um die bloße Nachricht in einen politischen Skandal von nicht abzuschätzender Dynamik zu verwandeln: Schon das Geschehen selbst bedeutete einen denkbar krassen Verstoß gegen die Normen einer Glaubensgemeinschaft,[1] die den Selbstmord seit alters her ächtete und das Handeln ihres Priesters als inszeniertes Sakrileg empfinden mußte. Brüsewitz' Handlung erinnerte darüber hinaus nur allzu deutlich an das Opfer des tschechischen Studenten Jan Palach, der sich im Januar 1969 aus Protest gegen die gewaltsame Beendigung des Prager Frühlings durch Truppen des Warschauer Paktes auf dem Prager Wenzelsplatz verbrannt hatte,[2] und sie erinnerte in der verzweifelten Kompromißlosigkeit dieser Selbstvernichtung an eine nicht weit zurückliegende Mitleidlosigkeit der Konfrontation zwischen Mensch und System im Zeitalter des Kalten Krieges.

Tatsächlich hatte Brüsewitz seine Tat als ›Fanal‹[3] gegen die Gottlosigkeit der SED-Diktatur verstanden wissen wollen. Die Anklage gegen einen aus seiner Sicht skandalösen Mißstand in der DDR verkörperte er um so glaubhafter, als er wie nur wenige seiner Amtsbrüder »in seiner offensiven, militanten Theologie«[4] hinhaltenden Widerstand gegen die

1 Während der Verhandlungen zwischen Staat und Kirche über den Umgang mit dem Fall Brüsewitz wiesen Kirchenvertreter darauf hin, »daß die Selbstverbrennung eines Pfarrers in der Geschichte der evangelischen Kirche seit ihrem Bestehen völlig einzigartig sei«. Zusammenfassender Bericht für die Kirchenleitung, 18.-24.8.1976, in: Harald Schultze (Hg.), Das Signal von Zeitz. Reaktionen der Kirche, des Staates und der Medien auf die Selbstverbrennung von Oskar Brüsewitz 1976, Leipzig 1993, S. 104-127, hier S. 126. Zwei Jahre später fand Brüsewitz in dem Falkensteiner Pfarrer Rolf Günther einen Nachfolger, der sich am 17.9.1978 während des Gottesdienstes vor dem Altar seiner Kirche verbrannte. Gerhard Besier, Der SED-Staat und die Kirche 1969-1990. Die Vision vom »Dritten Weg«, Frankfurt a.M. 1995, S. 261 ff.

2 Diesen Zusammenhang rief der Staatssekretär für Kirchenfragen Seigewasser bereits in seiner ersten Besprechung mit der Kirchenleitung nur wenige Stunden nach dem Suizidversuch von Brüsewitz in Erinnerung. Zusammenfassender Bericht für die Kirchenleitung, 18.-24.8.1976, in: Schultze (Hg.), Das Signal von Zeitz, S. 104-127, hier S. 108.

3 So auch der Titel einer ihm gewidmeten Studie: Helmut Müller-Enbergs/Heike Schmoll/Wolfgang Stock, Das Fanal. Das Opfer des Pfarrers Brüsewitz und die evangelische Kirche, Frankfurt a.M./Berlin 1993.

4 Karl-Adolf Zech, Er traf den Nerv. Die Selbstverbrennung von Oskar Brüsewitz im August 1976 und die Folgen, in: Deutschland Archiv 29 (1996), S. 587-607, hier S. 588.

Von abnormaler Handlung distanziert

Magdeburg (ADN). Am Mittwoch unternahm der evangelische Pfarrer der Provinz-sächsischen Kirche aus dem Kreis Zeitz, Oskar Brüsewitz, einen Selbstmordversuch. Westliche Nachrichtenagenturen und Fernsehstationen nutzen diesen Selbstmordversuch zu einer verleumderischen Hetze gegen die DDR. Wie aus vorliegenden Erklärungen des zuständigen Kirchgemeinderates, des Kreiskirchenrates in Zeitz und von verantwortlichen Mitgliedern der Kirchenleitung in Magdeburg hervorgeht, war Pfarrer Brüsewitz ein abnormal und krankhaft veranlagter Mensch, der oft unter Wahnvorstellungen litt. Ihm wurde daher von zuständigen kirchlichen Leitungen mehrfach nahegelegt, einen Wechsel in seinem Amt vorzunehmen. Vertreter der Kirchenleitungen in Magdeburg und in Zeitz haben erklärt, daß sie sich von der Handlungsweise des Pfarrers Brüsewitz distanzieren.

Neues Deutschland, 21.8.1976

staatliche Bedrückung der Kirche in der DDR geleistet hatte. Der abgelegene Ort Droßdorf-Rippicha, in den Brüsewitz nach Beendigung seines Vikariats 1970 als Pfarrer geschickt worden war, galt seit jeher als »unkirchliche Gemeinde«, deren verwahrloste Kirche sonntags meist nur einen oder zwei Gottesdienstbesucher sah.[5] In ihr missionierte der neue Geistliche mit einem Elan, der ihn schnell in Konflikt mit der Staatsgewalt brachte. Ein am Kirchturm angebrachtes und weithin leuchtendes Neonkreuz, das Brüsewitz erst wieder abnehmen wollte, wenn der Sowjetstern nicht mehr strahle, provozierte die SED-Behörden ebenso wie die eigenmächtige Gründung eines Evangelischen Kindergartens und gar eines »Missionszentrums« in Rippicha.[6] Der wegen seiner Unerschrok-

5 Wolfgang Stock, In Rippicha, in: Müller-Enbergs/Schmoll/Stock, Das Fanal, S. 59-83, hier S. 59.

6 Eine vom Rat des Kreises Zeitz unmittelbar nach Brüsewitz' Selbstverbrennung aufgestellte Liste des Fehlverhaltens reichte vom Vergleich der »DDR mit der faschistischen Diktatur« bis zum Vorwurf, einer Demonstration zu Ehren der Grundsteinlegung einer örtlichen Polytechnischen Oberschule den Rücken gekehrt zu haben, um Schafe zu füttern. »Dies war eine große Beleidigung und Provokation.« Information des Kreises Zeitz, 18.8.1976, in: Schultze (Hg.), Das Signal von Zeitz, S. 144-146, hier S. 144 f.

kenheit in der Gemeinde bewunderte, aber in der Magdeburger Kirchenleitung sehr umstrittene Pastor forderte seine weltlichen Gegenspieler mit gezielten Aktionen immer weiter heraus und isolierte sich dadurch zusehends in der örtlichen Bevölkerung, aber auch in der Kirche, die ihn als Belastung für die Hoffnung auf Entspannung der Staat-Kirche-Beziehungen empfand und zunehmend auf einen Ortstellenwechsel des unbequemen Gemeindehirten drang.

Angesichts dieser Vorgeschichte war davon auszugehen, daß die Nachricht vom plötzlichen Freitod des engagierten Christen zumindest in seinem unmittelbaren Umfeld auch dann mit Erschütterung aufgenommen worden wäre, wenn Brüsewitz ihn in aller Stille gesucht hätte. Der Pfarrer aber hatte im Gegenteil selbst denkbar umsichtige Vorbereitungen betrieben, um seinen Selbstmord zum Skandal werden zu lassen, und sein Vorhaben geschickt zwischen dem Zwang zur Geheimhaltung der Absicht und dem Willen zur Publizität der Wirkung vorangetrieben.[7] Wann Brüsewitz den Entschluß faßte, seinen Protest gegen die Drangsalierung der Kirche in der SED-Diktatur durch die öffentliche Selbstauslöschung zum Ausdruck zu bringen, ließ sich auch im nachhinein nicht feststellen, da er niemandem seinen Entschluß offenbart hatte; allerdings hatte er bereits Monate zuvor diskrete Erkundigungen über die Wirkung von Hautverbrennungen durch flüssige Brennstoffe wie Öl oder Benzin eingezogen. Am Morgen seines geplanten Selbstmordes jedenfalls verabschiedete er sich wie gewöhnlich von seiner Familie und machte hier wie bei der folgenden Erledigung von Haushaltsbesorgungen keineswegs den Eindruck, daß er mit seinem Leben abzuschließen gewillt sei. Gewohnter Tagesroutine folgte er auch mit seiner vormittäglichen Fahrt nach Zeitz; die zur Ausführung seines Entschlusses benötigten Hilfsmittel hatte er verdeckt in seinem »Wartburg«-Kombi untergebracht.

Zugleich aber hatte Brüsewitz Anstalten getroffen, die sicherstellen sollten, daß seine Tat öffentliche Aufmerksamkeit finden würde und nicht von staatlicher oder kirchlicher Seite als tragischer Unfall oder innere Kurzschlußhandlung hingestellt werden könnte. Mehrere Tage zuvor hatte er sich zwei Aufsteller aus Holz gezimmert, um seinen Protest mit einer unübersehbaren Botschaft auszustatten, und unbemerkt auf der Empore seiner Kirche zwei Plakate gemalt, die sein Anliegen formulierten. Bevor er das Haus zum letzten Mal verließ, gab er einer Haushaltshilfe zwei Abschiedsbriefe in Verwahrung, die für seine Familie und seinen Kirchenkreis bestimmt waren, aber erst eine halbe Stunde später

7 Die folgenden Angaben nach Helmut Müller-Enbergs, Das Fanal, in: Ders./Schmoll/Stock, Das Fanal, S. 11-18.

weitergeleitet werden sollten und die den politischen Hintergrund seiner Tat unterstrichen. Um kurz nach zehn Uhr morgens in der Zeitzer Innenstadt angekommen, wählte Brüsewitz den belebten Platz vor der Michaeliskirche am Rand einer Fußgängerzone zur Ausführung seines Planes und versuchte die in seinem Auto mitgeführten Transparente so sichtbar wie möglich aufzustellen.

Daß das entscheidende Motiv für seinen Freitod in der Erringung öffentlicher Aufmerksamkeit für seine Anklage gegen die Diktatur zu suchen war und nicht in dem Wunsch, seinem Leben ein Ende zu setzen, geht daraus hervor, daß Brüsewitz in der sich zuspitzenden Situation die vorzeitige Überwältigung durch Sicherheitskräfte oder Passanten riskierte, um den von ihm gemalten Transparenten die größtmögliche Aufmerksamkeit zu sichern. Während 50 Meter entfernt bereits ein Oberstleutnant der Volkspolizei auf den Vorfall aufmerksam wurde und sich in Bewegung zu setzen begann, bemerkte Brüsewitz, daß eines seiner beiden Plakate verkehrtherum aufgestellt und damit für Umherstehende nicht gut lesbar war. Obwohl angesichts der sich nähernden Staatsgewalt mit jeder verstreichenden Sekunde die weitere Ausführung seines Plans in größere Gefahr geriet, versuchte Brüsewitz erst, den Fehler zu korrigieren, bevor er eine mit Benzin gefüllte Milchkanne über sich ausgoß und ein Streichholz anriß, das seine mit Benzin getränkte Kleidung augenblicklich in meterhohe Flammen setzte und den sächsischen Landpfarrer in eine lodernde Fackel verwandelte.

Sein weiteres Schicksal lag nun in den Händen anderer: eines herbeilaufenden Brigadiers, der ihm den Talar vom Körper zu reißen suchte; eines Busfahrers, der mit einer Decke herbeieilte; eines Soldaten, der dem Umherirrenden ein Bein stellte, um ihn zu Boden zu werfen und die Flammen zu ersticken. Aber Brüsewitz hatte alles ihm Mögliche getan, um die Entwicklungslogik eines politischen Skandals unter den Verhältnissen einer herrschaftsgesteuerten Öffentlichkeit in Gang zu setzen und der Staatsmacht alle Instrumente aus der Hand zu nehmen, mit denen sich die eigendynamische Entfaltung des Dreischritts von Ärgernis, Aufsehen und Lärm verhindern ließ. Die Größe des Mißstandes beschwor der Text der Plakate, die Brüsewitz mit sich geführt und am Ort seines Autodafés aufgestellt hatte: »Funkspruch an alle … Funkspruch an alle … Die Kirche in der D.D.R. <u>klagt</u> den Kommunismus an! wegen <u>Unterdrückung in Schulen an Kindern und Jugendlichen.</u>«[8] Auch zwei Jahre vor dem Staat-Kirche-Abkommen von 1978 war das eine kompromißlose

8 Schultze (Hg.), Das Signal von Zeitz, S. 19 u. nach S. 99, Abb. 9. Hervorhebungen im Original.

Sprache, die sich bei Differenzierungen nicht aufhielt. In der Antithese von »Kirche« und »Kommunismus« prangerte sie ein Unterdrückungsverhältnis an, das den ostdeutschen Kirchenkampf in die lange Geschichte des christlichen Martyriums einordnete und der protestantischen Anpassungsformel einer »Kirche im Sozialismus« das Gegenbild eines in der DDR mit Repressionen und Schikanen zielstrebig an den Rand gedrängten und zum allmählichen Erstickungstod verurteilten Christentums entgegenhielt.[9]

Mit gutem Grund konnte Brüsewitz auch annehmen, daß er das staatliche Öffentlichkeitsmonopol erfolgreich durchbrochen habe und es staatlichen wie kirchlichen Behörden unmöglich sein würde, seinen im wörtlichen Sinne flammenden Protest in die Privatheit eines tragischen Einzelschicksals abzuschieben. Noch während der Pfarrer mit den letzten Vorbereitungen beschäftigt war, hatte sich ein Menschenauflauf gebildet, der interessiert auf die aufgestellten Plakate sah und das weitere Geschehen verfolgte; als der Schwerverletzte dann in einem Krankenwagen abtransportiert wurde, waren bereits mehr als einhundert Menschen am Rand der Zeitzer Fußgängerzone versammelt.[10] Noch in der Notaufnahme äußerte Brüsewitz, daß er sein Leben für den Kampf gegen den Kommunismus opfere,[11] und in seinem Abschiedsbrief an den Pfarrkonvent des Kirchenkreises Zeitz führte er an, daß ein mächtiger Krieg zwischen Licht und Finsternis tobe.[12]

Tatsächlich gelang es der ostdeutschen Staatsführung nicht, den Fall Brüsewitz, der nach den späteren Worten Horst Sindermanns ›den Nerv traf‹,[13] mit Stillschweigen zuzudecken. Im Gegenteil wurde die Selbstverbrennung des Pfarrers Oskar Brüsewitz zu einer Weltnachricht, nachdem der »Deutschlandfunk« mit zweitägiger Verspätung am Nachmittag des 20. August 1976 über den Suizidversuch von Brüsewitz berichtet hatte, der zu dieser Zeit noch im Bezirkskrankenhaus von Halle mit dem Tode

9 Zum umfassenden Charakter der Anklage, die Brüsewitz gegen die DDR führte und die sich nicht auf eine bildungspolitische Unterdrückung der Jugend reduzierte, s. Harald Schultze, Dokumente aus den Archiven der Kontrahenten – Spiegelung eines Prozesses, in: Ebd., S. 13-69, hier S. 16.

10 Die Zahlenangaben differieren: 100 Teilnehmer schätzte ein erster innerkirchlicher Informationsbericht, 150 nannte die Kreisleitung der SED, und 300 werden in der jüngeren Forschungsliteratur angegeben. Müller-Enbergs, Das Fanal, S. 16.

11 Müller-Enbergs, Das Motiv – eine Spurensicherung, in: Müller-Enbergs/Schmoll/Stock, Das Fanal, S. 19-39, hier 32.

12 Oskar Brüsewitz, Abschiedsbrief, in: Ebd., S. 264.

13 Manfred Stolpe, Schwieriger Aufbruch, Berlin 1992, S. 119.

rang. Stunden später zog der Evangelische Pressedienst mit der Meldung über die »Verzweiflungstat eines Pfarrers in der DDR« nach, und am Abend desselben Tages berichtete das bundesdeutsche Fernsehen ausführlich über die Hintergründe des spektakulären Ereignisses. Nun reagierte auch die DDR-Nachrichtenagentur ADN mit einer Meldung über den »Selbstmordversuch«, um dem in den Folgetagen einsetzenden Trommelfeuer der westlichen Medien nicht sprachlos gegenüberzustehen. Zur Beisetzung des am 22. August seinen Verletzungen erlegenen Pfarrers reiste am 26. August eigens ein Kamerateam der ARD an, das die Öffentlichkeit an der Trauerfeier teilhaben ließ, zu deren Abschluß die versammelte Trauergemeinde und an ihrer Spitze achtzig Pastoren im Talar dem toten Pfarrkollegen das letzte Geleit gaben.

Im Westen schlugen die Wellen der publizistischen Empörung hoch und lösten eine langanhaltende Debatte in Presse und Fernsehen über die politische Bedeutung des Falles im Kontext der Entspannungspolitik aus, die noch ein Jahr später im Zuge der Errichtung eines antikommunistisch eingestellten »Brüsewitz-Zentrums« in Bad Oeynhausen im Juni 1977 fortgesetzt wurde. In der DDR hingegen fiel der erwartete Skandal ungeachtet seiner begünstigenden Voraussetzungen in sich zusammen, bevor er noch offen ausgebrochen war, obgleich er sich nach Einschätzung des Politbüros schließlich zu einem »der größten konterrevolutionären Akte« gegen die DDR auswuchs und später sogar den Weg zum Staat-Kirche-Abkommen von 1978 bahnen half.[14] In einem »Abschlußbericht« konnte die Kreisdienststelle Zeitz des Ministeriums für Staatssicherheit Ende 1981 mit Genugtuung feststellen, daß durch »die eingesetzten operativen Mittel und Methoden« die Wirksamkeit der im Zusammenhang mit dem Fall Brüsewitz erfaßten Personen »eingeschränkt und zurückgedrängt werden« konnte.[15] Der Flammentod des ostdeutschen Landpfarrers war nicht zu dem Fanal geworden, das er aufgrund der Schwere der mit ihm verbundenen Anklage, angesichts ihrer spektakulären Inszenierung und dank der Anteilnahme in der bundesdeutschen Parallelöffentlichkeit geworden wäre, wenn ihm nicht das Krisenmanagement der SED-Führung als stärkere Kraft entgegengewirkt hätte. Es erwies

14 Rudolf Mau, Eingebunden in den Realsozialismus? Die Evangelische Kirche als Problem der SED, Göttingen 1994, S. 68 ff.

15 Kreisdienststelle Zeitz (des MfS), Abschlußbericht zum OV »Untergrund«, 8.12.1981, in: Müller-Enbergs/Schmoll/Stock, Das Fanal, S. 301-311, hier S. 306. Auch Kirchenvertreter urteilten rückblickend, daß die Kirche »um ein Ergebnis von Brüsewitz' Opfer betrogen« worden sei: »Denn inzwischen hatte sich die Lage beruhigt, es gab keine erkennbare Massenwirkung mehr.« Stolpe, Schwieriger Aufbruch, S. 120.

sich als hinreichend effizient, um den Angriff auf seine politische Legitimation zurückzuweisen, und in ihm zeichnen sich die ineinandergreifenden Mechanismen einer erfolgreichen Skandalunterdrückung unter den Bedingungen einer noch gefestigten Parteidiktatur prägnant ab.

Dabei wurden die staatlichen Anstrengungen, ein Anschwellen der öffentlichen Empörung über den Opfertod des Pfarrers zu verhindern, dadurch kompliziert, daß sie sich auf unterschiedliche, wenngleich miteinander korrespondierende Öffentlichkeitssphären richten mußten, die sich als lokale oder kirchliche Teilöffentlichkeiten der politischen Kontrolle durch die Diktatur partiell und im Falle der westdeutschen Gegenöffentlichkeit sogar ganz entzogen. Darüber hinaus war es Brüsewitz gelungen, auch das staatliche Öffentlichkeitsmonopol in der DDR zumindest auf kreislicher Ebene erfolgreich aufzubrechen[16] und seine Gegner mit der selbsttätigen Entfaltungsgewalt eines möglicherweise nicht mehr aufzuhaltenden Herrschaftsskandals zu konfrontieren.

Doch die SED und ihr Machtapparat reagierten ebenso rasch wie zielbewußt. Kein Zögern, keine Entscheidungsunsicherheit hinderten die entschlossen anlaufenden Gegenmaßnahmen, die auf den verschiedensten Handlungsebenen einheitlich darauf zielten, die Herrschaft über die Öffentlichkeit zurückzugewinnen und abweichende Sichtweisen entweder zu marginalisieren oder durch Ausgrenzung zu neutralisieren. Noch bevor der Verletzte versorgt werden konnte, hatte die Volkspolizei bereits die beiden 3 × 1 Meter großen Transparente geborgen und damit ihren Inhalt der Öffentlichkeit entzogen.[17] Erleichtert konnte die SED-Kreisleitung Zeitz ein oder zwei Tage nach dem Vorgang melden: »Infolge der Spezifik der Tat und der sofort einsetzenden Sicherungsmaßnahmen wurden die Losungen nicht voll wahrgenommen und Zeugen waren nur in der Lage, Bruchstücke zu schildern.«[18] Damit war eine entscheidende Voraussetzung geschaffen, Brüsewitz' Selbstmord seines politischen Motivs zu berauben. Diesen Vorteil ließ die SED-Führung sich nicht mehr

16 Bereits für den Folgetag »ging der Kreiskirchenrat davon aus, daß im ganzen Kreis Zeitz kaum jemand anzutreffen sei, der von dieser Tat noch nichts erfahren habe«. Zusammenfassender Bericht der Kirchenleitung 18.-24. August 1976, in: Schultze (Hg.), Das Signal von Zeitz, S. 104-127, hier S. 115.

17 Mit welcher Entschlossenheit die Staatsorgane der Kontrolle über die Grundlagen der öffentlichen Meinungsbildung oberste Priorität einräumten, geht aus einem zeitnahen Bericht für die Kirchenleitung in Sachsen hervor: »Augenzeugen in Zeitz wollen beobachtet haben, daß sich herbeieilende Polizisten zunächst um die Sicherstellung des Plakates gekümmert haben, ehe der Krankenwagen herbeigerufen wurde.« Ebd., S. 105.

18 Information aus Zeitz, 19. od. 20.8.1976, in: Ebd., S. 154-158, hier S. 154.

nehmen. Sie versuchte die sofort ausdauernden Verhören unterzogene Familie von Brüsewitz möglichst weitgehend zu isolieren und wehrte den Versuch der Kirchenleitung, genaue Kenntnis vom Inhalt der von Brüsewitz aufgestellten Transparente zu erlangen, mit der wahrheitswidrigen Behauptung ab, die Plakate seien bis zur Unkenntlichkeit verbrannt.[19] Daraufhin sah sich die nur durch uneinheitliche Aussagen von Augenzeugen in Kenntnis gesetzte Kirchenleitung nicht in der Lage, das politische Anliegen des im Krankenhaus mit dem Tode ringenden Amtsbruders kirchenöffentlich zu machen und Stellung zu ihm zu nehmen.[20]

Dies aber lag ganz auf der Linie des Regimes, das auf diese Weise auch der weiteren Skandalisierung des in seinen Motiven nicht eindeutig feststellbaren Vorgangs in der westlichen Berichterstattung die Spitze brechen konnte.[21] Mehr noch: Die Unterschlagung des von Brüsewitz selbst manifestierten Tatmotivs erlaubte es den staatlichen Behörden, ihrerseits mit einer Diskreditierungskampagne gegen den toten Pfarrer zu reagieren, die auf den Skandal der Kirchenverfolgung in der DDR mit der Skandalisierung des Anklägers antwortete und Brüsewitz als eine psychopathische Persönlichkeit mit krankhaftem Triebleben hinstellte.[22] Dank

19 »Beim Rat des Kreises Zeitz wurde versichert, daß das Plakat mit der Stichflamme und dem Hinterraum des Wagens verbrannt sei [sic!].« Zusammenfassender Bericht der Kirchenleitung 18.-24. August 1976, in: Schultze (Hg.), Das Signal von Zeitz, S. 104-127, hier S. 105.

20 »Unter der Voraussetzung, daß die Plakate verbrannt sind, dürfe die Kirchenleitung nicht einen irgendwie gearteten Augenzeugenbericht von sich aus autorisieren. […] Es muß festgestellt werden, daß in der Kirchenleitung kein Vorschlag für eine tragfähige Formulierung gemacht werden kann, mit der auf das politische Anliegen von Oskar Brüsewitz Bezug genommen werden könnte.« Sitzung der Kirchenleitung am 21.8.1976 mit dem »Wort an die Gemeinden«, in: Schultze (Hg.), Das Signal von Zeitz, S. 164-169, hier S. 167.

21 Noch zum ersten Jahrestag des Opfertodes von Brüsewitz mußte der Hauptredner auf einer Gedenkveranstaltung der »Gesellschaft für Menschenrechte« in Wiesbaden unter Bezug auf eine Äußerung des Magdeburger Bischofs Krusche einräumen: »Es ist richtig: ›Keiner weiß den genauen Text der Plakate, die er aufgestellt hat. Keiner.‹ Aber kommt es wirklich auf den ›genauen Text‹ wie in einer Abhandlung der Akademie der Wissenschaften an?« Klaus Motschmann, Oskar Brüsewitz: Sein Protest – Sein Tod – Seine Mahnung, Würzburg o.J., S. 10.

22 Schon am Tag des Ereignisses mußte sich Propst Bäumer als Stellvertreter des Magdeburger Bischofs des von staatlicher Seite erhobenen Verdachts erwehren, Brüsewitz habe sich exhibitionistisch betätigt: »Die Vorstellung, daß Pfarrer Brüsewitz Selbstentblößer war, möchte ich nicht teilen. Ich traue es ihm auch nicht zu. Er war nicht immer kontrolliert in seiner Kleidung.« Gespräch mit Staatssekretär Seigewasser in Magdeburg, 18.8.1976, in: Schultze (Hg.), Das Signal von Zeitz, S. 147-150, hier S. 149.

dieser Strategie gelang es, die ungeachtet des offiziellen Stillschweigens flächendeckend über den Selbstmord des Geistlichen unterrichtete lokale Öffentlichkeit in einander konträr entgegenstehende Lager zu teilen und damit Ansätze einer offenen Solidarisierung in der Bevölkerung von vornherein zu ersticken.[23]

Doch nicht in der sächsischen Provinz, sondern auf nationaler und gesamtdeutscher Ebene mußte die Entscheidung fallen, ob Brüsewitz' Selbstverbrennung zu einem politischen Skandal werden würde. Aber auch hier funktionierte der Machtapparat störungsfrei. Minuten nachdem Brüsewitz vor der Michaeliskirche zusammengebrochen war, reichte die alarmierte Dienststelle der Volkspolizei eine Meldung an den Rat des Bezirkes Halle weiter, der unmittelbar darauf das Zentralkomitee in Berlin unterrichtete. Bereits kurz nach zwei Uhr mittags konnte die Abteilung Kirchenfragen des ZK Ministerpräsident Stoph einen Maßnahmeplan zur Entscheidung vorlegen, der in wenigen Punkten eine präzise Strategie zur Sicherung bzw. Rückgewinnung des öffentlichen Lenkungsmonopols skizzierte. In ihrem Zentrum stand das Ziel, »daß sich die Kirchenleitung umgehend und öffentlich von dem Vorfall distanziert«; parallel dazu sei »eine schnelle und zuverlässige Information über die Situation und die Meinung der Bevölkerung zu entwickeln und operativ die notwendigen Argumentationen [zu] veranlassen«; und schließlich gelte eine strikte Nachrichtensperre: »Ob, wie und wann durch die Massenmedien reagiert wird, wird in jedem Fall zentral entschieden.«[24]

Der Plan zur Skandalunterdrückung ging nicht zuletzt deswegen auf, weil die evangelische Kirche in der DDR angesichts einer stabilen SED-Herrschaft seit langem auf Kooperation statt auf Konfrontation setzte und als nunmehrige »Kirche im Sozialismus« durch die Fundamentalopposition ihres unbequemen Pfarrers nicht weniger bedrängt wurde als durch das Verlangen des Regimes, sich von ihm loszusagen.[25] Zwar ge-

23 »Ausführlich wurde informiert über den Informationsstand der Bevölkerung im Kreis Zeitz. Daraus ergab sich, daß in den Betrieben bereits am Mittag des 18. August über den Vorgang ausführlich diskutiert wurde. Die Stellungnahmen hätten sich z. T. stärker polarisiert: Während für viele das Geschehen unverständlich sei bis hin zu einer Wahntat, sähen andere darin einen besonderen Beweis des Mutes und ein exemplarisches Zeichen.« Zusammenfassender Bericht für die Kirchenleitung 18.-24. August 1976, in: Schultze (Hg.), Das Signal von Zeitz, S. 104-127, hier S. 115.

24 Aktennotiz des Büros Böhme, 18.8.1976, in: Ebd., S. 142 f.

25 Über die zeitweise heftig geführte Debatte, ob sich die Kirche im Fall Brüsewitz allzu stark mit den Interessen des Staates identifiziert habe, orientiert Joachim Mehlhausen, Pfarrer Oskar Brüsewitz (1929-1976), in: Verkündigung und Forschung 43 (1998), S. 52-63.

lang es der staatlichen Autorität weder durch Aussprachen auf höchster Ebene noch durch einen Verleumdungsartikel im »Neuen Deutschland«, die Kirche dazu zu bewegen, Brüsewitz öffentlich als Psychopathen zu desavouieren.[26] Aber sie erreichte, daß die Kirchenleitung ihre »Solidaritätssituation mit dem Staat«[27] den ganzen Konflikt hindurch anerkannte und die Kirchenöffentlichkeit nicht zu einer abweichenden Informationspolitik nutzte, so unbeirrt sie den aus dem Leben geschiedenen Pfarrer auch weiterhin als »Bruder Brüsewitz« bei sich behielt.[28]

Dank dieser gemeinsamen »Deeskalationsstrategie um beinahe jeden Preis«[29] war auch der zweite Kommunikationsweg unter Kontrolle gebracht, der aus dem Fall Brüsewitz eine öffentliche Herrschaftskrise hätte machen können. Übrig blieb die latente Bedrohung durch die westliche Parallelöffentlichkeit, und tatsächlich drohte von dieser Front die größte Gefahr für das Regime, als die Selbstverbrennung von Zeitz am 20. August Eingang in die westlichen Nachrichtensendungen fand. An diesem Tag sprachen zwei DDR-Pfarrer und Studienkollegen von Brüsewitz beim Leiter der Ständigen Vertretung der Bundesrepublik in Ostberlin, Günter Gaus, vor, die sich vorher mit der Familie Brüsewitz abgestimmt hatten, um die bundesdeutsche Öffentlichkeit über die Hintergründe der Tat zu orientieren. Gaus versuchte im übergeordneten Interesse der Entspannungspolitik zunächst, die beiden Pfarrer davon abzubringen, den Fall weiter publik zu machen, vermittelte sie dann aber doch an den ARD-Korrespondenten Lothar Loewe weiter. Noch am selben Abend trat ein, was die SED-Führung in konzertierter Aktion mit der Kirchenleitung hatte verhindern wollen: Die vor dem Fernsehapparat vereinte deutsche Öffentlichkeit erfuhr aus der Hand zweier Brüsewitz verbun-

26 Von abnormaler Handlung distanziert, in: *Neues Deutschland*, 21.8.1976. Der Artikel gefährdete in seiner erfundenen Berufung auf kirchliche Erklärungen, denen zufolge »Pfarrer Brüsewitz ein abnormaler und krankhaft veranlagter Mensch [sei], der oft unter Wahnvorstellungen litt«, die Regimestrategie mehr, als sie ihr nützte, weil die Kirchenleitung empört auf diese Instrumentalisierung reagierte. Die Zuspitzung des Konflikts zwischen SED-Führung und Kirchenleitung kulminierte in der Auseinandersetzung über einen »Brief an die Gemeinden«, den die SED als offene Kampfansage wertete. Mau, Eingebunden in den Realsozialismus?, S. 68 ff.

27 Zusammenfassender Bericht für die Kirchenleitung, 18.-24.8.1976, in: Schultze (Hg.), Das Signal von Zeitz, S. 104-127, hier S. 108 f.

28 Eine detaillierte Nachzeichnung der informationspolitischen Absprachen und Positionskämpfe zwischen Staat und Kirche bei Schultze, Dokumente aus den Archiven, S. 19 ff.

29 Besier, Der SED-Staat und die Kirche, S. 81.

dener Pfarrer, daß ihr Amtsbruder mit seiner Selbstverbrennung ein politisches Signal habe setzen wollen und am Konflikt zwischen Staat und Kirche verzweifelt sei.

Aber auch hier griffen bewährte Mechanismen, die die Stabilität der SED-Diktatur sicherten. Die beiden Pfarrer, die das staatliche Informationsmonopol durchbrochen hatten, wurden innerhalb von zehn Tagen in die Bundesrepublik ausgewiesen. Einer der beiden wurde zugleich mit einem kirchlichen Disziplinarverfahren überzogen, das mit dem Entzug der Ordinationsrechte endete und ihm die Tätigkeit als Pastor auch in der Bundesrepublik dauerhaft versagte; zusätzlich lief eine Diskreditierungsaktion des Ministeriums für Staatssicherheit an, die ihn als Kriminellen belastete und durch den Versand anonymer Briefe an Westmedien auch dort als öffentlichen Gesprächspartner unmöglich machte.[30] Der Staatssekretär für Kirchenfragen wiederum nutzte »die Gefahr von Sensationsmeldungen in der westlichen Presse« schon unmittelbar nach der Tat, um die Kirchenleitung auf seine Linie zu bringen: »Die Hauptfrage sei: Wie schaffen wir Sicherungen, daß eine solche Tat nicht zu einer Hetzkampagne gegen die DDR mißbraucht werde.«[31] Er traf mit dieser Strategie auf Zustimmung bei den Kirchenvertretern, die einerseits Verständnis für ihren Amtsbruder erbaten, der als Pfarrer bei aller Extravaganz »deutlich im Interesse des Auftrages der Kirche gestanden« habe, andererseits dem Staat Unterstützung zusicherten, »wenn er von der Westpresse massiv angegriffen werden sollte«.[32] Als der befürchtete Fall dann zwei Tage später tatsächlich eingetreten war, vermochte der Machtapparat daher die westliche Anteilnahme sogleich zu einem Instrument für die eigenen Zwecke umzuschmieden und mit seiner Hilfe den Druck auf die Kirchenleitung zu erhöhen: »Es ist hohe Zeit, daß kirchlicherseits dafür Sorge getragen wird, daß die Hetzkampagne gegen die DDR beendet wird.«[33] Der Bischof von Magdeburg suchte den Konflikt zu entschärfen, indem er einräumte, »daß manche bisher die Botschaft des Evangeliums mit einer prowestlichen Stellungnahme verwechselt haben« mochten, aber andererseits darauf insistierte, daß das Skandalisierungspotential der westlichen Öffentlichkeit auch nicht überschätzt werden dürfe: »Er habe auf seiner Reise in Ostafrika feststellen müssen, daß die

30 Wolfgang Stock, Nachwirkungen, in: Müller-Enbergs u. a., Das Fanal, S. 245-261, hier S. 246 ff.

31 Zusammenfassender Bericht für die Kirchenleitung, 18.-24.8.1976, in: Schultze (Hg.), Das Signal von Zeitz, S. 104-127, hier S. 108.

32 Ebd., S. 109.

33 Zit. n. Heike Schmoll, Die Reaktionen der evangelischen Kirche, in: Müller-Enbergs/Schmoll/Stock, Das Fanal, S. 155-209, hier S. 170.

Selbstverbrennung von Pfarrer Brüsewitz dort in den Zeitungen nur eine schmale Notiz gewesen sei.«[34]

Doch all diese Schachzüge konnten über eines nicht hinwegtäuschen. Mit dem Tod von Brüsewitz war die zunächst eingedämmte Gefahr wieder akut geworden, daß der mit aller Macht latent gehaltene Skandal doch noch offen ausbrechen würde. Mit der Beisetzung von Brüsewitz stand der bislang so erfolgreichen Eindämmungsstrategie die entscheidende Nagelprobe bevor, denn auch in der SED »sei selbstverständlich nicht erwartet worden, daß man ihn etwa ›verscharre‹«, wie sich die zuständige Mitarbeiterin des Kirchenstaatssekretärs ausdrückte.[35] Immerhin drängte das Staatssekretariat, wenngleich vergeblich, die Kirchenseite darauf, »telefonisch Kontakt mit dem Leiter der Vertretung der Bundesrepublik Deutschland in der DDR, Herrn Gaus, in Berlin aufzunehmen mit dem Ziel, Herrn Gaus darum zu bitten, daß er seinerseits auf die in der DDR akkreditierten westlichen Journalisten Einfluß nehme, um sie von einer Beteiligung am Trauergottesdienst in Rippicha abzuhalten«. Ungeachtet dieses eher bizarren Verlangens waren Staat und Kirche sich darin einig, daß es gelte, die Beisetzung von Oskar Brüsewitz als eine rein religiöse Veranstaltung zu gestalten, auf der jede politische Demonstration zu vermeiden sei.[36] Auf dieser Grundlage waren die Kirchenvertreter auch bereit, die Anteilnahme der Medien so weit zu beschränken, daß ihre Anwesenheit den kirchlichen Charakter der Veranstaltung nicht beeinträchtigen würde: »Außerdem wiesen wir darauf hin, daß wir unsererseits von unserem Recht Gebrauch machen wollten, das Filmen auf dem Friedhof während des Trauergottesdienstes für alle (auch für westliche Fernsehstationen) zu verbieten.«[37]

Die Trauerfeier verlief planungsgemäß und ohne Zwischenfälle. In ihrem anschließenden Informationsbericht äußerte die kreisliche SED-Spitze sich anerkennend über die Trauerrede des amtierenden Bischofs,

34 Zusammenfassender Bericht für die Kirchenleitung, 25.8-4.9.1976, in: Schultze (Hg.), Das Signal von Zeitz, S. 104-127, hier S. 137.

35 Zusammenfassender Bericht für die Kirchenleitung,18.-24.8.1976, in: Ebd., S. 104-127, hier S. 125 f.

36 Die Kirchenvertreter faßten die gemeinsam gefundene Position so zusammen: »Freilich sei hier ein politisches Ereignis gegeben. Der politische Faktor bei dieser Trauerfeier sei aber am besten dadurch einzudämmen, daß hier ein *Gottesdienst* gehalten werde.« Ebd., S. 126. Hervorhebung im Original.

37 Ebd., S. 129. Die SED reagierte erleichtert, wie die Kirchenleute notieren: »Diese Absichtserklärung, die wir mit unserer Verantwortung für den Gottesdienstablauf begründeten, wurde mit Beifall aufgenommen.« Zusammenfassender Bericht für die Kirchenleitung,25.8.-4.9.1976, in: Ebd., S. 127-137.

der alles vermieden habe, »was geeignet gewesen wäre, gegen die DDR mißbraucht zu werden. Die vom Pfarrer Brüsewitz im Zusammenhang mit seiner Selbstverbrennung gezeigte Losung spielte keine Rolle in den Ausführungen.«[38] Darüber hinaus dämpfte auch die EKD in der Bundesrepublik die skandalträchtigen Folgen der Selbstverbrennung von Zeitz im Oktober 1976 mit einem Kommuniqué, das mit »großer Sorge [...] die mangelnde Fähigkeit in der Öffentlichkeit der Bundesrepublik (betrachtete), die kirchliche Situation in der DDR zu beurteilen«.[39]

Im Ergebnis offenbart der Fall Brüsewitz das funktionierende Krisenmanagement einer ihrer Herrschaft sicheren und in ihrer Legitimationsbasis gefestigten Diktatur, die im Zeitalter der Entspannung stets den möglichen Nutzen innenpolitischer Repression gegen den Schaden für die internationale Reputation abwägen mußte. Die einzelnen Glieder der kommunistischen Staatsordnung erwiesen sich in ihrem entschlossenen Zusammenwirken als stark genug, um die Entfaltung eines politischen Skandals auch dort zu verhindern, wo schockartiges Aufsehen und öffentliches Interesse das Aufkommen eines Entrüstungssturms in fast einzigartiger Weise begünstigt hatten. Die Affäre um die Selbstverbrennung des sächsischen Dorfpfarrers zeugt ebenso wie der letztlich ebenfalls wieder eingedämmte Skandal um die Ausbürgerung Wolf Biermanns im selben Jahr von der noch ungebrochenen Kraft des Regimes, seine Wertewelt der Gesellschaft aufzuherrschen.

II. Ein affirmativer Skandal: Das *Sputnik*-Verbot

Ganz anders stellt die Situation sich hingegen ein gutes Jahrzehnt später dar, als die sozialistische Diktatur in einem förmlichen Strudel von Skandalen erst die Kontrolle über die Öffentlichkeit und dann auch über den Machtapparat zu verlieren begann. Dabei zeichneten sich zwei unterschiedliche Arten öffentlicher Empörung jenseits der Schranken der politischen Herrschaftsöffentlichkeit ab, die sich zunächst parallel zueinander entwickelten und schließlich zusammenliefen.

Für den ersten Typus steht der Skandal, den das Verbot der sowjetischen Zeitschrift *Sputnik* im November 1988 auslöste. Der *Sputnik* war ein dem *Reader's Digest* nachempfundenes illustriertes Monatsheft, das

38 Aktennotiz vom 25.8.1976 über eine Äußerung der Oberkonsistorialrätin Christa Lewek, zit. n. Helmut Müller-Enbergs, Das Zusammenspiel von Staat und Kirche vom 18. August 1976 bis zur Beisetzung Oskar Brüsewitz' in: Ders./Schmoll/Stock, Das Fanal, 85-153, hier S. 141.

39 Zit. n. Schmoll, Die Reaktionen der evangelischen Kirche, S. 173.

seit 1967 mit einer weltweit vertriebenen Zusammenstellung von landeskundlichen und kulturellen Beiträgen aufwartete und in der DDR ca. 180 000 Abonnenten erreichte. In der zweiten Hälfte der achtziger Jahre war der *Sputnik* allerdings im Zuge von Glasnost und Perestroika zunehmend dazu übergegangen, auch die politischen Veränderungen in der Sowjetunion zu dokumentieren und historische Tabus in Frage zu stellen.[40] Das Oktoberheft 1988 des Magazins trug den Titel »Stalin und der Krieg« und enthielt einen Artikel des sowjetischen Schriftstellers Julian Semjonow, der das verordnete Geschichtsbild des SED-Staates im Kern seines antifaschistischen Selbstverständnisses traf: »Die deutschen Kommunisten wagten es nicht, sich mit den Sozialdemokraten im Kampf gegen die Nazis zu vereinigen. Hätten sie dies getan, so wäre es Hitler nicht gelungen, die Reichstagswahlen zu gewinnen und die weitere europäische Geschichte hätte wahrscheinlich einen völlig anderen Verlauf genommen.«[41]

Aber das Heft erreichte seine ostdeutschen Abonnenten nie. Am 20. November 1988 druckte das *Neue Deutschland* an unauffälliger Stelle eine »Mitteilung der Pressestelle des Ministeriums für Post- und Fernmeldewesen«, die besagte, daß »die Zeitschrift ›Sputnik‹ von der Postzeitungsliste gestrichen worden (ist). Sie bringt keinen Beitrag, der der Festigung der deutsch-sowjetischen Freundschaft dient, statt dessen verzerrende Beiträge zur Geschichte.«[42] Der Öffentlichkeit blieb verborgen, daß der als Verantwortlicher benannte Postminister von dem Verbot ebenfalls erst aus der Zeitung erfuhr, wie er nach dem Sturz des Regimes bekannte.[43] Die Streichung ging vielmehr auf eine persönliche Entscheidung Honeckers zurück, der nach Kenntnisnahme der im Oktoberheft des »Sputnik« abgedruckten Artikel die Abteilung für Agitation des ZK beauftragt hatte, »einen Vorschlag vorzulegen, wie die weitere Verbreitung solcher Veröffentlichungen in der DDR zu unterbinden« sei. Die Abteilung schlug daraufhin vor, die »Nummer auszuliefern und einen Historiker der DDR zu bitten, eine Zuschrift an die Redaktion des *Sputnik* zu schicken, in dem solche Fragen wie die Rolle der Sowjetunion im Kampf gegen den Faschismus, die Arbeit der KPD im Kampf gegen

40 Die Zahlen nach Stefan Wolle, Die heile Welt der Diktatur: Alltag und Herrschaft in der DDR 1971-1989, Berlin 1998, S. 294.

41 Zit. n. *Der Spiegel* 48/1988, 28.11.1988, S. 27.

42 *Neues Deutschland*, 20./21.11.1988.

43 Minister wußte von nichts. Zu den Ursachen für die Streichung des »Sputnik«, in: *Der Morgen*, 11./12.11.1989. Zu den tatsächlichen Entscheidungswegen: Gunter Holzweißig, Die schärfste Waffe der Partei. Eine Mediengeschichte der DDR, Köln/Weimar/Wien 2002, S. 148 ff.

Hitler, das Verhältnis der KPD zur SPD und andere aus der Sicht der SED behandelt werden«. Honecker aber »wies den Vorschlag einer öffentlichen Polemik mit dem Artikel im ›Sputnik‹ zurück und bestimmte in diesem Zusammenhang, daß der ›Sputnik‹ von der Postzeitungsliste gestrichen werde«.[44]

Für die SED-Führung offenbar vollkommen überraschend, wuchs sich das Verbot zu einem über die DDR-Grenzen hinwegspringenden Skandal aus, der weite Kreise zog. Die westdeutsche Presse registrierte das Verbot mit Kommentaren, die die Reformunfähigkeit einer aus dem Tritt gekommenen DDR-Führung aufs Korn nahmen,[45] und selbst die von der SED alimentierte DKP-Zeitung *Unsere Zeit* sah sich in ihrer Verteidigung des Verbots zu der einschränkenden Feststellung gezwungen, daß es ›bei uns unterschiedliche Ansichten‹ über den Sinn dieser Maßnahme gäbe – auch unter denen, die freundschaftliche und gute Beziehungen zur DDR wollen«.[46]

Weit harscher noch fielen die Reaktionen in der DDR selbst aus; die Protestwelle erfaßte alle Bereiche der Gesellschaft. Am schwarzen Brett der Berliner Humboldt-Universität erschienen Traueranzeigen, und am Alexanderplatz in Berlin-Mitte wurde nach Informationen des *Spiegel* ein Demonstrant festgenommen, der mit einem Plakat gegen das *Sputnik*-Verbot protestierte.[47] Marlies Menge berichtete in der *Zeit*: »Der Zorn über das selbstherrliche Eingreifen der obersten Chefs hat sogar die Genossen erfaßt. Parteibücher wurden zurückgegeben, Gruppenleiter der Gesellschaft für deutsch-sowjetische Freundschaft in Betrieben drohten die Auflösung ihrer Gruppen an, sollten die Verbote nicht zurückgenommen werden. In einer Rostocker Oberschule legte die Russischlehrerin Schülern der 12. Klasse nahe, aus der Gesellschaft auszutreten. Schriftsteller und Filmemacher schrieben Briefe, in denen sie sich gegen die Zensurmaßnahmen aussprachen.«[48] Das *Sputnik*-Verbot wurde über Wochen

44 So stellte die befragte Abteilung Agitation des ZK der SED den Vorgang in einer Stellungnahme für das *Neue Deutschland* in der Wendezeit selbst dar. *Neues Deutschland*, 16.11.1989.

45 Vgl. z. B.: Theo Sommer, Er mauert wieder. SED-Chef Honecker will nichts von Perestrojka wissen, in: *Die Zeit*, 48/1988, 25.11.1988; Ernst-Otto Maetzke, Honeckers beste Stützen, in: *Frankfurter Allgemeine Zeitung*, 28.11.1988; Marlies Menge, Wachsender Zorn über die Zensur. Auch vor Erich Honecker macht die Kritik nicht mehr halt, in: *Die Zeit* 49/1988, 2.12.1988.

46 Wolfgang Breuer, Die DDR und der »Sputnik«, in: *Unsere Zeit*, 24.11.1988.

47 Ein für allemal. Barsch geht die DDR-Führung gegen sowjetische Infiltration vor. Die SED-Basis muckt auf, in: *Der Spiegel* 48/1988, 28.11.1988.

48 Menge, Wachsender Zorn über die Zensur.

Mitteilung der Pressestelle des Ministeriums für Post- und Fernmeldewesen

Berlin (ADN). Wie die Pressestelle des Ministeriums für Post- und Fernmeldewesen mitteilt, ist die Zeitschrift „Sputnik" von der Postzeitungsliste gestrichen worden. Sie bringt keinen Beitrag, der der Festigung der deutsch-sowjetischen Freundschaft dient, statt dessen verzerrende Beiträge zur Geschichte.

Neues Deutschland, 20./21.11.1978

zum öffentlichen Tagesgespräch in der DDR und sorgte dafür, daß beiläufigste Assoziationen subversiven Klang erhielten, wie die Kassiererin eines Potsdamer Kinos erfuhr, die ungezählte Male versichern mußte, daß der mit dem Titel »Das Thema« angekündigte Spielfilm aus der Sowjetunion nichts mit dem *Sputnik*-Verbot zu tun habe. Eine wahre Flut von Protestschreiben liefen beim *Neuen Deutschland* und bei anderen Tageszeitungen ein; 184 schriftliche Beschwerden registrierte das Staatliche Presseamt bis Jahresende,[49] 510 Eingaben der Zentralvorstand der Gesellschaft für Deutsch-Sowjetische Freundschaft,[50] und für das ZK der SED offenbarte der stellvertretende Vorsitzende der Zentralen Parteikontrollkommission im Februar 1989: »Wir haben allein als ZK 1000 Briefe mit solchen Inhalten bearbeiten müssen. Ich sage ganz ehrlich, viele von Parteimitgliedern.«[51] Dazu kommen noch Zehntausende telefonischer und

49 Gunter Holzweißig, DDR-Presse unter Parteikontrolle. Kommentierte Dokumentation, Gesamtdeutsches Institut, Analysen und Berichte Nr. 2/1991, S. 341.

50 Der Bundesbeauftragte für die Unterlagen des Staatssicherheitsdienstes der ehemaligen DDR (i.f. BStU), MfS – HA XX, 6321, Aktueller Stand der Eingaben, die im Zusammenhang mit der Streichung des »Sputnik« von der Postzeitungsliste der DDR und der Absetzung der sowjetischen Festivalfilme bis zum 31.12.1988 beim Zentralvorstand der Gesellschaft für DSF eingegangen sind.

51 Ebd., SED-KL, 4375, Referat des Genossen Werner Müller, Stellvertretender Vorsitzender der Zentralen Parteikontrollkommission, vor Genossen der Parteikontrollkommission des Ministeriums für Staatssicherheit am 15. Februar 1989.

Tausende schriftlicher Abonnentenbeschwerden, die gleich in den ersten Tagen nach dem Verbot bei der Deutschen Post vorgebracht wurden und »in denen teilweise aggressiv bzw. in negativer Form gegen die Nichtauslieferung des Heftes Stellung bezogen wird«.[52]

Das Regime versuchte der von ihm verursachten Aufregung mit den bekannten Mitteln von Überzeugung und Bedrohung Herr zu werden. Am 24. November druckte das *Neue Deutschland* zur Dämpfung der Erregung kommentarlos den Verteidigungsbeitrag aus der bundesdeutschen DKP-Zeitung als Leitartikel nach und ging tags darauf mit einem Grundsatzbeitrag in die Offensive, der ungeschminkt erklärte, daß nicht nur dieses eine Heft, sondern die Zeitschrift selbst aus der DDR verbannt sei. Der Artikel versuchte die Grenzen der Regimetoleranz unmißverständlich zu markieren, um mit diesem Rückgriff auf tradierte Muster der innerkommunistischen Herrschaftssicherung Terrain gutzumachen: »Geradeheraus: In unserem antifaschistischen, sozialistischen deutschen Staat ist die ›Entschuldigung‹, die Reinwaschung Hitlers, des Faschismus und seiner Verbrechen, ist deren ›Erklärung‹ mit irgendwelchen Erfindungen – eben der Gleichstellung Hitlers mit Stalin – unzulässig.«[53] Wenige Tage später rechnete Honecker selbst vor dem ZK der SED mit dem »Gequake wildgewordener Spießer« ab[54] und kündigte die SED-Bezirksleitung Berlin eine harte Gangart der Parteiführung an: »Wer eine Partei der Perestroika will, der wird ausgeschlossen.«[55] Tatsächlich wurden zahlreiche der an das ZK gesandten Eingaben zur weiteren Bearbeitung des Falls an das Ministerium für Staatssicherheit weitergeleitet und mit den SED-Mitgliedern unter den Einsendern »persönliche Gespräche« mit dem Ziel einer erzieherischen Festigung des Beschwerdeführers anberaumt.[56]

52 Ebd., MfS – ZAIG, 14922, HA II, Information zur Reaktion von DDR-Bürgern zum Nichterscheinen deutschsprachiger Presseerzeugnisse der UdSSR in der DDR, 14.11.1988, Anl. 4.

53 Gegen die Entstellung der historischen Wahrheit, in: *Neues Deutschland*, 25.11.1988

54 *Neues Deutschland*, 2.12.1988

55 Zit. n. *Der Spiegel* 48/1988, 28.11.1988.

56 Den Verlauf dieser Gespräche und die Bedeutung, die ihnen die Parteiführung beimaß, dokumentiert eine Aktennotiz aus dem Presseamt beim Vorsitzenden des Ministerrats der DDR von Anfang 1989: »Am 13.1.1989 fand im Beisein des Leiters des Sektors Verbindungen, Genossen Pressl, ein Gespräch mit Herrn [...] im Zusammenhang mit seiner Eingabe vom 29.10.1989 statt. [...] Im Gespräch wurde deutlich, daß sich Herr [...] mehr kritische Beiträge hinsichtlich der gesellschaftlichen Entwicklung in der DDR [...] wünscht. Darüber – wie auch

Doch eben nur scheinbar gelang es dem agitatorischen und repressiven Vorgehen der Konsensdiktatur, den durch Honeckers einsame Entscheidung entstandenen Skandal auch diesmal auf bewährte Weise im Vertrauen auf die Kraft der herrschenden Wirklichkeitsordnung einzudämmen. Wie sich erst im nachhinein zeigte, hatte paradoxerweise diese eine Zensurmaßnahme in der denkbar zensurgewöhnten Bevölkerung einen vitalen Nerv getroffen, der fortan nicht mehr zu betäuben war. Nicht wenige Zeitzeugen, die ihre Erinnerungen später schriftlich niederlegten, sahen in diesem zweiten »Sputnik-Schock« die Peripetie, den entscheidenden Wendepunkt in ihrem Verhältnis zur DDR, wie stellvertretend für andere ein regimeverbundener Mediziner und Kreisvorsitzender der CDU zu Protokoll gab: »Das allerletzte war das ›Sputnik‹-Verbot. Das hat sehr viele vor den Kopf gestoßen.«[57] Die Erinnerung wirkte so stark weiter, daß das *Neue Deutschland* noch ein Jahr später, mitten im Zusammenbruch des SED-Staates, förmlich bei seinen Lesern um Entschuldigung bat[58] und die zuständige ZK-Abteilung pünktlich zum ersten Jahrestag des Vorgangs eine Art offiziöser Richtigstellung ausarbeitete, die in der DDR-Presse breit wiedergegeben wurde und die Schuld für den entstandenen Skandal um den sowjetischen *Sputnik* ganz bei dem unterdes entmachteten SED-Generalsekretär selbst ansiedelte.[59]

Die Aufregung stand in spürbarem Kontrast zum Anlaß: Der *Sputnik* hatte in der DDR-Öffentlichkeit nie eine herausragende Rolle gespielt; seine Hefte waren schon lange zuvor aus den Auslagen der Kioske verschwunden, so daß die Verbreitung sich im wesentlichen auf seine

über die in der Eingabe aufgeworfenen Fragen – konnte im Verlauf des etwa 1½ stündigen Gesprächs eine Klärung erreicht und in den meisten Fragen eine Übereinstimmung erzielt werden. Herr […] betrachtet seine Eingabe an das Presseamt als beantwortet und erledigt.« Aktennotiz, 16.1.1989, in: Holzweißig, DDR-Presse unter Parteikontrolle, S. 368.

57 Helga Königsdorf. Adieu DDR. Protokolle eines Abschieds, Reinbek 1990, S. 118. Den Schlüsselcharakter des *Sputnik*-Skandals für die DDR-Entwicklung in der »Vorwende«-Zeit unterstreicht auch Oliver Werner, Die ›Sputnik‹-Krise in der SED 1988/89, in: Günther Heydemann/Gunther Mai/Werner Müller (Hg.), Revolution und Transformation in der DDR 1989/90, Berlin 1999, S. 117-135.

58 »Dafür, daß wir die falsche Entscheidung damals zu rechtfertigen versucht haben, entschuldigen wir uns – bei den vielen Lesern, die sich in Briefen empört darüber gezeigt haben, und auch bei der ›schweigenden Mehrheit‹.« Wie war es wirklich mit dem »Sputnik«-Verbot, in: *Neues Deutschland*, 16.11.1989.

59 Vgl. z. B. Minister wußte von nichts. Zu den Ursachen für die Streichung des »Sputnik«, in: *Der Morgen*, 11./12.11.1989.

Abonnenten beschränkte. Die aber zählten in der Regel zu den linientreuesten SED-Kadern und hielten das Monatsheft oft nicht zuletzt, um ihre Verbundenheit mit dem Großen Bruder augenfällig unter Beweis zu stellen.[60] Nichts konnte schließlich jedem DDR-Bürger vertrauter sein als der tägliche Eingriff von Zensur in einer Parteidiktatur, die ihre Kontrollmacht über mehr als vierzig Jahre hinweg gerade in bezug auf das gedruckte Wort in einer historisch zuvor unbekannten Gründlichkeit ausgeübt hatte. Wie ist dann aber zu erklären, weshalb ein unter diesen politischen Umständen doch eher banaler Vorgang zu einem förmlichen Herrschaftsskandal ausarten konnte?

Die Antwort liegt zum einen in dem vermuteten Ausmaß des aufsehenerregenden Mißstandes selbst: In den Augen vieler bildete das Zeitschriftenverbot nur die Speerspitze einer repressiven Offensive, die die Abkoppelung von der im Reformaufbruch begriffenen Sowjetunion zum Ziel hatte und dieses Ziel nur wenige Woche später in den Slogan eines »Sozialismus in den Farben der DDR« gießen würde. Neben dem *Sputnik* wurden fünf sowjetische Festivalfilme verboten, nachdem bereits zuvor schon drei Nummern der auf deutsch erscheinenden Moskauer Zeitschrift *Neue Zeit* der Zensur zum Opfer gefallen und mit Einfuhrverbot belegt worden waren. Der Rückfall in eine stalinistisch anmutende Zensurpraxis wog um so schwerer, als gerade ein Jahr zuvor Günter de Bruyn und Christoph Hein auf dem X. Schriftstellerkongreß der DDR mutig für eine Abschaffung der bisherigen »Begutachtungspraxis« bei der Hauptverwaltung Buchhandel und Verlage plädiert hatten und kein geringerer als der für den Buchhandel zuständige stellvertretende Kulturminister Höpcke auf einer Vorstandssitzung des Verbandes am 12. Oktober 1988 überraschend die Aufhebung des Genehmigungsverfahrens, also die Selbstabschaffung der herrschenden Buchzensur in Aussicht gestellt hatte.[61]

60 »Denn wenn der ›Sputnik‹ in letzter Zeit verstärkt als Geheimtip für Glasnost-Freunde in der DDR gehandelt wurde, so war der ›Sputnik‹ doch lange Jahre eher die Zeitschrift für Genossen, die ihre Treue zur Partei beispielsweise dadurch unter Beweis stellten, daß sie eher pflichtgemäß eine Zeitschrift abonnierten, die sonst niemand lesen wollte, die aber zum festen Bestandteil der vielbeschworenen deutsch-sowjetischen Freundschaft gehörte.« Monika Zimmermann, Eine Zeitschrift für treue Genossen, in: *Frankfurter Allgemeine Zeitung*, 26.11.1988.

61 Dieser Kontrast zwischen gleichzeitiger Liberalisierung und Restalinisierung irritierte auch westdeutsche Beobachter: Hajo Steinert, Stalin, Sputniks, Sensationen. Drei neue Kapitel zum ewig jungen, immergleichen Thema Zensur, in: *Die Zeit* 48/1988, 25.11.1988.

Die Dynamik des *Sputnik*-Skandals speiste sich weiterhin aus einer Kluft zwischen Parteinorm und politischer Wirklichkeit, die nicht das Selbstverständnis sozialer oder politischer Randgruppen betraf, sondern den Legitimationsglauben der herrschenden Eliten. Wie die Zentrale Auswertungs- und Informationsgruppe des Ministeriums für Staatssicherheit mitteilte, löste das *Sputnik*-Verbot »bereits unmittelbar nach der Veröffentlichung in breiten, weit über den Abonnenten- bzw. Leserkreis der Zeitschrift hinausgehenden Schichten der Bevölkerung massive, sehr kritisch gehaltene Meinungsäußerungen aus, die [...] in den Medien der DDR weiter anhalten«.[62] Bedeutsamer war noch, daß von der Flut der Eingaben gegen das *Sputnik*-Verbot, die im November und Dezember 1988 beim ZK der SED eingingen, nicht weniger als 75 Prozent von SED-Mitgliedern und immerhin 7 Prozent von ganzen SED-Parteigruppen stammten.[63] Ein zusammenfassender Lagebericht des Ministeriums für Staatssicherheit konstatierte, daß es in den empörten Reaktionen wegen des *Sputnik*-Verbots beachtenswerterweise »kaum Meinungs- bzw. Argumentationsunterschiede bei den sich äußernden Personen zwischen Mitgliedern der SED und Parteilosen gibt«.[64] Dem Bericht ist das Erstaunen darüber anzumerken, daß sich in »diesem Sinne [...] besonders heftig, teilweise außerordentlich aggressiv, Angehörige der wissenschaftlich-technischen, medizinischen, künstlerischen und pädagogischen Intelligenz sowie Studenten an allen Universitäten und Hochschulen« geäußert hätten und die Protestbewegung eine »Vielzahl z. T. langjähriger Mitglieder und Funktionäre der SED sowie befreundeter Parteien u. a.

62 BStU, MfS ZAIG 4244, Hinweise zu einigen bedeutsamen Aspekten der Reaktion der Bevölkerung im Zusammenhang mit der Mitteilung über die Streichung der Zeitschrift »Sputnik« von der Postzeitungsvertriebsliste der DDR, 30.11.1988.

63 Thomas Klein, Reform von oben? Opposition in der DDR, in: Ulrike Poppe/Rainer Eckert/Ilko-Sascha Kowalcuk (Hg.), Zwischen Selbstbehauptung und Anpassung. Formen des Widerstandes und der Opposition in der DDR, Berlin 1995, S. 125-141, hier S. 138.

64 BStU, MfS ZAIG 4244, Hinweise zu einigen bedeutsamen Aspekten der Reaktion der Bevölkerung im Zusammenhang mit der Mitteilung über die Streichung der Zeitschrift »Sputnik« von der Postzeitungsvertriebsliste der DDR, 30.11.1988. Daß Parteilose und SED-Mitglieder in ihren Protesten dieselben Argumente verwendeten, belegt am Beispiel von Eingaben aus dem Bezirk Leipzig Werner, Die ›Sputnik‹-Krise, S. 123 ff.

progressiv und gesellschaftlich engagierter Bürger« erfaßt habe.[65] Das Verbot konterkarierte das avantgardistische Selbstverständnis einer kommunistischen Führungsschicht, die ihre Legitimation auf das Bündnis mit dem Fortschritt und nicht mit dem tatsächlichen Mehrheitswillen in der Bevölkerung gegründet hatte und nun erleben mußte, daß Stillstand und Orientierung an den Rezepten der Vergangenheit den Aufbruch in die Zukunft der DDR ersetzten.[66]

Das Verbot enthüllte darüber hinaus die Illusion einer in Ost und West geteilten Lageröffentlichkeit, die ihre Identität in ihrer gleichsam vorpolitischen, jenseits jeder inhaltlichen Argumentation oder tagespolitischen Zufälligkeit stehenden Verbundenheit mit der Sowjetunion gefunden hatte.[67] Und es zerstörte schließlich den Glauben an eine nach außen elitäre, aber nach innen egalitäre Parteiöffentlichkeit, die wenigstens »unter Genossen« mit dem Freimut und der Offenheit Ernst mache, die nach außen zu tragen die Zurückgebliebenheit der eigenen Bevölkerung oder die Aggressivität des westlichen Gegners immer noch verbiete. Indem sie mit dem sowjetischen *Sputnik* ein Organ der innerparteilichen Meinungsbildung unterdrückte, zerstörte die Parteiführung selbst die Illusion, daß es hinter der nach außen gerichteten Verlautbarungsöffentlichkeit eine gleichsam innere Austauschöffentlichkeit des »kulturvolle[n] Meinungsstreit[s]«[68] gebe, die den politischen Konsens auf dem Wege der erzieherischen und parteilichen Auseinandersetzung, aber nicht dem der Diskussionsverweigerung suche: »Hauptargument der sich mit Unverständnis und Ablehnung äußernden Personen ist, damit

65 BStU, MfS ZAIG 4244, Hinweise zu einigen bedeutsamen Aspekten der Reaktion der Bevölkerung im Zusammenhang mit der Mitteilung über die Streichung der Zeitschrift »Sputnik« von der Postzeitungsvertriebsliste der DDR, 30.11.1988.

66 Tatsächlich gelang es den Parteikontrolleuren bei der Bearbeitung der Beschwerden insgesamt nur noch, Eingabenverfasser zum Widerruf zu bringen, »die ihrerseits in einem Abhängigkeitsverhältnis zur SED standen«. Werner, Die ›Sputnik‹-Krise, S. 129.

67 Vgl. die Eingabe einer sowjetischen Abonnentin in der DDR: »Da der ›Sputnik‹ ein Digest unserer Presse ist, müßten Sie folgerichtig die gesamte sowjetische Presse, einschließlich der ›Prawda‹, also dem Zentralorgan der KPdSU, dem Zugang für Einwohner der DDR [...] entziehen. In der Hoffnung, daß dies nicht passiert, habe ich per 1.1.1989 die ›Iswestija‹ abonniert. Gleichzeitig habe ich eine DDR-Tageszeitung abbestellt.« Eingabe vom 3.1.1989, in: Holzweißig, DDR-Presse unter Parteikontrolle, S. 355.

68 BStU, MfS – HA XX/AKG, 1485, Information über Reaktionen von DSF-Gruppen und Einzelpersonen zur Streichung des »Sputnik« von der Postzeitungsliste der DDR, 16.12.1988.

werde die Bevölkerung politisch entmündigt«, unterstrich der staatssicherheitliche Informationsbericht und markierte den aus dieser Sicht entscheidenden Unterschied zur politischen Kultur der frühen DDR: »Ältere Mitglieder der Partei verweisen auf eigene Lebenserfahrungen der ersten Nachkriegsjahrzehnte, in denen man sich angesichts der offenen Grenzen und vieler ungelöster gesellschaftlicher Probleme in weitaus stärkerem Maße als heute mit feindlichen oder falschen Positionen auseinandersetzen mußte, und stellen in diesem Zusammenhang die Frage, ob unsere Position so schwach sei, daß wir eine öffentliche Polemik über diese Probleme nicht führen können?«[69] Das *Sputnik*-Verbot enttarnte den Glauben als Chimäre, daß die Mündigkeit der Gesinnungsgenossen die beste Immunisierung gegen alle Behauptungen des »bürgerlichen Gegners« darstelle, der die sozialistische Demokratie fortwährend als kommunistische Diktatur zu diffamieren suche.

Eine tragende Säule der staatssozialistischen Legitimation bildete der inszenierte Glaube an einen breiten Überzeugungskonsens, der durch Texte und Ansprachen, durch Diskussionen mit den Bürgern und notfalls »Auseinandersetzungen« mit Abweichlern gewonnen werden könne. Nicht zufällig hatte die ZK-Abteilung Agitation in ihrem von Honecker verworfenen Vorgehen gegen den *Sputnik* eine »öffentliche Polemik« mit den »falschen Auffassungen« der *Sputnik*-Autoren vorgeschlagen, wie sie für Jahrzehnte das allzeit probate Begleitmittel auch repressiver Disziplinierungsmaßnahmen gegen Abweichler gewesen war. Daß die Parteiführung die gewohnte Form der öffentlichen Auseinandersetzung in diesem Fall mißachtete, demaskierte das *Sputnik*-Verbot als eine reine Willkürmaßnahme, »die das Ansehen unserer Republik [...] auf's Spiel

69 BStU, MfS ZAIG 4244, Hinweise zu einigen bedeutsamen Aspekten der Reaktion der Bevölkerung im Zusammenhang mit der Mitteilung über die Streichung der Zeitschrift »Sputnik« von der Postzeitungsvertriebsliste der DDR, 30.11.1988. In bemerkenswerter Einhelligkeit monierten denn auch die Zuschriften auch und gerade SED-verbundener Eliten, »mit dieser Entscheidung würden die DDR-Bürger, würden sie selbst, entmündigt« (ebd., MfS – HA XX, 2109, HA VIII/13, Information über Stimmungen und Meinungen unter den Mitarbeitern des ADN zu aktuell-politischen Ereignissen, 6.2.1989), oder hoben hervor, daß der jeweils identifizierte Opponent »sich bisher aktiv am gesellschaftspolitischen Leben der IHS [Ingenieurhochschule Cottbus] beteiligte«. Ebd., 3985, Ministerium für Staatssicherheit, Information über Aktivitäten eines Studenten auf die Herausnahme des »Sputnik« aus dem Angebot des DDR-Postzeitungsvertriebes und deshalb eingeleitete Maßnahmen durch die zuständige Parteiorganisation, 16.3.1989.

setzt«,[70] und »dokumentiert nur eine Scheu vor Auseinandersetzungen«, wie stellvertretend für viele andere der Vorstand der Grundeinheit der Gesellschaft für Deutsch-Sowjetische Freundschaft im Zentralinstitut für Elektronenphysik in der Akademie der Wissenschaften der DDR schrieb.[71] Besonders erhellend formulierten die »Genossen und Kollegen der ESOS [Erweiterte Spezialoberschule] Kleinmachnow« das Legitimationsdefizit, das eine nicht von einer öffentlichen Diskussion begleitete Zensurmaßnahme auch bei Bürgern verursachte, die Zensur für ein legitimes Mittel sozialistischer Politik hielten: »Uns ist bekannt, daß der Staat die Verantwortung für die Veröffentlichung von Presseerzeugnissen trägt und deshalb auch diese kontrollieren muß. Dafür zeigen wir auch vollstes Verständnis. Um so unverständlicher ist für uns die Verfahrensweise, ohne öffentliche Erklärung und Begründung diese Presseerzeugnisse zurückzuhalten und damit das Entstehen von Gerüchten zu fördern. Als Lehrer, Erzieher und Genossen der Partei sehen wir uns diesbezüglich einer Flut von Fragen unserer Schüler gegenüber, ohne sie beantworten zu können. Da auch seitens der Kreisleitung der SED keine Argumentation zu o.a. Fragen gegeben werden kann, kommt es zu einem Sinken des Vertrauens zu den Staats- und Parteiorganen.«[72]

Die Erregung über das Verbot des sowjetischen *Sputnik* stellt den Modellfall eines affirmativen Skandals unter den Bedingungen der zweiten deutschen Diktatur dar, in der die Unantastbarkeit des nationalsozialistischen Führers durch die Unantastbarkeit des sozialistischen Projekts ersetzt war. Als anstößiges Stellhölzchen und eigentliches Skandalon

70 Eingabe vom 23.1.1989, in: Holzweißig, DDR-Presse unter Parteikontrolle, S. 358. Exemplarisch auch folgendes Schreiben eines MfS-Angehörigen an Honecker, das gerade in seinem affirmativen Grundton die Tiefe der Erschütterung unterstreicht, die der Verbotsskandal in der Herrschaftselite bewirkte: »Verehrter Genosse Generalsekretär! 18 Jahre bin ich Mitglied der SED. […] Wäre es nicht besser, uns ›unangenehme‹ Standpunkte, ob nun von eigenen Bürgern und Genossen oder von bürgerlichen Ideologen vorgetragen, zu veröffentlichen und in sachlicher Diskussion zu entkräften? Was spricht dagegen? Nur in offensiver Auseinandersetzung mit der anderen Ideologie wird es uns gelingen, der Wahrheit näher zu kommen, die Menschen von der Richtigkeit des eingeschlagenen Weges zu überzeugen.« BStU, SED-Kl 4581, Eingaben an das ZK der SED von Angehörigen des MfS zur Einstellung des »Sputnik«, Brief vom 9.11.1988.

71 Vorstand der DSF-Grundeinheit ZI für Elektronenphysik der AdW, Eingabe, 8.11.1988, in: Holzweißig, DDR-Presse unter Parteikontrolle, S. 360.

72 Erweiterte Spezialoberschule »Georg Thiele«, Schriftliche Anfrage, 8.11.1988, in: Ebd., S. 362. Die Eingabe trägt die Unterschriften des Direktors, des Parteisekretärs und des Fachlehrers für Staatsbürgerkunde.

fungierte hier noch nicht die Institution der Zensur an sich, sondern ihre Anwendung auf die Elite der Willigen im SED-Staat. Mit dem *Sputnik*-Verbot untergrub die durch die sowjetische Perestroika in die Enge getriebene SED-Führung ihr Legitimationsfundament gegenüber der eigenen Mitgliedschaft und trug zu deren weiterer Verunsicherung in der Dauerauseinandersetzung zwischen parteilich-internem und bürgerlich-externem Welt- und Wertehorizont bei.[73] Dennoch bleibt der *Sputnik*-Fall noch einem innersozialistischen Skandaltyp verhaftet[74], denn das eigentliche Movens dieses Skandals lag in der Empörung der SED-Öffentlichkeit, daß die in die Enge getriebene Parteiführung ihre Macht sichere, indem sie ihre eigenen Prinzipien der offenen Auseinandersetzung verletze. Insoweit übernahm der *Sputnik*-Fall hier die Rolle des affirmativen Skandals im »Dritten Reich«, der noch und gerade in der Empörung über regelverletzendes Verhalten der Herrschenden den dieser Herrschaft zugrunde liegenden Wertekanon bestätigte, wobei die Rolle des charismatischen Führers hier wie auch in anderer Hinsicht ihr Pendant im Partei- oder Vernunftcharisma der kommunistischen Bewegung selbst fand.

Eine Bestätigung findet diese These in einem zweiten, der Öffentlichkeit allerdings weitgehend verborgen gebliebenen Teil des *Sputnik*-Skandals, der die seinerzeit von der Abteilung Agitation des Zentralkomitees geforderte öffentliche Auseinandersetzung mit den Auffassungen der *Sputnik*-Autoren nachholte. Er bestand aus einem im Mai 1989 wiederum von Honecker persönlich lancierten Beitrag zweier SED-Historiker im *Neuen Deutschland* über die Rolle der Kommunistischen Internationale und die Rolle der deutschen Kommunisten im Kampf gegen Hitler. In ihm wandten sich die beiden Autoren, unter ihnen die als Stalinistin in Historikerkreisen ebenso gefürchtete wie verachtete frühere Leiterin der Parteihochschule Karl Marx, Hanna Wolf, in Reaktion auf einen un-

73 Diesen Zusammenhang erkannte zumindest die Berichterstattung aus dem MfS ganz unverstellt: »Diese Fragen sind mit dem Gefühl verbunden, daß die Legitimität des Sozialismus in der DDR – und damit auf die Dauer auch seine Existenzfähigkeit – auf dem Spiel stehen, so sehr wie nicht mehr seit 1961.« BStU, MfS – HA XX, 3985, HA XX/8, Zur politisch-ideologischen Situation unter Studenten an den Sektionen Kulturwissenschaft/Ästhetik, Kunstwissenschaften und Germanistik an der Humboldt-Universität Berlin, 4.4.1989.

74 Ähnlich charakterisiert Werner auf Basis seiner Leipzig-bezogenen Befunde den Skandal um das verbotene Magazin als »eine bestimmte Form der systemimmanenten Opposition«, die ›nicht aus dem vorgegebenen Rahmen der politischen Kultur der DDR heraustrat‹. Werner, Die ›Sputnik‹-Krise, S. 135.

dogmatischen Artikel in der sowjetischen *Prawda* dagegen, »die Geschichte der Sowjetunion als eine Geschichte der Fehler, die Geschichte des sozialistischen Aufbaus in der UdSSR als eine Geschichte der Verbrechen Stalins und der KPdSU zu verfälschen«, und wiederholten die alte Doktrin, daß die »Antikommunisten [...] immer unrecht« und »die Kommunisten [...] immer recht« haben.

Noch am selben Tag richteten Leser des *Neuen Deutschland* Protestbriefe an die Redaktion, die fragten, warum der von Wolf lang und breit zurückgewiesene *Prawda*-Artikel nicht ebenfalls publiziert werde: »Schweigen macht hellhörig oder auch mißtrauisch. Eine spezielle Form des Schweigens ist die einseitig heroisierende Darstellung«, hieß es in einem dieser Leserbriefe, die das *Neue Deutschland* noch Monate später in der Wendezeit nicht abzudrucken bereit war und die hinter Hanna Wolfs verzerrtem Geschichtsbild die verzerrende Linse einer überholten Erkenntnisstruktur ausmachten: »Kann es überhaupt eine Lehre geben, die von sich behaupten darf, sie sei <u>immer</u> im Recht?«[75] Von der Wucht des Protestes zeugt eine von Hanna Wolf selbst an Honecker übermittelte Zusammenfassung der Kritik, die sich auf ca. 100 Protestschreiben stützte und als besonders erwähnenswert hervorhob: »Alle Briefe sind mit Namen und Adresse versehen.«[76] Die Unruhe in der Historikerschaft war so erheblich, daß selbst der Rat für Geschichtswissenschaft, das verlängerte Organ der Parteiführung in der Fachhistorie, gegen die Geschichtsklitterung dieses Artikels protestierte, der fälschlich im Namen der DDR-Historiker spräche und in Wirklichkeit die Würde des Historikers verletze, wie ein empörtes Mitglied des Rates auf der Sitzung ausrief.[77]

Wie das *Sputnik*-Verbot bewirkte auch dieser Appell das Gegenteil seiner Wirkungsabsicht; er skandalisierte nicht den anvisierten Gegner, sondern seinen Urheber und führte zu einer Distanzierung auch und gerade in den eigenen Reihen. Der ostdeutsche Faschismusforscher Joa-

75 Archiv der Berlin-Brandenburgischen Akademie der Wissenschaften, ZIG 728, Eberhardt Gering, Einige Gedanken zum Artikel »Zur Geschichte der Komintern« von Hanna Wolf und Wolfgang Schneider (*Neues Deutschland*, 6./7. Mai 1989), 6.5.1989 [Hervorhebung im Original].

76 Bundesarchiv (i.f. BArch), DY 30, 2559, Hanna Wolf an Erich Honecker, 7.7.1989. Diese Offenheit der Kritiker hinderte Wolf nicht daran, den Parteichef zu durchgreifendem Handeln zu ermuntern: »Auch jetzt gehen immer noch Briefe ein. Einige davon, die ausgesprochen parteifeindlichen Charakter haben, sollten meiner Meinung nach – Deine Zustimmung vorausgesetzt – von der ZPKK [Zentralen Parteikontrollkommission] geprüft werden.« Ebd.

77 Ebd., Walter Schmidt an Eberhardt Gering, 20.12.1989, u. Wolfgang Küttler, Tagebuch, Eintrag vom 9.5.1989 (Privatbesitz Prof. Dr. Wolfgang Küttler).

chim Petzold, der als für die Weimarer Republik zuständiger Bandautor einer mehrbändigen SED-Geschichte von der Stoßrichtung des Artikels im *Neuen Deutschland* besonders betroffen war, urteilte rückblickend, daß die in ihm zum Ausdruck kommende Gesinnung der DDR »unsäglichen Schaden« zugefügt habe. Den entrüsteten Protest in der Historikerschaft versuchte man seitens der Parteiführung »insgeheim [...] mit dem Argument abzuwiegeln, Hanna Wolf sei doch als Wissenschaftlerin nicht ernstzunehmen und zudem längst im Ruhestand«.[78] Doch der dogmatische Aufruf für eine parteiliche Geschichtswissenschaft, die »dem Gegner keine zusätzlichen Argumente für seine Verfälschungen unserer ruhmreichen Geschichte zu liefern« bereit ist, demaskierte das Plädoyer für eine parteiliche Wahrheit nunmehr selbst in den Augen der eigenen Zunft als Zwang zur Lüge und zwang wie zuvor das *Sputnik*-Verbot zahlreiche regimeloyale Abonnenten, ihren kompromittierten Vordenkern und Parteiführern die politische Legitimation zu entziehen, um ihren Glauben an das sozialistische Projekt überhaupt noch zu retten.

III. Der Durchbruch des gegenöffentlichen Fundamentalskandal in der Systemkrise

Die bisher erörterten Skandalformen hatten sich im Rahmen einer unangetasteten Wertordnung namens DDR-Sozialismus und – von der westdeutschen Parallelöffentlichkeit abgesehen – hauptsächlich im Raum systemspezifischer oder doch systemverträglicher Öffentlichkeitsräume abgespielt. Der Protest konnte entweder rasch eingehegt und unter allseitiger Zustimmung »als die Tat eines Einzelnen«[79] bewertet werden, oder er artikulierte sich auf gesetzlich vorgesehenen Wegen in Leserbriefen, Eingaben und in den geschlossenen Teilöffentlichkeiten von Parteiversammlungen, Gemeindetreffen und Historikeraussprachen, ohne daß das Monopol einer herrschaftsloyalen Gesamtöffentlichkeit in Frage gestellt wurde. Eine dritte Gruppe von Skandalen in der späten DDR aber

78 Joachim Petzold, Parteinahme wofür. DDR-Historiker im Spannungsfeld von Politik und Wissenschaft, Potsdam 2000, S. 352. Ähnlich kritisch argumentierte Fritz Klein in seinen Erinnerungen, die den Wolf-Schneider-Beitrag auf eine Stufe mit der öffentlichen Zustimmung von Egon Krenz zur blutigen Niederwalzung der Studentenbewegung auf dem Platz des Himmlischen Friedens in Peking stellten: Drinnen und Draußen. Ein Historiker in der DDR. Erinnerungen, Frankfurt a.M. 2000, S. 333.

79 Zusammenfassender Bericht für die Kirchenleitung, 18.-24.8.1976, in: Schultze (Hg.), Das Signal von Zeitz, S. 104-127, hier S. 109.

gewann ihren bestimmenden Charakter gerade darin, daß sie diesen Werterahmen sprengte und aus den zugewiesenen Empörungskanälen ausbrach, um eine förmliche Gegenöffentlichkeit zu erzeugen. Sie reicht von der Empörung über die gesetzlich nicht gedeckte Zerschlagung der Umweltbibliothek in der Berliner Zionsgemeinde am 24. November 1987 über das aufsehenerregende Vorgehen der Repressionsorgane gegen Demonstranten auf der alljährlichen Liebknecht-Luxemburg-Demonstration im Januar 1988, die Rosa Luxemburgs berühmten Satz von der Freiheit des Andersdenkenden hochhielten, bis hin zum Massenprotest gegen die Wahlfälschung im Mai 1989 und zum öffentlichen Abscheu vor der in der Wendezeit ruchbar gewordenen Korruptions- und Privilegienmentalität. So entwickelte sich in der finalen Krise der DDR das neuartige Phänomen eines Fundamentalskandals, der mit der hegemonialen Öffentlichkeit von Staat und Partei auch ihre Wirklichkeitsordnung in Frage stellte.

Insbesondere die Kommunalwahlen vom 7. Mai 1989 werden allgemein als »entscheidendes Schlüsselereignis« zum Verständnis des Systemwechsels in der DDR angesehen.[80] Mit der kritischen Begleitung der parteigesteuerten »Wahlbewegung« vermochte eine von Monat zu Monat wachsende Bürgerbewegung einen Wertewandel in der DDR-Bevölkerung entscheidend voranzutreiben, die über Jahrzehnte in die Unterdrükkung des freien Wortes und der freien Stimme eingeübt worden war und das bislang Selbstverständliche nun plötzlich als anstößigen Skandal zu erleben lernte.[81] Den entscheidenden Fehler in dieser Auseinandersetzung beging die SED-Führung mit der verblüffenden und machtpolitisch verhängnisvollen Entscheidung, die Anwesenheit regimekritischer Wahlbeobachter bei der Stimmabgabe – außer in den sogenannten Sonderwahllokalen – zuzulassen und auch die logistischen Vorbereitungen zur Wahlbeobachtung durch die agilen Basisgruppen nicht zu behindern, obwohl die politische Führung durch MfS-Berichte frühzeitig über die »provokatorisch-demonstrativen Aktivitäten« einer mobilen Gegenöffent-

80 Hans Michael Kloth, Vom »Zettelfalten« zum freien Wählen. Die Demokratisierung der DDR 1989/90 und die »Wahlfrage«, Berlin 2000, S. 115.

81 »Nicht nur die Furcht vor Repressionen kann die Bürger der DDR dazu gebracht haben, widerspruchslos das Zettelchen in die Wahlurne zu werfen, denn allein wegen seines Wahlverhaltens hat man niemanden gerichtlich belangt. Auch die Propaganda […] hat keiner ernst genommen. Trotzdem strömten die Menschen teils widerwillig, teils zustimmend und zu einem erheblichen Teil gleichgültig alle zwei Jahre in die Wahllokale und bestätigten Kandidaten, deren Erfolg ohnehin feststand.« Wolle, Die heile Welt, S. 120 f.

Staatsrat zum Ergebnis der Kommunalwahlen

Überzeugendes Bekenntnis zu unserem bewährten Kurs

Bericht der Wahlkommission über die Erfüllung ihrer Aufgaben
Erich Honecker: Volksaussprache solides Fundament künftiger Arbeit

Neues Deutschland, 12.05.1989

lichkeit orientiert war.[82] So war es möglich, daß kritische Wahlbeobachter in den Wahllokalen der größeren Bezirksstädte, in denen Beobachtungsschwerpunkte gebildet werden konnten, ungehinderten Zutritt erhielten, um die Stimmabgaben zu protokollieren, und darüber hinaus die in privaten Wohnungen zusammenlaufenden Berichte aus den Wahllokalen selbst dort ungestört aggregierten konnten, wo sie wie in Berlin-Weißensee der direkten Beobachtung der Staatssicherheit ausgesetzt waren.[83]

Der Grund für diesen taktischen Fehler in der Auseinandersetzung zwischen inszenierter und Gegenöffentlichkeit lag in dem mangelnden Gespür der SED-Führung, die den fundamentalen Charakter des sich abzeichnenden Skandals verkannte. Auf einer Beratung mit den zweiten SED-Bezirkssekretären vom 9. Februar 1989 hatte Horst Dohlus in bewährter Manier »eine überwältigende Stimmabgabe und Zustimmung für die Kandidaten der Nationalen Front« zum Wahlziel erklärt, um auf diese Weise »die tiefe Verwurzelung im Volk« weiter zu festigen. Dohlus war sich durchaus darüber im klaren, »daß gegen uns gerichtete Kräfte während der Wahlen in die Öffentlichkeit treten wollen, daß sie uns erpressen möchten und versuchen wollen, unser gutes politisches Klima zu vergiften und den westlichen Medien Ansatzpunkte für Hetze und Verleumdungen zu bieten«. Aber unfähig, die gewachsene Brüchigkeit der oktroyierten Denkwelt in der DDR und ihrer »sozialistischen Wahlprinzipien« zu erfassen, verlangte Dohlus von den leitenden Parteiorganen und örtlichen Räten, »durch umsichtiges Reagieren [...] dem Gegner und seinen Helfern keinerlei Spielraum [zu] überlassen« und »die Wahlkommissionen bei der strikten Einhaltung der wahlrechtlichen Bestim-

82 Jan Müller, Symbol 89 – Die DDR-Wahlfälschungen und ihre strafrechtliche Aufarbeitung, Berlin 2001, S. 70 f.

83 Ebd., S. 71.

mungen zu unterstützen«, also die gesetzlich garantierte Öffentlichkeit der Stimmabgabe zu gewährleisten.[84]

Doch die Kanalisierung des Protestes durch formal betonte Wahrung – unter inhaltlicher Verletzung – der »sozialistischen Gesetzlichkeit«, die bei der Bereinigung von politischen Störfällen der sechziger und siebziger Jahre erfolgreich gewesen war, mußte unter den Bedingungen einer Öffentlichkeitskonkurrenz scheitern, in der die geltende Wertordnung bereits erodiert war und die Skandalisierung von unten zu einem Instrument der gegenöffentlichen Regime-Delegitimation geworden war. Die Eindämmung durch Regeltreue erwies sich als unzureichende Strategie, weil die Alternative angesichts einer nicht mehr als legitim anerkannten Ordnung nur mehr Unterdrückung des Skandals oder Kapitulation vor ihm hieß.

Die Rezeptionsgeschichte der Maiwahlen 1989 zeigte zum erstenmal in der DDR die aus der politischen Kultur moderner Demokratien bekannten Mechanismen des durch politische Kanalisierungsversuche eher noch angeheizten Skandals und seiner eigendynamischen Ausbreitung im Dreiklang von Mißstand, Empörung und Öffentlichkeit. Diese Dynamik resultierte aus einer gewachsenen Spannung zwischen sozialen und staatlich-parteilichen Demokratienormen, in der das hegemoniale Leitbild der »sozialistischen Demokratie« auf das an Akzeptanz gewinnende Gegenmodell der westlichen Demokratie traf. Die im Rückblick fast selbstmörderischen Fehlreaktionen der SED-Führung, die in der sich ausbreitenden Legitimationskrise auf eine noch konsequentere Durchsetzung der mit fast einstimmigen Zustimmungsvoten[85] veranschaulichten

84 »Dies liegt nicht nur im Sinne der weiteren Vervollkommnung unseres sozialistischen Rechtsstaates, sondern muß auch unter dem Aspekt gesehen werden, daß wir auch in dieser Hinsicht gegnerischen Elementen keine Angriffsfläche bieten werden.« BArch, IV 2/2.041/052, Rede des Genossen Horst Dohlus […] auf der Beratung mit den 2. Sekretären der Bezirksleitungen der SED am 9.2.1989, zit. n. Müller, Symbol 89, S. 76 ff.

85 Eine entsprechende Anweisung, daß die Zahl der Ja-Stimmen nicht geringer ausfallen dürfe als bei voraufgegangenen Wahlen, erging Anfang Mai 1989 an die Bezirksleitungen der SED und wurde offenbar trotz ihres diametralen Gegensatzes zu den von Krenz als Vorsitzendem der Zentralen Wahlkommission ausgegebenen Richtlinien nur vom Dresdener SED-Parteichef Hans Modrow nicht widerspruchslos gebilligt. Vgl. Peter Joachim Lapp, Wahlen und Wahlfälschungen in der DDR, in: Deutschland Archiv 29 (1996), S. 92-99, hier S. 97. Am 10. Mai 1989 gab Krenz das offizielle Wahlergebnis bei den Kommunalwahlen mit 98,85 % Ja-Stimmen bei einer Wahlbeteiligung von 98,78 % bekannt, was eine Verzehnfachung der Gegenstimmen und immerhin eine Verdoppelung der Zahl

Aus Wandlitz ausgezogen

Besuch bei Egon Krenz in seinem Pankower Heim

Antworten auf Fragen, die in diesen Tagen viele bewegen

Neues Deutschland, 20.11.1989

Identität von Volk und Führung setzte und dabei auch noch die gründliche öffentliche Desavouierung durch kritische Wahlbeobachter riskierte, zeigt die fortschreitende Dissoziierung zweier gegensätzlicher Öffentlichkeitssphären an. Auf der einen Seite galt der im nachhinein als unverständlich »realitätsblind« bezeichnete ›Starrsinn‹ der engsten Parteiführung, die unwandelbar daran festhielt, daß die empirische und ideologische Seite der ›sozialistischen Wahlgesetzlichkeit‹ deckungsgleich seien[86] oder doch im Kampf um das »real bestmögliche Wahlergebnis« pragmatisch zur Deckung gebracht werden könnten;[87] auf der anderen Seite agierte

der Nicht-Wähler im Vergleich zu den letzten Kommunalwahlen 1984 bedeutete. Vgl. Joachim Lapp, DDR-Kommunalwahlen 1989, in: Deutschland-Archiv 32 (1989), S. 614-617, hier S. 614.

86 Vgl. die bezeichnende Äußerung von Modrow in dem gegen ihn geführten (ersten) Wahlfälschungsprozeß von 1993: »Ja, ich habe damals im Kampf um Prozentzahlen kein politisch oder gar rechtlich relevantes Problem gesehen.« Zit. n. Lapp, Wahlen und Wahlfälschungen, S. 96.

87 So die Haltung von Krenz, der sich anders als der Generalsekretär einen Sinn für die Realität außerhalb der ideologischen Wirklichkeitsordnung bewahrt und Honecker im April 1989 vorgeschlagen hatte: »Es sollte darauf orientiert werden, um das unter den gegenwärtigen Bedingungen bestmögliche Wahlergebnis zu kämpfen, das real ist und nicht von Wettbewerbsüberlegungen zwischen Kreisen und Bezirken und falschem Übereifer diktiert wird. [...] Es ist nicht auszuschließen, daß [...] mehr Gegenstimmen als zu früheren Wahlen abgegeben werden.« Krenz' Position wurde unterstützt von Expertengutachten, die den auch von ihnen für unabdingbar gehaltenen Ausgleich von Wahlideal und Wahlrealität noch weiter zugunsten der letzteren zu verschieben bereit waren: »Zur Grundfrage von Wahlen in den 90er Jahren [...] wird [...] immer mehr die Einstellungsbereitschaft werden, weitgehend [!] real zustandegekommene aber damit auch deutlich niedrigere Ergebnisse wie bisher bei Wahlbeteiligungen und den Für-Stimmen als politisch vertretbar zu bewerten. Wahrscheinlich nur damit können Ansatzpunkte [...] für Zweifel an der Rechtsstaatlichkeit und dem echten [!] demokratischen Gehalt unserer Wahlen paralysiert werden.« Zit. n. Ebd., S. 94 f.

eine sich rasant ausbreitende Gegenöffentlichkeit, die – in Übernahme westlicher Denkvorstellungen – auf der Autonomie des empirischen Wahlverhaltens insistierte.

Auf diese Weise gelang es der Bürgerbewegung, die mit der Maiwahl erhoffte Stärkung der SED-Führung in ihr Gegenteil zu verwandeln und den Skandal um das nicht korrekte Ergebnis dauerhaft auf der Agenda des politischen Lebens in der DDR zu halten. Gleichwohl blieb die Empörung über die offensichtliche Verfälschung des Kommunalwahlergebnisses noch auf den Raum einer allerdings wachsenden Gegenöffentlichkeit beschränkt, die sich in oppositionellen Räumen und mit Hilfe der westlichen Medien vor allem in den monatlichen Gedenkdemonstrationen artikulierte, deren letzte am 7./8. Oktober mit dem 40. Jahrestag der DDR zusammentraf und infolge der Brutalität der in Berlin gegen sie vorgehenden Polizeikräfte selbst zum Skandal wurde. Die niedergeknüppelten Oktoberdemonstrationen markierten denn auch den Umschlagpunkt, an dem der gegenöffentliche Skandal in der DDR in den allgemeinöffentlichen hinüberwuchs und zusammen mit der diktaturspezifischen Existenz einer inszenierten Öffentlichkeit den SED-Staat selbst hinwegschwemmte. In der Erregung über einen Parteichef, der Ausreisern ›keine Träne nachzuweinen‹ empfahl,[88] und über eine Parteiführung, die Bürgerkritik mit Prügelexzessen quittierte, verbanden sich die Elemente des affirmativen und des fundamentalen Skandals zu einer sozialen Empörungswelle, die mit dem politischen Führungspersonal auch den politischen Kurs der DDR grundsätzlich in Zweifel zog und eine radikale »Wende« erzwang.

Das eigentliche Ende des SED-Staates allerdings war erst mit »Wandlitzgate« erreicht, also mit jener beispiellosen Aufdeckung von Herrscherwillkür und Herrscherprivilegien, die die DDR in der revolutionären Umbruchzeit kennzeichnete und die das Ende des bis in den Dezember 1989 hinein öffentlich kaum in Frage gestellten sozialistischen Weges einer eigenständigen DDR vorzeichnete. Mit der Einsetzung eines Unter-

88 »Sich selbst aus unserer Gesellschaft ausgegrenzt«, in: *Neues Deutschland*, 2.10.1989. Welche Wirkung dieser Satz beispielsweise bei Christa Wolf ausgelöst hatte, machte die Schriftstellerin noch vor Honeckers Absetzung in einem Interview vom 8.10.1989 öffentlich, das der *Deutschlandfunk* am selben Tage sendete: »Es dürfen nicht Verhöhnungen sein. Es darf nicht so ein Satz sein, der viele Menschen, auch mich, wahnsinnig getroffen hat: ›Wir weinen denjenigen, die weggehen, keine Träne nach.‹ Das ist schrecklich. Das ist ganz schrecklich, wenn das gesagt wird, während 40 000 junge Leute das Land verlassen.« Christa Wolf, Aufforderung zum Dialog. Gespräch mit Gerhard Rein, in: Dies., Reden im Herbst, Berlin 1990, S. 77-89, hier S. 83.

Wandlitzer Waren für Bevölkerung

Berlin (ADN). Die bisher versiegelten Warenbestände aus der Waldsiedlung Wandlitz werden der Versorgung der Bevölkerung zugeführt. Das teilten der Generalstaatsanwalt der DDR und das Ministerium für Handel und Versorgung in einer gemeinsamen Pressemeldung ADN mit. Grundlage ist eine Festlegung des Ministerrates der DDR.

Neues Deutschland, 19.12.1989

suchungsausschusses zur »Überprüfung von Fällen des Amtsmißbrauchs, der Korruption, der ungerechtfertigten persönlichen Bereicherung« durch die Volkskammer am 13. November 1989 brach eine Skandalwelle los, die sich täglich heftiger aufbaute und in ihrer Brandung Tag für Tag neue Fälle nach oben spülte, so daß bis zum Ende der Wahlperiode im März 1990 über 3000 Eingaben beim Untersuchungsausschuß eingingen und im Februar 1990 gegen nicht weniger als 16 von 23 Mitgliedern und Kandidaten des Politbüros Ermittlungsverfahren in Gang gesetzt wurden. Mißstand, Aufsehen und Lärm standen hier allerdings in einem seltsamen Verhältnis zueinander und wurden in der westlichen Öffentlichkeit aus derselben kritischen Distanz verfolgt, wie später im Zuge des europäischen Einigungsprozesses die unterschiedlichen Anstoßkriterien bei Korruptionsaffären zwischen den einzelnen Mitgliedstaaten der Europäischen Union wechselseitig für öffentliche Irritation sorgten.

Das für westliche Beobachter oft schwer nachvollziehbare Ausmaß der Empörung über Mißwirtschaft und Bereicherung der SED-Führung erwuchs vordergründig aus der Diskrepanz zwischen hehrem Anspruch und unmoralischem Handeln der politischen Avantgarde. Hinter ihr aber stand das Distanzierungsbemühen einer ›Bevölkerung im Übergang‹, die sich von ihren bisher geltenden Wertehorizonten löste, indem sie deren Zerstörung externalisierte und dabei auch volkswirtschaftliche Lappalien dankbar aufgriff. Mit Ingrimm und Empörung nahm sie etwa die als skandalös gebrandmarkten Verfehlungen der Familie Sindermann zur Kenntnis, die noch im November 1989 eine Rechnung für in Wandlitz besonders billig angebotenen Goldschmuck in Höhe von 7000 Mark beglichen habe, oder beschäftigte sich erregt damit, daß für die Töchter Günter Mittags 10 Farbfernsehgeräte in einem Jahr geliefert worden seien oder die Kinder der Politbüromitglieder über kostenlose Tankgutscheine verfügen konnten.[89]

Die Attraktivität einer Entlastungsstrategie, die sich »selbst als unwissende[s] Opfer einer ruchlosen Führungsclique« zu inszenieren erlaubte[90], reichte bis hoch in die Führungseliten des SED-Staates. Ein gutes Beispiel für soziale Distanzierung durch Skandalisierung im politischen Raum bot die 10. Tagung des ZK am 8./9. November 1989, auf der das alte SED-Politbüro geschlossen zurücktrat und die desolate Lage des Landes in bis dahin unerhörter Offenheit zur Sprache kam. Unter dem niederschmetternden Eindruck dieser Eröffnungen kam es zu öffentlichen Erklärungen von enttäuschten ZK-Mitgliedern, die noch in ihrer Fassungslosigkeit die katalytische Funktion der politischen Empörung für die innere Distanzierung von dem eigenen Lebensprojekt erkennen lassen: »Wir sind belogen worden, die ganze Zeit über. Ich habe keine Schuld daran. Und ich weigere mich auch, das anzuerkennen und nach Hause zu fahren, um zu sagen, du bist schuldig daran. Ich bin erschüttert über das, was ich hier gehört habe. In mir ist alles zerbrochen. Mein Leben ist zerstört. Ich habe geglaubt an die Partei, so bin ich mit der Muttermilch erzogen worden. Ich habe an die Genossen geglaubt!«[91]

89 Die Angaben nach Volker Klemm, Korruption und Amtsmißbrauch in der DDR, Stuttgart 1991, S. 73 f.

90 Walter Süß, Staatssicherheit am Ende: warum es den Mächtigen nicht gelang, 1989 eine Revolution zu verhindern, Berlin 1999, S. 597. Ähnlich Jessen, der das Skandalmuster als »einfache und für viele auch entlastende Deutung der Verhältnisse und der Vergangenheit« bewertet: »Je mehr sich die Wut auf ›die da oben‹ konzentrierte, je grotesker deren Verfehlungen und Mißbräuche waren, desto leichter konnte alles Übel auf sie projiziert werden. [...] Der Finalskandal der DDR schuf so auch eine Schuldlegende und in gewisser Hinsicht ein neues Tabu: das Tabu der Kollaboration und der Anpassung.« Ralph Jessen, Von Ulbrichts Pantoffeln und anderen Kompromaten. Das Skandalöse in der DDR, unveröff. Ms. 2000, S. 14.

91 Äußerung des Generalintendanten der Städtischen Theater Leipzig, Karl Kayser, abgedruckt in: Hans-Hermann Hertle/Gerd-Rüdiger Stephan (Hg.), Das Ende der SED. Die letzten Tage des Zentralkomitees, Berlin 1997, S. 422. In denselben Bahnen vollzog die Distanzierung sich selbst in den loyalsten Zentren der Macht wie bei den Angehörigen des MfS. Sie folgten ie insbesondere der Einschätzung von Wolfgang Herger, der auf der 13. Tagung des ZK am 1.12.1989 geäußert hatte, »daß eine Reihe von Personen durch Korruption, durch individuelle Bereicherung, durch Veruntreuung und durch widerrechtliche Aneignung von Volksver-

Insgesamt läßt so die Entwicklung der Skandalmuster die allmähliche Erosion eines in den sechziger und siebziger Jahren im Kern noch unangetasteten Akzeptanzrahmens und Normengefüges deutlich werden. Ihre Geltungskraft hatte sich über viele Jahre in der erfolgreichen Eindämmung öffentlicher Empörung über empfundene Mißstände mit Hilfe geltender Identitäts- und Distinktionsmuster und durch Verstopfung, Besetzung oder Fragmentierung ihrer öffentlichen Artikulationsräume bewährt. Die nicht zuletzt durch eine Folge affirmativer und fundamentaler Skandale bewirkte Aushöhlung dieser Rahmenordnung in der späten DDR zog eine rasch fortschreitende Delegitimierung des politischen Personals nach sich und ermöglichte die soziale Selbstdistanzierung vom sozialistischen Projekt, die schließlich folgerichtig in den Zusammenbruch der SED-Herrschaft mündete.

mögen Ansehen und Namen unserer Partei aufs gröbste beschmutzten. Damit haben sie das gesamte werktätige Volk hintergangen und schwer enttäuscht. Getäuscht, belogen und betrogen wurden gerade auch die aufrechten, selbstlos arbeitenden Mitglieder der SED.« Zit. n. Süß, Staatssicherheit, S. 597.

Über die Autorinnen und Autoren

Frank Bajohr; geb. 1961, Dr. phil; wiss. Mitarbeiter an der Forschungsstelle für Zeitgeschichte in Hamburg (FZH) und Lehrbeauftragter am Historischen Seminar der Universität Hamburg.
Jüngste Publikationen: »Unser Hotel ist judenfrei«, Bäder-Antisemitismus im 19. und 20 Jahrhundert, Frankfurt/M. 2003; Parvenüs und Profiteure. Korruption in der NS-Zeit, Frankfurt/M. 2001; No »Volksgenossen«: Jewish Entrepreneurs in the Third Reich, in: Robert Gellately/Nathan Stoltzfus (eds.), Social Outsiders in Nazi Germany, Princeton and Oxford 2001, S. 45-65.

Axel Drecoll; geb. 1974; M.A.; wiss. Mitarbeiter am Historischen Seminar der Ludwig-Maximilians-Universität München.
Jüngste Publikationen: Die »Entjudung« der Münchner Ärzteschaft 1933-1941, in: Angelika Baumann/Andreas Heusler (Hg.), München »arisiert«. Entrechtung und Enteignung der Juden in der NS-Zeit, München 2004, S. 70-86

Bernd Florath; geb. 1954; Dr. phil.; wissenschaftlicher Mitarbeiter an der Gedenkstätte Deutscher Widerstand Berlin.
Jüngste Publikationen: (Hg. zus. m. Silvia Müller), Robert Havemann und die Akademie der Wissenschaften 1965/66, eine Dokumentation, Berlin 1996; Die Ohnmacht der Allmächtigen: Geheimdienste und politische Polizei in der modernen Gesellschaft, Berlin 1992.

Christiane Kuller, geb. 1970; Dr. phil.; wiss. Mitarbeiterin am Historischen Seminar der Ludwig-Maximilians-Universität München.
Jüngste Publikationen: Familienpolitik im föderativen Sozialstaat. Die Formierung eines Politikfeldes in der Bundesrepublik 1949-1975, München 2004; (Hg. zus. mit Hans Günter Hockerts), Nach der Verfolgung. Wiedergutmachung nationalsozialistischen Unrechts in Deutschland?, Göttingen 2003; Finanzverwaltung und »Arisierung« in München, in: Angelika Baumann/Andreas Heusler (Hg.), München »arisiert«. Entrechtung und Enteignung der Juden in der NS-Zeit, München 2004, S. 176-197.

Thomas Lindenberger; geb. 1955; Dr. phil.; Projektbereichsleiter am Zentrum für Zeithistorische Forschung Potsdam und Privatdozent Universität Potsdam.

Jüngste Publikationen: Volkspolizei. Herrschaftspraxis und öffentliche Ordnung im SED-Staat, 1952-1968, Köln, Weimar, Wien 2003; (Hg. zus. mit Jan C. Behrends und Patrice G. Poutrus), Fremde und Fremd-Sein in der DDR. Zu den historischen Ursachen der Fremdenfeindlichkeit in Ostdeutschland, Berlin 2003; Neue Heimat im Kalten Krieg: Potemkinsche Dörfer der DEFA im Friedenskampf, in: Moshe Zuckermann (Hg.), Tel Aviver Jahrbuch für deutsche Geschichte XXXI (2003): Medien - Politik - Geschichte, Göttingen 2003, S. 103-124.

Susanne zur Nieden; Dr. phil.; kooperierende Historikerin und Germanistin am Zentrum für Interdisziplinäre Frauen- und Geschlechterforschung der Technischen Universität Berlin.
Jüngste Publikationen: »Unwürdige Opfer«. Die Aberkennung von NS-Verfolgten in Berlin 1945 bis 1949. Berlin 2003; (Hg. zus. mit Günter Morsch), Jüdische Häftlinge im Konzentrationslager Sachsenhausen, Berlin 2002; »Er ist § 175 (warmer Bruder).« Ausgrenzungen verfolgter Homosexueller in Berlin 1945 bis 1949. In: Joachim Müller u. Andreas Sternweiler (Hg.),Verfolgung homosexueller Männer 1933-1945, Berlin 2000, S. 338-353.

Armin Nolzen*;* geb. 1968; M. A.; Redaktionsmitglied der »Beiträge zur Geschichte des Nationalsozialismus«.
Jüngste Publikationen: Parteigerichtsbarkeit und Parteiausschlüsse in der NSDAP, 1921-1945, in: Zeitschrift für Geschichtswissenschaft 48 (2000), S. 965-989; Von der geistigen Assimilation zur institutionellen Kooperation. Das Verhältnis zwischen NSDAP und Wehrmacht 1943-1945, in: Jörg Hillmann/John Zimmermann (Hg.), Kriegsende 1945 in Deutschland, München 2002, S. 69-96; Funktionäre in einer faschistischen Partei: Die Kreisleiter der NSDAP, 1932/33 bis 1944/45, in: Till Kössler/Helke Stadtland (Hg.), Vom Funktionieren der Funktionäre. Politische Interessenvertretung und gesellschaftliche Integration in Deutschland nach 1933, Essen 2004, S. 37-75.

Sven Reichardt*;* geb. 1967; Dr. phil.; Juniorprofessor für Deutsche Zeitgeschichte der Universität Konstanz.
Jüngste Publikationen: Faschistische Kampfbünde. Gewalt und Gemeinschaft im italienischen Squadrismus und in der deutschen SA. Köln/Weimar/Wien 2002; (Hg. zus. mit Dieter Gosewinkel), Ambivalenzen der Zivilgesellschaft. Gegenbegriffe, Gewalt und Macht. Berlin 2004; Gewalt und Zivilität im Wandel. Konzeptionelle Überlegungen zur Zivilgesellschaft aus historischer Sicht, in: Dieter Gosewinkel u.a. (Hg.), Zivilgesellschaft – national und transnational. Berlin 2004, S. 61-81.

Martin Sabrow; geb. 1954; Dr. phil.; stellv. Direktor des Zentrums für Zeithistorische Forschung Potsdam und Privatdozent an der Freien Universität Berlin.
Jüngste Publikationen: Das Diktat des Konsenses. Geschichtswissenschaft in der DDR 1949-1969, München 2001; Herr und Hanswurst. Das tragische Schicksal des Hofgelehrten Jacob Paul von Gundling, Stuttgart/München 2001; (Hg. zus. mit Klaus Große Kracht/Ralph Jessen), Zeitgeschichte als Streitgeschichte. Historikerkontroversen nach 1945, München 2003.

Winfried Süß*;* geb. 1966, Dr. phil.; Assistent am Historischen Seminar der Ludwig-Maximilians-Universität München.
Jüngste Publikationen: Der westdeutsche Wohlfahrtsstaat in den sechziger und siebziger Jahren des 20. Jahrhunderts. Perspektiven eines Forschungsfelds, in: Jörg Calließ (Hg.): Die Reformzeit des Erfolgsmodells BRD. Loccum 2004, S. 325-342; »Wer aber denkt für das Ganze?« Aufstieg und Fall der ressortübergreifenden Planung im Bundeskanzleramt, in: Matthias Frese/Julia Paulus/Karl Teppe (Hg.), Demokratisierung und gesellschaftlicher Aufbruch. Die sechziger Jahre als Wendezeit der Bundesrepublik, Münster 2003, S. 349-377; Der »Volkskörper« im Krieg. Gesundheitspolitik, medizinische Versorgung und Krankenmord im nationalsozialistischen Deutschland 1939-1945. München 2003.

Stefan Wolle, geb. 1950; Dr. phil.; Mitarbeiter im Forschungsverbund SED-Staat der Freien Universität Berlin.
Jüngste Publikationen: Die heile Welt der Diktatur. Alltag und Herrschaft in der DDR, Berlin 1998; (zusammen mit Ilko-Sascha Kowalczuk), Roter Stern über Deutschland. Die Sowjetarmee in der DDR, Berlin 2001; Die versäumte Revolte: die DDR und das Jahr 1968, in: Aus Politik und Zeitgeschichte (2001) 22/23, S.37-46.

Bibliografische Information Der Deutschen Bibliothek
Die Deutsche Bibliothek verzeichnet diese Publikation in der Deutschen Nationalbibliografie; detaillierte bibliografische Daten sind im Internet über http://dnb.ddb.de abrufbar.

www.wallstein-verlag.de
Vom Verlag gesetzt aus der Adobe Garamond
Umschlag: Susanne Gerhards, Düsseldorf
Druck: Hubert & Co, Göttingen
ISBN 3-89244-791-8

Bernhard Brunner

Der Frankreich-Komplex

Die nationalsozialistischen Verbrechen in Frankreich und die Justiz der Bundesrepublik Deutschland

Moderne Zeit.
Neue Forschungen zur Gesellschafts- und Kulturgeschichte des 19. und 20. Jahrhunderts

Hg. von Ulrich Herbert und Lutz Raphael

432 S.; geb. mit Schutzumschlag, ISBN 3-89244-693-8

Während der nationalsozialistischen Besatzung Frankreichs wurden 75.721 Juden in Konzentrationslager deportiert. Zusätzlich wurden mehrere zehntausend Menschen als sogenannte »Sühnepersonen« erschossen oder bei »Bandenkampfmaßnahmen« getötet. Verantwortlich für diese Taten waren rund 75 Männer, die als sogenannte »Kommandeure der Sicherheitspolizei und des SD« oder als deren Stellvertreter die NS-Terrorpolitik in Frankreich durchsetzten.
Bernhard Brunner rekonstruiert die Lebensläufe dieser NS-Funktionäre über den Zusammenbruch des »Dritten Reiches« hinaus und folgt ihnen in die Bundesrepublik. Dabei tritt Erstaunliches zu Tage: Obwohl die deutsche Justiz schon in den sechziger Jahren gut informiert war und mit dem »Frankreich-Komplex« ein gewaltiges Ermittlungsverfahren anstrengte, kam es lange zu keinen Anklagen. Stattdessen gelang einem Großteil der ehemaligen NS-Funktionäre die Rückkehr in die Bürgerlichkeit. Erst 1980 wurden drei dieser Männer zu langjährigen Haftstrafen verurteilt, der Rest blieb straffrei.

Wallstein
www.wallstein-verlag.de

Die DDR im Bild

Zum Gebrauch der Fotografie im anderen deutschen Staat

Herausgegeben von
Karin Hartewig und Alf Lüdtke

256 S.; brosch., ISBN 3-89244-790-x

»Auch der Bildreporter muß seine Arbeit als Funktionär der Partei betrachten.« Dies schrieb der Doyen der Arbeiterfotografie, Walter Heilig, SED-Mitglied und Leiter von ADN-Zentralbild, 1959 den Fotografen ins Stammbuch. Das Mißtrauen gegen die »falschen« Bilder war allgegenwärtig. Dem entsprachen die überhöhten Erwartungen an die Möglichkeiten des Mediums: Man nahm in Anspruch, die Fotografie könne einen substantiellen Beitrag »bei der Formung des sozialistischen Menschen« leisten.

Doch parallel zum schönen Schein der Diktatur wurde die Kehrseite des Erwünschten ins Bild gesetzt oder in Schnappschüssen eingefangen. Fließend sind die Übergänge von der repräsentativen Fotografie, über die Erprobung anderer Blickweisen jenseits des Heroischen, zur ironischen und kritischen Fotografie.